Schets van het Nederlands arbeidsrecht

Schets van het Nederlands arbeidsrecht

Door
Prof. mr. H.L. Bakels

Bewerkt door
Prof. mr. I.P. Asscher-Vonk
Prof. mr. W.J.P.M. Fase

16e druk

Kluwer – Deventer – 2000

Aanbevolen citeertitel:
I.P. Asscher-Vonk & W.J.P.M. Fase, H.L. *Bakels. Schets van het Nederlands arbeidsrecht*, Deventer: Kluwer 2000

Verkorte citeertitel:
Bakels/Asscher-Vonk/Fase 2000

1e druk 1972
2e herziene druk 1974
3e herziene druk 1976
4e herziene druk 1978
5e herziene druk 1980
6e herziene druk 1982
7e herziene druk 1986
8e herziene druk 1987
9e herziene druk 1990
10e herziene druk 1991
11e herziene druk 1992
12e herziene druk 1994
13e herziene druk 1996
14e herziene druk 1997
15e herziene druk 1998
16e herziene druk 2000

Omslagontwerp en typografie binnenwerk: Signia, Winschoten

ISBN 90 268 3534 5
NUGI 695/502

Woord vooraf bij de zestiende druk

In 1972 verscheen de eerste druk van de Schets van het Nederlands arbeidsrecht van de hand van prof. mr. H.L. Bakels. Dertien drukken volgden, waarvan de bewerking door hem, in een aantal gevallen in samenwerking met andere auteurs, is verzorgd.
Met ingang van de vijftiende druk wordt de bewerking van de Schets voortgezet door I.P. Asscher-Vonk en W.J.P.M. Fase. Eerstgenoemde auteur heeft de bewerking van de hoofdstukken 1, 2, 3, 5, 7 en 9 op zich genomen. Laatstgenoemde tekent voor de hoofdstukken 4, 6 en 8. Bij de bewerking hebben velen bijstand verleend in de vorm van adviezen suggesties enzovoort. De auteurs zeggen hen voor deze onschatbare diensten dank.

In de laatste twee jaren hebben zich in het arbeidsrecht veranderingen voorgedaan op het terrein van de wetgeving. Zo kan gewezen worden op de invoering van de Arbeidsomstandighedenwet 1998, de Wet Flexibiliteit en Zekerheid en de daarbij behorende Reparatiewet en de wijzigingen die het Verdrag van Amsterdam aanbracht in het EG-Verdrag. Behalve door wetgeving zijn ook door rechtspraak nieuwe elementen aan het arbeidsrecht toegevoegd.
Deze veranderingen maken het noodzakelijk een herziene druk te doen verschijnen. Daarbij is de tekst van alle hoofdstukken op een groot aantal punten herschreven en verduidelijkt. Rechtspraak, literatuur en wetgeving zijn bijgewerkt tot 1 mei 2000; incidenteel kon nog met latere gegevens worden rekening gehouden.
Voor het overige is het karakter van het boek gehandhaafd. Het beoogt op zo duidelijk en objectief mogelijke wijze een beknopt en leesbaar overzicht te geven van het Nederlands arbeidsrecht. Daarnaast wordt via het notenapparaat de weg gewezen naar rechtspraak en literatuur.

I.P. A-V.
W.J.P.M. F.

Inhoud

Afkortingen

AA	Ars Aequi
AB	Administratieve en Rechterlijke Beslissingen
Abw	Algemene Bijstandswet
AKW	Algemene Kinderbijslagwet
AMvB	Algemene maatregel van bestuur
Anw	Algemene nabestaandenwet
AOW	Algemene Ouderdomswet
ArbeidsRecht	ArbeidsRecht, Maandblad voor de praktijk
Arbo-beleid	Beleid met betrekking tot arbeidsomstandigheden
Arbo-besluit	Arbeidsomstandighedenbesluit
Arbowet	Arbeidsomstandighedenwet
ATW	Arbeidstijdenwet
Awb	Algemene wet bestuursrecht
AWGB	Algemene wet gelijke behandeling
AWBZ	Algemene Wet Bijzondere Ziektekosten
BW	Burgerlijk Wetboek
CBS	Centraal Bureau voor de Statistiek
CRvB	Centrale Raad van Beroep
Ctsv	College van toezicht sociale verzekeringen
ESB	Economisch-Statistische Berichten
Fw.	Faillissementswet
Gr.w	Grondwet
HR	Hoge Raad
IELL	The international encyclopaedia for labour law and industrial relations
IOAW	Wet inkomensvoorziening oudere en gedeeltelijk arbeidsongeschikte werkloze werknemers
KB	Koninklijk Besluit
Ktg.	Kantongerecht
Lisv	Landelijk instituut sociale verzekeringen
LW	Wet op de loonvorming
MvT	Memorie van Toelichting
NBW	Nieuw Burgerlijk Wetboek
NJ	Nederlandse Jurisprudentie
NJB	Nederlands Juristenblad
NV	De Naamloze Vennootschap
OR	Ondernemingsraad

OSV	Organisatiewet sociale verzekeringen
Pb.	Publikatieblad van de Europese Gemeenschappen
PRG	De Praktijkgids
PS	Periodiek voor sociale verzekering, sociale voorzieningen en arbeidsrecht
Rb.	Rechtbank
RBA	Regionaal Bureau voor de Arbeidsvoorziening
RDA	Regionaal directeur van de arbeidsvoorzieningsorganisatie
REA	Wet (re)integratie arbeidsgehandicapten
RO	Wet op de Rechterlijke Organisatie
ROR	Rechtspraak De ondernemingsraad (losbladig), bewerkt door P.F. van der Heijden en A.J.C.M. Geers, Deventer
RSV	Rechtspraak Sociale Verzekering
Rv	Wetboek van Burgerlijke Rechtsvordering
RvdW	Rechtspraak van de Week
SAMEN	Wet Stimulering Arbeidsdeelname Minderheden
SER	Sociaal-Economische Raad
SEW	Sociaal-Economische Wetgeving
SMA	Sociaal Maandblad Arbeid
SR	Nederlands tijdschrift voor Sociaal Recht
Sr	Wetboek van strafrecht
STAR	Stichting van de Arbeid
Stb.	Staatsblad
Stcrt.	Nederlandse Staatscourant
SVB	Sociale Verzekeringsbank
SZW	Sociale Zaken en Werkgelegenheid
Tica	Tijdelijke instituut voor coördinatie en afstemming
Trb.	Tractatenblad
TVVS	Maandblad voor ondernemingsrecht en rechtspersonen
Tw	Toeslagenwet
Uvi	uitvoeringsinstelling sociale verzekering
Wajong	Wet arbeidsongeschiktheidsvoorziening jonggehandicapten
WAO	Wet op de Arbeidsongeschiktheidsverzekering
WAZ	Wet arbeidsongeschiktheidsverzekering zelfstandigen
WBO	Wet op de bedrijfsorganisatie
WEOR	Wet op de Europese ondernemingsraden
WGB	Wet gelijke behandeling van mannen en vrouwen bij de arbeid
WIW	Wet inschakeling werkzoekenden
WMM	Wet minimumloon en minimumvakantiebijslag

WPNR	Weekblad voor privaatrecht, notarisambt en registratie
WvK	Wetboek van Koophandel
WvS	Wetboek van Strafrecht
WW	Werkloosheidswet
ZFW	Ziekenfondswet
ZW	Ziektewet

Lijst van verkort aangehaalde literatuur

Arbeidsovereenkomst (losbladig)	Arbeidsovereenkomst, hoofdred. P.F. van der Heijden, Deventer (losbladig).
Arbeidsrecht en Mensbeeld 1946-1996	Arbeidsrecht en Mensbeeld 1946–1996, C.J. Loonstra (red) e.a. Deventer 1996.
Arbidsrechtelijke geschriften 1962–1977	Arbeidsrechtelijke geschriften 1962–1977, samengesteld door prof. mr. H.L. Bakels, Deventer 1977.
Arbeidsrechtelijke oraties	Van sociale politiek naar sociaal recht. Een bundel arbeidsrechtelijke oraties sinds 1885, Alphen aan den Rijn, 1966.
Arbeidsrechtspraak	Arbeidsrechtspraak, samengesteld door prof. mr. P.F. van der Heijden, Deventer 2000.
Aspecten	Aspecten van arbeidsrecht. Jubileumbundel Vereniging voor Arbeidsrecht, 1946–1971, Alphen aan den Rijn-Brussel, 1971.
Asser-Hartkamp I	Mr. C. Asser's Handleiding tot de beoefening van het Nederlands burgerlijk recht. Verbintenissenrecht, De verbintenis in het algemeen, 10e druk, bewerkt door A.S. Hartkamp, Zwolle 1996.
Asser-Hartkamp II	Idem, Verbintenissenrecht, Algemene leer der overeenkomsten, 9e druk, bewerkt door A.S. Hartkamp, Zwolle 1993.
Asser-Hartkamp III	Idem, Verbintenissenrecht, De verbintenis uit de wet, 9e druk bewerkt door A. S. Hartkamp, Zwolle 1994.
Asser 5, III	Idem, Bijzondere overeenkomsten door P. W. Kamphuisen, Deel III, Opdracht, Arbeidsovereenkomst, Aanneming van werk, 6e druk bewerkt door P.J.M.G. Coehorst, L.J.M. de Leede en O.H. Thunnissen, Zwolle 1994.
Bakels-bundel	Schetsen voor Bakels, Opstellen aangeboden aan prof. mr. H.L. Bakels, Deventer 1987.
Bundel F.J.H.M.van der Ven	Sociale politiek opnieuw bedacht. Opstellen aangeboden aan prof. dr. F.J.H.M. van der Ven, Deventer, 1972.

Bundel J.J.M. van der Ven	Recht als instrument van behoud en verandering. Opstellen aangeboden aan prof. mr. J.J.M. van der Ven, Deventer 1972.
Frenkel-bundel	Blinde vlekken in het sociaal recht, Opstellen aangeboden aan prof. mr. B.S. Frenkel, Deventer 1986.
Van der Grinten	W.C.L. van der Grinten, Arbeidsovereenkomstenrecht, 18e dr., bewerkt door mr. J.W.M. van der Grinten met medewerking van W.H.A.C.M. Bouwens, Alphen aan den Rijn, 1998.
Hedendaags arbeidsrecht	Hedendaags arbeidsrecht. Opstellen aangeboden aan prof. mr. M.G. Levenbach, Alphen aan den Rijn, 1966.
Koopmans, Begrippen	T. Koopmans, De begrippen werkman, arbeider en werknemer, Alphen aan den Rijn, 1962.
De Leede-bundel	Sociaal recht: de grenzen verkend, Opstellen aangeboden aan prof. mr. L.J.M. de Leede, Zwolle 1994.
Levenbach, Bestuursrecht III	M.G. Levenbach, Arbeid. In: Nederlands Bestuursrecht, Deel III, Economisch en Sociaal Bestuur, uitgave 1962, Alphen aan den Rijn, 1964, p. 435–534.
Molenaar, Arbeidsrecht I	A.N. Molenaar, Arbeidsrecht, Eerste deel, Algemeen gedeelte, Zwolle, 1953.
Molenaar, Arbeidsrecht II	A.N. Molenaar, Arbeidsrecht, Tweede deel A, Het geldende recht, Zwolle, 1957.
Rood-bundel	Ongelijkheidscompensatie als roode draad in het recht, Liber Amicorum voor prof. mr. M.G. Rood, Deventer 1997.
Veldkamp-bundel	Sociaal en zeker, Opstellen aangeboden aan prof. mr. G.M.J. Veldkamp, Deventer 1986.
Windmuller/De Galan	J.P. Windmuller/C. de Galan/A.F. van Zweeden, Arbeidsverhoudingen in Nederland, 4e dr., Utrecht/Antwerpen, 1983.

1 Inleiding

The White Rabbit put on his spectacles. 'Where shall I begin, please your Majesty?' he asked.
'Begin at the beginning', the king said very gravely, 'and go on till you come to the end: then stop'.

Lewis Carol, Alice's adventures in Wonderland.

1.1 Definities van het arbeidsrecht

Het arbeidsrecht kan globaal worden omschreven als het geheel van rechtsregels dat betrekking heeft op de arbeidsverhouding van de onzelfstandige beroepsbevolking in de private en publieke sector.[1]
We gebruiken dit begrip dan in ruime zin. Dikwijls echter wordt dit begrip slechts betrokken op de private sector (arbeidsrecht in engere zin; het commune arbeidsrecht) en wordt daarnaast het geheel van rechtsregels dat betrekking heeft op de arbeidsverhouding van de onzelfstandige beroepsbevolking in de publieke sector aangeduid als ambtenarenrecht.

sociaal recht

In dit verband dient ook de term sociaal recht te worden genoemd. Soms wordt deze term gebruikt als synoniem voor arbeidsrecht. Meestal echter wordt de term sociaal recht gebruikt als een ruimer begrip, omvattende niet alleen het arbeidsrecht in de private sector en het ambtenarenrecht, maar ook het recht der sociale zekerheid. Dit laatste rechtsgebied beperkt zich niet tot de sociale zekerheid van de onzelfstandige beroepsbevolking (sociale werknemersverzekeringen en aanverwante regelingen), doch strekt zich uit over alle ingezetenen in Nederland.[2]
Al te veel gewicht mag aan dergelijke omschrijvingen niet worden gehecht. Een juridisch vakgebied laat zich nu eenmaal niet even nauwkeurig omlijnen als een tennisveld; een omschrijving ervan kan niet veel meer bieden dan een tijdelijke en globale afbakening van een deel van de totale rechtsstof.

1 De onzelfstandige beroepsbevolking bestaat uit personen die, krachtens een arbeidsverhouding tot een ander, een bijdrage leveren aan het productieproces in ruil voor een financiële contraprestatie (zie voor het begrip beroepsbevolking nader 1.3).

2 E.P. de Jong, Over sociaal recht gesproken? oratie VU Amsterdam, Deventer 1979; dezelfde, Het mensbeeld in het sociaal recht, SMA 1988, 2, p. 88. Zie voorts J.J.M. van der Ven, De terreinontginning van arbeidsrecht en sociaal recht, bijdrage aan Bakels-bundel, p. 305; J. van Langendonk, Het onderscheid werknemer-zelfstandige in het sociaal recht, bijdrage aan Frenkel-bundel, p. 9.

Ook de in dit boek gekozen omschrijving van het arbeidsrecht is slechts een hulpmiddel om een aantal min of meer samenhangende rechtsregels te kenschetsen. Zij pretendeert geen absolute, onveranderlijke geldigheid. Integendeel. Reeds uit paragraaf 1.2 blijkt hoezeer de inhoud van het arbeidsrecht naar tijd en plaats kan verschillen, hoezeer ons hedendaags arbeidsrecht het product is van een specifieke maatschappelijke ontwikkeling.
Evenmin wordt de hier gehanteerde omschrijving consistent toegepast. Zo blijkt uit paragraaf 1.3.4 dat de arbeidsverhouding van een deel van de onzelfstandige beroepsbevolking – de ambtenaren – in dit boek niet aan bod komt.

opbouw hoofdstuk

Het arbeidsrecht zoals wij dat nu kennen heeft zich in de laatste 125 jaar ontwikkeld. De wortels van het arbeidsrecht steken veel verder terug in de tijd. Omdat enig inzicht in de oorsprong en ontwikkeling nodig is voor begrip van het hedendaags arbeidsrecht is § 1.2 aan het historisch perspectief gewijd.
Paragraaf 1.3 gaat over de vraag op welke mensen het arbeidsrecht betrekking heeft, wie tot de beroepsbevolking behoren en wat de kenmerken zijn van de personen op wie het arbeidsrecht betrekking heeft.
Aangezien de arbeidsverhouding van dit deel van de onzelfstandige beroepsbevolking in de overgrote meerderheid van de gevallen moet worden bestempeld als een arbeidsovereenkomst, worden achtereenvolgens enkele juridische aspecten (1.4) en maatschappelijke aspecten (1.5) van dit centrale begrip aan de orde gesteld.
In het licht van het voorgaande wordt er vervolgens enige aandacht geschonken aan de verschillende onderdelen van het Nederlands arbeidsrecht die in dit boek als zodanig wordt behandeld (1.6).
Het hoofdstuk besluit met een korte karakteristiek van het arbeidsrecht als zelfstandig onderdeel binnen het Nederlands recht (1.7) en van de betekenis van het arbeidsrecht voor de arbeidsverhoudingen in het algemeen (1.8).

1.2 Arbeidsrecht en economische orde. Historisch perspectief

Het is de economische orde – de wijze waarop het economische proces van productie, distributie en consumptie is georganiseerd – die in vergaande mate het profiel van een maatschappij karakteriseert en daardoor mogelijkheden biedt om tot onderlinge vergelijking van maatschappijvormen te geraken.

maatschappijorganisatie

Iedere maatschappij kent een organisatie met betrekking tot de productiefactoren grond, arbeid en kapitaal; geen maatschappij is denkbaar zonder de een of andere vorm van economische orde. Uiteraard is deze vorm zeer verschillend al naar gelang we te maken hebben met een agrarische gemeenschap, een nomadenstam of een hooggeïndustrialiseerde maatschappij. Maar hoe de economische orde ook is ingericht, het is duidelijk dat de menselijke arbeid en de wijze waarop de arbeidsverhoudingen zijn georganiseerd, in dit geheel een belangrijke, niet weg te denken plaats innemen; zonder arbeid kan de mens niet in zijn behoeften voorzien. Met de economische orde varieert ook de organisatie van de arbeidsverhoudingen naar tijd en plaats. Enkele historische gegevens kunnen dit illustreren.[3]

Romeinen

In het Romeinse imperium werd de noodzakelijke arbeid voor het overgrote deel verricht door slaven (servi) die geen rechtspositie bezaten, of door vrijgelaten slaven (liberti) die een zeer beperkte rechtsbescherming genoten. Arbeid door een vrijgeborene (ingenuus) kwam betrekkelijk weinig voor. De juridische vorm waarin deze laatste arbeid gewoonlijk werd gekleed, was de aanneming van werk (locatio conductio operis). Naast deze arbeid door zelfstandigen was de onzelfstandige arbeid, de verhuur van diensten (locatio conductio operarum), zowel maatschappelijk als juridisch van zeer beperkte betekenis. Enerzijds omdat de op slavernij gebaseerde Romeinse samenleving hiervoor nauwelijks ruimte liet, anderzijds omdat menige arbeidsverhouding die door ons als verhuur van diensten zou worden beschouwd, in het Romeinse recht als aanneming van werk werd bestempeld.

Feodaal stelsel

Een geheel andere ordening van de arbeidsverhoudingen ontstond na de ineenstorting van het West-Romeinse Rijk in de vijfde eeuw na Christus met de komst van het feodale stelsel, dat eeuwenlang in grote delen van Europa heeft gegolden. Er is wel op gewezen dat, voor wat de arbeidsverdeling betreft, die samenleving uiteenviel in: ridders, bidders en werkers. Daarbij kan nog worden aangetekend dat de groep van 'werkers' veelal bestond uit aan de grond gebonden horigen en dat hun arbeid zich veelal tot zeer eenvoudige agrarische en ambachtelijke werkzaamheden beperkte.

Een groot aantal oorzaken leidden tegen het einde van de Middeleeuwen tot de ondergang van het feodale stelsel. Tot die oorzaken behoorden onder meer het ontstaan van verbeterde productietechnieken en transportmogelijkheden, het ontstaan van markten en steden en de opkomst van een handelsaristocratie. Ook de opkomst van de nationale staten heeft bijgedragen tot het slechten van de feodale organisatiepatronen. Tegen het einde van de 13e eeuw was de slavernij in geheel West-Europa verdwenen. Vormen van horigheid hielden langer stand. In Nederland

3 Molenaar, Arbeidsrecht I, p. 1–124; F.J.H.M. van der Ven, Geschiedenis van de arbeid, drie delen, Aulaboeken nrs. 228, 283 en 340.

werd de horigheid formeel eerst in 1795 afgeschaft, maar had in feite in de meeste provinciën reeds lang opgehouden te bestaan.

gilden

Typerend voor de organisatie van de arbeidsverhoudingen in de 14e tot de 18e eeuw was het gildewezen, dat vooral in de nieuwe machtscentra, de steden, tot grote bloei kwam. De organisatie van ambachten in handwerkersgilden leidde tot de introductie van een nieuwe arbeidshiërarchie: meester, gezel en knaap. Ook streefden de gilden via hun politieke invloed op de stadsbesturen naar het verwerven van monopolies, naar invoering van vestigingseisen en andere concurrentiebeperkende maatregelen. Met dit streven hadden de gilden veel succes, al werd er ook in deze periode in belangrijke mate arbeid verricht buiten gildeverband. Op den duur leidde echter juist dit succes tot de ondergang van de gilden. In toenemende mate werden namelijk de productiebeperkende eisen van de gilden als oneconomisch, kostenverhogend en de handel belemmerend ervaren. De opvatting won veld dat de algemene welvaart het beste gediend zou zijn met een volledige individuele vrijheid van vestiging, productie en arbeid. Het is deze opvatting die het beleid van de nationale staten is gaan bepalen en die aan het eind van de 18e eeuw en het begin van de 19e eeuw in West-Europa heeft geleid tot afschaffing van de gildedwang en tot verbod van 'coalitievorming' (zie 4.3).

Franse Revolutie

De nieuwe ideologie, die bevestigd werd door de Franse revolutie van 1789, vond zijn juridische neerslag in de Franse Code Civil van 1804 en – voor wat Nederland betreft – in het Burgerlijk Wetboek dat op 1 oktober 1838 werd ingevoerd. Hoekstenen van het nieuwe privaatrecht waren de vrijheid van eigendom: de vrijheid van ieder individu om naar eigen inzicht over zijn goederen te beschikken en de vruchten daarvan te plukken (art. 625 BW oud, thans art. 5:1 BW), alsmede de daarmee samenhangende contractsvrijheid: de vrijheid van ieder persoon om zelf te bepalen, of, met wie en op welke condities hij met een ander overeenkomsten zou aangaan (art. 1374 lid 1 BW oud, thans art. 6:248 BW). Beide beginselen passen bij een conceptie waarin de gemeenschap wordt beschouwd als bestaande uit vrije en gelijke burgers en waarin het algemeen belang gewaarborgd wordt geacht wanneer deze burgers in volle vrijheid hun individueel belang kunnen nastreven.[4]

contractsvrijheid

De individuele ondernemer vond deze vrijheid in de formulering van het eigendomsrecht en de contractsvrijheid in het algemeen. Contractsvrijheid gold er ook ten aanzien van de arbeidsverhouding van de onzelfstandige beroepsbevolking. Weliswaar kende het BW van 1838 een tweetal bepalingen betreffende 'huur en verhuur van diensten, werk en nijverheid' (art. 1583 en 1585 BW oud) en een drietal bepalingen be-

4 Enigszins anders G.E. van Maanen, Eigendomsschijnbewegingen, Nijmegen 1989.

treffende 'huur van dienstboden en werklieden' (art. 1637–1639 BW oud), doch deze artikelen bevatten niet of nauwelijks een beperking van de contractsvrijheid.[5]
Bij dit alles moet overigens worden bedacht dat de Nederlandse onzelfstandige beroepsbevolking in de eerste helft van de 19e eeuw nog betrekkelijk gering van omvang was. Onze productiehuishouding bestond toen in belangrijke mate uit zelfstandige boeren[6] met daarnaast een aantal meestal kleine industriële bedrijven. De bedrijfjes werden veelal geleid door patroons die geen of weinig arbeiders in dienst hadden en die zelf het noodzakelijke kapitaal bijeen brachten. Dikwijls produceerde de ondernemer op bestelling, rechtstreeks voor de consument. Grotere productie-eenheden bestonden wel, maar vormden toch een uitzondering.

industriële revolutie

Bovengenoemde productiewijze werd ondergraven door de industriële revolutie. Nieuwe technische vindingen, zoals in de 18e eeuw de uitvinding en verbetering van de stoommachine, verruimden de transportmogelijkheden (spoorwegen) en maakten goedkope mechanische productie op grotere schaal mogelijk (textielindustrie).[7] In Nederland werden de gevolgen van de industriële revolutie omstreeks 1870 merkbaar – ongeveer een eeuw later dan in Engeland, de bakermat van de industriële revolutie.
Mechanisering leidde tot grotere productiecapaciteit, doch deze ontwikkeling was slechts mogelijk binnen grote bedrijfseenheden, die slechts door samenwerking van velen tot stand konden komen. Aldus werd de kleine zelfstandige ondernemer, die de functies van kapitaalverschaffer, arbeider en leider van de onderneming in zich verenigde, in toenemende mate verdrongen door grote ondernemingen, die met behulp van op basis van een arbeidsovereenkomst werkzame, onzelfstandige arbeidskrachten massagoederen produceerden voor de markt.

problemen van industriële revolutie

De industriële revolutie bracht nieuwe mogelijkheden tot welvaartsvergroting, maar plaatste anderzijds de samenleving voor enorme problemen. De mechanisering van de industrie leidde tot concentratie van grote groepen arbeiders in fabrieken, die veelal slecht gebouwd, onveilig en onhygiënisch waren. Nieuwe productiemethoden maakten op grote schaal kinder- en vrouwenarbeid mogelijk. Daarbij waren de arbeidstijden dikwijls onmenselijk lang, mede door de invoering van de

5 Koopmans, Begrippen, p. 7. Wel bestond er sedert 1848 een uitvoerige regeling in het WvK betreffende het huren van scheepsofficieren en scheepsgezellen.
6 In het midden van de vorige eeuw was Nederland in overwegende mate een agrarisch land. Van de werkende mannen bestond een kwart uit zelfstandige landbouwers, in het ouderlijk bedrijf medewerkende zoons, vaste landarbeiders en losse arbeidskrachten. In totaal was ten minste de helft van de Nederlandse beroepsbevolking rechtstreeks afhankelijk van de landbouw of daarbij nauw betrokken. J.A. de Jonge, De industrialisatie in Nederland tussen 1850 en 1914, Sun reprint – Nijmegen 1976, p. 20.
7 T.K. Derry en Trevor I. Williams, A short history of technology, Oxford 1982.

gasverlichting. De lonen waren laag, de woningtoestanden slecht, en wie door ziekte, een bedrijfsongeval of ouderdom niet meer aan het arbeidsproces kon deelnemen, of om andere redenen werkloos werd, liep kans te verpauperen daar adequate voorzieningen ontbraken.[8] Door tijdgenoten werden deze maatschappelijke misstanden wel aangeduid als 'de sociale quaestie'.[9]

specifieke rechtsregels

Het ontstaan van een grote groep van onzelfstandige arbeiders en de problemen waarmee deze ontwikkeling gepaard ging, hebben geleid tot een aantal specifieke – op déze groep en déze problemen gerichte – reacties. Tot deze reacties behoren onder meer het ontstaan van een groot aantal specifieke rechtsregels. Deze rechtsregels, die onderling weer in verschillende deelgebieden uiteenvallen (1.6), vormen tezamen het huidige arbeidsrecht. Zij vormen een functionele eenheid in zoverre dat zij overwegend zijn gericht op een bescherming van de onzelfstandige beroepsbevolking tegen de risico's van onze moderne industriële samenleving, op een verhoging van haar kansen tot ontplooiing en – meer algemeen gesteld – op een regulering van de individuele en collectieve relaties tussen werkgevers en werknemers; het is in de gerichtheid op deze doeleinden dat de eenheid van het hedendaags arbeidsrecht besloten ligt.[10]

dienstensector

Tot op heden is de structuur van onze economische orde in wezen onveranderd gebleven. Het merendeel van de Nederlandse onzelfstandige beroepsbevolking is nog steeds geconcentreerd in grote en middelgrote productie-eenheden. Wel zijn die productie-eenheden thans overwegend gericht op het produceren van diensten; de dienstensector heeft de industriële sector overvleugeld, zoals de industrie destijds de landbouw heeft verdrongen. Voorts is de omvang van de arbeidsrechtelijke regels in de afgelopen honderd jaren aanzienlijk toegenomen, vooral in de jaren na de Tweede Wereldoorlog. In die periode werden vele nieuwe wetten, leerstukken, begrippen en beginselen geïntroduceerd; het arbeidsrecht is daardoor aanmerkelijk gecompliceerder geworden.[11] Bij al deze veranderingen is de centrale doelstelling van het arbeidsrecht, bescherming van de onzelfstandige beroepsbevolking, echter overeind ge-

8 I.J. Brugmans, De arbeidende klasse in Nederland in de 19e eeuw, Aula-boeken nr. 13; dezelfde, Paardenkracht en mensenmacht, Den Haag 1969; Johan de Vries, The Netherlands economy in the twentieth Century, Assen 1978; M.G. Levenbach, Het Burgerlijk Wetboek en de maatschappelijke verhoudingen van 1838 tot heden, Gedenkboek B.W. 1838–1938, ook opgenomen in Levenbach, Arbeidsrecht, p. 217.

9 Zie ook A.J.C.M. Geers, De sociale kwestie honderd jaar later, oratie Rijksuniversiteit Limburg, Deventer 1990.

10 Bob Hepple (ed.), The Making of Labour Law in Europe, A Comparative Study of Nine Countries up to 1945, London 1986; C.J. Loonstra, Inleiding, bijdrage aan Arbeidsovereenkomst (losbladig).

11 Zie de bijdragen van Kees Loonstra, Harry Staal en Wietske Zeijlstra en van C.J.H. Jansen en C.J. Loonstra aan Arbeidsrecht en Mensbeeld 1946–1996, Deventer 1996, p. XI en p. 1.

bleven, hoewel zij de laatste jaren enigszins onder druk is komen te staan.[12]

Op dit punt in het betoog gekomen, lijkt het verstandig bij het voorgaande enkele afsluitende kanttekeningen te maken.
In de eerste plaats zou het voorafgaande historisch overzicht de indruk kunnen wekken alsof de opeenvolging van economische orden even regelmatig verliep als het wisselen van de wacht voor het koninklijk paleis. Uiteraard is dit niet het geval. De maatschappelijke en economische veranderingen van de laatste 2000 jaar hebben zich veel onregelmatiger, chaotischer en gecompliceerder voltrokken dan in de enkele voorafgaande bladzijden ook maar bij benadering kon worden geschetst. Nooit hebben de economische orden elkaar rechtstreeks afgewisseld in chronologische zin; soms lag er eeuwen tussen het verdwijnen van het ene prototype en het ontstaan van het volgende. Meestal ook bleven elementen van een oude economische orde bestaan binnen het kader van de nieuwe, zoals ook thans nog het eenmansboerenbedrijfje voorkomt naast de grote moderne industriële onderneming.
Het was echter ook niet de bedoeling een volledig historisch overzicht te geven van arbeid en arbeidsverhoudingen, maar om duidelijk te maken dat iedere economische orde zijn eigen vorm van organisatie van arbeidsverhoudingen met zich meebrengt. Deze organisatie is ook altijd op de een of andere wijze door rechtsregels gestructureerd geweest[13] en dientengevolge kan men constateren dat binnen iedere economische orde een specifieke rechtsorde van de arbeid, een eigen arbeidsrecht, tot stand komt; vorm en inhoud van het arbeidsrecht worden steeds opnieuw bepaald door de loop der sociaal-economische ontwikkeling. Ook de in dit boek gebruikte omschrijving van het arbeidsrecht legt hiervan getuigenis af. Dit brengt mij tot een tweede kanttekening.

rechtsorde van de arbeid

De huidige omschrijving van het arbeidsrecht is geen eindpunt maar het product van bepaalde sociaal-economische omstandigheden en zij zal zich wijzigen met die omstandigheden. Dát dit eens zal gebeuren lijkt wel zeker; welke veranderingen plaats zullen vinden en wanneer

12 P.F. van der Heijden, Post-industrieel arbeidsrecht, NJB 1993, 9, p. 297; Lord Wedderburn e.a., Labour Law in the Post-Industrial Era, Essays in honour of Hugo Sinzheimer, Dartmouth 1994; D.J. Buijs en G.J.J. Heerma van Voss, Tien jaar arbeidsrecht en ongelijkheidscompensatie, SR 1996, 11, p. 286; M.J.P.M. Kieviet en F.J.L. Pennings, Ontwikkelingen in de rechtspositie van uitkeringsgerechtigden in het arbeidsongeschiktheids- en werkloosheidsrecht, SR 1996, 11, p. 300; Damwoude, De toestand van het compensatierecht, SR 1996, 11, p. 327; M.G. Rood, Naar een nieuw sociaalrechtelijk denkraam, Den Haag 1997. Zie voorts de bijdragen opgenomen in Ongelijkheidscompensatie als roode draad in het recht (Rood-bundel). Zie ook de bijdrage van Van der Heijden in P.F. van der Heijden e.a. (red.), Naar een nieuwe rechtsorde van de arbeid? Den Haag, Sdu 1999.

13 Wanneer men het begrip 'recht' ten minste niet al te beperkt neemt; zie hierover nader I. Kisch, Proeve van een typologie der rechtstheorieën, in de bundel Staatswetenschappelijke Opstellen, aangeboden aan Prof. mr. R. Kranenburg, Alphen aan den Rijn, 1948, ook opgenomen in Uitgelezen opstellen, Zwolle 1981, p. 57.

valt echter niet te voorspellen. De opties zijn talrijk.[14] Tegenover de optimisten die geloven dat de mensheid op weg is naar een betere wereld waarin de noodzakelijke arbeid tot een te verwaarlozen minimum zal zijn gereduceerd, klinkt het waarschuwend geluid van degenen die er op wijzen dat een nucleair conflict of natuurramp onze maatschappelijke orde kan vernietigen, of kan doen terugvallen op een veel primitiever niveau, zoals dit ook na de ineenstorting van het Romeinse Rijk in de vijfde eeuw na Chr. is gebeurd. Ook gaan er stemmen op die pleiten voor een terugkeer naar een meer sobere, agrarisch-ambachtelijke samenleving, hetzij als vrijwillige keuze, hetzij omdat uitputting van grondstoffen en milieuvervuiling daartoe zouden noodzaken. En behalve aan een keus tussen Utopia, Armageddon of Arkadië, kan men nog denken aan een de gehele wereld omvattende economische orde, gedomineerd door multinationale ondernemingen[15] en/of internationale organisaties. De ontwikkeling van het Internet wordt ook wel als stimulans voor een verdere mondialisering van de economische en arbeidsbetrekkingen gezien. Maar hoe fascinerend dergelijke futuristische speculaties ook zijn, zij kunnen niet worden uitgewerkt in een boek dat slechts een weergave beoogt te geven van het geldend Nederlands arbeidsrecht en dat zich dan ook in het navolgende in hoofdzaak daartoe zal beperken.[16]

1.3 Arbeidsrecht en beroepsbevolking. Statistische kerngegevens

1.3.1 *Beroepsbevolking*

Waar het huidige arbeidsrecht in de vorige paragrafen betrokken werd op de arbeidsverhouding van de onzelfstandige beroepsbevolking verdient het aanbeveling wat nader op deze categorie in te gaan. Daarom zijn in deze paragraaf enkele statistische gegevens opgenomen die enig inzicht verschaffen in de samenstelling van de Nederlandse zelfstandige en onzelfstandige beroepsbevolking.

statistische gegevens

Bij het gebruik van de statistische gegevens is overigens enige voorzichtigheid geboden. De geciteerde cijfers benaderen de werkelijkheid, doch pretenderen geen volledige exactheid. Bovendien zijn zij noodzakelijkerwijs enigszins verouderd. Ook bestaat er soms enige discrepantie tussen de door het Centraal Bureau voor de Statistiek gebruikte om-

14 Vgl. P.F. van der Heijden, Een nieuwe rechtsorde van de arbeid, NJB 72 (40) 1997, p. 1837–1844.

15 Richard J. Barnet and John Cavanagh, Global Dreams: Imperial Corporations and the New World Order, Simon and Schuster 1994.

16 De liefhebbers verwijs ik naar Alvin Toffier, Future shock; dezelfde, The third wave, Bantam Books; John Naisbitt en Patricia Aburdene, Megatrends 2000, Avon Books 1990; Robert D. Kaplan, The ends of the earth, A journey to the frontiers of anarchy, Vintage Books 1997.

schrijvingen en de in het arbeidsrecht gehanteerde begrippen. Kortom, de statistische gegevens hebben hun nut, doch slechts als een globale typering van de werkelijkheid.

zelfstandigen
werknemers
ambtenaren
werklozen

De beroepsbevolking omvat alle personen, die hetzij als zelfstandige, hetzij als werknemer bij een particuliere werkgever of bij de overheid werkzaam zijn, alsmede de werklozen, dat wil zeggen de personen zonder werk, die betaald werk zoeken en voor werk beschikbaar zijn.

Het staatje geeft enig inzicht in de samenstelling van de Nederlandse beroepsbevolking.

Beroepsbevolking 1998 (x 1000)			
Werkzame personen		Werkloze personen	Beroepsbevolking
Zelfstandigen	Werknemers		
734	5874	348	6956

Bron: Enquête beroepsbevolking 1998 (CBS 1999).

1.3.2 *Zelfstandige beroepsbevolking*

kenmerken

Van de beroepsbevolking behoren 734 000 personen tot de zelfstandige beroepsbevolking. Zoals gezegd (1.1), worden de juridische regels die de rechtspositie van deze groep bepalen gewoonlijk niet tot het arbeidsrecht gerekend. Terecht, want deze rechtspositie verschilt aanzienlijk van die van de onzelfstandige beroepsbevolking. Immers, zelfstandigen plegen – in tegenstelling tot de onzelfstandige werknemers – voor wat hun deelname aan het ruilverkeer betreft niet van een met één opdrachtgever gesloten arbeidsverhouding afhankelijk te zijn. Het leveren van een bijdrage aan de productie en het verwerven van een inkomen pleegt bij zelfstandigen te geschieden via een aantal uiteenlopende privaatrechtelijke overeenkomsten, gesloten met wisselende afnemers. Tot die contracten behoren onder meer de aanneming van werk (aannemer), de opdracht of overeenkomst van enkele diensten (zelfstandige arts) en de overeenkomst van koop en verkoop (zelfstandige detaillist). Daarnaast gelden voor een deel van de zelfstandigen nog publiekrechtelijke regelingen, zoals de vestigings- en winkelsluitingswetgeving. Vergeleken met het geheel van rechtsregels dat zijn aanknopingspunt vindt bij de arbeidsverhouding van de onzelfstandige beroepsbevolking, vertoont het rechtsregime van zelfstandigen een geheel andere en bovendien in zichzelf weinig samenhangende aanblik. Het is vooral om deze redenen dat het arbeidsrecht, zowel in Nederland als elders in West-Europa, zich gewoonlijk beperkt tot de eerste categorie. De maatschappelijke werkelijkheid kent allerlei 'tussenvormen': zelfstandigen zonder personeel, freelancers enz. Deze figuren paren vaak het juridisch statuut van de zelfstandige aan de maatschappelijke positie van de werknemer.

gelijkstelling

Deze laatste omstandigheid noopt in bepaalde omstandigheden tot gelijkstelling met werknemers voor de toepassing van bepaalde wetten, bijvoorbeeld de werknemersverzekeringen (zie art. 4 en 5 ZW, WW en WAO en het KB op grond van art. 5 van genoemde wetten).

1.3.3 *Onzelfstandige beroepsbevolking*

Met 6 222 000 personen heeft de onzelfstandige beroepsbevolking verreweg het grootste aandeel in de beroepsbevolking. De onzelfstandige beroepsbevolking is deels werkzaam in de private sector, deels in de publieke sector.

ambtenaren

1.3.4 *Onzelfstandige beroepsbevolking in de publieke sector*

Omstreeks 17%[17] van de onzelfstandige beroepsbevolking is werkzaam bij de overheid. Het merendeel van het overheidspersoneel bestaat uit ambtenaren. Een ambtenaar is niet werkzaam op arbeidsovereenkomst, zoals de hieronder te bespreken werknemers in de marktsector, maar wordt door het bevoegd gezag aangesteld om werkzaam te zijn in de openbare dienst (art. 1 Ambtenarenwet). Bovendien wordt het salaris van ambtenaren niet betaald uit een marktinkomen, maar uit de collectieve middelen, met name belastingopbrengsten. Het geheel van rechtsregels dat betrekking heeft op de arbeidsverhouding van de ambtenaar noemt men het ambtenarenrecht.[18]

Het ambtenarenrecht en het (commune) arbeidsrecht vertonen op enkele gebieden een overlapping. Zo zijn bijvoorbeeld de Arbeidstijdenwet en de Arbeidsomstandighedenwet (hoofdstuk 2) zowel op ambtenaren als op werknemers in de marktsector van toepassing. Datzelfde geldt sedert 5 mei 1995 voor de Wet op de ondernemingsraden (hoofdstuk 5). Ook van de in de Arbeidsvoorzieningswet geregelde openbare arbeidsbemiddeling (hoofdstuk 7) kunnen werknemers en ambtenaren gelijkelijk gebruik maken.

ambtenarenregelingen

Daarnaast zijn er echter ook talloze verschilpunten. Zo kent het ambtenarenrecht een eigen stelsel van collectieve onderhandelingen. Hierbij moet worden aangetekend dat een ontwikkeling is aan te wijzen, de rechtspositie van ambtenaren ondanks de ongelijke positie van de overheid als werkgever in vergelijking met andere werkgevers te normaliseren.[19] Onder meer betreft dit de verzekering van ambtenaren op grond van de werknemersverzekeringen (hoofdstuk 8).

De meest opmerkelijke verschillen bestaan er met betrekking tot de rechtspositie en de daaraan gekoppelde beroepsgang. Het voor de markt-

17 CBS, Arbeid en lonen van werknemers 1994, Den Haag 1996, p. 12.

18 M. Dijk, M.J.S. Korteweg-Wiers, P.M.B. Schrijvers e.a., Hoofdlijnen van het ambtenarenrecht, 4e druk, Deventer 1997.

19 Tweede Kamer 1997–1998, 25600, Hoofdstuk VII, nr. 2, p. 19.

sector geldende arbeidsovereenkomstenrecht, zoals neergelegd in Boek 7 Titel 10 (art. 610 e.v.) BW, is niet van toepassing op ambtenaren. Hun rechtspositie is neergelegd in verschillende regelingen, waarvan het voor rijksambtenaren geldende Algemeen Rijksambtenarenreglement (ARAR), een AMvB, het bekendste is. Vooral voor wat betreft het ontslagrecht bestaan er grote verschillen tussen de publieke en de private sector.[20] Van belang is voorts dat een procedure met betrekking tot de rechtspositie van ambtenaren in eerste instantie wordt berecht door de rechtbank en dat op deze procedure de Algemene wet bestuursrecht van toepassing is (hoofdstuk 8 Awb). Deze administratiefrechtelijke procedure verschilt aanmerkelijk van de civiele procedure bij de kantonrechter, die bij de handhaving van het arbeidsrecht centraal staat (3.7).

ARAR

We kunnen concluderen dat arbeidsrecht en ambtenarenrecht op enkele gebieden samenvallen, doch daarnaast een verschillend rechtsregime kennen. Voorts kunnen we constateren dat de laatste jaren de tendens bestaat om de ambtenaren onder de voor werknemers in de private sector geldende wetgeving te brengen.

Dit boek beperkt zich in het navolgende tot de arbeidsverhouding van de onzelfstandige beroepsbevolking in de private sector en laat het ambtenarenrecht verder buiten beschouwing.

1.3.5 *Onzelfstandige beroepsbevolking in de private sector*

1. *Marktsector*

bedrijfsleven

Zoals gezegd, beperkt dit boek zich tot de arbeidsverhouding van de onzelfstandige beroepsbevolking in de private sector. Het gaat hier in overwegende mate om personen die werkzaam zijn in het particuliere bedrijfsleven, dat voor het verwerven van inkomsten afhankelijk is van de markt. Het betreft hier ca. tweederde[21] van de onzelfstandige beroepsbevolking. Voor het overgrote deel verrichten deze personen hun werk op basis van een arbeidsovereenkomst ex art. 7:610 BW.

2. *Gepremieerde- en gesubsidieerde sector*

g- en g-sector

Omstreeks 15%[22] van de onzelfstandige beroepsbevolking is werkzaam bij particuliere instellingen die niet via de markt een inkomen verwerven, doch die in hoofdzaak gefinancierd worden ten laste van de collectieve middelen, met name sociale verzekeringspremies en belastingen. Men spreekt in dit verband wel over de gepremieerde en gesubsidieerde (g- en g-)sector, de collectieve sector of non-profit sector. Deze groep valt eveneens onder het arbeidsrecht.

Het onderbrengen van de g- en g-sector bij de private sector is niet

20 T. van Peijpe en J. Riphagen, Schets van het Nederlandse ambtenarenrecht, 2e druk, Kluwer Deventer 1994, p. 22.

21 CBS, Arbeid en lonen van werknemers 1994, Den Haag 1996, p. 12.

22 Idem.

geheel vanzelfsprekend, want deze sector vertoont enige verwantschap met de publieke sector. Zoals is opgemerkt, geschiedt ook de financiering in deze sector ten laste van de collectieve middelen. Bovendien vertoont de aard van de dienstverlening een sterke verwantschap met de door de overheid verleende diensten. Het gaat hier namelijk om diensten op het terrein van welzijn en gezondheidszorg en om sociaal-culturele diensten. Beide factoren zouden aanleiding kunnen zijn om de g- en g-sector onder de publieke sector te rangschikken.
In veel opzichten is de gelijkenis met de private sector echter groter. In de eerste plaats omdat de werknemers in deze sector niet als ambtenaar zijn aangesteld, doch – evenals de personen die in de marktsector werken – voor het overgrote deel werkzaam zijn krachtens een arbeidsovereenkomst. In de tweede plaats omdat deze sector in toenemende mate bedrijfsmatig optreedt en zich op de markt oriënteert, waardoor het onderscheid tussen het klassieke bedrijfsleven en de non-profit sector vervaagt.[23]

werlozen en arbeidsongeschikten

1.3.6 *Niet-actieve bevolking*

Behalve met de arbeidsverhouding van werknemers die actief aan het arbeidsproces in de particuliere sector deelnemen, houdt dit boek zich ook bezig met de rechtspositie van groepen personen die door bepaalde omstandigheden tijdelijk niet (meer) hun aandeel in de productie kunnen leveren. Het betreft hier personen die werkloos of (gedeeltelijk) arbeidsongeschikt zijn (hoofdstuk 8).

De overige personen tussen de 16 en 65 jaar, die geen betaalde arbeid verrichten, vallen buiten de werkingssfeer van het arbeidsrecht. Hiertoe behoren deelnemers aan het dagonderwijs, huisvrouwen en -mannen en vervroegd gepensioneerden.

1.4 Arbeidsrecht en arbeidsovereenkomst. Juridische aspecten. Werknemers en werknemers

In de vorige paragraaf is gesteld dat het overgrote deel van de onzelfstandige beroepsbevolking in de particuliere sector werkzaam is krachtens een arbeidsovereenkomst. Dit zo zijnde, verdient het aanbeveling hier summier aan te geven wat onder dit begrip moet worden verstaan en op welke wijze de arbeidsovereenkomst zich juridisch onderscheidt van aanverwante wederkerige contracten (in de par. 3.1.2, 3.3.1, en 3.4.1 wordt op deze vragen uitvoeriger ingegaan).

23 H. Strating, Werkgevers in de non-profitsectoren willen in SER worden vertegenwoordigd, SMA 1994, 2, p. 91.

arbeidsovereenkomst

De wettelijke regeling van de arbeidsovereenkomst is sedert de inwerkingtreding per 1 april 1997 van de Wet van 6 juni 1996, houdende vaststelling van titel 7.10 (arbeidsovereenkomst) van het nieuw Burgerlijk Wetboek (kortweg: Vaststellingswet), neergelegd in art. 7:610 BW e.v. Vóór die datum werd deze materie geregeld in titel 7A van Boek 7A BW (art. 1637a BW e.v.).

definitie arbeidsovereenkomst

Krachtens art. 7:610 BW wordt de arbeidsovereenkomst gedefinieerd als: 'de overeenkomst waarbij de ene partij, de werknemer, zich verbindt in dienst van de andere partij, de werkgever, tegen loon gedurende zekere tijd arbeid te verrichten.'

De arbeidsovereenkomst onderscheidt zich van andere overeenkomsten waarbij tegen beloning arbeid wordt verricht, zoals de aanneming van werk (art. 7A:1640 BW e.v.) en de opdracht (art. 7:400 BW e.v.), door het vereiste dat de arbeid 'in dienst' van de wederpartij moet worden verricht. Volgens de rechtspraak is een contractant in dienst van de wederpartij indien deze krachtens de overeenkomst bevoegd is (eenzijdig) instructies te geven omtrent de te verrichten arbeid of de bevordering van de goede orde in de onderneming (art. 7:660 BW). Het is in het criterium 'in dienst' dat de onzelfstandigheid van de arbeid tot uiting komt. Ontbreekt dit element dan is er sprake van zelfstandige arbeid.

Bij de rechtspraak die zich met betrekking tot dit criterium heeft ontwikkeld wordt elders uitvoerig stilgestaan (3.1.2). Op dit moment is het voldoende om te constateren, dat het voor de betrokken contractanten van groot belang is om te weten of een overeenkomst in een concreet geval als arbeidsovereenkomst, danwel als aanneming van werk of opdracht moet worden gekwalificeerd. Met betrekking tot de arbeidsovereenkomst zijn immers in de loop der jaren uitvoerige wettelijke regelingen ontstaan waardoor deze overeenkomst is gereguleerd en de contractsvrijheid van partijen in grote mate is ingeperkt. Ten aanzien van de beide andere overeenkomsten is dat niet gebeurd.

verschillende werknemers

De constatering dat de arbeidsrechtelijke wetgeving van toepassing is zodra er sprake is van een arbeidsovereenkomst behoeft overigens enige nuancering. Behalve ter aanduiding van de werknemer[24] in de zin van het BW, de BW-werknemer, wordt de term werknemer in het arbeidsrecht namelijk ook in ruimere zin gebruikt.[25]

Het ruimere begrip werknemer komt voor in verschillende arbeidsrechtelijke wetten. Dit brengt met zich dat deze wetten een ruimere werkingssfeer krijgen dan wanneer zij alleen voor werknemers in de zin van het BW zouden gelden. Een voorbeeld hiervan levert het BBA 1945, dat krachtens art. 1 sub e BBA niet alleen geldt ten aanzien van BW-werk-

24 Vóór de invoering van titel 7:10 sprak het BW van 'arbeider'.

25 Koopmans, Begrippen, p. 63. Zie ook I.P. Asscher-Vonk, De arbeidsovereenkomst het universeel entreebiljet?, SMA 1996, 5, p. 289.

uitbreiding werkingssfeer

nemers, doch ook ten aanzien van 'degene die persoonlijk arbeid verricht voor een ander, tenzij hij dergelijke arbeid in de regel voor meer dan twee anderen verricht, of hij zich door meer dan twee andere personen, niet zijnde zijn echtgenoot of bij hem inwonende bloedverwanten of aanverwanten of pleegkinderen, laat bijstaan, of deze arbeid voor hem slechts een bijkomstige werkzaamheid is' (zie 3.6.3.2). Andere voorbeelden van het ruimere werknemersbegrip zijn te vinden in art. 2 WMM (3.3.3.6) en de werknemersverzekeringen (8.1.1). Ook een enkele bepaling in titel 10 van boek 7 BW heeft een ruimere werkingssfeer dan de arbeidsovereenkomst zoals gedefinieerd in art. 7:610 BW. Als voorbeeld wijs ik op art. 7:655, zesde lid BW (de verplichting van de werkgever informatie te verschaffen) en op art. 7:658, vierde lid BW (aansprakelijkheid voor veiligheid ook voor anderen dan 'eigen' werknemers).
De reden van deze uitbreiding ligt voor de hand. Vanuit een oogpunt van sociaal wetgevingsbeleid is er weinig aanleiding om de bijzondere bescherming die het arbeidsrecht verbindt aan de arbeidsovereenkomst, te onthouden aan groepen die maatschappelijk gezien dezelfde positie innemen als de BW-werknemers doch juridisch-technisch beschouwd geen arbeidsovereenkomst hebben gesloten. Juridische omschrijvingen zijn – terecht – nu eenmaal niet meer dan hulpmiddelen bij de formulering van het beleid.[26]

1.5 Arbeidsrecht en arbeidsovereenkomst. Maatschappelijke aspecten

1.5.1 *Algemeen*

maatschappelijke aspecten

De hiervoor besproken juridische definitie van de arbeidsovereenkomst geeft slechts een rudimentair inzicht in de maatschappelijke aspecten van dit contract en een soortgelijke opmerking kan worden gemaakt ten aanzien van de definitie van het arbeidsrecht als 'het geheel van rechtsregels dat ten doel heeft de regulering van de individuele en collectieve relaties tussen werkgevers en werknemers in de private sector'. Het zijn beide formeel-juridische definities, die slechts kleur en diepte verkrijgen door ze te plaatsen tegen de achtergrond van de maatschappelijke realiteit. Immers, het zijn juist de maatschappelijke aspecten van de arbeidsovereenkomst die ertoe hebben geleid dat dit contract, alsmede de daarop inwerkende arbeidsrechtelijke normen, een eigen plaats hebben gekregen in ons rechtsbestel. In dit

26 Binnen de door een bepaalde wet bestreken kring van werknemers kunnen nog grote onderlinge verschillen in rechtspositie bestaan; hierover I.P. Asscher-Vonk, Eén sociaal recht, vele uitkomsten, oratie KUN, Deventer 1995. Zie ook R.A.A. Duk, Uniform arbeidsovereenkomstenrecht?, bijdrage aan Arbeidsrecht en Mensbeeld 1946–1996, Deventer 1996, p. 25.

verband kan worden gewezen op een aantal maatschappelijke aspecten van de arbeidsovereenkomst die bij andere overeenkomsten niet of niet in gelijke mate aanwezig zijn.

belang werkgever

De werkgever verkrijgt door het sluiten van een arbeidsovereenkomst de bevoegdheid om de arbeidskracht van de werknemer gedurende de overeengekomen periode en tegen de overeengekomen arbeidsvoorwaarden aan te wenden in de onderneming. Van deze zijde bezien vormt de arbeidsovereenkomst een onmisbare schakel in de door de werkgever geleide productiehuishouding.[27]

belang werknemer

Vanuit de werknemer bezien is de arbeidsovereenkomst een middel om een inkomen te verwerven. Het arbeidsloon is gewoonlijk de enige bestaansbron van de werknemer. Wanneer de uitbetaling van zijn loon ophoudt, betekent dit een bedreiging van zijn bestaan. De arbeidsovereenkomst verschilt hierin wezenlijk van de meeste andere contracten. Wanneer een van de afnemers van een zelfstandige zijn overeenkomst (bijvoorbeeld een koopcontract) niet nakomt, behoeft dit nog niet desastreus te zijn. Gewoonlijk sluit een zelfstandige immers overeenkomsten met meer dan een afnemer; gewoonlijk is het contract met deze afnemer een beperkt onderdeel van zijn totale activiteitenpatroon.
Voorts biedt de arbeidsovereenkomst de werknemer dikwijls mogelijkheden tot scholing en menselijke ontplooiing. Daarbij ontleent de werknemer aan zijn dienstbetrekking een belangrijk deel van zijn maatschappelijke status. Arbeid adelt (al geldt dit tegenwoordig wellicht minder dan vroeger) en een blijvend verlies van deze arbeid leidt veelal niet alleen tot een financieel nadeel, maar ook tot gevoelens van maatschappelijke declassering.

ongelijkheid

Het grote menselijke en financiële belang van de werknemer bij de inhoud en het voortbestaan van de arbeidsovereenkomst krijgt nog eens een extra scherpte door de ongelijkheid van partijen. Hiermede wordt gedoeld op het feit dat een werkgever door zijn grotere deskundigheid en door de sterkere positie die hij op de arbeidsmarkt inneemt gewoonlijk in een gunstiger positie verkeert dan een individuele werknemer.[28]
Wat dit aspect betreft is de arbeidsovereenkomst enigermate te vergelijken met de huur- en pachtovereenkomst of de consumentenkoop. Ook bij deze overeenkomsten kan één der partijen als regel als de maatschap-

27 De vredesplichtclausule in cao's (4.4.1.3) heeft ten doel een ononderbroken beschikking over deze arbeidskracht te waarborgen.

28 Zie voor de vertaling van dit maatschappelijk gegeven in juridische consequenties J. van Schellen, Wat doet de Hoge Raad?, Deventer 1980, p. 14; dezelfde Wat leert de Hoge Raad?, oratie Leiden, Deventer 1983, p. 19; T. van Peijpe, Het gelijkheidsbeginsel in het arbeidsrecht, bijdrage aan Gelijkheid en recht, C.W. Maris (red.), Zwolle 1988. Zie voorts de literatuur genoemd in noot 12.

pelijk zwakkere worden beschouwd, in casu: de huurder en de pachter of de consument.[29] Bij de meeste andere contracten daarentegen kan men gewoonlijk niet zonder meer zeggen dat één der partijen als regel de zwakkere is.

grondrechten

De constatering dat de werknemer in de verhouding tot de werkgever – doorgaans – de zwakkere partij is, is er onder meer aanleiding toe geweest om wettelijke bescherming van de grondrechten van de werknemer tegenover zijn werkgever te bepleiten.[30]

Bovengeschetste elementen kunnen nader worden geïllustreerd door de arbeidsovereenkomst te plaatsen in het kader van een grote of middelgrote particuliere onderneming, want het is binnen de onderneming dat 'de wereld van de arbeid voor de in loondienst werkende mens het meest concreet gestalte krijgt.'[31]

1.5.2 *Arbeidsovereenkomst en onderneming*

definitie onderneming

Een onderneming kan worden gedefinieerd als een organisatie van productiefactoren (kapitaal en arbeid) met het doel behoeften, zoals deze tot uiting komen via de markt, te bevredigen en daarmede aan de participanten een inkomen te verschaffen.[32] Om deze doeleinden van de onderneming te kunnen realiseren dient de met de leiding belaste werkgever op uiteenlopende terreinen beslissingen te nemen, een beleid te voeren. Globaal kan daarbij een onderscheid worden gemaakt tussen een economisch beleid en een sociaal beleid (of personeelsbeleid). Deze onderscheiding heeft overigens slechts een beperkte oriënterende waarde, daar de grenzen vloeiend zijn en verschillende activiteiten zowel onder de ene als andere categorie kunnen worden gerangschikt.

sociaal beleid

Onder sociaal beleid wordt hier verstaan het geheel van beslissingen dat rechtstreeks betrekking heeft op de organisatie van de factor arbeid in de onderneming. In dit kader moet onder meer worden beslist met welke personen een dienstbetrekking zal worden aangegaan, op welke arbeidsvoorwaarden de arbeid zal worden verricht en op welke wijze en onder welke voorwaarden de dienstbetrekking zal worden geëindigd.

29 Het tijdschrift Sociaal recht, Deventer (sedert 1986) richt zich in het bijzonder op rechtsgebieden die gekenmerkt worden door regulering van een ongelijkheidsverhouding.

30 P.F. van de Heijden, Grondrechten in de onderneming, oratie RUG 1998, Kluwer 1988; E. Verhulp, Grondrechten in het arbeidsrecht, Vereniging voor Arbeidsrecht, Kluwer, Deventer 1999.

31 G. Hekkelman, Tekorten van het arbeidsrecht, oratie UvA 1967, Arbeidsrechtelijke geschriften 1962–1977, p. 84. Hierover R.A.A. Duk, SMA 1997, 3, p. 145.

32 Onderscheiden wettelijke regelingen hanteren een eigen definitie van onderneming, bijvoorbeeld de Wet op de ondernemingsraden, art. 1 lid 1, sub c.

economisch beleid

Onder economisch beleid kan worden verstaan het geheel van beslissingen dat betrekking heeft op het ondernemingsvermogen. Het omvat onder andere een afzet-, productie-, investerings- en financieringsbeleid.

Het hierboven geschetste werkgeversbeleid heeft noodzakelijkerwijs repercussies ten aanzien van de rechten en belangen van de in de onderneming werkzame personen. Deze werknemers wensen een redelijk loon – bij voorkeur een loon dat ieder jaar wat hoger wordt – en behoud van hun werk, carrièremogelijkheden, goede onderlinge verhoudingen, kansen om zich te ontplooien, mogelijkheden het privé-leven, waaronder zorgtaken, met beroepsarbeid te combineren, plezier in het werk en het gevoel gewaardeerd te worden, een comfortabele en veilige arbeidssituatie en een zekere zeggenschap over eigen – en soms ook andermans – werkomstandigheden.
Het ligt voor de hand dat deze op zichzelf gerechtvaardigde wensen van de werknemers bij tijd en wijle in botsing *moeten* komen met het op zichzelf even gerechtvaardigde streven van de werkgever. De werkgever kan en mag zich bij zijn beslissingen immers niet uitsluitend laten leiden door de bestaande wensen van de werknemers, doch dient mede rekening te houden met de mogelijkheden van de markt (concurrentie), de door de overheid gestelde grenzen, de rechten en belangen van aandeelhouders, crediteuren, subsidiënten, consumenten en leveranciers, alsmede de ondernemingsbelangen op langere termijn (investeringen).[33]

belangentegenstellingen

Zowel de werkgever als de werknemers hebben een gemeenschappelijk belang bij een gezonde onderneming, bij het onbedreigd voortbestaan van de onderneming; er bestaat ongetwijfeld een zekere 'harmonie op termijn'. Maar voor wat de dagelijkse gang van zaken betreft bestaat er tevens een potentiële disharmonie van belangen. Dat het personeelsbeleid van de werkgever tot conflicten met belangen van (groepen) werknemers kan leiden, is al heel duidelijk. Maar dit geldt evenzeer ten aanzien van het investerings- en productiebeleid (invoering van automatisering kan delen van de werkgelegenheid bedreigen), het afzetbeleid (het ontsluiten van nieuwe markten kan andere eisen stellen aan de werknemers) en het financieringsbeleid (de wijze van financiering kan gevolgen hebben voor de onmiddellijk beschikbare loonsom).

spanning

Het onderkennen van de spanning tussen het beleid van de werkgever en de belangen van de werknemers is niet alleen realistisch, doch geeft daardoor ook mogelijkheden om tot oplossing van de tegenstellingen te geraken. Deze laatste constatering brengt ons tot de rol die het arbeidsrecht daarbij kan vervullen.

33 L. Timmerman, De stand van het vennootschapsrecht, oratie RUG, Deventer 1990, p. 21.

1.5.3 *De maatschappelijke functie van het arbeidsrecht*

De maatschappelijke functie van het arbeidsrecht bestaat naar mijn mening in belangrijke mate uit het reguleren van de hiervoor geschetste belangentegenstellingen van werkgevers en werknemers,[34] waaronder het voorkomen, oplossen of verzachten van uit deze tegenstelling voortvloeiende conflicten.

Bij deze regulering dient in het oog te worden gehouden dat zowel werkgevers als werknemers een 'honorabele positie' innemen; beide partijen staan voor belangen die bescherming verdienen. Het gaat in het arbeidsrecht niet alleen om het in bescherming nemen van werknemersbelangen; het is evenzeer noodzakelijk daarbij de werkgever, die immers verantwoordelijk is voor de leiding van de onderneming, een zekere ruimte te geven om de claims van werknemerszijde af te wegen tegen de claims van andere belanghebbenden en de economische mogelijkheden. Deze constatering neemt overigens niet weg dat de hierboven gesignaleerde ongelijkheid van partijen met zich brengt, dat in het arbeidsrecht een versterking van de maatschappelijk zwakkere positie van de individuele werknemer terecht centraal staat. Het is in het bijzonder vanuit dit gezichtspunt dat het arbeidsrecht in talloze gevallen een element van bescherming, c.q. gelijkheid (machtsevenwicht), ten behoeve van de factor arbeid tracht te bewerkstelligen teneinde deze (on)machtsverhouding te corrigeren. Het arbeidsrecht is met andere woorden een middel tot ongelijkheidscompensatie.

versterking positie werknemer

wijzen van regulering

In Nederland heeft de arbeidsrechtelijke regulering van de arbeidsverhoudingen in hoofdzaak op drie verschillende manieren gestalte gekregen.

wet

Tot de toegepaste middelen behoort in de eerste plaats het rechtstreeks wettelijk ingrijpen. Zo worden bijvoorbeeld de bevoegdheden van de werkgever betreffende de inrichting van de onderneming door de arbeidsomstandighedenwetgeving aan banden gelegd (zie hoofdstuk 2), worden de uit een arbeidsovereenkomst voortvloeiende rechten en plichten mede bepaald door de arbeidsovereenkomstenwetgeving (zie hoofdstuk 3) en worden de gevolgen van werkloosheid en ziekte verzacht via de sociale verzekeringswetgeving (zie hoofdstuk 8).

cao

In de tweede plaats kan worden gewezen op het bestaande stelsel van collectieve onderhandelingen. In de praktijk zijn de onderhandelingen tussen verenigingen van werkgevers en werknemers wel het belangrijkste middel om tot regulering van de arbeidsverhoudingen te geraken.

34 Ook het reguleren van tegenstellingen van (groepen van) werknemers onderling maakt onderdeel uit van het arbeidsrecht. Vgl. I.P. Asscher-Vonk, Toegang tot de dienstbetrekking, diss. UvA, Alphen aan den Rijn 1989, p. 172; dezelfde, Compensatie van ongelijkheid tussen werknemers, bijdrage aan de Rood-bundel, p. 1.

De rol die de wetgeving speelt bij het tot stand komen en stimuleren van collectieve onderhandelingen is bescheiden (zie hoofdstuk 4).[35]

OR

Ten derde vindt regulering van de arbeidsverhoudingen plaats middels het bestaande netwerk van ondernemingsraden. Deze specifieke vorm van collectief overleg is in toenemende mate door de wetgever ondersteund (zie hoofdstuk 5).

Ten slotte is van toenemend belang de regulering die zijn bron vindt in besluiten van internationale organisaties (EG) of in internationale verdragen (hoofdstuk 9).

universele problemen

Bovengeschetste analyse van de *maatschappelijke functie* van het arbeidsrecht is niet alleen bruikbaar binnen het Nederlandse stelsel van arbeidsverhoudingen, doch evenzeer ten aanzien van andere moderne markteconomieën. Dit geldt echter niet voor de *middelen* die in het kader van het arbeidsrecht worden gehanteerd om deze functie te realiseren. Welke middelen gehanteerd worden en in welke dosering wordt namelijk in hoofdzaak gedetermineerd door de cultuur van het land in kwestie en door het karakter van het nationale rechtssysteem waarvan het arbeidsrecht deel uitmaakt enerzijds en van de nationale sociale en economische ontwikkeling anderzijds. Beide factoren kunnen van land tot land verschillen. De karakteristiek van het nationale rechtsstelsel kan bijvoorbeeld medebepalend zijn voor de vraag of de regulering van arbeidsverhoudingen voornamelijk wordt overgelaten aan de wetgever, danwel of hierbij een belangrijke plaats is ingeruimd voor de (arbeids)rechtspraak.[36] Daarnaast zal de sociale infrastructuur, zoals bijvoorbeeld blijkend uit de opbouw van werkgevers- en werknemersverenigingen, organisatiegraad, bedrijfsgrootte en het al of niet bestaan van ondernemingsraden, mede bepalend zijn voor de vraag in hoeverre vormen van collectief overleg hun intrede doen naast of in plaats van een rechtstreekse wettelijke regeling van arbeidsrelaties. Als karakteristiek van de Nederlandse arbeidsverhoudingen en de wijze waarop die gereguleerd worden, wordt veel gewezen op het poldermodel: werkgevers, werknemers en overheid/onafhankelijken maken op vele niveaus, ook centraal, afspraken over te voeren beleid.

nationale verschillen

poldermodel

1.5.4 *Werkgevers en werknemers; leidinggevende bevoegdheden*

In het voorgaande werd herhaaldelijk gesproken over 'de werkgever' als tegenpool van 'de werknemers'. Deze typering is misleidend. Zij zou namelijk kunnen suggereren dat een amorfe groep

35 O. Kahn-Freund, Labour and the law, London 1983 maakt op pp. 37 en 65 de onderscheiding tussen 'regulatory law – legislation directly laying down rules of employment' en 'auxiliary legislation – those branches of labour law which are disigned to promote collective bargaining as well as the making and the observance of collective agreements'.

36 Rechtsvergelijking is het middel bij uitstek om karakteristieken van nationale rechtsstelsels bloot te leggen (9.1).

van ondergeschikten, de werknemers, staat tegenover één persoon die in een onderneming de lakens uitdeelt, de werkgever.

typen werkgevers

Dit beeld nu is min of meer typerend voor de arbeidsverhoudingen in de negentiende en het begin van de twintigste eeuw. In die periode bestond onze productiehuishouding, zoals reeds is opgemerkt, nog overwegend uit eenmanszaken, geleid door ondernemers die zelf het noodzakelijke kapitaal bijeenbrachten en die slechts enkele werknemers in dienst hadden. Onder die omstandigheden was het ondernemingsbeleid geconcentreerd bij de eigenaar van het ondernemingsvermogen. Aan dit beleid werden door het recht weinig grenzen gesteld. Het beginsel van de vrijheid van eigendom, dat toen nog in volle luister gold, garandeerde binnen de onderneming een vrijwel onbeperkte uitoefening van het economisch beleid en datzelfde gold op basis van het beginsel van de contractsvrijheid ten aanzien van het sociale beleid.
Deze situatie is in de loop van de twintigste eeuw echter ingrijpend gewijzigd. Het maatschappelijk beeld wordt thans niet meer bepaald door eenmanszaken, doch door grote en middelgrote ondernemingen. Daarbij is de functie van kapitaalverschaffer overgenomen door de aandeelhouders, terwijl de ondernemingen thans gewoonlijk zijn geconstitueerd als rechtspersonen (meestal een naamloze- of besloten vennootschap) onder leiding van een bestuur.

rechtspersoon

Wanneer een onderneming is geconstitueerd als rechtspersoon, is zowel het bestuur als het overige personeel in dienst van de rechtspersoon.[37] Het is de rechtspersoon die geldt als werkgever in juridische zin: de arbeidsovereenkomsten worden gesloten met de rechtspersoon en het is dan ook door of tegen de rechtspersoon dat uit de arbeidsovereenkomst voortvloeiende procedures moeten worden ingesteld.
De bestuurders van een rechtspersoon zijn dus geen werkgevers in juridische zin, al worden zij soms als 'werkgevers' aangeduid. Wel is het bestuur binnen de rechtspersoon krachtens de wet belast met de leiding van de onderneming, met het voeren van een sociaal en economisch beleid in de hiervoor geschetste betekenis (vgl. art. 239 Boek 2 BW). Op grond hiervan kan men stellen dat de bestuurders binnen de rechtspersoon beschikken over werkgevers*bevoegdheden*.

Het zou overigens onjuist zijn om te menen dat bestuurders de enige werknemers zijn die met leidinggevende bevoegdheden zijn belast. Ondernemingen van enige omvang kennen op grote schaal een interne de-

delegatie bevoegdheden

legatie van bevoegdheden. Bij dergelijke ondernemingen zou het een il-

37 Dat bestuurders van een NV of BV ondanks hun leidinggevende bevoegdheid in de civiele, de fiscale en de sociale verzekeringsrechtspraak in het algemeen als werknemers worden beschouwd, is onder meer beslist in HR 7 februari 1940, NJ 1940, 180 en – zij het met uitzondering van de bestuurder/grootaandeelhouder, vgl. CRvB 4 oktober 1985, RSV 1986, 21. Zie art. 6 lid 1 sub d ZW, WAO, WW. In het medezeggenschapsrecht wordt een bestuurder in de zin van art. 1 lid 2 WOR niet als werknemer beschouwd (5.3.1).

lusie zijn om aan te nemen dat het ondernemingsbeleid uitsluitend door het bestuur zou (kunnen) worden bepaald. In feite is dit bestuur voor wat betreft de beleidsbepaling in verregaande mate afhankelijk van de informatie en medewerking van groepen min of meer gespecialiseerde werknemers. Werkgeversbevoegdheden zijn, met andere woorden, in meerdere of mindere mate, over talloze werknemers verspreid. Daarnaast kan worden opgemerkt dat de leidinggevende bevoegdheden van bestuurders veelal hun wettelijke beperkingen vinden in de bevoegdheden van de OR (5.3.4) en daarnaast soms beperkt worden door de bevoegdheden van de raad van commissarissen (5.6) en de algemene vergadering van aandeelhouders (art. 101, 132, 166, 210, 242, 276 Boek 2 BW).

wettelijke beperkingen werkgeversbevoegdheden

Tot slot kan er op worden gewezen dat er behalve een spreiding van beleidsbepalende bevoegdheden binnen de onderneming ook een externe delegatie mogelijk is. Zo is het arbeidsvoorwaardenbeleid meestal door het bestuur van de onderneming gedelegeerd aan een werkgeversorganisatie die aan dit beleid in het collectief overleg met werknemersbonden vorm en inhoud geeft (4.4).
Ook ziet men wel het verschijnsel dat de formele werkgeversrol niet wordt uitgeoefend door degene die de leiding heeft van de onderneming waar in gewerkt wordt, maar door een derde. Dit systeem wordt payrolling genoemd.

arbeidsvoorwaarden bepaling

De omschrijving van het arbeidsrecht als het geheel van rechtsregels dat ten doel heeft de regulering van de individuele en collectieve relaties tussen werkgevers en werknemers in de particuliere sector dient in het licht van het voorgaande te worden geïnterpreteerd. Uit het voorgaande moge duidelijk zijn geworden dat de in deze omschrijving genoemde werkgevers en werknemers niet zonder meer kunnen worden opgevat als twee scherp omlijnde tegenover elkaar staande groepen van personen. In belangrijke mate gaat het in het arbeidsrecht veeleer om regulering van over verschillende personen en collectiviteiten gespreide werkgeversbevoegdheden in hoofdzaak – doch niet uitsluitend – ter bescherming van belangen van werknemers die deze bevoegdheden niet of in mindere mate bezitten.

1.6 Onderdelen van het arbeidsrecht

In het hedendaags arbeidsrecht kunnen de volgende min of meer samenhangende onderdelen worden onderscheiden: arbeidsomstandighedenrecht, arbeidsovereenkomstenrecht, collectief arbeidsrecht, medezeggenschapsrecht, publiekrechtelijke bedrijfsorganisatie, arbeidsmarktbeleid, de sociale werknemersverzekeringen en aanverwante regelingen en het internationaal arbeidsrecht. Deze onderdelen hebben veelal gemeen dat zij van toepassing zijn als er sprake is van een arbeidsovereenkomst.

deelgebieden arbeidsrecht

De deelgebieden van het arbeidsrecht zijn onderling dikwijls verschillend van juridische structuur. Zij zijn deels publiekrechtelijk, deels privaatrechtelijk van aard.[38] Voorts treedt de arbeidsovereenkomst als gemeenschappelijk juridisch kernbegrip bij het ene onderdeel duidelijker naar voren dan bij het andere. Door deze verscheidenheid maakt het arbeidsrecht soms een wat verbrokkelde en onsystematische indruk. De schoksgewijze ontwikkeling van het arbeidsrecht is hieraan mede debet. Arbeidswetgeving kwam dikwijls incidenteel tot stand op die gebieden waar misbruiken gesignaleerd werden of waar de vakbeweging sterk genoeg was om pressie uit te oefenen. Daarnaast werd het arbeidsrecht beïnvloed door 'vloedgolven van sociale filosofie, sociologie, retoriek en al wat daartussen ligt'.[39] Ter eerste oriëntatie volgt hieronder een korte kenschets van de verschillende deelgebieden.

arbeidsomstandighedenrecht

Het in hoofdstuk 2 behandelde arbeidsomstandighedenrecht bestaat hoofdzakelijk uit regelingen met betrekking tot de geoorloofde maximumwerktijden en de arbeidsomstandigheden (veiligheid) in de onderneming. Het gaat hier om het oudste deelgebied van het arbeidsrecht; de eerste wetgeving op dit terrein stamt uit de 19e eeuw. Dit onderdeel van het arbeidsrecht kent zowel publiek- als privaatrechtelijke aspecten. Overtreding van bepaalde regels is strafrechtelijk gesanctioneerd. Bij de opsporing en zelfs de afdoening van strafbare feiten vervult de Arbeidsinspectie een belangrijke rol. Daarnaast beschikt deze instantie over bestuursrechtelijke bevoegdheden. Van andere regels met betrekking tot de arbeidstijden of –omstandigheden is de handhaving aan de werknemer(s), cao-partijen of de OR overgelaten. De sancties op overtreding van deze regels zijn privaatrechtelijk.

arbeidsovereenkomstenrecht

Het arbeidsovereenkomstenrecht (hoofdstuk 3) kan worden getypeerd als individueel arbeidsrecht. Het omvat de wettelijke bepalingen die betrekking hebben op het tot stand komen, de inhoud en het einde van de arbeidsovereenkomst, zoals deze door een individuele werkgever en werknemer is gesloten. De arbeidsovereenkomst werd voor het eerst uitvoerig wettelijk geregeld door de Wet op de arbeidsovereenkomst van 1907 (3.1.2). Behalve door de wetgeving wordt deze materie voornamelijk beheerst door collectieve arbeidsovereenkomsten (een cao is een collectief contract waarbij voornamelijk of uitsluitend worden geregeld arbeidsvoorwaarden bij arbeidsovereenkomsten in acht te nemen; art.

38 M.G. Rood, De werkgever als Janus?, bijdrage aan de Leede-bundel, p. 397.
39 J. Mannoury, Het moderne arbeidsrecht als instrument van behoud en verandering, Bundel J.J.M. van der Ven, p. 226.

1 lid 1 WCAO). De stof is privaatrechtelijk van aard; handhaving geschiedt via procedures voor de burgerlijke rechter en wel de kantonrechter (art. 39 sub 3e RO). De rechtspraak over deze materie is omvangrijk; zij betreft in overwegende mate het ontslagrecht.

collectief arbeidsrecht

In het collectief arbeidsrecht (hoofdstuk 4) overheersen de collectieve aspecten. Niet individuele arbeidsovereenkomsten staan hier centraal, maar collectieve relaties. Onder meer komen hierbij aan de orde het collectief overleg tussen werkgevers- en werknemersorganisaties op landelijk-, bedrijfstaks- en ondernemingsniveau, de invloed van de overheid op dit collectief overleg en de collectieve conflicten. De belangrijkste wetten op dit gebied zijn de Wet op de collectieve arbeidsovereenkomst 1927 en de Wet op het algemeen verbindend en onverbindend verklaren van bepalingen van collectieve arbeidsovereenkomsten 1937. Ook deze materie is hoofdzakelijk privaatrechtelijk van aard. Ook hier is de kantonrechter geroepen om in eerste instantie zijn oordeel te geven (art. 39 sub 3e RO). Dergelijke procedures komen echter betrekkelijk weinig voor; gewoonlijk prefereren CAO-partijen het om bij eventuele geschillen een oplossing te zoeken via nadere collectieve onderhandelingen. Wel wordt er in geval van collectieve conflicten (werkstaking) vaak een beroep gedaan op de president in kort geding.

staking

medezeggenschapsrecht

In het medezeggenschapsrecht (hoofdstuk 5) overheersen eveneens de collectieve aspecten. Centraal staan hier de relaties tussen de ondernemingsraad of de personeelsvertegenwoordiging, gekozen door de in een onderneming werkzame personen (dat wil zeggen personen die met de betrokken ondernemer een arbeidsovereenkomst hebben gesloten; art. 1 lid 2 WOR), en de leiding van de onderneming. De eerste Wet op de ondernemingsraden dateert van 1950. Bijna dertig jaar later werd deze wet vervangen door de thans geldende Wet op de ondernemingsraden 1979. Deze wet heeft inmiddels meerdere ingrijpende wijzigingen ondergaan. Ook dit onderdeel is overwegend van privaatrechtelijke aard. Civiele procedures kunnen worden aangespannen bij de kantonrechter (art. 36 WOR) en bij de ondernemingskamer van het gerechtshof te Amsterdam (art. 26 WOR).

publiekrechtelijke bedrijfsorganisatie

Zowel vóór als na de Tweede Wereldoorlog zijn er wetten tot stand gekomen, die beoogden om – naast of in plaats van de in collectieve arbeidsovereenkomsten belichaamde privaatrechtelijke bedrijfsorganisatie – een publiekrechtelijke bedrijfsorganisatie te grondvesten, eveneens gedragen door de werkgevers- en werknemersorganisaties. De belangrijkste wet is thans de Wet op de bedrijfsorganisatie 1950. Hoofdstuk 6 geeft over dit stuk arbeidsrecht enige nadere informatie. Ik teken hierbij nog aan dat het geen toeval is dat de eerste Wet op de ondernemingsraden en de Wet op de bedrijfsorganisatie beide in 1950 tot stand zijn gekomen. Beide wetten zijn mede gestimuleerd door de naoorlogse gedachtenwereld, waarin werd uitgegaan van de wenselijkheid van een samenwerking van werkgevers en werknemers, zowel op het niveau van de bedrijfstak als van de onderneming.

arbeidsmarktbeleid

Hoofdstuk 7 is gewijd aan het arbeidsmarktbeleid. Het arbeidsmarktbeleid omvat enerzijds het werkgelegenheidsbeleid (gericht op het scheppen en behouden van voldoende arbeidsplaatsen), anderzijds het arbeidsvoorzieningsbeleid (gericht op een doelmatige en rechtvaardige inschakeling van arbeidskrachten). Aanvankelijk lag het arbeidsmarktbeleid vrijwel geheel in handen van de overheid; de Arbeidsvoorzieningswet 1990 heeft echter een belangrijke rol toegekend aan werkgevers- en werknemersorganisaties.

werknemersverzekering

Een belangrijk onderdeel van het arbeidsrecht vormen de sociale werknemersverzekeringen en aanverwante regelingen (hoofdstuk 8). Deze regelingen richten zich op inkomensbescherming van werknemers die door arbeidsongeschiktheid of werkloosheid geen aanspraak (meer) hebben op loon. Daarnaast richten deze regelingen zich op reïntegratie van de uitkeringsgerechtigden in het arbeidsproces. De belangrijkste wetten zijn de Wet op de arbeidsongeschiktheidsverzekering 1966 en de Werkloosheidswet 1986. Het belang van de Ziektewet 1913 is in 1996, met de invoering van de Wet uitbreiding loonbetalingsverplichting bij ziekte (WULBZ) sterk teruggedrongen. De verantwoordelijkheid voor inkomensvervanging, preventie en reïntegratie gedurende het eerste ziektejaar ligt thans vooral bij de werkgever.
Deze materie is hoofdzakelijk bestuursrechtelijk van aard. Procedures dienen te worden aanhangig gemaakt bij de (sector bestuursrecht van) de rechtbank en in appel bij de Centrale Raad van Beroep.

internationaal arbeidsrecht

Tot slot behandelt hoofdstuk 9 het internationaal arbeidsrecht. De ontwikkeling van het Nederlands arbeidsrecht ondervindt in toenemende mate de invloed van besluiten van internationale organisaties. Hoofdstuk 9 geeft hiervan enige illustraties. Op internationale besluiten en regelingen kan soms een beroep worden gedaan bij de Nederlandse rechter (EG-Verdrag). Dikwijls echter kennen deze regelingen een eigen handhavingsmechanisme, dat meer op overreding en publieke pressie steunt dan op scherpe juridische sancties (Conventies van de Internationale Arbeidsorganisatie, Europees Sociaal Handvest).

samenhang

Bovengenoemde onderdelen van het arbeidsrecht dienen niet als volstrekt zelfstandige, onafhankelijke eenheden te worden beschouwd. Zoals in dit boek meermalen zal blijken, worden de normen van het ene onderdeel dikwijls beïnvloed, aangevuld of uitgewerkt, door de normen van een ander onderdeel.

1.7 Verzelfstandiging van het arbeidsrecht. Arbeidsrecht als deel van het recht

founding fathers

De erkenning van het arbeidsrecht als zelfstandig onderdeel van het recht door middel van de instelling van universitaire leerstoelen en het verstrekken van onderwijsopdrachten heeft haar beslag gekregen in de loop van de jaren 1926–1953. Tot de 'eerste generatie' van arbeidsrechtdocenten behoren M.G. Levenbach (GU Amsterdam 1926), A.N. Molenaar (Leiden 1927), F.J.H.M. van der Ven (Tilburg 1938), J.J.M. van der Ven (Utrecht 1941; Nijmegen 1947), N.E.H. van Esveld (Rotterdam 1953; Groningen 1953).[40]
De meest directe consequentie van het verwerven van de academische status was dat het arbeidsrecht in de doctorale fase van de juridische studie de status van 'keuzevak' verwierf. De nieuwe status impliceerde overigens niet dat de strijd om het bestaansrecht van het arbeidsrecht was afgesloten. In 1926 moest Levenbach nadrukkelijk betogen dat arbeidsrecht een deel van het recht was en niet een soort van toegepaste economie.[41] En zelfs nog in 1953 moest Van Esveld constateren dat er geen communis opinio bestond over de vraag of het arbeidsrecht reden van bestaan had als afzonderlijk rechtsvak, danwel beschouwd diende te worden als een conglomeraat van privaatrechtelijke en publiekrechtelijke onderdelen.[42]

afzonderlijk vak

Hoe dit zij, geconstateerd kan worden dat het arbeidsrecht thans algemeen wordt geaccepteerd als een zelfstandig onderdeel binnen recht en rechtswetenschap. 'Voorwaarden voor een dergelijk afzonderlijk vak zijn de aanwezigheid van voldoende stof, de mogelijkheid deze theoretisch en praktisch voldoende af te bakenen en voldoende innerlijk samenhangende karakteristiek, waaruit blijkt, dat het niet om een uiterlijke verzameling van delen uit andere leerstof gaat'.[43] Aan deze voorwaarden heeft het arbeidsrecht voldaan. Iedere juridische faculteit kent thans voor dit vak een leerstoel (gewoon hoogleraar); daarnaast is arbeidsrecht in toenemende mate in de juridische opleiding opgenomen als onderdeel van de verplichte stof. In deze ontwikkeling staat Nederland trouwens niet alleen.[44]

40 Zie nader Van sociale politiek naar sociaal recht. Een bundel arbeidsrechtelijke oraties sinds 1885. Alphen aan den Rijn 1966. Een beeld van de ontwikkeling van het arbeidsrecht gedurende de jaren 1962–1977 is te vinden in Arbeidsrechtelijke geschriften 1962–1977, samengesteld en ingeleid door H.L. Bakels, Deventer, Alphen aan den Rijn 1977. Zie ook de bijdragen M.G. Rood en J.J.M. van der Ven aan Fifty years of Labour Law and Social Security, Deventer 1986; Vijftig jaar sociaal recht in Leiden, Deventer 1986; C.J.H. Jansen en C.J. Loonstra, Het eerste onderwijs in 'het sociaal recht', SMA 1991, 11, p. 630; dezelfde, Kopstukken arbeidsrecht, Deventer 1992.

41 Arbeidsrecht als deel van het recht, Arbeidsrechtelijke oraties, p. 58.

42 Arbeidsrecht als didactisch begrip, Arbeidsrechtelijke oraties, p. 329.

43 M.G. Levenbach, Veertig jaar arbeidsrecht, afscheidscollege Amsterdam 1966, Arbeidsrechtelijke geschriften 1962–1977, p. 26.

44 Terecht merkt O. Kahn-Freund in dit verband op: '...any law syllabus which fails to cover the conditions under which about nine-tenths of the people earn their living stands condemned,' Labour and the law, Londen 1979, p. XII.

wetenschap

Tot dit resultaat hebben in het bijzonder bijgedragen de talloze wetenschappelijke publicaties die bovengenoemde docenten en anderen in de loop der jaren het licht hebben doen zien. Zonder overdrijving kan worden gesteld dat de opbouw van het vak zonder deze geschriften niet mogelijk zou zijn geweest. Wetten en rechtspraak op zichzelf genomen, vormen immers niet veel meer dan een amorfe massa, zonder structuur of samenhang. Het is de taak van de rechtswetenschap hierin ordening aan te brengen teneinde het geheel beter toegankelijk te maken voor het onderwijs en de praktische rechtsbeoefening.

tijdschriften

Ook de oprichting van een eigen tijdschrift heeft aan dit resultaat medegewerkt. In 1910 werd opgericht het tijdschrift Rechterlijke Beslissingen inzake de Wet op de Arbeidsovereenkomst (RBA); in 1941 heeft dit blad opgehouden te bestaan. Na de oorlog, in 1946, werden het Sociaal Maandblad en het maandschrift Arbeid opgericht. Beide periodieken werden als één geheel beschouwd en hadden dan ook dezelfde redactie; niettemin kon men zich op elk tijdschrift afzonderlijk abonneren. Het Sociaal Maandblad beoogde een wetenschappelijk karakter te dragen; het maandschrift Arbeid was meer op de praktijk van arbeidsrechtelijke vraagstukken gericht. In 1954 werden beide tijdschriften samengevoegd tot één periodiek: het Sociaal Maandblad Arbeid (SMA), dat tot op de huidige dag verschijnt.[45] Het Nederlands Tijdschrift voor Sociaal recht (Sociaal Recht) verscheen voor het eerst in 1986. Behalve aan arbeidsrecht wijdt dit tijdschrift ook aandacht aan bijvoorbeeld gezondheidsrecht, consumentenrecht, woonrecht. De nadruk ligt echter op arbeidsecht en sociaalzekerheidsrecht. Puur arbeidsrechtelijk is het tijdschrift ArbeidsRecht, vooral gericht op de (advocaten)praktijk. Speciaal arbeidsrechtelijke jurisprudentie wordt gepubliceerd in het sedert 1997 verschijnende tijdschrift Jurisprudentie Arbeidsrecht (JAR).

Vereniging voor Arbeidsrecht

Tot slot mag niet onvermeld blijven dat in 1946 de Vereniging voor Arbeidsrecht werd opgericht, een landelijke vereniging die zich de bevordering van de studie van het arbeidsrecht ten doel stelt. Door het organiseren van lezingen, excursies, door het uitgeven van een reeks publicaties e.d. en door het scheppen van mogelijkheden van contacten en uitwisseling van denkbeelden tussen beoefenaren van het arbeidsrecht, heeft de vereniging ongetwijfeld bevruchtend gewerkt.[46] De vereniging geeft ook een reeks 'geschriften' uit. De vereniging telt thans ca. 1000 leden.

45 Zie over de geschiedenis van SMA W.F. de Gaay-Fortman, SMA 1987, 1, p. 8, alsmede de bundel Sociaal-rechtelijk en sociaal-politiek denken sedert de Tweede Wereldoorlog, Veertig jaar Sociaal Maandblad Arbeid, Alphen aan den Rijn 1986. Zie voorts C.J.H. Jansen en C.J. Loonstra, Sociaal Weekblad: Bewogen voorloper van het Sociaal Maandblad Arbeid, SMA 1990, 1, p. 7; dezelfden, Rechterlijke beslissingen inzake de Wet op de arbeidsovereenkomst, SMA 1990, 6, p. 361.

46 Zie nader M.G. Levenbach, De geschiedenis van de vereniging, Aspecten p. 1. Zie voorts E.P. de Jong, Gouden jubilea Vereniging voor Arbeidsrecht en Sociaal Maandblad Arbeid, SMA 1996, 5, p. 286.

1.8 Arbeidsrecht. Leer der arbeidsverhoudingen

Na al hetgeen hiervoor is opgemerkt over het belang en het eigen karakter van het arbeidsrecht, moge het getuigen van enige bescheidenheid en realiteitszin wanneer dit hoofdstuk met enkele relativerende opmerkingen wordt afgesloten.

invloed arbeidsrecht

Ten eerste zou ik willen opmerken dat rechtsregels voor wat betreft de regulering van menselijke relaties slechts een ondergeschikte plaats innemen. Het effect van rechtsnormen is dikwijls maar zeer betrekkelijk; de jurist is geen almachtige administrateur van het heelal. En wat geldt voor het recht in het algemeen, geldt in het bijzonder voor het arbeidsrecht. Zo is bijvoorbeeld de mate van welvaart die de onzelfstandige beroepsbevolking kan verwerven in hoofdzaak afhankelijk van de stand van de techniek, de economische toestand en de situatie op de arbeidsmarkt; op deze punten kan het arbeidsrecht geen of weinig invloed uitoefenen.[47]

andere disciplines

Ten tweede – en deze opmerking hangt enigermate met de voorafgaande samen – is het arbeidsrecht slechts één van de disciplines die zich met arbeidsrelaties bezig houden. In dit verband kan onder meer worden gewezen op de arbeidspsychologie, de arbeidssociologie en de arbeidseconomie, die voor het inzicht in het functioneren van een systeem van arbeidsverhoudingen soms van grotere betekenis kunnen zijn dan het arbeidsrecht.

Kennis van juridisch relevante feiten en begrippen en van de technische structuur van het recht in het algemeen is noodzakelijk om een inzicht te verkrijgen in de betekenis en het functioneren van het arbeidsrecht. Maar daarnaast is het eveneens noodzakelijk om het arbeidsrecht te plaatsen in zijn historische ontwikkeling en huidige maatschappelijke context; een zekere kennis van sociale en economische achtergronden is hierbij onontbeerlijk (dat geldt trouwens ook voor de meeste andere rechtsgebieden). Om deze reden valt het toe te juichen dat de bijdragen van de sociale wetenschappen op dit terrein de laatste jaren zijn toegenomen.[48]

Maar al is de plaats die het arbeidsrecht bij de regulering van arbeidsverhoudingen inneemt bescheiden, dit neemt niet weg dat deze plaats een essentiële is. Ik hoop dat de lezer door de inhoud van het voorgaande en van de navolgende hoofdstukken van de juistheid van deze stelling overtuigd zal worden.

47 In gelijke zin O. Kahn-Freund, Labour and the law, London 1983, p. 13.

48 Vgl. J.P. Windmuller/C. de Galan, A.F. van Zweeden, Arbeidsverhoudingen in Nederland, Aula Pocket 1983; W. Albeda en W.J. Dercksen Arbeidsverhoudingen in Nederland, Alphen aan den Rijn, 1994; W. van Voorden e.a., Macht in banen, Leiden 1993. Belangstelling verdient ook het tijdschrift voor arbeidsvraagstukken (TVA), waarvan nr. 1 in 1985 is verschenen, Deventer.

2 Arbeidsomstandighedenrecht

Acht-uren-mars
(refrein)

Acht uur! Acht uur!
Geen langer arbeidsduur!
Ten strijd! Komt allen op ten strijd!
Ten strijd voor acht uur arbeidstijd!

Tekst: S.W. Colthof
Recht voor allen, 24 april 1890.*

2.1 Inleiding

definitie

arbeidsbescherming

Het arbeidsomstandighedenrecht – vroeger ook wel arbeidsbescherming genoemd – omvat het geheel van normen dat gericht is op bescherming van de werknemer tegen met zijn werkzaamheden samenhangende invloeden die zijn veiligheid, gezondheid en welzijn bedreigen.[1] Het gaat hierbij voornamelijk om de regeling van de maximum arbeids- en minimum rusttijden en het bevorderen van veilige en menswaardige arbeidsomstandigheden in ondernemingen.

geschiedenis

De arbeidsbescherming is het eerste onderdeel van het arbeidsrecht dat tot ontwikkeling is gekomen. Dit laat zich verklaren. De in het eerste hoofdstuk gememoreerde in de 19e eeuw voorkomende kinderarbeid, lange werktijden en de in de fabrieken heersende onveiligheid, vormden misstanden die – nadat zij door rapporten van staatscommissies en individuele publicaties in bredere kring bekend waren geworden – als het ware schreeuwden om correctie door de wetgever. Die correctie heeft ook plaatsgevonden en wel het eerst op het terrein van de kinderarbeid, waar de nood het hoogst was.[2] Op initiatief van het kamerlid S. van

* Toen bij de behandeling van de Arbeidswet op 11 juli 1919 het beginsel van de achturendag door de Tweede Kamer werd aanvaard, verliet de socialistische fractie (SDAP) zegevierend het gebouw onder het aanheffen van de acht-uren-mars (de tekstdichter van dit strijdlied, Colthof, was overigens een anarchist).

1 Een globaal overzicht van de historische ontwikkeling van de arbeidsomstandighedenwetgeving wordt gegeven door Levenbach, Bestuursrecht, III, p. 436 e.v.

2 Molenaar, Arbeidsrecht, I, p. 253: 'In Zuid-Holland werden kinderen beneden 6 jaar des morgens slapend naar de werkplaats gedragen. Zij waren daar des zomers werkzaam van 5 uur v.m. tot 8 uur n.m. en des winters van 6 uur v.m. tot 7 uur n.m., dus resp. 15 en 13 uren per dag.' Zie ook J. Mannoury, Honderd jaar na de kinderwet van 1874, SMA 1974, p. 353.

Houten kwam op 19 september 1874 de eerste wet tegen kinderarbeid tot stand, die het in dienst nemen of hebben van kinderen beneden 12 jaar strafbaar stelde (huishoudelijke diensten en veldarbeid waren uitgezonderd).[3]

kinderarbeid

Een nieuwe impuls ging uit van het verslag van 27 juli 1887 van de parlementaire enquêtecommissie, die in oktober 1886 was ingesteld om de resultaten van de Kinderwet-Van Houten en de toestanden in fabrieken en werkplaatsen in het algemeen te onderzoeken.[4] De geconstateerde wantoestanden gaven de stoot tot het tot stand komen van de Arbeidswet 1889, welke ook beschermende bepalingen bevatte voor jeugdige personen tot 16 jaar en vrouwen – maar niet ten behoeve van volwassen mannen –, zoals een beperking van het aantal toegestane arbeidsuren per dag en per week. Voorts werd door deze wet voorzien in de aanstelling van arbeidsinspecteurs. De inspecteurs kregen tot taak zich op de hoogte te stellen van de bestaande toestanden op het gebied van de nijverheid en advies uit te brengen aan de regering omtrent mogelijke verbeteringen van de arbeidswetgeving. Daarnaast werden zij belast met het toezicht op de naleving van de arbeidswetgeving. Ten aanzien van het toezicht op het verbod van kinderarbeid was namelijk gebleken, dat de algemene politieorganen onvoldoende waren ingesteld op het handhaven van de arbeidersbeschermende wetgeving. Het aantal inspecteurs bleef aanvankelijk tot een drietal beperkt.[5]

arbeidsinspectie

Veiligheidswet 1895

In 1895 kwam de eerste Veiligheidswet tot stand die het mogelijk maakte bij Amvb voorschriften te geven met betrekking tot de beveiliging van bepaalde fabrieken. De Veiligheidswet 1895 was tevens de eerste wet die ook volwassen werknemers beschermde. Dit was een principiële doorbreking van de toenmaals heersende ideologie, die staatsbemoeienis slechts toelaatbaar achtte ter bescherming van 'personae miserabiles', zoals kinderen en vrouwen. Bij de parlementaire behandeling werd door enkele kamerleden dan ook opgemerkt, dat het 'een uiting van ziekelijke philantropie is de volwassen manlijke arbeiders te willen behoeden voor de gevaren, die hun arbeid noodzakelijk met zich brengt' en dat zij dit een 'te kort doen aan de vrijheid van arbeid' achtten.[6]

Veiligheidswet 1934

Omstreeks veertig jaar later werd deze wet vervangen door de Veiligheidswet 1934. Door deze vervanging werd het mogelijk niet alleen

3 Zie over de pogingen in de periode 1874–1889 tot verbetering en uitbreiding van de Kinderwet-Van Houten, A. Postma, diss. Amsterdam VU, Deventer 1977.

4 Zie nader De arbeidsenquête van 1887, 3 delen, Uitgeverij Link; P.E.M.S. Sassen, De arbeidsenquête 1887, bijdrage aan Bakels-bundel, p. 239.

5 'Overigens was de angst voor ambtenarij, die de vrije ondernemingsgeest zou dwarsbomen, nog zo groot, dat de wet zelf hun aantal noemde; er zouden er ten hoogste drie komen, ieder voor een district en rechtstreeks onder de Minister van Justitie.' Levenbach, Bestuursrecht, III, p. 441.

6 De aanhalingen worden geciteerd door Levenbach, Bestuursrecht, III, p. 442.

uitvoeringsvoorschriften (Veiligheidsbesluiten) te geven betreffende de veiligheid in fabrieken, maar ook in andere sectoren van de private sector, zoals de landbouw en de binnenvaart.
Van de mogelijkheid om in verschillende sectoren Veiligheidsbesluiten uit te vaardigen is in de navolgende jaren ruim gebruik gemaakt, waardoor de reikwijdte van de Veiligheidswet 1934 voortdurend toenam. Voor de verhoging van de veiligheid bij de arbeid was dit van groot belang, want het is in deze Veiligheidsbesluiten dat de concrete veiligheidsvoorschriften waren neergelegd.

Arbeidswet 1919

De Arbeidswet 1919, die de Arbeidswet 1889 verving, bevatte evenals haar voorganger bepalingen betreffende kinderarbeid, jeugdige personen en vrouwelijke werknemers. Voorts maakte deze wet het mogelijk ook de werkzaamheden van volwassen mannelijke werknemers in de verschillende sectoren van het bedrijfsleven aan maximum arbeidstijden te binden. Dat laatste geschiedde meestal door het uitvaardigen van een Amvb, een Werktijdenbesluit. Dergelijke (onderling verschillende) Werktijdenbesluiten zijn successievelijk in vele sectoren tot stand gebracht. Afwijking van een Werktijdenbesluit was meestal mogelijk met een ontheffing van de Arbeidsinspectie (overwerkvergunning). Deze materie was door de vele gedetailleerde voorschriften en uitzonderingsbepalingen buitengewoon ingewikkeld.[7]

arbeidsinspectie

Bij de uitvoering en handhaving van bovengenoemde wetgeving nam de Arbeidsinspectie, een gespecialiseerde ambtelijke dienst, een centrale plaats in. De Arbeidsinspectie was onder meer belast met de opsporing en het zo nodig opstellen van een procesverbaal van een overtreding van de strafrechtelijk gesanctioneerde voorschriften.

ATW en Arbowet

Inmiddels is de Arbeidswet 1919 vervangen door de Arbeidstijdenwet 1995 (ATW) en de Veiligheidswet 1934 door de Arbeidsomstandighedenwet 1980. Deze is op haar beurt vervangen door de Arbeidsomstandighedenwet 1998[8] (Arbowet). Zoals hieronder zal blijken, verschillen de ATW en de Arbowet op een aantal essentiële punten van hun voorgangers.[9]
Arbeidsomstandigheden en arbeidstijden zijn onderwerpen die in EG-verband zijn geregeld. Het Sociaal Handvest voorzag in het tot stand

7 Zie over de Veiligheidswet 1934 en de Arbeidswet 1919 B.S. Frenkel en A.T.J.M. Jacobs, Sociaal bestuursrecht, deel 1 Arbeidsrecht, Alphen aan den Rijn 1986.

8 Wet van 18 maart 1999, Stb. 1999, 184, in werking getreden 1 november 1998. Zie:. H. Rottier, De Arbeidsomstandighedenwet is zo gek nog niet. De Arbeidsomstandighedenwet 1998 wel, ? Nederlands tijdschrift voor sociaal recht 1999, 4, p. 100-105.

9 G.J.J. Heerma van Voss, Van onmondige arbeider tot calculerende burger, Het mensbeeld in het arbeidsomstandighedenrecht 1946–1996, bijdrage aan Arbeidsrecht en Mensbeeld 1946–1996, Deventer 1996, p. 141.

brengen van regelingen op dit terrein. Voor wat betreft gezondheid en veiligheid (het onderwerp dat geregeld is in de Arbowet) voorziet uitvoerige regelgeving, bestaande uit diverse richtlijnen, in voorschriften die zich richten op bescherming van de werknemer, harmonisatie en integratie.[10] Van groot belang is de Raamwerk-Richtlijn 89/391/EEG waarin minimum standaards zijn neergelegd.
Voorschriften in verband met specifieke risico's worden in speciale richtlijnen gegeven, bijvoorbeeld met betrekking tot de werkplaats.[11] Ook de regeling van arbeidstijden moet aan de in richtlijnen neergelegde maat voldoen. Te wijzen is op Richtlijn 93/104 EG.[12] Bovendien zijn richtlijnen in verband met de bescherming van specifieke groepen, zoals jeugdigen en zwangeren, tot stand gekomen.[13]

2.2 Arbeidstijdenwet 1995[14]

2.2.1 *Algemeen*

arbeidstijd

Het vraagstuk van de arbeidstijd heeft vele kanten. In ruime zin genomen kunnen hierbij onder meer ter sprake worden gebracht:

a. de leeftijd waarop inschakeling in het productieproces mogelijk is;
b. de werk- en rusttijden per dag en per week en de tijden waarop niet zonder meer mag worden gewerkt (nacht- en zondagsarbeid);
c. de vakanties en andere vormen van verlof;
d. loopbaanonderbreking;
e. de leeftijd waarop het productieproces moet (kan) worden verlaten.

De Arbeidstijdenwet 1995 (inwerkingtreding 1 januari 1996) houdt zich bezig met de onder *a* en *b* genoemde aspecten; daarnaast bevat zij nog enkele specifieke voorschriften met betrekking tot jeugdigen en vrouwelijke werknemers. De onder *c* en *e* genoemde aspecten zijn elders

10 Catherine Barnard, EC Employment Law, Revised edition, John Wiley, UK 1996, p. 251.
11 Richtlijn 89/654/EEG, Pb. EG 1989, L393/1.
12 Pb. EG 1993, L307/18.
13 Resp. Richtlijn 94/33/EG, Pb. EG 1994, L 216/12 en Richtlijn 92/85/EEG, Pb 1992, L348/1 (bescherming van vrouwen tijdens zwangerschap, na de bevalling en tijdens lactatie).
14 Sociaal recht 1994, 9 (Themanummer Arbeidstijdenwet); W.A.M. de Lange, De nieuwe Arbeidstijdenwet, SMA 1995, 3, p. 171; A.J.C.M. Geers en G.J.J. Heerma van Voss, Arbeidstijdenwet, Deventer 1996; B.P. Sloot e.a., Arbeidstijdenwetgeving in negen industriële landen, Vernieuwing van de Nederlandse arbeidstijdenwetgeving in een vergelijkend perspectief, Den Haag 1995; A.J.M. Poelman (red.) Handboek arbeidstijden, 's-Gravenhage, Vuga 1996; Jeroen Volkers (eindred.), Handboek arbeidstijden en medezeggenschap, Amsterdam, FNV 1996; A.J.C.M. Geers em G.J.J. Heerma van Voss, Arbeidstijdenwet, Deventer, Kluwer 1996.

geregeld.[15] Het onderwerp loopbaanonderbreking – het langdurig onderbreken van de loopbaan voor educatieve, opfris-, zorg- of andere doeleinden, al dan niet met behoud van de arbeidsrelatie – is betrekkelijk nieuw.[16]
Regelingen met betrekking tot loopbaanonderbreking zijn nog zeldzaam.[17] Wel kennen we een wet die onder bepaalde omstandigheden een bijdrage uit de collectieve middelen aan de financiering van de loopbaanonderbreking regelt.[18]

Alvorens in te gaan op de concrete inhoud van de Arbeidstijdenwet lijkt het voor het verkrijgen van een goed inzicht verstandig eerst de doelstellingen van de wet te bespreken.

doelstelling ATW

De eerste doelstelling van de ATW is, blijkens de considerans van de wet, om met het oog op de bescherming van de veiligheid, de gezondheid en het welzijn van werknemers wettelijke regels vast te stellen met betrekking tot de arbeids- en rusttijden. Teneinde dit doel te bereiken is in de wet een voor alle sectoren geldende standaardregeling van de maximumarbeidstijden en minimumrusttijden neergelegd.
Daarnaast strekt de ATW ter bevordering van de combineerbaarheid van arbeid en zorgtaken. Dit punt wordt nader uitgewerkt in art. 4:1 lid 1 ATW, dat de werkgever verplicht bij zijn arbeidstijdenbeleid, voorzover dat redelijkerwijs van hem kan worden gevergd, rekening te houden met de persoonlijke omstandigheden van de werknemers. Het gaat hier om een beleidsmatig voorschrift, dat niet bedoeld is om aan een werknemer een individueel recht toe te kennen. Dit neemt niet weg dat deze norm een zekere weerslag kan hebben op de arbeidsovereenkomst en via art. 7:611 BW een (goed) werkgever kan nopen bij het vaststellen van de werktijden met persoonlijke belangen van een werknemer, bijvoorbeeld in verband met het verrichten van zorgtaken, rekening te houden.[19]

15 De vakantie en andere vormen van verlof worden besproken in § 3.3.4. Dit onderwerp vormt overigens wel voorwerp van regeling in de EG-Arbeidstijdenrichtlijn 93/104/EG. Een maximumleeftijd voor deelneming aan het arbeidsproces wordt alleen in bepaalde beroepen voorgeschreven, bijvoorbeeld 70 jaar voor leden van de rechterlijke macht (art. 36 RO). Als pensioengerechtigde leeftijd wordt gewoonlijk 65 jaar aangehouden, in welk jaar aanspraak op pensioen ontstaat krachtens de AOW. Sedert het ontstaan van regelingen voor vervroegd uittreden (vut), ligt de leeftijd waarop men het arbeidsproces verlaat echter dikwijls lager. Zie over leeftijdsdiscriminatie § 3.3.2.1.

16 T. van Peijpe, Loopbaanonderbreking als bescheiden bijdrage aan de herverdeling van arbeid, SMA 1997 (52), 6, p. 326–329.

17 J. Spaans, De mogelijkheden van loopbaanonderbreking in Nederland, OSA-rapport 1996, Leiden 1996.

18 Wet financiering loopbaanonderbreking, Staatsblad 1998, 414. M. Westerveld, De wet 'Finlo' een zwaluw, ... een zomer ...?..., SMA 1997, 11/12, p. 592.

19 K. Wentholt, Arbeid en zorg, diss. Uva, Deventer 1990, p. 133; G.J.J. Heerma van Voss, Goed werkgeverschap als bron van vernieuwing in het arbeidsrecht, 2e druk, Kluwer Deventer 1999 p. 90 e.v.; W.C. Monster, Zorgtaken en Arbeidstijdenwet, SMA 1996, 10, p. 594; →

Een doelstelling van de in 1995 in werking getreden ATW is ten slotte het beperken van de rol van de overheid bij de uitvoering van de wet en een vereenvoudiging van de regelgeving (deregulering). Vergeleken met de Arbeidswet 1919 is daarvan bij de ATW duidelijk sprake.

deregulering

Deregulering komt in de eerste plaats tot uiting in de beperking van de rol van de Arbeidsinspectie doordat de strafrechtelijke handhaving van de ATW minder omvangrijk is dan die van de Arbeidswet 1919. In de ATW is de strafrechtelijke sanctionering beperkt tot handhaving van een minimumniveau van bescherming. Voorbeelden van het met behulp van strafrechtelijke regels te handhaven minimumniveau van bescherming zijn het verbod van kinderarbeid (art. 3:2 ATW) en de maximumarbeidsduur geregeld in art. 5:7 lid 3 ATW, dan wel het handelen in strijd met het bevel tot staking van de arbeid, gegeven door een inspecteur van de arbeid in geval naar zijn oordeel sprake is van ernstige strijd met bepalingen van de ATW, voorzover aangeduid als strafbare feiten (art. 8:3 ATW jo. 8:2 lid 2 ATW).

geen vergunningen meer

Deregulering komt voorts naar voren in het schrappen van de Werktijdenbesluiten en in het vrijwel volledig afschaffen van het daarmee samenhangend vergunningenstelsel voor bijvoorbeeld overwerk en nachtarbeid. In het systeem van de ATW wordt afwijking van de standaardnorm mogelijk gemaakt doordat de werkgever met een collectiviteit van werknemers een zogenaamde collectieve regeling (men spreekt ook wel over een overlegregeling) overeenkomt. Indien een dergelijke collectieve regeling niet tot stand komt, geldt de standaardregeling. Bescherming van de veiligheid, de gezondheid en het welzijn van werknemers wordt in de gedachtegang van de wetgever vooral gerealiseerd door het tegenwicht dat deze collectiviteit – het medezeggenschapsorgaan – kan bieden als het gaat om het overeenkomen van een afwijking van de standaardregeling ten nadele van de werknemers.

collectieve regeling

Onder een collectieve regeling verstaan art. 1:3 en 1:4 ATW in de eerste plaats een cao. Indien een cao ontbreekt (of indien de cao dit toelaat), kan eveneens van de standaardregeling worden afgeweken door een schriftelijke afspraak van de werkgever met het medezeggenschapsorgaan. Het gaat hier om een nieuwe rechtsfiguur, die de werkgever een alternatief biedt om met het medezeggenschapsorgaan een collectieve regeling overeen te komen indien het afsluiten van een cao niet mogelijk is of door hem niet wordt gewenst.[20] De ATW onderstreept door de

→ M. Westerveld, Vakantie en verlof: van specialisatie naar combinatiemodel, SMA 1999, 10/11, p. 492-501. P.F. van der Heijden signaleert in NJB 1999, p. 1476, in verband met deze ontwikkelingen dat 'het privé-leven oprukt in het arbeidsleven'. Zie ook zijn bijdrage Privétisering, ArbeidsRecht 1999, 8/9 waarin hij uitdrukkelijk op art. 4 ATW wijst.

20 Deze nieuwe bevoegdheid gaat verder dan het instemmingsrecht van de OR ex art. 27 lid 1 sub c WOR met betrekking tot het vaststellen of wijzigen van een werktijdregeling. Daarbij kan een weigering van de OR om met de werktijdregeling in te stemmen door een →

introductie van deze mogelijkheid het toegenomen belang van het medezeggenschapsorgaan bij het vaststellen van arbeidsvoorwaarden (5.2).[21]

medezeggenschapsorgaan

Onder medezeggenschapsorgaan verstaat art. 1:6 ATW een ondernemingsraad of personeelsvertegenwoordiging als bedoeld in de Wet op de ondernemingsraden, alsmede overlegorganen die in specifieke sectoren functioneren.[22] Opmerking verdient dat – indien een cao van toepassing is en deze geen bepalingen ter zake van de rusttijden, pauzes, arbeidstijden, zondags- of nachtarbeid bevat – de mogelijkheid om terzake een van de standaardregeling afwijkende regeling tot stand te brengen met betrekking tot die onderwerpen in samenspraak met het medezeggenschapsorgaan door de wet is uitgesloten (art. 1:4 lid 2 ATW).

2.2.2 *Werkingssfeer ATW*

werkgever

Art. 1:1 ATW bepaalt dat onder werkgever wordt verstaan:

a. degene die een ander voor zich arbeid laat verrichten krachtens een arbeidsovereenkomst;
b. degene die een ander voor zich arbeid laat verrichten krachtens een publiekrechtelijke aanstelling (ambtenaar);
c. degene die een ander onder zijn gezag arbeid laat verrichten zonder dat hij werkgever is in de zin van sub a of sub b.

werknemer

Werknemer is de ander als hierboven genoemd.
De werkingssfeer van de ATW is dus, evenmin als die van de Arbowet, beperkt tot de arbeidsovereenkomst in de zin van art. 7:610 BW, maar strekt zich uit ook tot de relatie tussen uitzendkracht en inlener en die tussen stagiaire en bedrijf waar stage wordt gelopen. Uitbreiding van de werkingssfeer wordt ook mogelijk gemaakt of in de wet geregeld. Het gaat wat dat laatste betreft bijvoorbeeld om extra-territoriale werking van de ATW(zie art. 2:8 ATW). Aan de andere kant is de werkingssfeer van de ATW beperkter dan die van art. 7:610 e.v. BW. Bij of krachtens art. 2:1 t/m 2:9 ATW wordt de ATW niet van toepassing verklaard op bepaalde arbeid, in bepaalde situaties of in bepaalde bedrijven niet van toepassing verklaard. Zo verklaart het Arbeidstijdenbesluit de bepalin-

→ vervangende toestemming van de kantonrechter worden gecompenseerd (5.3.6.3). Indien echter de werkgever en OR het niet eens kunnen worden over een overlegregeling, geldt de standaardregeling zonder meer. Art. 27 lid 1 sub c blijft een rol spelen als het niet gaat om een afwijking van de standaardregeling, maar bijvoorbeeld om een door de werkgever voorgenomen wijziging van een werktijdregeling binnen het kader van de standaardregeling.

21 G.J.J. Heerma van Voss, Het doek gaat op voor het arbeidsrecht in de onderneming, SR 1996, 1, p. 3.

22 Een collectieve regeling, gesloten met een OR of personeelsvertegenwoordiging, geeft de werkgever de bevoegdheid om af te wijken van de standaardregeling, maar bindt de betrokken werknemers – anders dan bij een cao (art. 12 en 13 WCAO) – niet direct, doch slechts na een nadere individuele afspraak.

gen met betrekking tot arbeidstijd niet van toepassing op de arbeid van hoge en leidinggevend personeel met een inkomen dat hoger is dan twee maal het minimumloon (Arbeidstijdenbesluit art. 2.1:5). De bepalingen met betrekking tot vrouwelijke werknemers, bijvoorbeeld, zijn wel ook op deze categorie van toepassing.

tot wie richt zich de wet?

De voorschriften van de Arbeidstijdenwet richten zich vooral tot de werkgever. Het verbod van kinderarbeid richt zich behalve tot de werkgever tot een ieder die over een kind het ouderlijk gezag of de voogdij uitoefent of in wiens huishouding een kind is opgenomen. (art. 3:1 en 3:2 ATW) Laatstgenoemden zijn dus ook op grond van de ATW aansprakelijk wanneer in strijd met de bepalingen van die wet bijvoorbeeld in een reclamespotje wordt opgetreden door een kind.

2.2.3 *Wettelijke verplichtingen op grond van de ATW*

De hieronder te bespreken verplichtingen zijn in de ATW vastgelegd. Op een enkele uitzondering na (de wijze waarop een vastgesteld arbeidspatroon moet worden meegedeeld, art. 4:2 ATW) is afwijking van deze wettelijke normen, bij overlegregeling of anderszins, niet mogelijk.

a. *Verbod van kinderarbeid*

kinderarbeid

Sedert het kinderwetje-Van Houten 1874 is de leeftijd beneden welke arbeid is verboden geleidelijk verhoogd. Als kind geldt thans een persoon jonger dan 16 jaar (art. 1:2 ATW).[23]

Het verbod van kinderarbeid is neergelegd in art. 3:2, eerste lid ATW. Opmerking verdient dat het begrip 'arbeid' hier de betekenis heeft van alle verrichtingen van een kind ter naleving van een overeenkomst (art. 1:2, tweede lid ATW). Art. 3:2, tweede lid ATW staat enkele uitzonderingen toe op dit verbod, zoals het verrichten van niet-industriële arbeid van lichte aard door een kind van 13 jaar of ouder en het bezorgen van ochtendkranten door een kind van 15 jaar, voor zover deze arbeid tenminste niet wordt verricht gedurende de schooltijd.[24]

De minister kan voor bepaalde arbeid vrijstelling verlenen van het verbod van kinderarbeid (art. 3:3, eerste lid ATW). Van die bevoegdheid is tot nu toe geen gebruik gemaakt. Voorts kan de Arbeidsinspectie ontheffing verlenen van het verbod van kinderarbeid voor wat betreft medewerking aan uitvoeringen van culturele, wetenschappelijke, opvoedkun-

23 K. Terwan, Nieuwe Arbeidstijdenwet en kinderarbeid, SMA 1990, 4, p. 200; Piet H. Renooy, Het verbod op kinderarbeid, SMA 1989, 7/8, p. 437; J. van Drongelen, Het verbod van kinderarbeid, PS 1997, 8, p. 388; I.P. Asscher-Vonk, Toegang tot de dienstbetrekking, diss. UvA, Alphen aan den Rijn 1989, p. 15.

24 Dit verbod is nader geconcretiseerd in het Besluit van de minister SZW van 13 december 1995 (Stcrt. 1995, 246) en het Besluit van 20 februari 1996 (Stcrt. 1996, 40).

dige of artistieke aard, aan modeshows en aan opnamen voor film, radio, televisie en daarmee vergelijkbare niet-industriële arbeid van lichte aard (art. 3:3, tweede lid ATW).

b. *Algemene verplichtingen*

beleid

Algemene verplichtingen in verband met de arbeidstijden zijn in hoofdstuk 4 van de ATW geregeld. De werkgever is verplicht beleid te voeren, te inventariseren en te evalueren (art. 4:1) Wanneer een bepaald arbeidstijdpatroon is ingevoerd moet de werkgever na enige tijd dus nagaan hoe de ervaringen daarmee zijn. Voorts moet de werkgever tijdig wijzigingen van het arbeidstijdenpatroon meedelen.(art. 4:2 ATW) Het belang daarvan voor de werknemer, mede in verband met zijn zorgtaken, is evident. Een werknemer moet tijdig weten of met de kinderopvang andere tijden moeten worden afgesproken. Ten slotte verplicht de ATW tot deugdelijke registratie van de arbeids- en rusttijden (4:3 ATW).

c. *Verplichtingen ten aanzien van bijzondere groepen*

Tot de algemene verplichtingen van de ATW behoren ook de verplichtingen ten aanzien van bijzondere groepen. Het betreft jeugdigen en vrouwelijke werknemers.

jeugdige werknemers

Jeugdige werknemers
In de ATW zijn ter bescherming van jeugdige werknemers (personen van 16 en 17 jaar) in onderdelen van artikelen bepalingen opgenomen die gunstig afwijken van de voor volwassenen geldende voorschriften. Deze bepalingen betreffen onder meer de arbeidstijd (art. 5:6 ATW), de rusttijd (art. 5:3 lid 1 en 5:5 lid 1 ATW) en de arbeid op zondag (art. 5:4 lid 4 ATW). Soortgelijke voorschriften golden ook reeds krachtens de Arbeidswet 1919.

leerplicht

Art. 4:4 ATW bevat voorts nog een specifieke bepaling ten aanzien van jeugdige werknemers. Volgens art. 4:4 lid 1 moet de arbeid van een jeugdige werknemer zodanig worden ingericht, dat hij in staat is volgens de voor hem geldende wetgeving onderwijs te volgen. Het gaat hier om de partiële leerplicht (in beginsel twee dagen per week) die ingaat na het eindigen van de volledige leerplicht op het 16e jaar en die duurt tot en met het schooljaar waarin de jeugdige 17 is geworden. Voorts geldt de tijd die een jeugdige werknemer aan onderwijs volgt of pleegt te volgen als arbeidstijd in de zin van de ATW en telt dus mee voor het berekenen van de geoorloofde maximum arbeidstijd en de voorgeschreven rusttijden (art. 4:4 lid 2 ATW).

vrouwelijke werknemers

Vrouwelijke werknemers

Krachtens de Arbeidswet 1919 golden verschillende arbeidsbeschermende maatregelen die stringenter waren voor vrouwen dan voor mannen. Het ging hierbij onder meer om beperkende bepalingen betreffende arbeid op zondag en nachtarbeid. Met de opkomst van het beginsel van de gelijke behandeling van mannen en vrouwen (3.8) werden deze bepalingen echter als ongeoorloofde discriminatie beschouwd en uit de wetgeving geschrapt. De huidige in art. 4:5 ATW e.v. opgenomen beschermende voorschriften ten aanzien van vrouwelijke werknemers hebben slechts betrekking op zwangerschap en bevalling en zijn als zodanig toegestaan.[25] Ook het Arbobesluit (2.3.4) bevat voorschriften, speciaal ter bescherming van zwangeren werknemers en werknemers tijdens de lactatie.

zwangerschap

Art. 4:5 ATW bevat voorschriften betreffende arbeid tijdens zwangerschap. Zo gelden in deze periode bijvoorbeeld extra pauzes en behoeven er in beginsel geen nachtdiensten te worden verricht.

bevalling

Art. 4:6 ATW verbiedt de werkgever een vrouw te laten werken binnen 28 dagen voor de vermoedelijke bevallingsdatum en 42 dagen na haar bevalling. Dit arbeidsverbod is van weinig betekenis naast het recht op betaald verlof dat een zwangere vrouw aan de Ziektewet ontleent: krachtens art. 29a ZW heeft een vrouw recht op een zwangerschaps- en bevallingsuitkering gedurende een periode van 16 weken, waarvan ten minste vier en ten hoogste zes weken vóór de vermoedelijke bevallingsdatum (8.3.6.1).[26]

zoogrecht

Art. 4:8 ATW bevat een bepaling over het zogenaamde zoogrecht. Het artikel verplicht een werkgever om een vrouwelijke werknemer die een borstkind voedt, gedurende de eerste negen maanden na de bevalling de gelegenheid te geven de arbeid te onderbreken teneinde haar kind te voeden. De werkgever dient haar daartoe een geschikte ruimte ter beschikking te stellen. Indien dit niet mogelijk is, is de werkgever verplicht de vrouw naar huis te laten gaan voor de voeding. De onderbrekingen voor de voeding vinden plaats zo vaak en zo lang als nodig is, doch bedragen maximaal een vierde van de arbeidstijd per dienst. De voedingstijd geldt als arbeidstijd gedurende welke de vrouw recht heeft op doorbetaling van loon. In beginsel is de werkgever niet verplicht toe te stemmen in het verblijf van het kind op het werk tussen de voedingen.[27]

2.2.4 *Arbeids- en rusttijden*

standaardregeling

Art. 5:1 ATW e.v. bevat een regeling van de arbeids- en rusttijden. De in de wet opgenomen standaardregeling stelt een maximum aan het aantal uren dat mag worden gewerkt (negen uren per dag),

25 W.C. Monster, Bescherming van het moederschap, Nijmegen, Ars Aequi libri 1995.
26 W.C. Monster, t.a.p., p. 51.
27 Hof Amsterdam 30 mei 1980, NJ 1980, 136; Hof Amsterdam 5 juli 1984, NJ 1985, 119; Mies Monster, t.a.p., p. 115.

alsmede minimumvoorschriften met betrekking tot de dagelijkse-, wekelijkse- en zondagsrust. Eveneens worden er grenzen gesteld aan nachtdiensten, consignatie (oproepdiensten) en overwerk. Binnen de getrokken grenzen zijn werkgever en werknemer vrij een werktijdregeling overeen te komen.

collectieve regeling

Zoals gezegd, kunnen de door de standaardregeling aan de contractsvrijheid gestelde grenzen worden verruimd door het overeenkomen van een collectieve regeling. Op deze wijze kan bijvoorbeeld de maximaal toegelaten werktijd per dag worden verruimd tot tien uren.[28]

2.2.5 *Handhaving van de Arbeidstijdenwet en sanctionering*

Bij de handhaving van de Arbeidstijdenwet is, zo blijkt uit het voorafgaande, een zekere rol weggelegd voor de Arbeidsinspectie. Daarnaast is handhaving van de regels met betrekking tot de maximale arbeidsduur en de werk- en rusttijden overgelaten aan de private partijen bij de arbeidsovereenkomst. Overtreding van de regels met betrekking tot de arbeidstijden is alleen strafrechtelijk gesanctioneerd als het de minimum-arbeidstijden betreft.

strafsanctie

privaatrechtelijke sanctie

Overtreding van de regels met betrekking tot arbeidstijden zoals die bij overlegregeling tot stand gekomen zijn is slechts privaatrechtelijk gesanctioneerd. De civielrechtelijke sanctie is de nietigheid van het van de regeling afwijkend beding (zie bijvoorbeeld art. 5:7 lid 2 ATW). Het arbeidsverbod gedurende de periode rond de bevalling is strafrechtelijk gesanctioneerd, de verplichting de vrouw haar kind te laten voeden (slechts) privaatrechtelijk.

2.3 Arbeidsomstandighedenwet 1998[29]

2.3.1 *Algemeen*

Arbeidsomstandighedenbeleid is gericht op het voorkomen dat van de arbeid nadelige invloed uitgaat op de veiligheid en de gezondheid van de werknemer (art. 3 Arbowet). Met de Arbeidsomstandighedenwet 1998, die op 1 november 1999 is ingevoerd[30] bedoelde de regering een heroriëntatie op het arbeidsomstandighedenbeleid tot stand te brengen. Daarbij zou er plaats moeten zijn voor maatwerk, dat wil

28 Zie over de normeringen van de arbeids- en rusttijden door de standaardregeling en collectieve regeling nader het schema van W.A.M. de Lange, t.a.p., p. 173.

29 Wet van 18 maart 1999, Stb. 184. Zie R.O. Triemstra, Arbeidsomstandighedenwet 1998, PS Special, (1999), 2, p. 588-599; A.J.C.M. Geers en J.R. Popma, Arbowet 1998 niet millenniumproof, SMA 54 (1999); H. Rottier, Het poedeltje in de magnetron – enkele onderwerpen uit het wetsvoorstel Arbeidsomstandighedenwet 1998 kritisch beschouwd, Sociaal recht, 13 (1998) 6, p. 172-180.

30 Wet van 18 maart 1999, Stb. 1999, 184

zeggen arbeidsomstandighedenbeleid dat is aangepast aan de omstandigheden in de onderneming. Bovendien zou ruimte moeten zijn voor zelfregulering. Ten slotte moest aan medezeggenschap van werknemers een belangrijke functie worden toegekend bij de regeling van de arbeidsomstandigheden. Deze drie uitgangspunten zijn niet allen ten volle verwezenlijkt. Daarvoor zijn verscheidene redenen aan te geven.

maatwerk

Maatwerk wordt mogelijk gemaakt door een algemene maatregel van bestuur die tot stand kan komen op grond van art. 17 Arbowet. Die algemene maatregel van bestuur zou kunnen bepalen dat aan een of meer van de krachtens de Arbowet vastgestelde bepalingen kan worden voldaan op een andere wijze dan in die bepalingen is aangegeven, echter uitsluitend bij collectieve regeling als bedoeld in art. 1:3 van de ATW, dan wel bij schriftelijke afspraak met de ondernemingsraad of de PVT (art. 17 Arbowet). Een AMvB als bedoeld in art. 17 Arbowet is tot nu toe niet tot stand gekomen.

Voor maatwerk als hier bedoeld is echter niet veel ruimte. Ca. 90 % van de Arbo-bepalingen vloeit rechtstreeks voort uit EG-richtlijnen en verdragen van de IAO. De richtlijnen geven stringente voorschriften, ook wat betreft de methode waarop het arbobeleid aangepakt moet worden. Dat beperkt de ruimte voor maatwerk aanzienlijk.

zelfregulering

Arboconvenant

Zelfregulering moet plaatsvinden door gebruik te maken van bovengenoemde mogelijkheid tot maatwerk en door het sluiten van arboconvenanten. Arboconvenanten zijn afspraken van overheid met de sociale partners over arbobeleid.[31] De overheid verwacht veel van dit instrument. We moeten afwachten hoe zich dit in de komende jaren zal ontwikkelen.

medezegenschap

Medezeggenschap brengt tot uitdrukking dat arbeidsomstandighedenbeleid een verantwoordelijkheid is van werkgever en werknemers gezamenlijk.[32] Verbetering van de regeling van de medezeggenschap op dit terrein heeft voor een belangrijk deel zijn beslag gekregen in de wijziging van de WOR die in 1998 is ingevoerd (zie hoofdstuk 5). De wijziging voorzag in een helderder regeling van het instemmingsrecht van de ondernemingsraad en ten aanzien van Arbo-beleid en instemmingsrecht van de Personeelsvertegenwoordiging. In de Arbowet is voorts een rechtstreekse relatie tot stand gebracht tussen de Arbodienst en het medezeggenschapsorgaan, dan wel de belanghebbende werknemers (zie art. 14 Arbowet).

organisatorische regelingen

De Arbowet bevat voorschriften met betrekking tot de wijze waarop arbobeleid tot stand gebracht moet worden en de wijze waarop regelingen met betrekking tot arbeidsomstandigheden in het leven geroepen kunnen worden.

Daarnaast bevat de Arbowet voorschriften die materiele rechten en ver-

31 Kamerstukken II 1998/99, 26 375, 1.
32 Kamerstukken II 25 879, 3, p. 18.

plichtingen toedelen. Meer concrete uitwerkingen daarvan zijn neergelegd in het Arbobesluit[33], de Arboregeling en de Arbobeleidsregels (2.3.3). En voorts in het door de werkgever opgestelde Arbobeleid, en de maatwerkafspraken die eventueel tot stand komen.

materiële rechten en plichten

2.3.2 *Werkingssfeer Arbeidsomstandighedenwet*

De Arbeidsomstandighedenwet strekt zich niet alleen uit over de private sector, maar ook over de publieke sector. De werkingssfeer van de Arbo-wet komt in de kern overeen met die van de Arbeidstijdenwet (vergelijk art. 1 lid 1 Arbowet met art. 1:1 ATW), maar is nog ruimer. De verruiming betreft onder meer de toepasselijkheidverklaring in het Arbobesluit van een aantal bepalingen van dat besluit op de arbeid van thuiswerkers, die niet op basis van een arbeidsovereenkomst werkzaam zijn (art. 1 lid 5 jo. 1.43 Arbobesluit, op grond van art. 1 tweede lid, onderdeel a, sub 2, Arbowet).[34]
De Arbowet is bovendien van toepassing bij onderzoek en arbeid als bedoeld in de Mijnwet continentaal plat,[35] op verrichtingen van leerlingen en studenten in onderwijsinrichtingen, op arbeid op in Nederland gevestigde of de Nederlandse vlag voerende zeeschepen en op arbeid voor een in Nederland gevestigde werkgever aan boord van luchtvaartuigen (art. 2 Arbowet). Beperkingen op de werkingssfeer zijn geregeld in art. 16 lid 4 en 5 Arbowet.

De wet richt zich tot de werkgever, tot werknemers, en tot medezeggenschapsorganen. Ten slotte geeft de wet ook voorschriften die zich richten tot Arbodiensten.

tot wie richt zich de wet?

2.3.3 *Verplichtingen op grond van de Arbeidsomstandighedenwet*

a. *Verplichtingen van de werkgever*

Uitgangspunt van de Arbowet is dat de werkgever een arbeidsomstandighedenbeleid voert. In de Arbo-regelgeving wordt bij de beschrijving van de verplichtingen van de werkgever af en toe gebruik gemaakt van het begrip 'redelijkerwijs', bijvoorbeeld in art. 3 lid 1 sub a Arbowet ('tenzij dit redelijkerwijs niet kan worden gevergd'). Deze clausule heeft tot doel om afweging van arbeidsomstandighedenbelangen tegen andere belangen, waaronder ook economische, mogelijk te maken.[36]

arbobeleid

33 Besluit van 15 juni 1997, Stb. 1997, 339. Ht besluit is op grond van art. 50 Arbowet geacht te zijn vastgesteld krachtens de Arbowet. Na wijzigingen is het besluit integraal gepubliceerd in Stb. 1999, 45.
34 Zie: H.F. de Vries, Thuiswerkers onder de Arbowet, Den Haag, Arbeidsinspectie 1998.
35 Voor de overige rechtspositie van personen die in de off-shore industrie werken zie M.A.G. Thunnissen e.a., Sociale aspecten van werken in de offshore-industrie, Den Haag 1999.
36 Stb. 1887, 60, p. 147.

Het beleid moet zo goed mogelijk zijn, in die zin dat van de arbeid geen nadelige invloed uitgaat op de veiligheid en de gezondheid van de arbeid (art. 3 lid 1 Arbowet). Onder arbeidsomstandighedenbeleid (arbobeleid) wordt tevens verstaan het bevorderen van het welzijn bij de arbeid (art. 3 lid 4 Arbowet). Aspecten van arbobeleid zijn het voeren van een beleid met betrekking tot ziekteverzuim van werknemers en het voeren van een beleid met betrekking tot het beschermen van werknemers tegen seksuele intimidatie en tegen agressie en geweld[37] (art. 4 Arbowet).

RI & E

Het beleid moet gevoerd worden op basis van een risico-inventarisatie en –evaluatie (RI & E). De inventarisatie en evaluatie van risico's is geregeld in art 5 Arbowet. Van de inventarisatie en evaluatie maakt een plan van aanpak deel uit. De ondernemingsraad of personeelsvertegenwoordiging heeft instemmingsrecht ten aanzien van de RI & E en het plan van aanpak.[38] Jaarlijks moet de werkgever rapporteren over het plan van aanpak, en over dat rapport vooraf overleg voeren met de ondernemingsrad, de PVT of de belanghebbende werknemers (art. 5 lid 2 Arbowet). Ten slotte moet de RI & E bekend worden gemaakt aan de werknemers en, wanneer het gaat om een ingeleende werknemer, aan degene die de werknemer ter beschikking stelt worden verstrekt (art. 5 lid 4 en 5 Arbowet).

EHBO

De werkgever moet zich ook verzekeren van de bijstand van door bedrijfshulpverleners (onder meer een EHBO-er, art. 15 Arbowet).

uitvoering beleid

De werkgever is in samenwerking met de werknemers verantwoordelijk het *uitvoeren* van het arbeidsomstandighedenbeleid. Bij dit laatste speelt de ondernemingsraad of de personeelsvertegenwoordiging ook een bijzondere rol (art. 12 Arbowet), en wel doordat uitdrukkelijk overleg is voorgeschreven. Overleg is mede voorgeschreven in art. 13 Arbowet.

overige verplichtingen

Tot de verplichtingen van de werkgever behoort ook voorlichting en onderricht (art. 8), melding van ernstige ongevallen of beroepsziekten (art. 9) en voorkomen van gevaar voor derden (art. 10), alsmede het mogelijk maken van een periodiek arbeidsgezondheidskundig onderzoek van werknemers (art. 18 Arbowet).

Concrete verplichtingen voor werkgevers zijn ten slotte neergelegd in nadere regelgeving en kan ook in een regeling op grond van een AmvB als bedoeld in art. 17 tot stand gebracht worden. De nadere regeling van overheidswege heeft plaats gevonden in het Arbobesluit, de Arboregeling en de Arbobeleidsregels. Het overgrote deel van de concrete bepa-

37 Zie R. Holtmaat, Seksuele intimidatie op de werkplek, Nijmegen, Ars Aequi 1999.

38 Kamerstukken II 25 879, 3, p. 19. A.J.C.M. Geers, Arbeids(omstandigheden)recht van en in de onderneming, in C. Loonstra (red.), De onderneming en het arbeidsrecht in de 21ste eeuw, (Koning-bundel) p. 173 e.v. trekt in twijfel of inderaad art. 27 WOR deze verplichting in het leven roept.

lingen op het gebied van arbeidsomstandigheden is niet in de Arbeidsomstandighedenwet zelf opgenomen, maar in het op grond van die wet tot stand gekomen Arbeidsomstandighedenbesluit (Arbobesluit) waarnaar hierboven al een aantal malen is verwezen. Er is naar gestreefd in dat besluit basisnormen vast te stellen en de handhaving daarvan te regelen. De concrete normen vloeien voor het overgrote deel voort uit door de Europese Gemeenschap en de Internationale Arbeidsorganisatie (IAO) vastgestelde richtlijnen resp. Verdragen.[39] De bedoeling is dat de voorschriften de mogelijkheid laten om flexibel in te spelen op snel veranderende productie en werkmethoden.

Arbobesluit

Het Arbobesluit bevat bepalingen die in beginsel voor alle maatschappelijke sectoren (bedrijven en overheid) en voor alle categorieën werknemers gelden. Bijzondere bepalingen zijn opgenomen voor bijzondere sectoren (onderwijs, overheid, vervoer, justitiële rijksinrichtingen en defensie) en ten aanzien van bijzondere categorieën werknemers (jeugdigen, zwangere werknemers en werknemers die borstvoeding geven en thuiswerkers (afdeling 8, 9 en 10 van het Arbobesluit).

Arboregeling

Van de op verschillende plaatsen in het Arbobesluit geboden mogelijkheid nadere regels te stellen heeft de minister vervolgens gebruik gemaakt in de Arboregeling.[40] Onderwerpen die in de Arboregeling zijn geregeld zijn onder meer de inrichting van werkplekken voor beeldschermarbeid, methoden voor asbestmeting enz.[41]

beleidsregels

Op basis van het Arbobesluit is, ten slotte, een aantal beleidsregels[42] vastgesteld. Een beleidsregel is een bij besluit vastgestelde algemene regel, niet zijnde een algemeen verbindend voorschrift, omtrent de afweging van belangen, de vaststelling van feiten of de uitleg van wettelijke voorschriften bij het gebruik van en bevoegdheid van een bestuursorgaan. Wanneer een beleidsregel is vastgesteld, kan het bestuursorgaan ter motivering van een uitvoerings- of handhavingsbeschikking verwijzen naar de daarin neergelegde regel.

b. *Verplichtingen van werknemers*

De Arbowet legt een algemene verplichting op de werknemer in art. 11. Het betreft voorzichtigheid en zorgvuldigheid en naar vermogen zorg dragen voor eigen veiligheid en gezondheid.

39 Stb. 1997, 60, p. 122.

40 Regeling van 12 maart 1997, Suppl. Stcrt. 1997, 63 integraal opnieuw gepubliceerd Suppl. Stcrt. 1999, 239.

41 E.V. Knopper, 'Nieuwe' arboregelgeving per 1 juli 1997, OndernemingsSignaal augustus 1997, p. 6-7.

42 Besluit van 11 oktober 1997, Suppl. Stcrt. 15 oktober 1999.

c. *Verplichtingen medezeggenschapsorganen*

WOR

Hierboven is reeds een aantal malen gewezen op taken en bevoegdheden van medezeggenschapsorganen. Een overall-verplichting geeft art. 28 WOR. In het eerste lid van die bepaling is voorgeschreven dat de ondernemingsraad zoveel als in zijn vermogen ligt de naleving van de voor de onderneming geldende voorschriften op het gebied van (...) veiligheid, gezondheid en het welzijn in verband met de arbeid van de in de onderneming werkzame personen bevordert.

d. *Verplichtingen Arbodienst*

Arbodienst

Iedere werkgever is verplicht zich bij de uitvoering van zijn verplichtingen op grond van de wet te laten bijstaan door een externe of interne Arbodienst (art.14 Arbowet). Een interne arbodienst bestaat uit deskundige werknemers van de betreffende onderneming, een externe arbodienst bestaat uit andere deskundige personen. Een externe arbodienst dient in het bezit te zijn van een certificaat. Ten behoeve van de interne arbodienst dient de werkgever in het bezit te zijn van een certificaat (art. 2.14 Arbobesluit) Met betrekking tot arbodiensten zijn nadere voorschriften gegeven in art. 2.6a en volgende Arbobesluit. Zij betreffen eisen van deskundigheid, functioneringseisen en organisatie-eisen die aan de arbodienst worden gesteld.

certificaat

taken

Art. 14 lid 3 Arbowet geeft een opsomming van de kerntaken van de Arbodienst. Het betreft het verlenen van bijstand aan de werkgever bij de uitvoering van de verplichtingen uit de Arbowet. Voorts dient de Arbodienst zelfstandig een aantal taken uit te voeren, zoals het houden van een arbeidsomstandighedenspreekuur en het adviseren aan de ondernemingsraad inzake arbo-maatregelen (art. 14 lid 3). Ten slotte schrijft de wet voor dat de Arbodienst het advies dat de hij ten aanzien van de R I & E heeft gegeven in kopie rechtstreeks aan de ondernemingsraad of personeelsvertegenwoordiging toezendt (art. 14 lid 7 Arbowet). De verplichtingen van en ten aanzien van de Arbodienst hebben ten doel de kwaliteit van het arbobeleid van de werkgever te verhogen. Inschakeling van een Arbodienst betekent niet dat deze dienst de verantwoordelijkheid voor het arbeidsomstandighedenbeleid van de werkgever overneemt, doch slechts dat de beslissingen van de werkgever op dit gebied zo god mogelijk gefundeerd worden.

2.3.4 *Handhaving van de Arbeidsomstandighedenwet en sanctionering*

arbeidsinspectie

Handhaving van regelingen op het gebied van arbeidsomstandigheden is in art. 24 Arbowet opgedragen aan de Arbeidsinspectie, een onderdeel van het Ministerie van sociale Zaken en Werkgelegenheid.

Teneinde de naleving van de arbeidsbeschermende wetgeving te controleren en te bevorderen brengt de Arbeidsinspectie inspectiebezoeken. Meestal geschieden deze inspecties op eigen initiatief, soms ook na klachten van vakverenigingen, ondernemingsraden, individuele werknemers of derden.[43] De Arbeidsinspectie heeft verschillende mogelijkheden om naleving van de wet te bevorderen en op geconstateerde overtredingen te reageren.

eis tot naleving, stillegging

In de eerste plaats kan de Arbeidsinspectie maatregelen nemen die geregeld zijn in art. 27, 28 en 29 Arbowet. Het worden administratieve maatregelen genoemd: een administratief orgaan (de Arbeidsinspectie) heeft de bevoegdheid zelfstandig de betreffende maatregelen te nemen. De in art. 27 Arbowet geregelde eis van naleving betreft een concretisering van bepalingen van de Arboregelgeving. Een voorbeeld is het voorschrift in bepaalde gevallen een blustoestel aanwezig te laten zijn, omdat van brandgevaar is gebleken. Een eis tot naleving bevat een termijn waarbinnen aan de eis moet zijn voldaan.

stillegging of parate executie

De maatregel van stillegging van het werk (art. 28 Arbowet) kan worden genomen wanneer verblijf of werkzaamheden ernstig gevaar opleveren voor personen. Vaak is dreiging met het middel voldoende om normconformiteit te verzekeren.

werkonderbreking

Vergelijkbaar met de stillegging van het werk is dein art. 29 Arbowet geregelde bevoegdheid voor de werknemer het werk te onderbreken. De werknemer heeft deze bevoegdheid in gevaarlijke situaties waarin de Arbeidsinspectie niet tijdig kan optreden.

bestuurlijke boete

lik-op stuk

Voorts heeft de Arbeidsinspectie de mogelijkheid als reactie op overtreding van bepaalde voorschriften van de Arbowet of het Arbobesluit (zie art. 33 Arbowet) een bestuurlijke boete op te leggen.[44] Nalaten een Risico- inventarisatie en – evaluatie als bedoeld in art. 5 Arbowet op te stellen, bijvoorbeeld, kan worden beboet met een boete van de eerste categorie (ten hoogste f 10 000, zie art. 34 lid 4 Arbowet). Een bestuurlijke boete is een straf die (niet door de rechter maar) door het bestuursorgaan, in dit geval de Arbeidsinspectie, wordt opgelegd. Is betrokkene het niet met de boete eens, dan kan hij een beroep doen op de (bestuurs)rechter. Het voordeel van een administratieve boete boven een in een strafrechtelijke procedure opgelegde boete is de snelheid waarmee op normovertreding kan worden gereageerd. In art. 35 Arbowet zijn enige voorschriften ter bescherming van de te beboeten persoon (de werkgever) opgenomen, zoals het zwijgrecht.

Ten slotte kan de Arbeidsinspectie ter inleiding van een stafrechtelijke vervolging een proces-verbaal opstellen (art. 34) Arbowet. Art. 32 Ar-

43 Kachtens art. 26 Arbowet zijn de ambtenaren van de Arbeidsinspectie verplicht tot geheimhouding van de namen van de personen die een klacht hebben ingediend.

44 Kamerstukken II 25 862, 3, p. 22-27.

bowet geeft een algemene strafbepaling; de strafmaat is geregeld in de Wet Economische delicten (WED art. 1, 4^{e}).

privaatrechtelijke sanctionering

De overlegverplichtingen op grond van de Arbowet moeten civielrechtelijk worden gehandhaafd. Ten aanzien van de betreffende voorschriften heeft de Arbeidsinspectie geen handhavingstaak. Het medezeggenschapsorgaan moet met de hem ten dienste staande middelen handhaving afdwingen (zie art. 36 WOR). Een individuele werknemer die naleving van de arboverplichtingen van de werkgever wil afdwingen is aangewezen op een beroep op art. 7:611 (goed werkgeverschap).[45]

45 A.J.C.M. Geers, Recht en humanisering van de arbeid, Deventer, Kluwer 1988, p. 300-307; G.J.J. Heerma van Voss, Goed werkgeverschap als bron van vernieuwing van het arbeidsrecht, 2e druk, Deventer, Kluwer 1999, p. 97.

3 Arbeidsovereenkomstenrecht

Echter welke verrassingen de toekomst voor ons op dit gebied moge verbergen, één ding zal vast blijven staan: zonder een goede burgerlijke regeling van de arbeidsovereenkomst kan geen moderne staat het meer stellen.

E.M. Meijer, R.B.A. XIX, p. 81, 1 februari 1937.

3.1 Inleiding

3.1.1 *Algemeen*

Het geheel van rechtsregels dat het tot stand komen, de inhoud en het einde van de arbeidsovereenkomst reguleert, kan men aanduiden als het arbeidsovereenkomstenrecht.[1]

Deze rechtsregels vloeien in eerste instantie voort uit de partijafspraak, de wet, de gewoonte en de eisen van redelijkheid en billijkheid (art. 6:248 BW); wat dit betreft onderscheidt de arbeidsovereenkomst zich niet van andere overeenkomsten. Bij deze constatering moeten echter vier kanttekeningen worden gemaakt.

bronnen

In de eerste plaats is de wettelijke regeling van de arbeidsovereenkomst uitvoeriger dan bij andere overeenkomsten het geval pleegt te zijn. Daaraan kan worden toegevoegd dat de wettelijke bepalingen soms van aanvullend recht zijn (afwijking door partijen is dan geoorloofd), maar – ter bescherming van de werknemer – dikwijls ook van semi-dwingend recht (afwijking is slechts geldig bij geschrift of reglement), of van driekwart dwingend recht (afwijking is slechts geldig bij een cao of bij regeling door of namens een bevoegd bestuursorgaan), of van dwingend recht (afwijking is nietig of vernietigbaar).[2]

1 Algemene overzichten van het arbeidsovereenkomstenrecht geven P.F. van der Heijden (hoofdredactie), Arbeidsovereenkomst (losbladig), Deventer; W.C.L. van der Grinten, Arbeidsovereenkomstenrecht, bewerkt door J.W.M. van der Grinten, met medewerking van W.H.A.C.M. Bouwens, 19e druk, Deventer, Kluwer 1999; Asser 5, III; P. Zonderland, De arbeidsovereenkomst, Groningen 1975; E.M. Meijers, De arbeidsovereenkomst, Haarlem 1924; Molenaar, Arbeidsrecht II A. Zwolle 1957; de bijdrage van M.G. Levenbach, De arbeidsovereenkomst in het Nederlandse recht, in de EGKS-publicatie: De arbeidsovereenkomst volgens het recht der deelnemende staten van de EGKS, Luxemburg, 1965. Zie ook Notitie Ontwikkelingen in het arbeidsovereenkomstenrecht, Tweede Kamer 1996–1997, 25 426, I.

2 Voorbeelden van semi-dwingend recht: art. 7:650 lid 6: schriftelijke afwijking van bepaalde voorschriften met betrekking tot boete is mogelijk, echter alleen voor werknemers die een inkomen boven het minimumloon hebben; driekwart-dwingend recht: art. 7:670 lid 8 →

In de tweede plaats kent het arbeidsovereenkomstenrecht een rechtsbron die bij andere contracten ontbreekt: de collectieve arbeidsovereenkomst. Bij het overgrote deel van de arbeidsovereenkomsten zijn de verplichtingen van werkgever en werknemer in vergaande mate vastgelegd door een cao. Het belang van de cao als rechtsbron van de arbeidsovereenkomst kan dan ook moeilijk worden overschat (4.4.2).[3]
In de derde plaats kan worden gewezen op de reeds genoemde unilaterale bevoegdheid van de werkgever ex art. 7:660 BW om door instructies de uit de arbeidsovereenkomst voortvloeiende verplichtingen van de werknemer te concretiseren, het zogenaamde directierecht (1.4).
In de vierde plaats is realiteit dat de inhoud en uitleg van het Nederlands arbeidsrecht in hoge mate wordt bepaald door voorschriften die van de Europese Gemeenschap afkomstig zijn (9.1). Ook binnen het arbeidsovereenkomstenrecht zijn vele regelingen ter uitvoering van EG-voorschriften tot stand gekomen, bijvoorbeeld art. 7:646 en 647 (gelijke behandeling van mannen en vrouwen), 7:655 (informatieplicht werkgever), 7:662 e.v. BW (overgang van ondernemingen).

EG

individueel arbeidscontract

Het bestaan van een gedetailleerde wettelijke regeling in combinatie met de aanwezigheid van talrijke collectieve arbeidsovereenkomsten, maakt dat voor de partijafspraak dikwijls weinig ruimte overblijft. Gewoonlijk zijn deze afspraken dan ook vrij summier. Slechts wanneer een collectief contract ontbreekt, hetgeen bijvoorbeeld ten aanzien van groepen hoger- en middelbaar personeel wel voorkomt, kan de behoefte rijzen aan een meer uitgewerkt individueel arbeidscontract.
Men zou in dat laatste geval kunnen verwachten dat min of meer uitvoerig aandacht zou worden besteed aan onderwerpen als: doorbetaling van loon bij ziekte of ongeval, vakantie en vakantietoeslagen, gratificaties, provisie, reis- en verblijfkosten, representatiekosten, bedrijfsauto, telefoon-, studie-, verhuis- en verblijfkosten, buitengewoon verlof, geheimhoudingsplicht, ziektekosten, opzeggingstermijnen, proeftijd, afvloeiingsregeling, pensioen, enz., zoals ook in cao's gebruikelijk is. In de praktijk treft men echter lang niet altijd een integrale regeling van de daarvoor in aanmerking komende onderwerpen aan; het blijft dikwijls bij een enigszins incidentele behandeling, al is er op dit punt de laatste tijd enige verandering te bespeuren.

In dit hoofdstuk zal ik mij voornamelijk bepalen tot het wettelijk arbeidsovereenkomstenrecht; de betekenis van de cao voor de inhoud van

→ (verbod van opzegging tijdens ziekte of militaire dienst); dwingend recht: art. 7:658 BW (veiligheid).

3 M.M. Olbers, Arbeidsvoorwaardenregelingen bij wet of cao?, bijdrage aan Bakels-bundel, p. 185; M.M. Olbers, Het regelingsbereik van de cao, SMA 1992, 11, p. 658; A.T.J.M. Jacobs en W. Plessen, Deregulering in het arbeidsrecht, SEW 1992, 2, p. 107; P.F. van der Heijden, Rechtsvorming in het arbeidsrecht, oratie UvA, Deventer 1990.

de arbeidsovereenkomst wordt behandeld in het volgende hoofdstuk (4.4.2). In deze paragraaf wordt eerst enige aandacht geschonken aan de arbeidsovereenkomst zelf. Het gaat met name om de vraag welke arbeidsverhoudingen gekwalificeerd kunnen worden als arbeidsovereenkomst in de zin van art. 7:610 BW. Vervolgens bespreek ik het materiële arbeidsovereenkomstenrecht. Hierbij wordt in grote lijnen de indeling van boek 7 titel 10 BW aangehouden. Achtereenvolgens komen aan de orde: Tot stand komen en inhoud van de arbeidsovereenkomst (3.2), verplichtingen van de werkgever (3.3), verplichtingen van de werknemer (3.4), rechten en plichten bij overgang van een onderneming (3.5), einde van de arbeidsovereenkomst (3.6, ontslagrecht). Dit hoofdstuk besluit met een processueel gedeelte, de handhaving van het arbeidsovereenkomstenrecht (3.7).

opzet hoofdstuk

3.1.2 *De arbeidsovereenkomst*

regeling arbeidsovereenkomst

De arbeidsovereenkomst werd voor het eerst gedefinieerd en geregeld door de Wet op de arbeidsovereenkomst van 13 juli 1907. Door deze wet werden de aan 'huur van dienstboden en werklieden' gewijde artikelen (1.2) afgeschaft en vervangen door de eerste vijf afdelingen van de titel 7A van Boek 4 van het BW.[4] Sedertdien zijn herhaaldelijk wijzigingen aangebracht, zoals in het ontslagrecht, en zijn nieuwe onderdelen toegevoegd, zoals de vakantieregeling. Met de invoering van het nieuwe vermogensrecht per 1 januari 1992 werd deze materie overgeplaatst naar titel 7A van Boek 7A.

Nieuw BW

Met het tot stand komen van de Wet van 6 juni 1996, houdende vaststelling van titel 7.10 (arbeidsovereenkomst) van het nieuw Burgerlijk Wetboek is dit onderdeel van het arbeidsovereenkomstenrecht opgenomen in Boek 7, titel 10 (art. 610–686) BW.[5] Daarnaast regelt de Invoeringswet titel 7:10 BW de aanpassing van andere wetten aan de nummering en terminologie van de Vaststellingswet. Beide wetten zijn ingevoerd per 1 april 1997.
De Vaststellingswet beoogde geen materiële wijzigingen aan te brengen in het arbeidsovereenkomstenrecht. Zij beperkte zich voornamelijk, zij het niet uitsluitend, tot een technische herziening.[6]
Deze herziening bevat in de eerste plaats een afstemming op de materiële inhoud en de formuleringen van het nieuwe BW. Zo werd bijvoor-

4 Een overzicht van de parlementaire geschiedenis van deze wet geeft het vierdelig werk van A.E. Bles, De Wet op de arbeidsovereenkomst, 's-Gravenhage 1907.

5 Voor vergelijking van de oude en de nieuwe nummering wordt verwezen naar de achter in dit boek opgenomen transponeringstabellen.

6 A.T.J.M. Jacobs, e.a., Titel 7.10-De Arbeidsovereenkomst, Deventer 1997; G.J.J. Heerma van Voss, De arbeidsovereenkomst als Titel 7.10 BW, Deventer 1997; P.F. van der Heijden, e.a., Tekst & Commentaar Arbeidsovereenkomst (Titel 7.10 BW), Deventer 1997.

beeld de regeling van de nulliteiten (nietigheden en vernietigbaarheden) aangepast aan art. 3:40 BW (3.2.4).
In de tweede plaats is getracht de tekst van de wet beter leesbaar te maken. In verband hiermede werd het woordgebruik kritisch bezien op helderheid en consistentie. Zo werden bijvoorbeeld de termen 'arbeider' en 'dienstbetrekking' in de nieuwe regeling vervangen door 'werknemer' en 'arbeidsovereenkomst'. Ook de indeling van de titel werd gewijzigd.
Tot slot zijn een aantal verouderde bepalingen geschrapt.[7]

definitie arbeidsovereenkomst

Art. 7:610 BW definieert de arbeidsovereenkomst als: 'de overeenkomst, waarbij de ene partij, de werknemer, zich verbindt, in dienst van de andere partij, de werkgever, tegen loon gedurende zekere tijd arbeid te verrichten'. Indien een contract onder deze omschrijving valt, zijn de in titel 10 neergelegde bepalingen daarop van toepassing (alsmede de overige wetten die bij dit begrip aanknopen; zie 1.6.1).[8] Niet één enkel kenmerk is beslissend. De verschillende gevolgen die partijen aan hun verhouding hebben verbonden moeten in onderling verband worden bezien.[9]

loon

Het *eerste element* dat de definitie van art. 7:610 noemt is de verplichting van de werkgever loon te betalen. Ontbreekt een loonverplichting dan is er geen sprake van een arbeidsovereenkomst. Onder het door het Burgerlijk Wetboek gehanteerde loonbegrip pleegt men te verstaan: de door de werkgever aan de werknemer krachtens de arbeidsovereenkomst verschuldigde vergoeding ter zake van bedongen arbeid.[10] Door derden betaalde fooien vallen buiten deze definitie.[11] Evenmin vallen onder het loonbegrip het werkgeversdeel van de premies die de werkgever krachtens de socialeverzekeringswetgeving aan derden (de uitvoeringsorganen) verschuldigd is.

persoonlijke arbeid

Het *tweede element* dat binnen een overeenkomst aanwijsbaar moet zijn om van een arbeidsovereenkomst in de zin van art. 7:610 BW te kunnen spreken is de verplichting van de werknemer arbeid te verrichten. Van welke aard de arbeid is, doet niet ter zake. Zelfs slapen kan arbeid zijn in de zin van deze bepaling.[12] Soms is twijfelachtig of de arbeid waartoe

7 Zo werden bijvoorbeeld de godspenning (art. 1637e BW oud) en de inwonende arbeider (art. 1638v BW oud), die ooit het sociale landschap bevolkten, door de wet naar de vergetelheid verwezen.

8 Aan het vereiste dat de arbeidsovereenkomst 'zekere tijd' moet hebben geduurd, wordt gewoonlijk zelfstandige betekenis ontzegd.

9 HR 14 november 1997, NJ 1998, 149, JAR 1997, 263, Arbeidsrechtspraak nr. 1.

10 HR 18 december 1953, NJ 1954, 242. Sommige wetten hanteren een ander loonbegrip (zie bijvoorbeeld art. 6 WMM). Opmerking verdient dat het loonbegrip in art. 141 EG-verdrag ruimer is dan het hier besproken nationaalrechtelijke loonbegrip. Waar regelingen beschouwd moeten worden als uitvoering van art. 141 EG-Verdrag (bijvoorbeeld art. 7:646 BW, gelijke behandeling van mannen en vrouwen) moet onder loon verstaan worden hetgeen het Hof van Justitie der Europese gemeenschappen daaronder verstaat.

11 HR 8 oktober 1993, NJ 1994, 188, JAR 1993, 245.

12 HR 15 maart 1991, NJ 1991, 417 en 418.

iemand zich persoonlijk heeft verbonden arbeid is in de zin van art. 7:610 BW. Deze twijfel doet zich bijvoorbeeld voor indien de arbeid wordt verricht in het kader van een opleiding. Volgens de Hoge Raad is er geen sprake van een arbeidsovereenkomst, indien de arbeid in het kader van een opleiding overwegend is gericht op het uitbreiden van eigen kennis en ervaring van de werknemer.[13]
Het gaat om arbeid die de werknemer persoonlijk moet verrichten. Als hij zich zonder toestemming van zijn werkgever door een ander mag laten vervangen wordt het contract niet meer als een arbeidsovereenkomst beschouwd.[14] Dit betekent een uitzondering op de algemene regel, dat verbintenissen in het algemeen door een ieder kunnen worden gekweten (art. 6:30 BW). Het persoonlijk karakter dat aan de arbeid krachtens arbeidsovereenkomst inherent wordt geacht te zijn, is hiervan de verklaring.
Het *derde element* in art. 7:610 BW is de omstandigheid dat de arbeid door de werknemer wordt verricht 'in dienst van' de werkgever. Er moet sprake zijn van ondergeschiktheid.

ondergeschiktheid

Hiervoor (1.4) is er reeds op gewezen dat van de genoemde elementen het begrip 'in dienst' het belangrijkste criterium is om de arbeidsovereenkomst te onderscheiden van andere overeenkomsten krachtens welke arbeid wordt verricht, zoals de aanneming van werk (art. 7A:1639 BW) of de opdracht (art. 7:400 BW).

aanneming van werk

Bij de aanneming van werk en de opdracht ontbreekt in beginsel een instructiebevoegdheid. Bij de aanneming van werk verbindt de ene partij, de aannemer, zich voor de andere partij, de aanbesteder, tegen een bepaalde prijs een bepaald stoffelijk werk tot stand te brengen (art. 7A:1639 BW). Binnen de grenzen van het overeengekomene staat het de aannemer vrij om zelf te bepalen op welke wijze hij het beloofde resultaat wil verwezenlijken. En datzelfde geldt in beginsel voor een overeenkomst van opdracht, waarbij de opdrachtnemer zich verplicht anders dan krachtens arbeidsovereenkomst diensten te verrichten voor de opdrachtgever; men kan hierbij bijvoorbeeld denken aan de overeenkomst die een advocaat sluit met een cliënt (voor 1992 werd de opdracht betiteld als overeenkomst van enkele diensten of dienstbetoon).[15]

opdracht

gezag

Een contractant is in dienst wanneer hij valt onder het gezag van de wederpartij, wanneer hij diens ondergeschikte is. Hiervan is volgens de rechtspraak sprake wanneer de wederpartij krachtens de overeenkomst

13 HR 29 oktober 1982, NJ 1983, 230, Arbeidsrechtspraak nr. 3; HR 10 juni 1983, NJ 1984, 60; HR 28 juni 1996, NJ 1996, 711 JAR 1996, 153.

14 HR 13 december 1957, NJ 1958, 35: een krantenbezorgster die zich ten aanzien van al haar werkzaamheden kan laten vervangen is niet krachtens arbeidsovereenkomst werkzaam. Zie ook J.M. Fleuren-van Walsem en T. van Peijpe, Gezagsverhouding, de stand van zaken, SMA 1995, 7/8, p. 414.

15 Een beperkte verplichting om instructies op te volgen bestaat ook bij de opdracht (art. 7:402 BW). Hierover J.J. Trap en W.M. Hes, Opdracht en gezagsverhouding, ArbeidsRecht 1994, nr. 78. Vergelijk ook HR 14 november 1997, NJ 1998, 149, Arbeidsrechtspraak nr. 1, r.o. 3.4.

bevoegd is aanwijzingen te geven omtrent het verrichten van de arbeid of met betrekking tot de bevordering van de goede orde in de onderneming (art. 7:660 BW).[16] Anders gezegd, de prestatie waartoe de werknemer zich verbindt is per definitie (gedeeltelijk) onbepaald en mag door eenzijdige instructies van de werkgever nader worden geconcretiseerd.[17] Dankzij deze bevoegdheid heeft de werkgever de mogelijkheid om de inhoud van de arbeidsovereenkomst gedurende de soms lange looptijd van het contract – binnen de grenzen van de redelijkheid en billijkheid (art. 3:12–14, 6:248 BW en binnen de titel van de arbeidsovereenkomst, 7:611 BW) – aan te passen aan wisselende organisatorische en technische omstandigheden.

instructies

De bevoegdheid van de werkgever om een nadere instructie te geven is een bevoegdheid in abstracto en de reële inhoud ervan kan in verschillende situaties dan ook zeer verschillend zijn; de reikwijdte van het instructierecht van de werkgever hangt af van de partijafspraak, de aard van de arbeidsovereenkomst en de redelijkheid en billijkheid. Zo zal bijvoorbeeld een medisch specialist in dienst van een ziekenhuis bij de uitoefening van zijn werkzaamheden geen instructies van het bestuur van het ziekenhuis behoeven op te volgen. De bevoegdheden van het bestuur zullen in den regel beperkt zijn tot het vaststellen van dienstroosters, vakantietijden en dergelijke arbeidsorganisatorische onderwerpen. Omgekeerd zal bij een ongeschoolde werknemer in een grote industriële onderneming de ondergeschiktheid meestal duidelijk voelbaar zijn. Maar dat neemt niet weg dat zowel de specialist als de ongeschoolde werknemer, ondanks de grote verschillen in functionele zelfstandigheid, beiden werknemer zijn in de zin van art. 7:610 BW.[18]

gezagscriterium voldoende?

In het algemeen kan worden gesteld dat het gezagscriterium voldoende steun geeft om de arbeidsovereenkomst juridisch af te palen van contracten als aanneming van werk of opdracht of de overeenkomst van maatschap.[19] Maar al is het in de overgrote meerderheid van de gevallen

16 HR 17 april 1984, NJ 1985, 230; HR 1 december 1961, NJ 1962, 79; HR 17 juni 1994, NJ 1994, 757, m.n. PAS, JAR 1994, 152.

17 Koopmans, Begrippen, p. 63.

18 Zie over een tot organisatorische aspecten beperkte instructiebevoegdheid van de werkgever die leidde tot het aannemen van een arbeidsovereenkomst HR 17 juni 1994, NJ 1994, 757, JAR 1994, 152, TVVS 1994, 10, p. 279, m.n. MGR.

19 Er worden wel stemmen gehoord om het gezagscriterium te schrappen en beslissend te achten of 'iemand zijn *gehele* werktijd of een *belangrijk* deel daarvan voor *langere* tijd ter beschikking stelt van een ander, ongeacht of van een gezagsverhouding sprake is en mits uiteraard aan de overige vereisten voor het bestaan van een arbeidsovereenkomst is voldaan'. (Asser 5, III, p. 16). Tot dusver heeft deze benadering echter weinig steun gevonden in de wetgeving en de rechtspraak (P.F. van der Heijden, De definitie van de arbeidsovereenkomst in art. 610 Boek 7 NBW, bijdrage aan De arbeidsovereenkomst in het NBW, Deventer 1991, p. 41; H.C.M. Wüst, Het verleden als perspectief, SMA 1993, 3, p. 179; L.H. van den Heuvel, Ondergeschikt?, bijdrage aan →

duidelijk of we met een arbeidsovereenkomst te maken hebben of niet, dat neemt niet weg dat zich soms situaties voordoen waarin het niet eenvoudig is deze vraag te beantwoorden. Meestal gaat het hierbij om de vraag of er sprake is van een arbeidsovereenkomst danwel van een opdracht.

incidentele relaties

Zo achtte bijvoorbeeld de Hoge Raad een vertaalster niet noodzakelijkerwijs in dienst van haar opdrachtgever – hoewel deze laatste bevoegd was aanwijzingen met betrekking tot de vertaling te geven – overwegende, dat 'de verplichting een incidentele opdracht als waarvan hier sprake is te vervullen overeenkomstig aanwijzingen van de opdrachtgever het bestaan van een gezagsverhouding geenszins behoeft mee te brengen'.[20] Hoe incidenteler de werkrelatie, hoe sterker de instructiebevoegdheid moet zijn om als gezagsrelatie te kunnen worden gekarakteriseerd, zo lees ik het arrest. Of, anders gezegd, bij een langduriger en meer intensieve werkrelatie zal een instructiebevoegdheid eerder leiden tot het aannemen van een gezagsrelatie. Evenzo oordeelde de Centrale Raad van Beroep (die in verband met de toepassing van werknemersverzekeringen soms dient vast te stellen of een arbeidsovereenkomst aanwezig is) geen gezagsverhouding aanwezig met betrekking tot fruitpluksters, hoewel deze verplicht waren aanwijzingen van hun opdrachtgever op te volgen. De rechter achtte dit bij deze seizoenarbeidsters echter niet van doorslaggevende betekenis nu daar tegenover stond, dat zij vrij waren in het bepalen van de tijdstippen van komen en gaan en zelfs om in het geheel niet te verschijnen, terwijl van deze vrijheden in de praktijk ook een ruim gebruik werd gemaakt.[21]

maatschappelijke positie

Mede moet rekening worden gehouden met de maatschappelijke positie van partijen. Is die – wat bijvoorbeeld kan blijken uit de wijze waarop de beloning geregeld is, en op wiens initiatief dat op die wijze is gebeurd – er meer een van een zelfstandige tot zijn wederpartij, dan weegt dat mee bij het oordeel of ondergeschiktheid aanwezig is.[22]

rechtsvermoeden

In art. 7:610a BW is een rechtsvermoeden met betrekking tot het bestaan van een arbeidsovereenkomst neergelegd. Ingeval gedurende drie opeenvolgende maanden wekelijks dan wel gedurende ten minste twintig uur per maand arbeid tegen beloning voor een ander wordt verricht, wordt de relatie vermoed een arbeidsovereenkomst te zijn. Deze bepa-

→ Arbeidsrecht en Mensbeeld 1945–1996, Deventer 1996, p. 35; A.Ph.C.M. Jaspers, Naar een nieuwe balans tussen werkgeversgezag en werknemersrecht, bijdrage aan de Rood-bundel, p. 81). Ook in andere landen wordt het gezagscriterium gewoonlijk als het belangrijkste kenmerk van de arbeidsovereenkomst beschouwd (H. Barbagelata, bijdrage aan Comparative Labour Law and Industrial Relations, R. Blanpain (ed.), Deventer 1990, p. 37; R. Blanpain (ed.), Bulletin of Comparative Labour Relations nr. 24, Employed or self-employed, Deventer 1992).

20 HR 17 november 1967, NJ 1968, 163.

21 CRvB 6 april 1972, RSV 1972, 214. Zie ook CRvB 2 mei 1986, RSV 1987, 155, Sociaal zekerheidsrecht in 43 uitspraken, W.H.A.C.M. Bouwens e.a., Nijmegen 1995, p. 24; J.M. Fleuren-van Walsum en T. van Peijpe, Gezagsverhouding, de stand van zaken, SMA 1995, 7/8, p. 412.

22 HR 14 november 1997, NJ 1998, 149, JAR 1997, 263, Arbeidsrechtspraak nr. 1, r.o. 3.4.

ling is vooral ter verbetering van de rechtspositie van flexibel werkenden in het leven geroepen.[23] Het rechtsvermoeden kan weerlegd worden. Het bestaan van een schriftelijke overeenkomst waarbij de arbeidsrelatie als een andere overeenkomst dan een arbeidsovereenkomst wordt aangemerkt, is op zich niet voldoende om het rechtsvermoeden te weerleggen.[24]

3.1.3 *Bijzondere arbeidsovereenkomsten*

Op een aantal arbeidsovereenkomsten is titel 10 van Boek 7 BW niet, of niet zonder meer, van toepassing.

arbeidscontractanten

Volgens art. 7:615 BW is de titel in beginsel niet van toepassing op werknemers in dienst van de staat, provincie, gemeente, waterschap of enig ander publiekrechtelijk lichaam. Art. 7:615 BW doelt hiermede in de eerste plaats op personen die krachtens arbeidsovereenkomst werkzaam zijn bij de overheid, de zogenaamde arbeidscontractanten; de rechtspositie van deze groep is meestal geregeld in aparte besluiten.[25] Het gaat hier overigens om een beperkte, uitstervende categorie; het overgrote deel van het overheidspersoneel is werkzaam als ambtenaar (1.3.4) en valt reeds als zodanig niet onder het arbeidsovereenkomstenrecht.

PBO-werknemers

Voorts is titel 10 van Boek 7 BW niet van toepassing op personen die een arbeidsovereenkomst hebben gesloten met een 'publiekrechtelijk lichaam', zoals werknemers die in dienst zijn van de SER, de product- of bedrijfschappen (6.2.2). In de praktijk bevatten de rechtspositieregelingen van de werknemers in deze sectoren gewoonlijk zowel elementen die ontleend zijn aan het ambtenarenrecht als aan het arbeidsrecht.

bijzondere bepalingen

Op een aantal arbeidsovereenkomsten is titel 10 van Boek 7 BW wèl van toepassing, doch met het in acht nemen van daarnaast bestaande, afwijkende wettelijke bepalingen. Dergelijke afwijkende bepalingen bestaan met betrekking tot de arbeidsovereenkomst van de kapitein en de schepelingen ter zeevaart en visserij (art. 340 e.v., 396 e.v., 452a e.v. WvK), de handelsvertegenwoordiger (art. 7:687–689 BW) en de bestuurder van een NV of BV (art. 2:131, 2:241, 2:134 lid 3 en 2:244 BW). Ook de arbeidsovereenkomst van de uitzendkracht (art. 7:690 BW) wijkt op enige punten af van die van andere werknemers.

3.1.4 *Flexibele arbeidsrelaties*

Het begrip flexibele arbeidsrelaties is niet een juridisch omlijnd concept. Het kan zowel in ruime als in meer beperkte zin

23 G.C. Boot, Artikel 7: 610a–610b. Rechtsvermoedens. Sociaal recht 1997, 7/8, p. 198–199 en ArbeidsRecht 1998, 53.

24 Tweede Kamer 1996–197, 25 263, 6, p. 6. Anders, met een beroep op art. 184 Rv, Van der Grinten p. 18.

25 T. van Peijpe en J. Riphagen, Schets van het Nederlands ambtenarenrecht, Deventer 1994, p. 144; P.E.M. Messer-Dinnissen, De Rijksarbeidscontractant, Den Haag 1995.

worden opgevat. In de ruimste betekenis worden hieronder alle arbeidsverhoudingen begrepen, die afwijken van een arbeidsovereenkomst voor onbepaalde tijd krachtens welke gedurende een volledige werkweek op vaste arbeidstijden wordt gewerkt. Vanuit deze ruime optiek vallen ook de arbeidsovereenkomst voor bepaalde tijd en de arbeidsovereenkomst met een kortere duur dan een volledige werkweek (deeltijdarbeid) onder de flexibele arbeidsverhoudingen.

bepaalde tijd

Een arbeidsovereenkomst voor bepaalde tijd kent minder ontslagbescherming dan een arbeidsovereenkomst voor onbepaalde tijd. De arbeidsovereenkomst voor bepaalde tijd bijvoorbeeld eindigt van rechtswege wanneer de tijd waarvoor hij is aangegaan, is verstreken; de gebruikelijke ontslagbescherming ontbreekt hier dus (art. 7:667 lid 1 BW). Op de arbeidsovereenkomst voor bepaalde tijd en op de grenzen die door wetgeving en rechtspraak aan de toepassing van deze figuur zijn gesteld, wordt later uitvoeriger teruggekomen (3.6.5.1).

deeltijd

Bij deeltijdarbeid gaat het gewoonlijk om personen die krachtens arbeidsovereenkomst arbeid verrichten met een kortere arbeidsduur dan gebruikelijk is (dat wil zeggen minder dan 38 uren); deeltijdarbeid kan zowel voor onbepaalde tijd als bepaalde tijd worden verricht. Deeltijdarbeid is sedert de jaren zeventig sterk gegroeid. 30 % van de beroepsbevolking is thans in deeltijd werkzaam. Het overgrote deel van deeltijdwerkers is van het vrouwelijk geslacht.[26]

In meer beperkte zin – en dat is de wijze waarop gewoonlijk het begrip wordt opgevat – verstaat men onder flexibele arbeidsrelaties slechts:

- de uitzendverhouding;
- de thuiswerkverhouding;
- de freelanceverhouding;
- de af- of oproepverhouding.[27]

flexibele arbeidsrelaties

Flexibele arbeidsrelaties berusten meestal op overeenkomsten waarmee de werkgever beoogt een arbeidskracht slechts te laten werken als hij werk heeft en slechts te betalen als het werk daadwerkelijk wordt verricht. Dergelijke overeenkomsten maken een flexibele inzet van arbeids-

26 CBS, Enquête beroepsbevolking 1998, Den Haag, Sdu 1999.

27 M.G. Rood, Flexibele arbeidsrelaties, Alphen aan den Rijn 1988; C.J. Smitskam, (red.), Praktijkboek Flexibele arbeidsrelaties (losbladig); Y. Konijn, De flexibele arbeidsrelatie in het sociaal recht, bijdrage aan Arbeidsrecht en Mensbeeld 1946–1996, Deventer 1996, p. 49; L. Betten, Flexibilisering versus internationale verplichtingen: Nederlandse arbeidsvoorwaardenvorming in de Geneefse tang?, Bijdrage aan Arbeidsrecht en Mensbeeld 1946–1996, Deventer 1996, p. 195. R. Blanpain (ed.), Bulletin of Comparative Labour Relations, Flexible Work Pattern and their Impact on Industrial Relations, Deventer 1991; Zie over de minder frisse kanten van flexibele arbeidsrelaties Stella Braam, De blinde vlek van Nederland, Reportages over de onderkant van de arbeidsmarkt, Amsterdam 1995. Zie ook C. Passchier, Rapport Flexibilisering, FNV, Amsterdam 1998.

krachten mogelijk, maar leiden naar hun aard tot een zwakke rechtspositie van deze flexwerkers.
Flexibele arbeidscontracten kwamen ook vroeger reeds voor (seizoenarbeid), maar het aantal is de laatste decennia duidelijk toegenomen, zowel in Nederland als elders in Europa en deze trend zet nog steeds door.[28] Hierdoor hebben deze contracten, die oorspronkelijk slechts aan de periferie van het arbeidsrecht voorkwamen, zich in toenemende mate tot een alledaags verschijnsel ontwikkeld.

toename flexibele relaties

De snelle toename van de flexibele arbeidsrelaties wordt enerzijds veroorzaakt door de wens van ondernemingen om de arbeidskosten te drukken (flexwerkers zijn goedkoper en gemakkelijker te lozen dan het vaste personeel), anderzijds door de snel wisselende marktomstandigheden die een wisselende inzet van arbeidskrachten wenselijk kunnen maken. Daarnaast is ook bij werknemers de bereidheid om een flexibele arbeidsrelatie aan te gaan toegenomen.

Flexibiliteit en zekerheid

Aan de toegenomen behoefte van ondernemingen aan flexibilisering met name op het gebied van het ontslagrecht is de wetgever tegemoet gekomen door bij wet van 2 juni 1998 (Flexibiliteit en zekerheid)[29] een zekere versoepeling van het ontslagrecht teweeg te brengen (3.6) Aan de andere kant zijn door genoemde wet voorschriften in het leven geroepen die beogen flexwerkers meer zekerheid te verschaffen. Een voorbeeld van dit laatste zijn de rechtsvermoedens in art. 7:610a (3.1.2) en 7:610b BW. Art. 7:610a BW regelt een rechtsvermoeden voor het *bestaan van een arbeidsovereenkomst* wanneer tegen betaling gedurende drie opeenvolgende maanden, wekelijks dan wel ten minste twintig uren per maand arbeid is verricht. Art. 7:610b BW regelt een rechtsvermoeden met betrekking tot de *omvang van de bedongen arbeid*. Indien de arbeidsovereenkomst ten minste drie maanden heeft geduurd, wordt de bedongen arbeid in enige maand vermoed een omvang te hebben gelijk aan de gemiddelde omvang van de verrichte arbeid per maand in de drie voorafgaande maanden. Dit rechtsvermoeden kan van belang zijn wanneer er onzekerheid bestaat over de hoogte van een loonvordering.

a. Uitzendverhouding

Bij de uitzendrelatie zijn drie partijen betrokken: het uitzendbureau, de uitzendkracht en de inlener. De uitzendovereenkomst is de arbeidsovereenkomst waarbij de werknemer door de werkgever in het kader van de uitoefening van zijn beroep of bedrijf ter beschikking wordt gesteld aan een derde (de inlener) om krachtens een door deze aan de werkgever

28 Cijfers over de groei van flexibele arbeid in Nederland geven T. Bijlsma en F. Koopmans, Ruim een kwart eeuw flexibele arbeid in Nederland, SMA 1999, 3, p. 154-158. Zij concluderen dat zowel vaste deeltijdbanen als flexibele banen de laatste jaren gegroeid zijn, maar dat de verhouding tussen beide constant blijft.
29 Stb. 1998, 300.

verstrekte opdracht arbeid te verrichten onder toezicht en leiding van de derde (art.7:690 BW). Deze definitie beperkt zich niet tot de relatie uitzendbureau-uitzendkracht. Ook andere vormen van ter beschikking stellen van arbeidskrachten, zoals detachering vallen er onder. Hier wordt bij wijze van voorbeeld over uitzendkracht en uitzendbureau gesproken.
De relatie tussen derde (inlener) en werkgever (uitzendbureau) is een overeenkomst van opdracht (art. 7:400 BW). Voor deze relatie geeft de Wet allocatie arbeidskrachten door intermediairs (WAADI)[30] voorschriften (7.3).

inlener-uitzendkracht

De relatie tussen inlener en uitzendkracht wordt niet als een arbeidsovereenkomst beschouwd[31], en evenmin als een andere contractuele band die voor de toepassing van de regels van het ontslagrecht als een arbeidsovereenkomst zou moeten worden aangemerkt. De uitzendkracht die langer dan 24 maanden in de onderneming van de inlener heeft gewerkt wordt wél als een in die onderneming werkzame persoon aangemerkt voor de toepassing van de Wet op de ondernemingsraden (art. 1 lid 3 WOR). Hij telt dus mee voor de vraag of een ondernemingsraad moet worden ingesteld en heeft de uit de WOR voortvloeiende rechten en plichten (5.3.1). Ondanks het ontbreken van een contractuele band is de inlener wel aansprakelijk op de voet van art. 7:658 BW voor de schade die de uitzendkracht in de uitoefening van zijn werkzaamheden lijdt (art. 7:658 lid 4 BW). De inlener wordt ook in de Arbeidsomstandighedenwet als werkgever van de ingeleende uitzendkracht beschouwd (art. 1 lid 1 sub a, 2^{e} Arbeidsomstandighedenwet).

uitzendbureau-uitzendkracht

De relatie tussen een uitzendkracht en het uitzendbureau is een arbeidsovereenkomst (art. 7:690 BW).[32] Art. 7:691 BW geeft bijzondere voorschriften voor de uitzendovereenkomst. Allereerst is art. 7:668a BW pas van toepassing op de relatie tussen uitzendbureau en uitzendkracht, zodra de werknemer in meer dan 26 weken arbeid heeft verricht (art. 7:690 lid 1 BW). Bovendien laat art. 7:690 lid 2 BW de mogelijkheid te bedingen dat de overeenkomst tussen uitzendbureau en uitzendkracht van rechtswege eindigt doordat de terbeschikkingstelling op verzoek van de inlener een einde neemt. Heeft de uitzendkracht in 26 weken arbeid voor het uitzendbureau verricht, dan verliest dit beding zijn rechtskracht (art. 7: 691 lid 2 en 3 BW).

uitzendbeding

Van de specifieke regelingen van art. 7:691 lid 2, 3 en 5 BW (dit laatste artikelonderdeel regelt de samentelling van perioden waarin bij verschillende werkgevers is gewerkt) kan bij cao ten nadele van de werknemer worden afgeweken.[33]

30 Wet van 4 juni 1996, Stb. 306.
31 HR 27 november 1992, NJ 1993, 293 en HR 25 oktober 1996, JAR 1996/234.
32 Over de betekenis van deze bepaling: I.P. Asscher-Vonk, Flex en zeker: de uitzendkracht, SMA 1997, 7/8 p. 376 en P.F. van Doornik, Artikel 7:690 en 7:691 BW. De uitzendovereenkomst, Sociaal Recht 1997, 7/8 p. 220–222.
33 In de ABU-cao 1999 is van deze mogelijkheid gebruik gemaakt.

b. Thuiswerkverhouding

Bij de thuiswerkverhouding gaat het niet om een afgebakend juridisch begrip.

Onder thuiswerk wordt gewoonlijk verstaan het thuis tegen betaling voor een onderneming, of ondernemingen, verrichten van arbeid. Het verrichten van thuiswerk heeft nieuwe impulsen gekregen door de opkomst van telewerk.[34] Thuiswerk kan worden verricht in de vorm van een arbeidsovereenkomst. Ontbreekt de ondergeschiktheid, dan heeft het thuiswerk de vorm van aanneming van werk of opdracht; er is dan sprake van zelfstandige arbeid, die door de thuiswerker naar eigen inzicht en voor eigen risico wordt verricht. De zelfstandigheid van een thuiswerker kan slechts schijn zijn; in feite kan het bij thuiswerk gaan om arbeid die persoonlijk wordt verricht onder gezag van de opdrachtgever. In dat geval is er – ongeacht de benaming die door partijen aan het contract wordt gegeven – een arbeidsovereenkomst, met alle gevolgen van dien.[35] Uitbesteding van arbeid aan thuiswerkers kan voor een ondernemer aantrekkelijk zijn, aangezien de thuiswerkers flexibel kunnen worden ingezet en in de regel[36] de regels van het arbeidsovereenkomstenrecht niet van toepassing zijn.

veiligheid

c. Freelanceverhouding

Ook de freelanceverhouding is niet juridisch gedefinieerd.

Bij freelance-arbeid gaat het meestal om (incidentele) arbeid die voor wisselende opdrachtgevers wordt verricht. Gewoonlijk gaat het hier om overeenkomsten van opdracht. Het motief van een ondernemer om bepaalde taken niet in eigen beheer maar door zelfstandige derden te laten verrichten is, evenals bij thuiswerk, de mogelijkheid van een flexibele inzet en het besparen van arbeidskosten.

opdracht

Evenals bij thuiswerk is het mogelijk dat ook de zelfstandigheid van een freelancer slechts schijn is. Afhankelijk van de omstandigheden (zoals bijvoorbeeld in geval van het langdurig verrichten van bedrijfsmatige arbeid voor dezelfde ondernemer) kan ook hier door de rechter het bestaan van een arbeidsovereenkomst worden aangenomen.[37]

34 H.H. de Vries, Juridische aspecten van huistelematica, diss. VU, Deventer 1993; F.J.L. Pennings (ed.), Telework in the Netherlands, Amsterdam 1996.

35 Het bestaan van een arbeidsovereenkomst werd aangenomen door HR 17 november 1978, NJ 1979, 140, m.n. PAS (thuis-ponstypiste). Zie voorts voor de verplichtingen van de werkgever jegens thuiswerkers krachtens de Arbeidsomstandighedenwet par. 2.3.1.

36 Uitzondering vormt de Arbeidsomstandighedenwet (zie art. 1 lid 2 sub a Arbeidsomstandighedenwet en het Arbeidsomstandighedenbesluit).

37 HR 8 december 1978, NJ 1979, 206, m.n. PAS (Steenbergen/NOS); Ktg. Amsterdam 15 oktober 1996, JAR 1997, 15; elementen die een rol spelen bij het oordeel dat een arbeidsovereenkomst aanwezig is tussen een free-lance journalist en de omroeporganisatie waren: de journalist verrichtte werkzaamheden die eveneens door collega's in vast dienstverband werden uitgevoerd; hij kon zich niet onttrekken aan instructies van de eindredacteur en de arbeid werd verricht tegen een vast uurloon (in tegenstelling tot betaling per opdracht). Kantongerecht Hilversum 14 april 1999, JAR 1999, 108. Zie ook G.A. van der Steur, Free-lance docenten: verzekerde werknemer of (on)verzekerde opdrachtnemer, ArbeidsRecht 1996, 45.

d. Af- of oproepverhouding

Tot slot kunnen de af- of oproepcontracten worden genoemd. Deze komen voor in uiteenlopende juridische vormen; het gaat hier om een gecompliceerde materie.[38]

oproepcontract

Wanneer aan een oproep gevolg is gegeven, wordt de arbeid gewoonlijk op grond van een arbeidsovereenkomst verricht. Art. 7:610a BW regelt een rechtsvermoeden van een arbeidsovereenkomst wanneer de oproeparbeid met de in die bepaling beschreven frequentie en regelmaat is verricht. Hoe is de relatie tussen partijen te kwalificeren gedurende de gehele periode van het oproepcontract, gedurende de periode dat de werknemer oproepbaar is? Er worden twee mogelijkheden onderkend.

voorovereenkomst

Enerzijds is het mogelijk dat het oproepcontract moet worden beschouwd als een voorovereenkomst die (slechts) de condities regelt voor het geval partijen zouden besluiten een arbeidsovereenkomst aan te gaan, maar zelf niet een arbeidsovereenkomst is. Uit deze voorovereenkomst kunnen dan een of meer arbeidsovereenkomsten voor bepaalde tijd (3.7.5.1) voortvloeien. De arbeidsovereenkomst voor bepaalde tijd eindigt in beginsel van rechtswege en dat geldt ook voor eventuele volgende arbeidsovereenkomsten voor bepaalde tijd, zolang niet is voldaan aan de voorwaarden van art. 7:668a BW. In deze situatie is de ontslagbescherming van de oproepkracht – vergeleken met de arbeidsovereenkomst voor onbepaalde tijd – gering. Bij tussenpozen tussen de oproepen van minder dan drie maanden geldt na meer dan drie overeenkomsten de laatste als overeenkomst voor onbepaalde tijd (art. 7:668a lid 1 sub b BW). Alsdan heeft de oproepkracht de bij die contractvorm horende ontslagbescherming (3.6.3).

arbeidsovereenkomst m.u.p.

Anderzijds is het mogelijk dat het oproepcontract moet worden beschouwd als een arbeidsovereenkomst met uitgestelde prestatieplicht. Dit is een arbeidsovereenkomst voor onbepaalde tijd waarbij is overeengekomen dat de werknemer alleen arbeid zal verrichten na daartoe te zijn opgeroepen en dat de werkgever alleen loon zal betalen over de uren waarop arbeid is verricht. Soms is de werktijd binnen zekere grenzen gegarandeerd (min-max-contracten; een vorm van variabele deeltijd), soms ook ontbreekt op dit punt iedere garantie (nul-uren-contracten).[39]

rechtsvermoeden omvang

De zwakke positie in verband met de beloning van deze werknemers wordt door de wetgever gecompenseerd door een drietal voorzieningen. Allereerst het al genoemde art. 7:610b BW (3.3.4).

38 C.J. Smitskam, (red.) Praktijkboek Flexibele arbeidsrelaties, Deventer (losbl.).

39 De vraag kan rijzen of een werkgever op grond van art. 7:611 BW als goed werkgever verplicht is de werknemer op te roepen telkens wanneer er werk beschikbaar is. In HR 25 januari 1980, NJ 1980, 264, m.n. PAS (Possemis-Hoogenboom) is deze vraag bevestigend beantwoord, maar het is niet duidelijk in hoeverre uit dit arrest algemene conclusies kunnen worden getrokken; bovendien zal de werknemer dikwijls moeilijk kunnen bewijzen dat er werk voor hem is. Zie ook M.V. van der Woude, Het afroepcontract: een effectief middel?, SMA 1984, 10, p. 672.

minimumloon-aanspraak

Bovendien geeft art. 7:628a BW een *minimumloonaanspraak van drie uur* voor iedere periode van minder dan drie uur waarin de werknemer arbeid heeft verricht, ingeval een arbeidsomvang van minder dan 15 uur per week is overeengekomen en de tijdstippen van de werkzaamheden van te voren niet zijn vastgelegd danwel indien de omvang van de arbeid niet of niet eenduidig is vastgelegd.[40]

loondoorbetaling

Ten slotte zij erop gewezen dat het beding waarbij van de hoofdregel van art. 7:628 BW wordt afgeweken slechts de eerste zes maanden van het contract rechtsgeldig is en bovendien schriftelijk moet zijn aangegaan, terwijl uitsluiting van de loonbetalingsverplichting in de periode ná de eerste zes maanden slechts bij cao kan geschieden (3.3.3.3).

Ook de rechter compenseert in sommige gevallen de nadelige positie waarin de oproepkracht verkeert. Van groot belang is in dit verband een arrest dat de Hoge Raad in 1994 heeft gewezen.[41] Het geval betrof een oproepkracht, die was aangenomen op een 0-uren-contract en tegen een lagere beloning dan die van de op arbeidsovereenkomst voor onbepaalde tijd werkzame vaste krachten. Vast stond dat de oproepkracht gedurende vijf jaren praktisch de volledige werkweek op dezelfde wijze als het vaste personeel voor de opdrachtgever had gewerkt. Op een daartoe strekkende vordering stelde de feitelijke rechter vast, dat daardoor het oorspronkelijke karakter van het oproepcontract verloren was gegaan en dat deze relatie daarom gelijkgesteld moest worden aan de arbeidsverhouding van het vaste personeel. Het oorspronkelijke 0-uren-contract werd daardoor als het ware getransformeerd in een normale arbeidsovereenkomst voor onbepaalde tijd. Volgens de Hoge Raad had de feitelijke rechter 'genoegzaam gemotiveerd dat de aanvankelijk overeengekomen arbeidsvoorwaarden niet doorslaggevend zijn, maar mede betekenis toekomt aan de wijze waarop partijen in de praktijk aan de arbeidsovereenkomst uitvoering geven en aldus daaraan een andere inhoud hebben gegeven.' De feitelijke rechter mocht hier met andere woorden de werkelijke verhouding laten prevaleren boven de oorspronkelijke afspraak.[42]

transformatie oproepcontract

gelijk loon

Voorts had de feitelijke rechter overwogen – en ook dit oordeel werd door de Hoge Raad in stand gelaten – dat de werkgever in deze omstandigheden als goed werkgever (art. 7:611 BW) verplicht was de werknemer ook op dezelfde wijze te honoreren als het personeel in vaste

40 E. Verhulp, Flexibiliteit en Zekerheid; 17 wandeltochten zonder wegwijzers, Sociaal Recht 1998, 2, p. 40–45.

41 HR 8 april 1994, NJ 1994, 704, m.n. PAS, JAR 1994, 94, SMA 1994, 11/12, p. 618, m.n. I.P. Asscher-Vonk, Reactie A.M. Luttmer-Kat, SMA 1995, 4, p. 265, TVVS 1994, 8, p. 219, m.n. MGR, NJCM-Bulletin 1994, p. 644, m.n. A.W. Heringa, Arbeidsrechtspraak nr. 5 (AGFA-arrest).

42 F.M. Fleuren-van Walsem en T. van Peijpe, Gezagsverhouding, de stand van zaken, SMA 1995, 7/8, p. 415.

dienst, mede in aanmerking nemend het beginsel dat gelijke arbeid in gelijke omstandigheden op gelijke wijze gehonoreerd moet worden, behoudens een objectieve rechtvaardigingsgrond.

3.2 Tot stand komen van de arbeidsovereenkomst

3.2.1 *Sollicitatiefase*

De fase die direct vooraf gaat aan het tot stand komen van de arbeidsovereenkomst, de sollicitatiefase, kan worden beschouwd als een precontractuele verhouding die beheerst wordt door de algemene beginselen van redelijkheid en billijkheid.[43]
Wettelijke normen die het aangaan van de arbeidsovereenkomst en de daaraan voorafgaande werving en selectie beheersen zijn zeldzaam.[44] Op dit aspect van de arbeidsrelatie hebben gelijkebehandelingsnormen (3.3.2) mede betrekking. Voorts is de mogelijkheid een sollicitant een aanstellingskeuring te laten ondergaan beperkt in de Wet medische keuringen.[45] De wet beperkt de mogelijkheid een aanstellingskeuring te laten verrichten in art. 4 tot de situatie dat voor de functie bijzondere eisen op het punt van medische geschiktheid worden gesteld. De keuring mag bovendien slechts als sluitstuk van de selectieprocedure plaatsvinden. De Wet medische keuringen (WMK) beperkt de mogelijkheid een sollicitant een aanstellingskeuring te laten ondergaan.[46] Alleen wanneer voor de functie bijzondere eisen op het punt van medische geschiktheid moeten worden gesteld, bijvoorbeeld bij zwaar lichamelijk werk of functies waarbij de veiligheid in het geding is, is keuring in verband met het aangaan van een arbeidsovereenkomst toegestaan (art. 4). De werkgever is verplicht het doel van de keuring, de vragen die daarbij zullen worden gesteld en de medische onderzoeken waarmee een en ander gepaard zal gaan, tevoren schriftelijk vast te leggen en de keurling tijdig van te voren over doel, vragen en onderzoeken en over zijn rechten te informeren. De rechten van de keurling worden geregeld in art. 11 en 12 WMK. De keurling kan onder omstandigheden zijn medewerking aan de keuring weigeren en heeft in bepaalde gevallen recht op herkeuring.

Wet medische keuringen

43 Asser-Hartkamp II, nr. 156. Zie voorts I.P. Asscher-Vonk, Toegang tot de dienstbetrekking, diss. UvA, Alphen aan den Rijn 1989; I.P. Asscher-Vonk, Veroordeling tot het aangaan van een arbeidsovereenkomst, ArbeidsRecht 1997, 27; H.W.M.A. Staal, Werving, selectie en ontslag, een uitstapje in reguleringsland, bijdrage aan Arbeidsrecht en Mensbeeld 1946–1996, Deventer 1996, p. 97.

44 M.J. Hamer, Een fiscaal aspect van de sollicitatiefase, bijdrage aan Bakels-bundel, p. 73.

45 Stb. 1997, 365 en 636. J.C.J. Dute, De medische aanstellingskeuring wettelijk geregeld, SMA 52 (1997), 9, p. 459–467.

46 J.M.K. Gevers, de Wet medische keuringen in het perspectief van de NJCM-bulletin 1999, p. 442.

juiste informatieverstrekkng

De werknemer is verplicht in het kader van een aanstellingskeuring juiste informatie te verstrekken en daardoor de toetsing aan de voor de functie opgestelde belastbaarheidseisen juist te kunnen laten uitvoeren. Doet de werknemer dit niet, dan heeft hij in geval van ongeschiktheid wegens ziekte geen recht op loon (art. 7:629 lid 3 sub a BW). Een sollicitant hoort zelfstandig mededeling te doen als hij weet of behoort te weten dat hij de fysieke eigenschappen, nodig voor de functie, mist.

verzwijging

Wanneer een werknemer een kwaal of gebrek verzwijgt waarvan hij wist of had moeten begrijpen dat de kwaal hem ongeschikt maakte voor de betrekking waarnaar hij solliciteerde, verzetten de redelijkheid en billijkheid zich tegen een aanspraak op ziekengeld.[47] In een geval van een sollicitant die ten gevolge van een kwaal ongeschikt was voor het verrichten van zijn werkzaamheden (hij leed aan astmatische bronchitis en had gesolliciteerd naar de functie van lasser) kon verzwijgen van die kwaal zelfs een dringende reden voor onverwijld ontslag opleveren.[48] Bedacht moet worden dat ten tijde van laatstgenoemde uitspraak de werkgever de mogelijkheid van weigering van loondoorbetaling van loon tijdens ziekte nog niet had.[49]

code

Niet-wettelijke normen die in acht genomen dienen te worden zijn neergelegd in een sollicitatiecode van de Nederlandse Vereniging voor personeelsbeleid. De Stichting van de Arbeid heeft op 9 maart 2000 een aanbeveling, die code te volgen, doen uitgaan.

3.2.2 *Aangaan van de arbeidsovereenkomst*

Voor de totstandkoming van een (geldige) arbeidsovereenkomst gelden in beginsel de normale regels van het overeenkomstenrecht: wilsovereenstemming en handelingsbekwaamheid terwijl de inhoud of strekking van de arbeidsovereenkomst niet strijdig mogen zijn met de goede zeden, de openbare orde of een dwingende wetsbepaling.[50] Een korte bespreking van deze drie elementen volgt hieronder.

47 Rb. Rotterdam 1 april 1999, JAR 1999, 99.

48 HR 20 maart 1981, NJ 1981, 507, Arbeidsrechtspraak nr. 42.

49 Voor een overzicht van (lagere) jurisprudentie over het meedelen van fysieke beperkingen na invoering van de WULBZ zie I.P. Asscher-Vonk e.a., De zieke werknemer, 2e druk, Deventer, Kluwer 1999, p. 22.

50 Voor het tot stand komen van een geldige overeenkomst is ook vereist, dat de verbintenissen die partijen op zich nemen 'bepaalbaar' zijn. Dit vereiste is hier buiten beschouwing gelaten, aangezien rechtspraak waarbij het niet bestaan van een (arbeids)overeenkomst werd aangenomen op grond van het gemis van een bepaald onderwerp vrijwel ontbreekt (Asser-Hartkamp II, nr. 224).

3.2.2.1 *Wilsovereenstemming*

Voor de totstandkoming van een arbeidsovereenkomst is de toestemming van beide partijen nodig; er moet een aanbod zijn gedaan dat als zodanig is geaccepteerd; er moet sprake zijn van wilsovereenstemming (art. 3:33–37; 6:217–225 BW).[51]

mondeling voldoende

De toestemming van partijen kan zowel mondeling als schriftelijk geschieden. In beginsel is een mondelinge afspraak voldoende; de arbeidsovereenkomst is een consensueel contract.

eis van schriftelijkheid

Ik merk in dit verband op dat voor de geldigheid van sommige afspraken in het kader van een arbeidsovereenkomst meer vereist is dan een mondelinge afspraak. Hiervoor is reeds gewezen op de wettelijke bepalingen van semi-dwingend recht. Deze leggen bepaalde verplichtingen op partijen waarvan zij slechts schriftelijk kunnen afwijken. In dit verband memoreer ik de eveneens reeds vermelde verplichtingen van driekwart dwingend recht, waarvan slechts bij cao kan worden afgeweken (3.1.1).[52]

semi-dwingend

driekwart-dwingend

eis schriftelijkheid

Daarnaast bestaan er wettelijke bepalingen die niet verplichtingen in het leven roepen waarvan slechts schriftelijk of bij cao kan worden afgeweken, maar die partijen toestaan om bepaalde verplichtingen op zich te nemen mits dit schriftelijk is overeengekomen. Voorbeelden van dergelijke bepalingen verschaffen art. 7:650, 7:652 en 7:653 BW die, binnen een dwingendrechtelijk kader, respectievelijk een schriftelijk boetebeding, een proeftijdbeding of concurrentiebeding mogelijk maken.

schriftelijke stukken

Ten slotte verplicht de wet de werkgever bepaalde schriftelijke stukken af te geven. Dat zijn: een opgave van de informatie als bedoeld in art. 7:655 BW, het loonstrookje, dat wil zeggen een opgave van het loonbedrag, de bedragen waaruit dit is vastgesteld, de inhoudingen enz. (art. 7:626 BW) en het getuigschrift als bedoeld in art. 7:656 BW. Duidelijk is dat een schriftelijke opgave de bewijspositie van degene die een beroep doet op hetgeen is opgegeven, verbetert.

51 In een arrest uit 1997 (HR 20 juni 1997, JAR 1997, 154) heeft de Hoge Raad geoordeeld over de vraag hoe een rechtsverhouding moet worden gekwalificeerd die alle objectieve kenmerken van een arbeidsovereenkomst bevat (dus: arbeid, loon, ondergeschiktheid, 3.1.1), maar die niet door wilsovereenstemming is ontstaan. In casu konden de betrokken werknemers na een privatisering geen beroep meer doen op het ambtenarenrecht. De Hoge Raad oordeelde dat, in verband met de doeltreffende rechtsbescherming waarop de betrokken werknemers aanspraak hadden, op de betreffende relatie de bepalingen met betrekking tot ontslag van het BW en het BBA van toepassing zijn.

52 M.M. Olbers, CAO, semi-dwingend recht en bovenwettelijke verplichtingen, SMA 1979, 12, p. 850; G. Hekkelman, De positie van de werknemers, bedoeld in artikel 14 van de Wet op de cao, SMA 1979, 4, p. 215.

3.2.2.2 *Handelingsbekwaamheid. Minderjarigheid*

Een overeenkomst, aangegaan door een handelingsonbekwame is vernietigbaar; op de vernietigbaarheid moet binnen drie jaren nadat de onbekwaamheid is geëindigd, of binnen drie jaren nadat de handeling ter kennis van de wettelijke vertegenwoordiger is gekomen een beroep worden gedaan (art. 3:32 lid 1 en 3:52 lid 1 BW).

minderjarigheid

Volgens art. 1:234 BW is een minderjarige handelingsonbekwaam, tenzij hij de rechtshandeling verricht met toestemming van zijn wettelijke vertegenwoordiger (ouders of voogd). De toestemming kan slechts worden verleend voor een bepaalde rechtshandeling of voor een bepaald doel. De toestemming wordt aan de minderjarige verondersteld te zijn verleend, indien het een rechtshandeling betreft ten aanzien waarvan in het maatschappelijk verkeer gebruikelijk is dat minderjarigen van zijn leeftijd deze zelfstandig verrichten.
Minderjarig is iemand die de leeftijd van achttien jaar nog niet heeft bereikt en niet gehuwd is of gehuwd geweest is of met toepassing van art. 1:253 BW meerderjarig is verklaard (art. 1:233 BW).

De handelingsbekwaamheid van een minderjarige met betrekking tot de arbeidsovereenkomst is ruimer geformuleerd.
Krachtens art. 7:612 lid 1 BW is een minderjarige die de leeftijd van zestien jaren heeft bereikt zonder meer bekwaam tot het aangaan van een arbeidsovereenkomst; hij staat in alles wat betrekking heeft op die arbeidsovereenkomst met een meerderjarige gelijk.[53]
Een persoon die jonger is dan zestien jaren kan slechts met toestemming van zijn wettelijke vertegenwoordiger een arbeidsovereenkomst aangaan (zie ook 2.2.2). Indien echter de onbekwame minderjarige vier weken in dienst van zijn werkgever arbeid heeft verricht, kan de wettelijke vertegenwoordiger daarna geen beroep meer doen op het ontbreken van deze toestemming (art. 7:612 lid 1-lid 4 BW).[54]

3.2.3 *Inhoud of strekking van de arbeidsovereenkomst mogen niet strijdig zijn met de goede zeden, de openbare orde of een dwingende wetsbepaling*

De nulliteiten (nietigheden en vernietigbaarheden) zijn geregeld in art. 3:39 BW e.v. Zo verklaart art. 3:40 lid 1 BW nietig

53 De wetgever heeft hier aangesloten bij art. 7:447 BW, dat een minderjarige van zestien jaren bekwaam acht tot het aangaan van een geneeskundige behandelingsovereenkomst.

54 Tegenover de verruimde mogelijkheid van de minderjarige om arbeidsovereenkomsten te sluiten, staat zijn speciale bescherming krachtens de Arbeidtijdenwet (zie hoofdstuk 2). 'The widening of the infants' contractual capacity with regard to employment was the necessary consequence of the industrial revolution, as was the growing need for protecting him against its exercise by placing restraints on potential employers', Otto Kahn-Freund. A note on status and contract in British Labour Law, Hedendaags arbeidsrecht, p. 176.

een rechtshandeling die door inhoud of strekking in strijd is met de goede zeden of de openbare orde.

nietig

Volgens art. 3:40 lid 2 BW is voorts nietig een rechtshandeling die in strijd is met een dwingende wetsbepaling.[55]
Belangrijk is dat strijd met een dwingende wetsbepaling volgens art. 3:40 lid 2 BW echter niet leidt tot nietigheid maar tot vernietigbaarheid, indien de wetsbepaling 'uitsluitend strekt tot bescherming van één der partijen'.... 'een en ander voor zover niet uit de strekking van de bepaling anders voortvloeit'. Juist in het arbeidsrecht zal deze situatie zich dikwijls voordoen, aangezien de meeste regels van dwingend recht uitsluitend strekken ter bescherming van de werknemer.
Voor de rechtspraktijk is het niet onbelangrijk of een rechtshandeling nietig danwel vernietigbaar is. Een nietigheid moet door de rechter ambtshalve worden toegepast. Is er daarentegen sprake van een vernietigbaarheid dan mag de rechter deze slechts toepassen, indien degene ter bescherming van wiens belang de wetsbepaling geldt, een beroep heeft gedaan op de nietigheid, al dan niet in rechte (art. 3:49 t/m 3:51 BW); waakzaamheid is dus geboden. Bovendien geldt voor dit beroep in de regel een verjaringstermijn van drie jaren (art. 3:52 BW).

vernietigbaar

Zoals reeds is opgemerkt komen in het arbeidsovereenkomstenrecht talloze bepalingen van dwingend recht voor die uitsluitend strekken ter bescherming van de werknemer. Onder de oude bedeling werd een schending van dergelijke bepalingen dikwijls met 'nietigheid' bedreigd. Een en ander is thans aangepast aan het systeem en de terminologie van het NBW.
In titel 10 Boek 7 BW is aangegeven of een dwingende wetsbepaling uitsluitend strekt tot bescherming van de werknemer, zodat overtreding slechts tot vernietigbaarheid leidt. Dit gebeurt door de formulering dat 'niet ten nadele van de werknemer kan worden afgeweken' (bijvoorbeeld art. 7:645 BW (regeling van de vakantie) en 7:658 lid 3 BW (veiligheid en aansprakelijkheid)). Hierbij kan worden aangetekend dat de werknemer binnen drie jaren een beroep moet doen op de vernietigbaarheid van een afwijkend beding; deze verjaringstermijn gaat lopen de dag nadat de werkgever een beroep op het verboden beding heeft gedaan (art. 7:614 BW).

Indien overtreding van een dwingende wetsbepaling leidt tot nietigheid is dit dikwijls met zoveel woorden vermeld (bijvoorbeeld art. 7:646 lid 7 BW (discriminerende afspraak), art. 7:652 lid 2 BW (maximumduur proeftijd)). Soms ook wordt gezegd dat van een voorschrift niet 'kan'

55 Onder een wetsbepaling wordt verstaan een wet in formele zin of een lagere wet indien deze berust op een uitdrukkelijke delegatie door de formele wetgever. Dit is restrictiever dan het oude regime, dat deze beperking ten aanzien van de lagere wetgever niet kende.

worden afgeweken (art. 7:670 lid 1 BW). Dat individuele afwijking van bepalingen waarvan slechts bij cao kan worden afgeweken, nietig is, blijkt uit de wetsgeschiedenis. Een afwijking in een andere vorm dan in deze bepaling voorgeschreven, dus bijvoorbeeld een individuele afwijking, is nietig.[56]

3.2.4 *(Eenzijdige) wijziging van de arbeidsovereenkomst*

Ook voor het bepalen van de inhoud van de arbeidsovereenkomst is wilsovereenstemming nodig. Werkgever of werknemer kunnen niet eenzijdig de inhoud van de arbeidsovereenkomst wijzigen. In de praktijk bestaat echter behoefte aan het collectief regelen van bepaalde arbeidsvoorwaarden door de werkgever.[57] De vraag is dan of een werknemer aan een dergelijke collectieve regeling en eventuele wijzigingen kan worden gehouden indien hij deze (schriftelijk) heeft geaccepteerd. Art. 7:613 BW regelt dat wanneer de werkgever met de werknemer schriftelijk heeft afgesproken dat hij een in de arbeidsovereenkomst voorkomende arbeidsvoorwaarde kan wijzigen, hij op dat beding slechts een beroep kan doen indien hij bij de wijziging een zodanig zwaarwichtig belang heeft dat het belang van de werknemer dat door de wijziging zou worden geschaad, daarvoor naar maatstaven van redelijkheid en billijkheid moet wijken.[58, 59] Verandering van omstandigheden kan noodzakelijk of wenselijk maken dat ten aanzien van de functie van de werknemer wijzigingen worden doorgevoerd. De werknemer mag dergelijke wijzigingen op grond van art. 7:611 BW niet weigeren, tenzij de betreffende wijziging van hem niet te vergen is.[60] Een dergelijke wijziging kan dus worden doorgevoerd zonder dat een beding als bedoeld in art. 7:613 BW is gesloten (3.4).

wijzigingsbeding

56 Kamerstuknr. 23 438, nr. 3, p. 8.

57 M.H.M. van de Goes en R. Korporaal, Het arbeidsreglement in de praktijk, SMA 1988, 7/8, p. 562; Publicatie Loontechnische Dienst, L–88031121, Den Haag.

58 Zie over de wijze waarop in de praktijk collectieve regelingen in arbeidsovereenkomsten worden geïncorporeerd J.G.F.M. Hoffmans, Van personeelsgids tot cao, Den Haag 1992.

59 W.J.P.M. Fase, De afschaffing van het arbeidsreglement en de normering van het eenzijdig wijzigingsbeding, SMA 1996, 9, p. 517; A.D. Blees en M.E. Allegro, Eenzijdige wijziging arbeidsvoorwaarden nu en straks, ArbeidsRecht 1997, 38; F. Koning, De CAO, de ongebonden werknemer en het wijzigingsbeding, SMA 1998, p. 472-478; R. Hansma, Met art. 7:613 op weg naar volwassen arbeidsverhoudingen, Sociaal Recht 1998, p. 373-374.

60 Zie ook P.F. van der Heijden, R.H. van het Kaar en A.C.J.M. Wilthagen, Naar een nieuwe rechtsorde van de arbeid? Den Haag, Sdu 1999, p. 47 e.v.; HR 26 juni 1998, NJ 1998, 767 (Van der Lely/Hofman Taxi), Arbeidsrechtspraak nr. 6; W.A. Zondag, Wijziging van arbeidsvoorwaarden. De stand van zaken, Sociaal Recht 2000, 2, p. 46-54.

3.2.5 Bijzondere bedingen

3.2.5.1 Boetebeding. Arbeidstuchtrecht[61]

Onder arbeidstuchtrecht wordt gewoonlijk verstaan een negatieve sanctionering van door de werknemer in het kader van de arbeidsovereenkomst begane normschendingen.[62] Tot deze sancties behoren onder meer de berisping, het opleggen van een boete, het onthouden van een periodieke loonsverhoging, plaatsing in een lagere rang (al dan niet met loonsverlaging), een schorsing en een ontslag op staande voet. In dit verband kan de vraag worden gesteld, of, en zo ja op welke wijze, een werkgever dergelijke sancties mag toepassen. De wet geeft op deze vragen geen algemeen antwoord; het BW bevat slechts een incidentele regeling van het boetebeding in art. 7:650 en 7:651 BW, die opgenomen zijn in afdeling 5 van titel 10 (Enkele bijzondere bedingen in de arbeidsovereenkomst). Het gaat hier om een onderwerp dat in de literatuur betrekkelijk weinig aandacht heeft gekregen en dat tot weinig rechtspraak heeft geleid.

sancties

Als grondslag van de bevoegdheid van de werkgever om tuchtrechtelijke maatregelen te nemen wordt gewoonlijk gewezen op zijn uit de arbeidsovereenkomst voortvloeiend gezagsrecht en op het feit dat een onderneming zonder een zeker tuchtrecht niet kan functioneren.[63] Op basis hiervan wordt verdedigd dat een berisping als tuchtmaatregel geoorloofd is. Eveneens wordt de werkgever bevoegd geacht de werknemer te schorsen (met behoud van loon),[64] of een niet-verplichte gratificatie achterwege te laten.

gezagsrecht

Een disciplinaire straf kan niet worden opgelegd indien dit zou leiden tot een aantasting van rechten waarop een werknemer krachtens de arbeidsovereenkomst aanspraak kan maken. Zo zal een recht op vrij vervoer niet kunnen worden ontnomen indien dit een onderdeel uitmaakt van de arbeidsovereenkomst. En evenmin behoort een strafoverplaatsing tot de mogelijkheden indien een werknemer voor werkzaamheden op een bepaalde plaats is aangenomen. Dergelijke disciplinaire maatregelen zijn slechts geoorloofd indien daartoe een uitdrukkelijk beding is gemaakt. Voor zover de opgelegde straf leidt tot een vermindering van het

disciplinaire straf

61 Van der Grinten, p. 131; M.M. Olbers, Arbeidstuchtrecht, bijdrage aan P.F. van der Heijden (red.), De arbeidsovereenkomst in het NBW, Deventer 1991, p. 69.

62 M.M. Olbers, t.a.p., p. 70.

63 M.M. Olbers, t.a.p., p. 71.

64 Veelal wordt een schorsing met behoud van loon niet gehanteerd als een disciplinaire maatregel, maar bijvoorbeeld om te onderzoeken of een ontslag op staande voet gerechtvaardigd is. De rechtspraak blijkt een dergelijke schorsing slechts te billijken indien de werkgever aannemelijk kan maken, dat hij daartoe een redelijke grond heeft (3.3.4).

geldloon zal dit beding bovendien schriftelijk of in een cao moeten zijn neergelegd (art. 7:628 BW).[65]
Het feit dat een werkgever bevoegd is tot het opleggen van een disciplinaire maatregel, wil niet zeggen dat iedere uitoefening van die bevoegdheid gerechtvaardigd is; er dient een zekere evenredigheid te bestaan tussen de opgelegde straf en de begane overtreding.[66] Voorts zal de opgelegde maatregel, op straffe van vernietigbaarheid, moeten berusten op een zorgvuldige besluitvorming van de werkgever (recht op verweer van de werknemer, motivering van de maatregel, e.d.). Het ligt voor de hand om aan de voorbereiding zwaardere procedurele eisen te stellen naarmate de maatregel voor de werknemer ingrijpender is.[67]

boetebeding

Art. 7:650 BW geeft voor wat betreft het boetebeding in het kader van een arbeidsovereenkomst een aantal specifieke voorschriften die afwijken van de algemene regeling van het boetebeding in art. 6:91 BW e.v.[68] Volgens art. 7:650 BW dient een boetebeding schriftelijk te worden aangegaan. Voorts dienen daarbij de voorschriften op overtreding waarvan een boete is gesteld en het bedrag van de boete te zijn vermeld. Het bedrag aan boetes mag binnen een kalenderweek een bepaald maximum (het in geld vastgesteld loon voor een halve dag) niet overschrijden en de boetes mogen niet tot voordeel van de werkgever strekken.
Deze laatste twee voorschriften gelden overigens alleen ten aanzien van werknemers beneden een bepaalde loongrens (globaal: beneden het netto-minimumloon). Met betrekking tot werknemers boven deze loongrens – het merendeel van de voltijd-werknemers – kan van deze voorschriften worden afgeweken, met dien verstande dat de rechter dan bevoegd is een opgelegde boete te matigen indien deze hem bovenmatig voorkomt.[69]
Tot slot bepaalt art. 7:65 BW dat de mogelijkheid een boete op te leggen onverlet laat het recht van een werkgever om schadevergoeding te vorderen (3.4.3). Echter mag de werkgever ter zake van eenzelfde feit niet boete heffen en tevens schadevergoeding vorderen; een daarmee strijdig beding is nietig.

De wettelijke regeling van het boetebeding kan worden beschouwd als een echo uit een ver verleden. Deze regeling was opgenomen in de Wet

65 Zie echter Kamerstukken 26 257, NV II, p. 3 en Verslag Wetgevingsoverleg p. 10-11. Van der Grinten p. 135. Sommige cao's kennen bijvoorbeeld de mogelijkheid van een disciplinaire schorsing met inhouding van loon tot een maximum van één week; M.M. Olbers, t.a.p., p. 76.
66 G.J.J. Heerma van Voss, Goed werkgeverschap als bron van vernieuwing van het arbeidsrecht, 2e druk, Deventer, Kluwer 1999, p. 66.
67 HR 9 juli 1990, NJ 1991, 127; HR 17 september 1993, NJ 1994, 173, m.n. PAS, Arbeidsrechtspraak nr. 64.
68 Asser-Hartkamp I, nr. 388.
69 G.J.J. Heerma van Voss, aantekening 3 bij artikel 7:650, Arbeidsovereenkomst (losbladig).

op de arbeidsovereenkomst van 1907 en was bedoeld ter inperking van destijds in ondernemingen toegepaste onereuze boetestelsels. Sindsdien is van dit artikel echter weinig meer vernomen: de gepubliceerde rechtspraak is zeer beperkt en niet van recente datum, terwijl boetebepalingen nog maar weinig in ondernemingsregelingen voorkomen.[70]
Gezien de ondergeschikte betekenis van de wettelijke regeling voor de praktijk van het arbeidsrecht en gegeven het feit dat de stringente wettelijke beperkingen altijd slechts voor een minderheid van de werknemers hebben gegolden, is de vraag gewettigd of dit artikel thans niet overbodig is, of niet kan worden volstaan met de algemene boeteregeling van art. 6:91 BW. Bij deze optie wordt de ontwikkeling van het arbeidstuchtrecht overgelaten aan het collectief overleg en eventuele afspraken hierover van de ondernemer met de ondernemingsraad.[71]
Anderzijds wordt er echter ook wel voor gepleit om een aparte algemene regeling van het arbeidstuchtrecht in te voeren, mede omdat de beperkingen die aan het opleggen van boetes worden gesteld, zoals een maximering van het loonverlies, evenzeer wenselijk kunnen zijn bij andere disciplinaire straffen.[72]

ontslag op staande voet

Tot slot nog een enkele opmerking over onverwijlde opzegging op grond van een dringende reden (ontslag op staande voet). Het ontslag op staande voet is niet bedoeld als een disciplinaire straf, doch als een middel waardoor werkgever of werknemer zich door een onmiddellijke verbreking van de arbeidsovereenkomst kunnen onttrekken aan een onhoudbare toestand.[73] Dit neemt niet weg dat in de praktijk een ontslag op staande voet meestal wordt gebruikt en ervaren als meest ingrijpende disciplinaire straf. Voor wat betreft de grenzen die door de wet en de rechtspraak aan het ontslag op staande voet zijn gesteld verwijs ik naar par. 3.6.3.9.

3.2.5.2 Proeftijdbeding[74]

Het proeftijdbeding wordt geregeld in art. 7:652 BW dat is opgenomen in afdeling 5 van titel 10 (Enkele bijzondere bedingen in de arbeidsovereenkomst).
Een proeftijdbeding kan zowel in een arbeidsovereenkomst voor bepaal-

70 M.M. Olbers, t.a.p., p. 73.
71 In het op 19 februari 1996 ingediende Wetsontwerp 24 615 (5.2) werd voorgesteld het instemmingsrecht van de OR ex art. 27 WOR uit te breiden met 'een regeling inzake disciplinaire maatregelen'. Door aanname van het amendement Van der Stoel (24 615, 42) is dit voorstel verworpen. Het amendement werd door de indiener verdedigd met het argument dat het bij disciplinaire maatregelen gaat om een zaak tussen werkgever en individuele werknemer.
72 M.M. Olbers, t.a.p., p. 80. In 1994 werd een wetsvoorstel ingediend dat enkele wijzigingen van de boeteregeling voorstelde (kamerstuk 23 974). Dit wetsvoorstel werd echter een jaar later ingetrokken.
73 Er kan sprake zijn van een rechtsgeldig ontslag op staande voet ook indien de werknemer van zijn gedraging geen verwijt kan worden gemaakt. HR 3 maart 1989, NJ 1989, 459.
74 J. van Drongelen en M. Kramer, De proeftijd, nu en straks, SMA 1998, p. 276-281.

de tijd als in een arbeidsovereenkomst voor onbepaalde tijd worden opgenomen.

De proeftijd moet schriftelijk worden overeengekomen.[75]

Bij een opzegging zolang de proeftijd nog niet is verstreken is een aantal van de voor opzegging geldende bepalingen niet van toepassing (art. 6 lid 2 sub b BBA, art. 7:676 BW, zie 3.6.3.8).

Gezien het uitzonderlijke karakter van de proeftijd is het begrijpelijk dat de wetgever het proeftijdbeding aan beperkende bepalingen heeft onderworpen. Ter bescherming van de werknemer is voorgeschreven dat een proeftijdbeding nietig is, indien:

- de proeftijd voor een langere dan de maximum periode is aangegaan;
- een nieuwe proeftijd wordt overeengekomen waardoor de gezamenlijke proeftijden de maximumperiode overschrijden;
- de proeftijd niet voor beide partijen gelijk is.

maximumperiode

Van deze beperkingen is de maximumperiode uiteraard de belangrijkste. Bij het aangaan van een arbeidsovereenkomst voor onbepaalde tijd is de maximumperiode voor de proeftijd twee maanden. Ook bij het aangaan van een overeenkomst voor bepaalde tijd, voor twee jaar of langer, is de maximumperiode twee maanden. Wordt een arbeidsovereenkomst voor korter dan twee jaar aangegaan, of is het einde van de overeenkomst niet op een kalenderdatum gesteld (betrekkelijk bepaalde tijd, 3.6.5.1) dan is de maximum periode voor de proeftijd één maand. Afspraken die dit maximum overschrijden zijn nietig. Dit vereiste wordt door de rechtspraak strikt geïnterpreteerd (men spreekt in dit verband wel van de 'ijzeren proeftijd'). Wanneer bijvoorbeeld een proeftijd van drie maanden is overeengekomen, vindt geen conversie plaats in een geldige proeftijd van twee maanden, doch wordt het gehele beding als niet geschreven beschouwd en zijn de gebruikelijke bepalingen betreffende de opzegging van toepassing.[76] Voorts kan niet geldig een verlenging van de maximale duur van twee maanden worden overeengekomen, indien de werknemer een deel van deze periode zijn werk door ziekte[77] of een andere reden[78] niet heeft kunnen verrichten.[79]

ijzeren proeftijd

75 M.J. van der Kuip, Kan een werkgever zich altijd met succes beroepen op een proeftijdbeding opgenomen in een cao? ArbeidsRecht 1996, 26.

76 HR 8 juli 1987, NJ 1988, 232. De lagere rechtspraak houdt zich niet altijd aan deze uitspraak; C.J. Loonstra, Enkele tegendraadse uitspraken inzake het proeftijdbeding, PRG 1993, p. 855.

77 HR 9 april 1954, NJ 1954, 446.

78 HR 23 december 1983, NJ 1984, 332, Arbeidsrechtspraak nr. 16 (Keizer/Van Dijk). In casu betrof het een opschortingsbeding wegens vakantie en een verbouwing van het bedrijf.

79 Anderzijds is door HR 27 oktober 1995, NJ 1996, 254, m.n. PAS, JAR 1995, 254, TVVS 1996, 2, p. 52, m.n. MGR, Arbeidsrechtspraak nr. 15 (Den Haan/The Box Fashion) aanvaard dat een beroep van een werknemer op strikte toepassing van de termijn van twee maanden in de gegeven omstandigheden naar maatstaven van redelijkheid en billijkheid onaanvaardbaar kan zijn (art. 6:248 lid 2 BW). Van een dergelijke onaanvaardbaarheid zal echter slechts in zeer bijzondere omstandigheden sprake kunnen zijn. O. van der Kind, Proeftijdontslag en redelijkheid en billijkheid, ArbeidsRecht 1996, 11.

De vraag kan worden opgeworpen of een proeftijdbeding bij het aangaan van een arbeidsovereenkomst geldig kan worden overeengekomen, indien de werkgever reeds vóór het aangaan van die overeenkomst gedurende een periode van twee maanden of langer inzicht in de geschiktheid van de werknemer voor de bedongen arbeid heeft verkregen. Deze vraag is door de Hoge Raad in een aantal uiteenlopende situaties in ontkennende zin beantwoord.

tweede arbeidsovereenkomst

In de eerste plaats heeft de Hoge Raad vastgesteld, dat nietig is een proeftijdbeding in een tweede arbeidsovereenkomst die direct op een vorige arbeidsovereenkomst tussen dezelfde partijen aansluit. In dat geval is het proeftijdbeding slechts geldig, 'als de nieuwe arbeidsovereenkomst duidelijk andere vaardigheden of verantwoordelijkheden eist waarover de ervaringen gedurende de vorige dienstbetrekking geen voldoende inzicht hebben gegeven'.[80]

Vervolgens deed de Hoge Raad een soortgelijke uitspraak in een geval waarin de nieuwe arbeidsovereenkomst niet direct aansloot op de vorige, doch er tussen beide dienstbetrekkingen een periode van omstreeks zes weken lag.[81]

In de derde plaats achtte de Hoge Raad een proeftijdbeding in een arbeidsovereenkomst nietig, toen de werknemer onmiddelijk voorafgaand aan die arbeidsovereenkomst gedurende een periode van twee maanden of langer als uitzendkracht dezelfde werkzaamheden voor de werkgever had verricht.[82]

opvolgende werkgever

Indien een werknemer, in aansluiting op zijn oude arbeidsovereenkomst, een nieuwe arbeidsovereenkomst met een proeftijdbeding sluit met een nieuwe werkgever, is dit proeftijdbeding uiteraard volkomen geldig. Indien echter de nieuwe arbeidsovereenkomst afgesloten wordt met een werkgever die redelijkerwijs geacht moet worden de opvolger van de vorige werkgever te zijn, zal de daarbij bedongen proeftijd volgens de Hoge Raad in de regel nietig zijn indien, enerzijds de nieuwe overeenkomst wezenlijk dezelfde vaardigheden en verantwoordelijkheden eist als de vorige en anderzijds het inzicht van de vorige werkgever betreffende de geschiktheid van de werknemer in redelijkheid ook moet worden toegerekend aan de nieuwe werkgever.[83] Dit laatste zal zich met name bij werkgevers die tot eenzelfde concern behoren kunnen voordoen.

In de praktijk wordt dikwijls een arbeidsovereenkomst aangegaan

80 HR 14 september 1984, NJ 1985, 244; HR 6 december 1985, NJ 1986, 230; HR 13 juni 1986, NJ 1986, 715. Zie ook HR 2 oktober 1987, NJ 1988, 233. A.M.R.G.L. Nelissen-Noy, De proeftijd en de Hoge Raad: op een tweesprong of in tweestrijd, NJB 1988, p. 288.

81 HR 8 mei 1992, NJ 1992, 480, JAR 1992, 24, Arbeidsrechtspraak nr. 17.

82 HR 13 september 1991, NJ 1992, 130, Arbeidsrechtspraak nr. 18 (Dingler/Merkelbach).

83 HR 24 oktober 1986, NJ 1987, 293; HR 23 april 1993, NJ 1993, 503, JAR 1993, 120.

bepaalde tijd als proef

voor 'een jaar op proef', met de toevoeging dat na afloop van deze termijn zal worden bezien of de werknemer 'in vaste dienst' zal worden aangesteld. Hiermede wordt gewoonlijk bedoeld dat de werknemer wordt aangetrokken op basis van een arbeidsovereenkomst voor de bepaalde tijd van een jaar, die na dit jaar van rechtswege eindigt (3.6.5.1), bij welke afloop door de partijen zal worden beslist of deze dienstbetrekking zal worden opgevolgd door een arbeidsovereenkomst voor onbepaalde tijd.[84] Een dergelijke afspraak is uiteraard niet in strijd met art. 7:652 BW, aangezien de dienstbetrekking gedurende het 'proefjaar' niet op ieder gewenst ogenblik zonder meer kan worden opgezegd.

3.2.5.3 *Concurrentiebeding*

definitie concurrentiebeding

Het concurrentiebeding wordt door art. 7:653 BW (Afdeling 5 van titel 10, Enkele bijzondere bedingen in de arbeidsovereenkomst) BW gedefinieerd als een beding tussen een werkgever en een werknemer, waarbij de laatste wordt beperkt in zijn bevoegdheid om na het einde van de arbeidsovereenkomst op zekere wijze werkzaam te zijn.[85] Een concurrentiebeding kan zowel bij het begin, tijdens, als bij het einde van de dienstbetrekking worden overeengekomen.
Dergelijke concurrentiebedingen zijn in de praktijk niet ongebruikelijk. Veelal bevatten zij een min of meer nauwkeurige omschrijving van de werkzaamheden die de werknemer na het einde van de dienstbetrekking niet mag verrichten, alsmede een vaststelling van het territoir waarin en de periode gedurende welke het verbod geldt. Veelal ook is aan overtreding van dit verbod een forse boete verbonden.

belangen werkgever

Door middel van dergelijke clausules tracht een werkgever meestal te voorkomen dat een werknemer hem, steunend op verworven knowhow of persoonlijke goodwill bij de klanten, na het einde van de dienstbetrekking zal beconcurreren, hetzij als zelfstandige, hetzij in dienst van

84 Zie L.H. van den Heuvel, Proeftijd, proefneming en bepaalde tijd, Sociaal Recht 1997, 6, p. 164–169.

85 M. M. Olbers. Het concurrentiebeding is een onding, SMA 1991, 10, p. 575; dezelfde, SR 1992, 7/8, p. 206; J.B. de Groot en K. Friedlink, Het concurrentiebeding in de arbeidsovereenkomst, SR 1992, 6, p. 164; C.J. Loonstra, Het concurrentiebeding in de arbeidsovereenkomst, Den Haag 1997; A.T.J.M. Jacobs en D.G.M. Mattijsen, Het concurrentiebeding in het NBW, WPNR 12 april 1995, p. 257; F.B.J. Grapperhaus, Werknemersconcurrentie, Beperkingen aan concurrerende activiteiten van de ex-werknemer ten opzichte van zijn voormalige werkgever, diss. UvA, Deventer 1995. C.J. Loonstra, De nieuwe jas van art. 7: 653 BW. Een poging tot synthese naar aanleiding van het proefschrift van F.B.J. Grapperhaus, Sociaal Recht 1997, 6,p. 169–174. Rapport MDW-Werkgroep concurrentieding , bijlage bij Kamerstuk 24 036,58. Zie naar aanleiding van dit rapport W.J.P. Kweens, Een gemiste kans ? SMA 53, 1998, 3, p. 123–129. Zie over internationale aspecten John W. Ashbrook, Employee noncompetition clauses in the United States and France, Comparative Labor Law Journal 1992, 1, p. 47.

een concurrerende onderneming.[86] Tegenover deze werkgeversbelangen staan de belangen van de werknemer, die door deze contractuele belemmering van zijn vrije keuze van werkzaamheden ongetwijfeld kunnen worden gelaedeerd (art. 19 lid 3 Gr.w).[87] De wetgever heeft getracht door de specifieke, van het algemene recht afwijkende, regeling van het concurrentiebeding in art. 7:653 BW de belangen van de werknemer in bescherming te nemen, zonder nochtans de bevoegdheid van de werkgever om een concurrentiebeding aan te gaan uit te sluiten.

kort geding

De werkgever kan in kort geding nakoming van het concurrentiebeding vorderen. Wordt de vordering toegewezen, dan resulteert dat in een verbod bepaalde werkzaamheden te verrichten, eventueel versterkt met een dwangsom. Indien de werknemer zich gedraagt in strijd met dit verbod verbeurt hij de dwangsom, ook al zou de gewone rechter in het bodemgeschil het concurrentiebeding later alsnog te niet doen. Wel zal de president een dergelijke nakomingseis kunnen afwijzen indien hij van mening is dat tenietdoening van het concurrentiebeding door de gewone rechter te verwachten is.[88]
De werkgever zal voorts bij overtreding van het concurrentiebeding de daarop gestelde boete kunnen invorderen (art. 6:91–94 BW). Een dergelijk boetebeding komt in de praktijk herhaaldelijk voor. De boete treedt in de plaats van de door de werkgever geleden werkelijke schade; cumulatie van boete en schadevergoeding kan de werkgever slechts vorderen indien zulks uitdrukkelijk is bedongen. Voorts kan de werkgever niet zowel nakoming van het boetebeding als nakoming van het concurrentiebeding vorderen; ook deze bepaling is echter van aanvullend recht (art. 6:92 BW).

bescherming werknemersbelangen

Bescherming van de werknemersbelangen wordt in de eerste plaats gewaarborgd door de bepaling dat het concurrentiebeding slechts geldig is indien het door de werkgever en werknemer schriftelijk is neergelegd in de individuele arbeidsovereenkomst (art. 7:653 lid 1 BW).[89]

86 Ook indien een concurrentiebeding ontbreekt of als de werkgever daaraan geen rechten kan ontlenen, zal concurrentie door een ex-werknemer door de rechter kunnen worden verboden, namelijk indien de werkgever bewijst dat hierdoor sprake is van een onrechtmatige daad (art. 6:162 BW). Hof 's-Hertogenbosch 5 juli 1996, JAR 1996, 166; HR 5 december 1997, JAR 1998, 17; F.B.J. Grapperhaus, t.a.p., p. 127; A.D. Blees, Hoe vrij is de niet aan een concurrentiebeding gebonden (ex-) werknemer?, ArbeidsRecht 1995, 43.

87 P.F. van der Heijden, Grondrechten in de onderneming, oratie RUG, Deventer 1988, p. 10; I.P. Asscher-Vonk, Grondrechten en de arbeidsovereenkomst in het NBW, bijdrage aan De arbeidsovereenkomst in het NBW, Deventer 1991, p. 103.

88 HR 6 februari 1981, NJ 1981, 379.

89 Voor de invoering van de Vaststellingswet werd aangenomen dat een concurrentiebeding ook bindend was indien het was neergelegd in een (algemeen verbindend verklaarde) cao. Deze mogelijkheden zijn thans uitgesloten (Kamerstuknr. 23 438, nr.3, p. 35). F.B.J. Grapperhaus, Concurrentiebeding en artikel 7.10 BW: het schriftelijkheidsvereiste, ArbeidsRecht 1997, 39. Zie over de vraag of een concurrentiebeding opnieuw schriftelijk moet worden aangegaan indien de werkzaamheden van de betrokken werknemer in de loop der tijden een →

Art. 7:653 lid 1 BW bepaalt voorts dat het concurrentiebeding nietig is indien het door een minderjarige is aangegaan. Deze nietigheid wordt slechts opgeheven indien de minderjarige het beding na zijn meerderjarigheid opnieuw schriftelijk aangaat.[90]
In de derde plaats kan de rechter op vordering van de werknemer een concurrentieclausule geheel of gedeeltelijk met terugwerkende kracht te niet doen als deze de belangen van de werknemer onbillijk benadeelt (art. 7:653 lid 2 BW). Zo kan de rechter bijvoorbeeld zowel het geldingsgebied, als de looptijd van het geding beperken. In de praktijk maakt de rechter ook herhaaldelijk van deze bevoegdheid gebruik. Niettemin blijft het dikwijls moeilijk om te voorspellen of en in welke mate de rechter zal ingrijpen.
In de vierde plaats kan de werknemer voor de duur van de beperking van zijn werkzaamheden door het concurrentiebeding een vergoeding van de werkgever vorderen. De rechter kan deze vergoeding toewijzen indien het beding de werknemer in belangrijke mate belemmert in zijn arbeidsmogelijkheden (art. 7:653 lid 4 BW). Vreemd genoeg bestaat hierover vrijwel geen gepubliceerde jurisprudentie.[91]
In de vijfde plaats kan de werkgever geen beroep op het concurrentiebeding doen indien hij de arbeidsovereenkomst onregelmatig (3.6.3.4) heeft beëindigd (art. 7:653 lid 3 BW).[92]
Tot slot kan de rechter wanneer de werknemer een rechtsgeldig concurrentiebeding overtreedt de overeengekomen boete matigen (art. 6:94 BW).

effect maatregelen Bovengenoemde, op het eerste gezicht indrukwekkende serie voorschriften ter bescherming van de werknemer, mist in de praktijk dikwijls het beoogde effect. Dit komt omdat een werknemer niet op korte termijn definitief uitsluitsel kan verkrijgen over de vraag in hoeverre hij

→ ingrijpende wijziging hebben ondergaan, of indien de arbeidsovereenkomst stilzwijgend wordt overgenomen door een andere werkgever, danwel ex art. 7:663 BW overgaat op een andere werkgever, respectievelijk HR 9 maart 1979, NJ 1979, 467, Arbeidsrechtspraak nr. 19 (Brabant/Van Uffelen); HR 23 oktober 1987, NJ 1988, 234; HR 23 oktober 1987, NJ 1988, 235, Arbeidsrechtspraak nr. 21 (Ibes/Atmos). F.B.J. Grapperhaus, Concurrentiebeding en wijziging in de arbeidsverhouding, ArbeidsRecht 1995, 55; A.M. Luttmer-Kat, Zwaarder gaan drukken van het concurrentiebeding: een ongelukkig criterium, SR 1996, 1, p. 10; C.J. Loonstra, De reikwijdte van het arrest Brabant/Van Uffelen, SR 1996, 4, p. 98. R. Kweens, Een gemiste kans? SMA 1998, p. 123-129.

90 HR 1 juli 1983, NJ 1984, 88.

91 C.J. Loonstra, Het concurrentiebeding in de arbeidsovereenkomst, 3e druk, 's-Gravenhage, Elsevier's bedrijfsinformatie, 1999; C.J. Loonstra, Verplichte vergoeding ex artikel 7A:1637x, vijfde lid BW?, Een beoordeling aan de hand van de Duitse wettelijke regeling, SR 1996, 9, p. 220; Rb. Dordrecht 27 september 1995, JAR 1995, 229. Zie voorts F.B.J. Grapperhaus, Tolheffing bij einde dienstverband. Pogingen van de werkgever om een vergoeding te krijgen voor door de vertrekkende werknemer opgedane kennis, ervaring en vaardigheden, SMA 1996, 6, p. 398.

92 Pres. Rb. Dordrecht 16 oktober 1991, KG 1991, 381. Rb. Amsterdam 4 oktober 1995, JAR 1995, 230 heeft dit artikellid analoog toegepast in geval van een nietig ontslag.

aan het concurrentiebeding is gebonden.[93] Weliswaar is het mogelijk via een procedure in kort geding of een voorlopige voorziening van de kantonrechter ex art. 116 Rv (3.11.1) het concurrentiebeding buiten werking te stellen, maar deze rechters zijn niet bevoegd een concurrentiebeding definitief te matigen of te vernietigen en uiteindelijk is een bodemprocedure bij de kantonrechter, met de mogelijkheid van appel of cassatie, dus beslissend voor de vraag of het concurrentiebeding al dan niet in stand blijft. Dit kan lang duren. Toch is een korte termijn meestal essentieel, want de vraag naar de geldigheid van het concurrentiebeding wordt gewoonlijk eerst acuut als een functie door een andere werkgever wordt aangeboden – en deze stelt meestal prijs op een spoedige beslissing.[94] Het praktisch effect van een concurrentiebeding – ook al zou dit in theorie aantastbaar zijn – is naar mijn mening dan ook een (te) sterke binding van het personeel aan de werkgever.[95] Bij de huidige stand van de wetgeving en de rechtspraak lijkt het daarom verstandig geen concurrentiebeding te ondertekenen, danwel een uitgebalanceerde contractuele regeling te treffen.

3.3 Wettelijke verplichtingen van de werkgever

3.3.1 *De werkgever is verplicht zich als een goed werkgever te gedragen*

redelijkheid en billijkheid

Krachtens art. 6:248 BW worden de rechtsgevolgen van een overeenkomst mede bepaald door de redelijkheid en de billijkheid; redelijkheid en billijkheid kunnen de in een partijafspraak overeengekomen verplichtingen zowel uitbreiden als beperken. Dit algemene beginsel wordt door art. 7:611 BW, dat werkgever en werknemer verplicht zich als een goed werkgever en een goed werknemer tegenover elkaar te te gedragen, nog eens apart verwoord voor het arbeidsovereenkomstenrecht. Hoewel in het verleden wel de vraag is gesteld of een dergelijke bepaling niet overbodig is naast de algemene normen van het privaatrecht, is zij in het NBW niettemin gehandhaafd. Dit is gebeurd om aan te sluiten bij de eigen aard en terminologie van het arbeidsrecht en om aldus beter rekening te kunnen houden met de voor dit rechtsgebied relevante ontwikkelingen.[96]

93 Positiever over dit vraagstuk is G.M. Warringa, Vaste lijnen in de rechtspraak over het concurrentiebeding, SMA 1994, 2, p. 100.

94 Het adagium 'justice delayed is justice denied' is hier ongetwijfeld dikwijls van toepassing. Zie in dit verband C.J. Loonstra, Het samengaan van de 1639w- en de 1637x-procedure, SR 1996, 2, p. 32.

95 De rechten en plichten die voortvloeien uit een concurrentiebeding gaan bij overgang van een onderneming over op de verkrijger (3.5).

96 Dit was ook reeds de functie van art. 1638z BW oud, de voorganger van art. 7:611 BW. Bij de parlementaire behandeling van art. 7A:1638z BW oud in 1906 werd door Drucker, de vader van de Wet op de arbeidsovereenkomst, opgemerkt: 'Wanneer over 20, 30 jaren de zeden en gewoonten, de denkbeelden en inzichten veranderd zijn, zal men zich gelukkig prijzen, →

goed werkgever

Hoewel art. 7:611 BW in principe de mogelijkheid biedt om uiteenlopende gedragingen van de werkgever, zoals zijn promotie-, overplaatsingsbeleid en andere vormen van sociaal beleid door toepassing van ongeschreven billijkheidsregels onder rechterlijke controle te brengen, werd daarvan lange tijd nauwelijks gebruik gemaakt. De laatste jaren wordt er echter in toenemende mate een beroep op dit artikel gedaan.[97] Art. 7:611 BW is onder meer gebruikt om procedurele eisen te stellen aan beslissingen van een werkgever die belangen van een werknemer raken, zoals bijvoorbeeld de eis om de betrokken werknemer te horen alvorens een beslissing te nemen, alsmede de eis om de beslissing te motiveren.[98] Het artikel heeft daarnaast op een aantal punten ook tot een materieelrechtelijke vernieuwing van het arbeidsrecht geleid. Het is bijvoorbeeld toegepast bij de interpretatie van het oproepcontract (3.1.4) en ten aanzien van de verplichting van de werkgever om een blijvend arbeidsongeschikte werknemer te werk te stellen. De Hoge Raad overwoog in een arrest van 1978[99] dat een redelijke uitleg van art. 7:628 BW (toen: art. 1638d BW) meebrengt dat een arbeider die ten dele arbeidsongeschikt is geworden, maar bereid is de bedongen arbeid te verrichten voor het gedeelte waartoe hij in staat is, recht op een voor dat geval passend gedeelte van zijn loon behoudt, doch alleen indien van de werkgever kan worden gevergd dat hij van de aldus aangeboden arbeid tegen betaling van loon gebruik maakt. In deze zaak ging het om een werkneemster die nog maar voor een gedeelte aan de werktijd haar taak kon verrichten. In de zaak die leidde tot het arrest Cehave/Van Haaren[100] ging het om een werknemer die nog maar een deel van zijn taken kon verrichten. Wanneer een dergelijke werknemer, die door ziekte blijvend ongeschikt is geworden voor het verrichten van de bedongen arbeid, zich jegens de werkgever bereid verklaart andere passende arbeid te verrichten welke hij, voorzover doenlijk, heeft gespecificeerd, is de

tewerkstelling arbeidsongeschikte

→ dat men een artikel bezit, dat den rechter veroorlooft met die wijziging van inzichten rekening te houden, dat hij niet zal behoeven te klagen: ik kan niet anders omdat de Wetgevende Macht de wetboeken niet herziet, maar dat hij verder kan zeggen: hier heb ik een artikel, dat mij de gelegenheid opent bij te blijven bij de opvattingen van mijn tijd.' (A.E. Bles, De Wet op de arbeidsovereenkomst, Den Haag 1908, deel III, p. 380).

97 G.J.J. Heerma van Voss, Goed werkgeverschap als bron van vernieuwing van het arbeidsrecht, 2e druk Deventer, Kluwer 1999; G.J.J. Heerma van Voss, bijdrage aan Arbeidsovereenkomst (losbladig); G.J.J. Heerma van Voss, bijdrage aan Herziening Wet op de arbeidsovereenkomst, Alphen aan den Rijn 1995, p. 25; M.A.C. de Wit, Het goed werkgeverschap als intermediair van normen in het arbeidsrecht, diss. KUB Tilburg 1999; E. Verhulp, Vrijheid van meningsuiting van werknemers en ambtenaren, diss. UvA, Den Haag 1996; E. Verhulp, Grondrechten in het arbeidsrecht, Geschriften Vereniging voor Arbeidsrecht nr. 28, Deventer, Kluwer 1999. Of een werkgever zich al dan niet als een goed werkgever heeft gedragen, is volgens HR 1 juli 1993, NJ 1993, 667, JAR 1993, 195 in beginsel in volle omvang onderworpen aan toetsing door de rechter.

98 G.J.J. Heerma van Voss, Goed werkgeverschap als bron van vernieuwing van het arbeidsrecht, 2e druk, Deventer, Kluwer 1999, p. 57.

99 HR 3 februari 1978, NJ 1978, 248 (Roovers/De Toekomst).

100 HR 8 november 1985, NJ 1986, 309, Arbeidsrechtspraak nr. 7.

werkgever uit hoofde van art. 7:611BW (toen: art. 1638z) gehouden de werknemer in staat te stellen arbeid te verrichten welke voor zijn krachten en bekwaamheid is berekend en die hem met het oog op zijn opleiding en arbeidsverleden kan worden opgedragen, aldus de Hoge Raad. De werknemer kan bij het aanbod van de arbeid aansluiten bij de arbeidsmogelijkheden die door de uitvoeringsinstelling worden gegeven[101] De Raad voegde daar aan toe dat de werkgever eventueel die arbeid in het kader van een nieuwe, aansluitende arbeidsovereenkomst kan laten verrichten, en verwijst daarbij naar het arrest van 14 september 1984, NJ 1985, 244 waarin was uitgemaakt dat tussen dezelfde partijen een nieuwe arbeidsovereenkomst met proeftijd kan worden overeengekomen wanneer er voldoende verschillen zijn tussen de oude en de nieuwe werkkring van de werknemer.

nieuwe arbeidsovereenkomst

Wat kan van de werkgever worden gevergd? In het arrest Goldsteen/Roeland[102] werd onder meer op deze vraag ingegaan. Het oordeel dat maatregelen van de werkgever in dit verband niet gevergd kunnen worden omdat zij economisch niet verantwoord zijn, brengt niet zonder meer mee dat zij niet gevergd kunnen worden. De werkgever kan immers een vergoeding van de kosten krijgen op grond van een reïntegratiemaatregel (8.3.7) of het loon aanpassen, aldus de Hoge Raad. Bij het oordeel wat van de werkgever gevergd kan worden dient mee te wegen de omstandigheid dat de arbeidsongeschiktheid (mede) door de arbeidsomstandigheden bij de werkgever zijn ontstaan.[103] De stelplicht en bewijslast van wat van de werkgever gevergd kan worden rust op de werkgever.

bewijslast

Wanneer de werkgever zonder deugdelijke grond niet ingaat op het aanbod van de werknemer, die zich bereid verklaart andere arbeid te verrichten, is de werkgever vanaf het tijdstip dat deugdelijke gronden ontbraken, aan de werknemer op grond van art. 7:628 BW (3.3.3.3) het loon dan wel een voor de door de werknemer aangeboden arbeid passend gedeelte van het loon verschuldigd.[104]

loon verschuldigd

Met een beroep op dit artikel wordt voorts wel gepoogd schending van fundamentele rechten van werknemers, bijvoorbeeld van de privacy van de werknemer door het installeren van videocamera's, te doen verbieden.[105]

privacy

101 HR 17 oktober 1997, NJ 1998, 130.

102 HR 13 december 1991, NJ 1992, 441, Arbeidsrechtspraak nr. 10.

103 Zie voor de vraag of het oordeel van het Lisv over de reïntegratiemogelijkheden invloed heeft op verplichtingen van de werkgever op dit punt F.M. Noordam, Dertien aantekeningen bij de Wet REA, SMA 1999, 2, p. 82.

104 HR 8 november 1985, NJ 1986, 309, Arbeidsrechtspraak nr. 7. Zie ook: L.H. van den Heuvel, Ongelijkheidscompensatie bij gedeeltelijke arbeidsongeschiktheid, Rood-bundel p. 39.

105 M.A.C. de Wit, Het goed werkgeverschap als intermediair van normen in het arbeidsrecht, diss. KUB Tilburg 1999, p. 181 en daar genoemde jurisprudentie. E. Verhulp, Grondrechten in het arbeidsrecht, Geschriften Vereniging voor Arbeidsrecht nr. 28, Deventer, Kluwer 1999, p. 122 e.v. H.H. de Vries, Gribrechtendenken in de werksituatie, bijdrage aan Arbeidsrecht en mensbeeld, Deventer, Kluwer 1996, p. 115.

Ten slotte heeft art. 7:611 BW vanouds een rol gespeeld bij de beantwoording van de vraag of de werkgever krachtens dit artikel verplicht is de werknemer tijdens de dienstbetrekking te laten werken, dan wel of hij kan volstaan met de uit art. 7:610 BW voortvloeiende verplichting tot betaling van het loon.[106]

recht op arbeid?

Een dergelijk recht op arbeid wordt door de Hoge Raad in zijn algemeenheid niet aanvaard. De Hoge Raad overwoog dienomtrent: 'dat de ... wetsgeschiedenis geen andere conclusie toelaat dan dat de wetgever ten aanzien van de vraag of de werkgever verplicht is de werknemer in staat te stellen de overeengekomen arbeid te verrichten, geen algemene regel heeft willen stellen, doch het antwoord op die vraag in het kader van de in art. 7:611 BW omschreven algemene verplichting van de werkgever zich als een 'goed werkgever' te gedragen, van de aard van de dienstbetrekking, alsmede van de bijzondere omstandigheden van elk geval heeft willen doen afhangen.[107]

Hoge Raad

Het belang van het feit dat de Hoge Raad het bestaan van bovengenoemde algemene regel in ons recht ontkent, dient echter niet te worden overschat. In de eerste plaats laat de uitspraak van de Hoge Raad ruimte om op grond van de aard van de dienstbetrekking of de omstandigheden van het geval wel een recht op tewerkstelling aan te nemen. Aangenomen wordt dat hiervoor bijvoorbeeld reden is wanneer de inkomsten van de arbeider door de tewerkstelling worden beïnvloed (barkeeper) of tewerkstelling van belang is voor zijn carrièremogelijkheden (toneelspeler).[108]

lagere rechtspraak

In de tweede plaats kan worden geconstateerd dat de lagere rechtspraak het uitgangspunt van de Hoge Raad niet heeft overgenomen. Dit blijkt in het bijzonder uit de kort gedingprocedures betreffende de op non-actiefstelling.[109] Het op non-actief stellen (schorsen) komt meestal voor in een conflictsituatie, bijvoorbeeld voorafgaand aan een ontslagprocedure of een voorgenomen ontslag op staande voet. In dergelijke situaties pleegt de rechter uit te gaan van een recht op tewerkstelling dat slechts moet wijken indien de werkgever aannemelijk maakt, dat hij een redelijke grond heeft voor de op non-actiefstelling, of dat een bevel tot herplaatsing tot een onwerkbare situatie zou leiden.[110]

106 R.A.A. Duk, Over de goede werkgever en het recht op feitelijke tewerkstelling: een voorbeeld van rechtsvinding in het arbeidsrecht, bijdrage aan P. Nicolai e.a., Recht op scherp, (Duk-bundel) Zwolle 1984, p. 495.

107 HR 26 maart 1965, NJ 1965, 163. Zie ook HR 12 mei 1989, NJ 1989, 801, Arbeidsrechtspraak nr. 10.

108 W.J.P.M. Fase, Het recht op arbeid en de verplichting tot arbeid, NJB 1975, p. 477. Zie ook HR 25 januari 1980, NJ 1980, 264.

109 Bij het navolgende is uitgegaan van een op non-actief stelling met behoud van loon. Het op non-actief stellen met inhouding van loon is ex art. 7:628 BW slechts mogelijk indien dit schriftelijk c.q. bij cao is overeengekomen. (3.2.5.1).

110 P.G. Lanser, Op non-actiefstelling bij reorganisatie, ArbeidsRecht 1995, 61.

3.3.2 Discriminatieverboden

3.3.2.1 *Algemeen*

Het Nederlandse arbeidsrecht kent een aantal expliciete discriminatieverboden.[111] Het betreft allereerst het verbod van onderscheid naar geslacht (art. 7:646 en 7:647 BW). Deze regel vindt nadere uitwerking in de Wet gelijke behandeling van mannen en vrouwen bij de arbeid. Voorts verbiedt art. 7:648 BW onderscheid op grond van een verschil in arbeidsduur. Ten slotte vindt men in de Algemene wet gelijke behandeling een verbod van onderscheid op grond van geslacht, burgerlijke staat, godsdienst, levensovertuiging, politieke gezindheid, ras, nationaliteit en hetero- of homoseksuele geaardheid. Discriminatie wordt verboden met betrekking tot de arbeidsovereenkomst en daarmee gelijk gestelde overeenkomsten, en ook met betrekking tot de ambtenarenverhouding en het vrije beroep.[112] De discriminatieverboden zijn een uitwerking van het beginsel van gelijke behandeling dat is neergelegd in art. 1 Grondwet. Het beginsel heeft invloed op de arbeidsrelatie van de sollicitatiefase tot en met het einde van de overeenkomst. Het beginsel van gelijke behandeling is wat dat betreft vergelijkbaar met het voorschrift van art. 7:611 BW zich als goed werkgever te gedragen (3.3.1). Hier wordt aandacht geschonken aan die discriminatieverboden die zich tot de (privaatrechtelijke) werkgever richten. Sommige daarvan zijn in het BW, andere zijn in andere wetten neergelegd.

geslacht

AWGB

arbeidsverhoudingen

Ook de ontslagverboden, bijvoorbeeld wegens vakbondslidmaatschap of -activiteiten (art. 670 lid 5 BW) kan men beschouwen als discriminatieverboden. Deze – specifieke – regels worden besproken bij de bijzondere ontslagverboden (3.6.3.3).

3.3.2.2 *Verbod van discriminatie op grond van geslacht*[113]

Het verbod van onderscheid tussen mannen en vrouwen bij de arbeid is in het Nederlandse recht neergelegd ter implementatie van EG-voorschriften. Het betreft het voorschrift van gelijke beloning van art. 141

EG-voorschriften

111 In 1999 is ingediend een wetsvoorstel betreffende het verbod van discriminatie op grond van leeftijd (kamerstukken 26 889). Ook bestrijding van discriminatie van gehandicapten en chronisch zieken zal mogelijk eerlang wettelijke bestrijding vinden: M. Kroes, Kanttekeningen bij de Proeve van wet gelijke behandeling van mensen met een handicap of chronische ziekte, NJB 1999, p. 2051-2057.

112 A.T.J.M. Jacobs, Arbeid en discriminatie, Deventer 1992.

113 A.M. Gerritsen, WGB, bijdrage aan Arbeidsovereenkomst (losbladig); I.P. Asscher-Vonk en K. Wentholt, De wet gelijke behandeling van mannen en vrouwen, Deventer 1994; C.E. van Vleuten (red.), In concreto, Bijdragen over rechtsvorming gelijke behandeling, uitgave ministerie SZW 1994; I.P. Asscher-Vonk, Tekorten van de Wet gelijke behandeling van mannen en vrouwen bij de arbeid, bijdrage aan Arbeidsrecht en Mensbeeld, Deventer 1996, p. 83; M.A.J. Leenders, Bewijsrecht en discriminatie bij de arbeid, diss. UvA, Deventer 1997.

EG-verdrag en een aantal richtlijnen.[114] De omstandigheid dat het implementatiewetgeving betreft heeft gevolgen voor de wijze waarop de bepalingen moeten worden uitgelegd. Daarbij is de uitleg die van de voorschriften in de EG-regelingen door het Hof van Justitie van de EG wordt gegeven maatgevend voor de uitleg van de implementatiewetgeving (9.3.3).

De implementatie van bedoelde EG-voorschriften vindt men in art. 7:646 en 7:647 BW en in de Wet gelijke behandeling van mannen en vrouwen bij de arbeid (WGB). Voor privaatrechtelijke arbeidsverhoudingen is deze laatste wet van belang omdat hij voorschriften bevat voor werving en selectie. Ook geeft de WGB een uitwerking van het voorschrift van gelijk loon dat in art. 7:646 BW is neergelegd (gelijke arbeidsvoorwaarden). Ten slotte geeft de WGB nadere regelingen voor gelijke behandeling wat betreft pensioenvoorzieningen.

mannen/vrouwen

Art. 7:646 lid 1 BW verbiedt het maken van onderscheid tussen mannen en vrouwen. In art. 7:646 lid 5 BW wordt het begrip 'onderscheid maken' (discriminatie) nader gedefinieerd. De wetgever noemt in dit verband direct en indirect onderscheid.

Het begrip direct onderscheid wordt niet nader omschreven. Hiervan zal normaliter sprake zijn indien expliciet wordt verwezen naar geslacht, bijvoorbeeld indien een bepaalde bedrijfsopleiding uitsluitend wordt opengesteld voor mannen. Voorts is in de wet uitdrukkelijk bepaald dat het onderscheid maken op grond van zwangerschap, bevalling en moederschap moet worden beschouwd als directe discriminatie. Niet alleen ongelijke behandeling van gelijke gevallen is verboden, maar ook gelijke behandeling van gevallen die – bezien vanuit het oogpunt van de nondiscriminatieregeling – als ongelijk moeten worden beschouwd. Het Hof van Justitie van de Europese Gemeenschappen heeft dat beslist in een zaak waarin het ging om het gelijkstellen van perioden van zwangerschap aan ziekteperioden.[115] Een dergelijke gelijkstelling levert direct onderscheid op.

indirect onderscheid

Uitvoeriger is de wet over het begrip indirect onderscheid. Hieronder wordt verstaan 'onderscheid op grond van andere hoedanigheden dan geslacht, bijvoorbeeld echtelijke staat of gezinsomstandigheden, dat onderscheid op grond van geslacht tot gevolg heeft ...' (art. 7:646 lid 5 BW). Het gaat hier om toepassing van criteria die op zichzelf sekse-neutraal zijn, doch die de facto kunnen leiden tot een discriminatoire behandeling van mannen of vrouwen. Men kan hierbij bijvoorbeeld denken aan het toekennen door de werkgever van extra voordelen aan kostwinners, voor zover deze groep overwegend uit mannelijke werknemers bestaat.

Krachtens vaste rechtspraak van het HvJ EG is er een vermoeden van

114 EEG-Richtlijn 75/117, Pb EG 1975, L45 (gelijk loon), Richtlijn 76/207, Pb EG 1976, L39 (gelijke behandeling).

115 HvJ 30 juni 1998 (Brown), Rechtspraak Nemesis 1999, 979 m.n. M. Monster.

indirecte discriminatie indien toepassing van een maatregel 'een veel groter aantal vrouwen dan mannen betreft'.[116] Met het onderscheid moet een legitiem doel worden nagestreefd, en de daarvoor gekozen middelen moeten daaraan beantwoorden, geschikt zijn om het doel te bereiken en daarvoor ook noodzakelijk zijn.[117]

indirect onderscheid

objectieve rechtvaardiging

Het maken van indirect onderscheid is geoorloofd indien dit 'objectief gerechtvaardigd' is (art. 7:646 lid 6 BW). Hiervan is sprake indien het onderscheid zijn rechtvaardiging vindt in factoren die niets van doen hebben met discriminatie op grond van geslacht.[118] Wat hieronder moet worden verstaan is niet erg duidelijk; het is aan de nationale rechter om vast te stellen of deze situatie zich voordoet; rechtspraak hierover is zeldzaam.[119]

Op het verbod om direct of indirect onderscheid te maken tussen mannen en vrouwen worden door art. 7:646 lid 2 t/m 4 BW juncto art. 5 WGB drie algemeen geldende uitzonderingen toegelaten.[120] De drie uitzonderingen moeten restrictief worden uitgelegd.[121] De uitzonderingen zijn in de wet limitatief opgesomd. Uit jurisprudentie van het Hof van Justitie van de Europese Gemeenschappen blijkt dat ze restrictief moeten worden geïnterpreteerd.[122]

uitzonderingen

De drie uitzonderingen zijn:

a. Voor wat betreft het aanbieden van een betrekking of het vervullen van een openstaande betrekking, het aangaan van de arbeidsovereenkomst en het verstrekken van onderricht mag van het verbod worden afgeweken in die gevallen waarin het geslacht bepalend is. Art. 5 WGB noemt in dit verband geestelijke ambten, de beroepsactiviteiten van acteurs en zangers e.d., en andere bij Amvb aangewezen beroepsactiviteiten.[123]
b. Afwijkingen van het verbod zijn toegestaan als ze betrekking hebben op bescherming van de vrouw, met name in verband

116 HvJ EG 9 september 1999, JAR 1999, 215. Deze rechtspraak heeft zich ontwikkeld met betrekking tot deeltijdarbeid (overwegend verricht door vrouwen), waarbij voor deeltijd ongunstiger arbeidsvoorwaarden golden dan voor voltijdarbeid. S.D. Burri, Deeltijdarbeid in het Europees recht, SMA 1993, 7/8, p. 453. HvJ EG 6 februari 1996, JAR 1996, 45, NJ 1997, 79.

117 I.P. Asscher-Vonk en C.A.Groenendijk, Gelijke behandeling: regels en realiteit, Den Haag, Sdu 1999, p. 116.

118 R.R.A. Duk, Deeltijd, indirect onderscheid en rechtvaardiging, SMA 1992, 12, p. 717.

119 HR 24 april 1992, NJ 1992, 689, m.n. PAS, JAR 1992, 14; HR 3 januari 1997, JAR 1997, 3, TVVS 1997, 3, p. 89, m.n. A.M. Gerritsen.

120 Daarnaast noemen art. 4 lid 2 WGB en art. 3 lid 2 WGB nog twee uitzonderingen die in specifieke omstandigheden gelden.

121 HvJ EG 15 mei 1986 (Johnston), Jur 1986, 1663.

122 Zie voor een overzicht van de jurisprudentie van het Hof van Justitie van de EG B.J. Drijver en S. Prechal, gelijke behandeling van mannen en vrouwen in horizontaal perspectief, Preadvies voor de Nederlandse Vereniging voor Europees Recht, SEW 45 (1997), 4, p. 122–164, i.h.b. p. 139–145.

123 Amvb van 19 mei 1989, Stb. 207.

met zwangerschap of moederschap.[124] Dergelijke beschermende voorschriften zijn onder meer te vinden in de Arbeidstijdenwet (2.2.4).

c. Tot slot is afwijking van het verbod toegelaten indien het bedingen betreft die beogen vrouwelijke werknemers in een bevoorrechte positie te plaatsen teneinde feitelijke ongelijkheden op te heffen of te verminderen en het onderscheid in een redelijke verhouding staat tot het beoogde doel. Het kan hierbij bijvoorbeeld gaan om een voorkeursbehandeling teneinde een feitelijke achterstand van vrouwen in bepaalde beroepen op te heffen.[125]

voorkeursbehandeling

Voor wat dit laatste punt betreft kan nog worden opgemerkt, dat het HvJ EG in 1995 heeft bepaald dat ook deze uitzondering restrictief moet worden uitgelegd. In casu werd de bepaling, waarbij aan gelijk gekwalificeerde kandidaten van verschillend geslacht automatisch aan de vrouw de voorkeur werd gegeven daar waar vrouwen in de functiegroep voor minder dan de helft vertegenwoordigd waren, in strijd met het verbod van sekse-onderscheid geacht. In 1997 besliste het Hof van Justitie[126] dat wanneer een regeling rekening houdt met alle criteria betreffende de persoon van de sollicitanten en de aan de vrouwelijke kandidaten toegekende voorrang buiten beschouwing laat, wanneer één of meer van die criteria de balans ten gunste van de mannelijke kandidaat doet doorslaan geen strijd met het verbod van seksediscriminatie aanwezig is.[127]

Discriminatie tijdens de sollicitatiefase. Aangaan van arbeidsovereenkomst[128]

Art. 3 WGB verbiedt het maken van onderscheid bij werving en selectie. Voorts verbiedt art. 7:646 lid 1 BW het maken van onderscheid bij het

124 Mies Monster, Bescherming van moederschap. Onderzoek naar regelgeving inzake zwangerschap, bevalling en arbeid, Nijmegen, Ars Aequi libri 1995, p. 211.

125 Positieve discriminatie, preadviezen voor de Nederlandse Juristenvereniging van B.P. Sloot, J.E. Goldschmidt en W.J.P.M. Fase, Zwolle 1989; Klasina Bosker, Voorkeursbehandeling: heldhaftig, vastberaden en barmhartig?, SMA 1989, 7/8, p. 416; W.W. Mensink, Bevoorrechting van vrouwen, SMA 1992, 3, p. 126; E. Cremers-Hartman, Vrouwen bij voorkeur, uitgave ministerie SZW, 1992; dezelfde, Voorkeursbehandeling van vrouwen bij werving en selectie, NJB 1992, 31, p. 1006; Titia Loenen, Voorkeursbehandeling of gewoon sociaal beleid?, NJB 1993, 12, p. 403.

126 HvJ EG 11 november 1997, JAR 1997, 264, Rechtshulp 1998, 2, p. 17 m.n. M. Kraamwinkel, Arbeidsrechtspraak nr. 13 (Marschall).

127 Maarten N. Prinsen, Voorkeursbehandeling van vrouwen nog voortzetten, NJB 1998, 2, p. 73–75. Klaartje Wentholt, Het Marschall-arrest, SMA 53 (1998), 1, p. 25–30 leest in dit arrest de regel dat mannelijke sollicitanten altijd bij de beoordeling betrokken moeten worden, en dat de praktijk waarbij bij voldoende gekwalificeerd aanbod van vrouwen mannelijke sollicitanten buiten beschouwing worden gelaten, niet toelaatbaar is.

128 I.P. Asscher-Vonk, Toegang tot de dienstbetrekking via gelijke behandeling, bijdrage aan Bakels-bundel; dezelfde, Toegang tot de dienstbetrekking, diss. UvA, Alphen aan den Rijn 1989; W.C. Monster, Gelijke behandeling bij de grenspost: de toegang tot de arbeid, bijdrage aan de Leede-bundel, p. 351.

aangaan van de arbeidsovereenkomst, dat wil zeggen bij de beslissing om een persoon al dan niet in dienst te nemen. Schending van deze verboden is een onrechtmatige daad.[129]

onrechtmatigheid

Op grond van art. 7:646 lid 1 BW oordeelde de Hoge Raad – op grondslag van een prejudiciële beslissing van het Hof van Justitie EG – dat een werkgever, die weigerde met een op zichzelf geschikt bevonden zwangere sollicitante een arbeidsovereenkomst aan te gaan op grond van de nadelige financiële gevolgen die wegens haar zwangerschap waren te verwachten (de werkgever diende het loon bij afwezigheid van de werkneemster wegens zwangerschap of bevalling volledig door te betalen en had geen geld om dan voor een noodzakelijke vervanging te zorgen), onrechtmatig handelde. De weigering om een arbeidsovereenkomst aan te gaan wegens zwangerschap werd beschouwd als directe discriminatie.

geen rechtvaardigingsmogelijkheid

Volgens het HvJ EG was de werkgever tegenover de sollicitante volledig aansprakelijk voor de gevolgen van deze onrechtmatige daad, ongeacht het ontbreken van schuld of de aanwezigheid van een rechtvaardigingsgrond. Dientengevolge werd het verweer van de werkgever, die zich er op had beroepen dat hem van de weigering om de arbeidsovereenkomst aan te gaan geen verwijt kon worden gemaakt, door de Hoge Raad verworpen. Door deze Europese inbreuk op het nationale aansprakelijkheidsrecht, krachtens hetwelk in geval van onrechtmatig handelen in het algemeen geen schadevergoeding behoeft te worden betaald bij het ontbreken van schuld, wordt voor wat betreft een schending van de gelijke behandeling m/v dus een vorm van risico-aansprakelijkheid geïntroduceerd.[130]
Het verbod van onderscheid heeft ook betrekking op de voorwaarden waaronder een arbeidsovereenkomst wordt aangegaan. Het is bij voorbeeld in strijd met art. 7:646 BW uitsluitend of voornamelijk aan vrouwen overeenkomsten voor bepaalde tijd, of overeenkomsten met een proeftijd, aan te bieden.

Discriminatie tijdens de looptijd van de arbeidsovereenkomst

Art. 7:646 lid 1 BW verbiedt de werkgever onderscheid te maken tussen

129 Volgens het HvJ EG 8 november 1990, NJ 1992, 224, Arbeidsrechtspraak nr. 12.
130 HvJ EG 8 november 1990, NJ 1992, 224 juncto HR 13 september 1991, NJ 1992, 225, Arbeidsrechtspraak nr. 12 (Dekker-arrest). Hierover K. Wentholt, De rechtsbescherming van de zwangere sollicitante na Dekker-VJV, SMA 1992, 6, p. 340; I.P. Asscher-Vonk, Gevolgen van het Dekker-arrest voor sanctionering van gelijke behandelingsregels, SMA 1993, 6, p. 386; N.S. de Vries-Huiser, De consequenties van Dekker-VJV: belangenafweging toelaatbaar?, SMA 1993, 11, p. 707; G. Bethlem, Een vierde type van rechtsvinding, NJB 1991, 34, p. 1363. Zie voorts Hof 's-Gravenhage 27 oktober 1992, NJ 1993, 680, JAR 1992, 114, NJCM-bulletin 1992, 8, p. 881 (toelating Hotelschool); HvJ EG 14 juli 1994, JAR 1994, 169.

arbeidsvoorwaarden

mannen en vrouwen bij het verstrekken van onderricht, in de arbeidsvoorwaarden[131] en bij de bevordering.
Een beding in strijd met art. 6:646 lid 1 BW is nietig (art. 7:646 lid 7 BW). Wanneer een werkgever handelt in strijd met het voorschrift van art. 7:646 BW kan de werknemer op grond van tekortkoming ageren. Zo zal de werknemer bijvoorbeeld bij loondiscriminatie kunnen vorderen wat in het verleden te weinig is betaald (art. 7 t/m 10 WGB).[132] Dit vorderingsrecht verjaart na verloop van twee jaren na het tijdstip waarop uitbetaling had moeten geschieden (art. 11 WGB).[133]

Discriminatie bij het beëindigen van de arbeidsovereenkomst

beëindigen

Tot slot verbiedt art. 7:646 lid 1 BW discriminatie bij het beëindigen van de arbeidsovereenkomst. Van een dergelijke beëindiging zal bijvoorbeeld sprake zijn wanneer een arbeidsovereenkomst wordt beëindigd omdat de werkneemster zwanger is. Opzegging in strijd met dit verbod is vernietigbaar (art. 7:647 lid 1 BW).[134] De werknemer moet binnen twee maanden na de opzegging een beroep doen op de vernietigingsgrond; een in verband met nietigheid van de opzegging ingestelde loonvordering verjaart na zes maanden. Art. 7:647 lid 1 BW verbiedt ook opzegging omdat de werknemer in of buiten rechte een beroep heeft gedaan op zijn rechten op gelijke behandeling (victimisatie-ontslag).

3.3.2.3 *Verbod van discriminatie op grond van verschil in arbeidsduur*

arbeidsduur

Art. 7:648 BW verbiedt de werkgever onderscheid te maken op grond van een verschil in arbeidsduur tenzij dat onderscheid objectief gerechtvaardigd is.[135]
Gelijke behandeling van deeltijders en voltijders bij de arbeidsvoorwaarden betekent in het algemeen een pro-rata toepassing van de arbeidsvoorwaarden. Voor een beloning die onevenredig lager is dan de voltijdbeloning zal niet snel een rechtvaardiging worden gevonden (vergelijk ook art. art. 8 lid 1 WMM en 9 lid 3 Wet gelijke behandeling van mannen en vrouwen).[136]

131 G. Veldman, Het recht op gelijk loon voor mannenwerk en vrouwenwerk, SMA 1993, 12, p. 746.
132 HvJ EG 31 mei 1995, NJ 1996, 67.
133 Zie over de vraag of deze specifieke verjaringstermijn rechtsgeldig is I.P. Asscher-Vonk en K. Wentholt, Wet gelijke behandeling van mannen en vrouwen, Deventer 1994, p. 205.
134 Zie voor de betekenis van discriminatieverboden voor een ontslag tijdens proeftijd 3.6.3.8.
135 I.P. Asscher-Vonk, Het verbod van onderscheid op grond van een verschil in arbeidsduur, SMA 52 (1997), 7/8, p. 387–400. Een overzicht van uitspraken van de Commissie gelijke behandeling geeft M.A. de Groot, Twee jaar WOA, SMA 1999, 5, p. 246-254.
136 22 498, 3, p. 14.

3.3.2.4 *Overige discriminatieverboden*[137]

Het verbod om direct of indirect onderscheid te maken met betrekking tot burgerlijke staat, godsdienst, levensovertuiging, politieke gezindheid, ras, geslacht,[138] nationaliteit of hetero- of homoseksuele gerichtheid, is opgenomen in de AWGB.[139]

AWGB

De AWGB volgt de systematiek van art. 7:646 lid 2-lid 7 BW en de WGB. Daarbij kunnen echter twee kanttekeningen worden gemaakt. In de eerste plaats kent de AWGB in art. 2, 3, 5 lid 2 t/m 6 en 7 lid 2 en 3 meer uitzonderingen op de discriminatieverboden dan bij seksediscriminatie zijn toegelaten.

In de tweede plaats is zoals gezegd de nationale rechter bij de interpretatie van de wetgeving gelijke behandeling m/v gebonden aan de uitspraken van het HvJ EG, bijvoorbeeld betreffende het begrip indirecte discriminatie en het toelaten van voorkeursbehandeling. Dit geldt niet voor de uitleg van de AWGB voor zover het andere discriminatiegronden, dan wel terreinen buiten de arbeid betreft. Niet duidelijk is nog of en op welke wijze de rechter bij toepassing van de AWGB van deze grotere vrijheid gebruik zal maken.

opzegging

Opzegging in strijd met het in art. 5 AWGB neergelegde verbod van onderscheid is vernietigbaar. Ook opzegging door de werkgever wegens de omstandigheid dat de werknemer een beroep heeft gedaan op art. 5 AWGB, waarin het recht op gelijke behandeling is neergelegd (victimisatieontslag), is vernietigbaar. Op de vernietigingsgrond moet binnen twee maanden een beroep worden gedaan; de rechtsvordering in verband met de vernietiging vervalt door verloop van zes maanden na de dag van de beëindiging (art. 8 AWGB).

3.3.2.5 *De Commissie gelijke behandeling* (CGB)[140]

Bij de handhaving van art. 7:646 lid 1 en 7:648 lid 1 BW, de WGB en de AWGB is een belangrijke rol toegedacht aan de CGB. Ook in de voorstellen met betrekking tot het verbod van leeftijdsdiscriminatie is een rol voor de Commissie gelijke behandeling weggelegd.

137 R. van Ekdom, Arbeid en religieuze verplichtingen. Onderzoek voor het Landelijk bureau ter bestrijding van Rassendiscriminatie, 1996. M.I. van Dooren Recht op toegang tot de arbeidsmarkt zonder onderscheid naar ras, diss. Tilburg 1997.

138 De wetgeving betreffende de gelijke behandeling van mannen en vrouwen blijft naast de AWGB onverkort van kracht (art. 4 AWGB). Voor het geval zich interpretatiegeschillen voordoen, heeft de WGB voorrang; I.P. Asscher-Vonk en K. Wentholt, Wet gelijke behandeling van mannen en vrouwen, Deventer 1994, p. 20.

139 A.M. Gerritsen, AWGB, bijdrage aan Arbeidsovereenkomst (losbladig) ; A.W. Heringa, Algemene wet gelijke behandeling, Deventer 1994; M.L. Haimé, De algemene wet gelijke behandeling, AA 1994, 10, p. 687; H.J. Simons, De verkeerde kant van het gelijkheidsbeginsel, SR 1994, 2, p. 39; M.M. Olbers, Kort verzuimregelingen in verzuim, SR 1995, 2, p. 36.

140 P.F. van der Heijden, Nieuwe commissie gelijke behandeling, NJB 1993, 22, p. 829.

De samenstelling, bevoegdheden en werkwijze van de CGB worden geregeld in art. 11 t/m 21 AWGB.

verzoek

De CGB kan op schriftelijk verzoek onderzoeken of een werkgever onderscheid maakt als bedoeld in art. 7:646 lid 1 en 7:648 lid 1 BW, de WGB of de AWGB en haar oordeel daaromtrent kenbaar maken.

Een dergelijk verzoek kan worden ingediend door degene die van mening is, dat jegens hem/haar onderscheid wordt gemaakt in de zin van één van deze wetten. De vraag of er sprake is van een verboden onderscheid kan eveneens aan de CGB worden voorgelegd door een werkgever of door een rechter/arbiter die een discriminatiegeschil moet beoordelen, alsmede door een belangenvereniging[141] of OR (art. 12 AWGB).[142]

kracht oordeel CGB

Het oordeel van de CGB bindt partijen niet. In sommige gevallen kent de rechter aan het oordeel van de Commissie een bijzondere waarde toe, in andere gevallen niet.[143]

Tot slot kent art. 15 AWGB aan de CGB de bevoegdheid toe om in rechte te vorderen dat een handeling in strijd met de discriminatieverboden onrechtmatig wordt verklaard, wordt verboden of dat een bevel wordt gegeven om de gevolgen van die gedraging ongedaan te maken; zo nodig kan daarbij een dwangsom worden gevorderd. Indien echter een werknemer die door discriminatie is getroffen er bezwaar tegen heeft dat de CGB op grond daarvan een actie instelt, is de CGB daartoe niet bevoegd.

Het is niet verplicht een oordeel van de Commissie te vragen. Men kan zich ook rechtstreeks tot de (kanton)rechter wenden met een vordering op grond van schending van het beginsel van gelijke behandeling.

3.3.3 *Loon betalen*[144]

3.3.3.1 *Het loonbegrip*

definitie loon

De verplichting van de werkgever om loon te betalen behoort tot de essentialia van de arbeidsovereenkomst (3.1.1). Loon is de bedongen tegenprestatie van de werkgever voor de arbeid. Zowel loon in natura als loon in geld valt onder het loonbegrip.[145] Beloning kan ook in de vorm van onderricht plaatsvinden.

pensioen

Pensioenen zijn geen loon in de zin van het BW, hoewel ze materieel als

141 Belangenverenigingen kunnen ook zelfstandig een groepsactie instellen ex art. 3:305a en 3:305b BW.

142 De CGB kan ook ongevraagd onderzoeken of er binnen bepaalde sectoren van het maatschappelijk leven stelselmatig onderscheid wordt gemaakt en daarover een oordeel geven (art. 12 lid 1 AWGB).

143 I.P. Asscher-Vonk en C.A.Groenendijk, Gelijke behandeling: regels en realiteit, Den Haag, Sdu 1999, par. 7.6.

144 J.M. van Slooten, Arbeid en loon, diss. UvA, Amsterdam 1999.

145 Tot het loon behoort onder meer vergoeding voor vakantie, HR 5 juni 1998, JAR 1998, 137 en een winstuitkering waarop aanspraak bestond, HR 24 september 1999, NJ 1999, 737.

uitgesteld loon kunnen worden beschouwd.[146] Een werknemer heeft geen wettelijk recht op pensioen. Pensioenregelingen komen in de praktijk niettemin veelvuldig voor.[147]

onkosten

Tot slot vermeld ik dat bedragen die de werkgever aan de werknemer uitkeert wegens door hem gemaakte onkosten (telefoonkosten, dienstreizen, etc.) evenmin als loon worden beschouwd.[148] Enige voorzichtigheid is hier overigens wel op zijn plaats, want de praktijk kent vele vormen van min of meer vaste onkostenvergoedingen die maar zeer ten dele in verhouding staan tot de werkelijk gemaakte onkosten; in wezen hebben we hier dan te maken met verkapt loon.

wat is loon?

Het is van belang te weten of bepaalde inkomsten van de werknemer als loon moeten worden beschouwd in de zin van art. 7:610 BW. Allereerst omdat wanneer geen loon verschuldigd is, geen arbeidsovereenkomst tot stand gekomen is en de bepalingen van titel 10 van Boek 7 BW niet van toepassing zijn. Voorts bindt afdeling 2 van titel 10 Boek 7 BW (art. 7:616–7:633 BW) de loonbetalingsverplichting van de werkgever aan stringente normen.

loonvooschriften

De wet geeft onder meer voorschriften met betrekking tot de geoorloofde loonvormen (art. 7:617 BW), de wijze van voldoening van het loon (art. 7:620 BW), de plaats van voldoening (art. 7:622 BW), het tijdstip van voldoening (art. 7:623, 624 BW), de besteding van het loon (art. 7:631 BW), de toegelaten inhoudingen op het loon (art. 7:632 BW) en de grenzen die voor overdracht van of beslag op het loon gelden (art. 7:633 BW en 475c Rv). Ten slotte verbindt art. 7:625 BW een specifieke sanctie aan te late betaling van in geld vastgesteld loon.
Het is niet de bedoeling hier een gedetailleerde beschrijving van al deze voorschriften te geven. In het navolgende worden slechts enkele bepalingen behandeld.

3.3.3.2 *Wijze en tijdstip van loonbetaling. Loonstrookje*

loonbestanddelen

Art. 7:617 BW stelt vast uit welke bestanddelen het loon mag bestaan. Tot de geoorloofde loonvormen behoren geld, het gebruik van een woning, scholing, een dienstauto en effecten.
Normaliter bestaat het loon in hoofdzaak uit een bedrag in geld. De voldoening van het in geld vastgesteld loon dient te geschieden in Nederlands wettig betaalmiddel of door girale betaling. Vaststelling van het geldloon in buitenlandse valuta is geoorloofd; de voldoening dient ech-

146 Erik Lutjens, Pensioenvoorzieningen voor werknemers, diss. VUA, Zwolle 1989; idem J.M. van Slooten, Arbeid en loon, diss. UvA, Amsterdam 1999, p. 92.
147 E. Lutjens, Pensioenproblematiek, SMA 1991, 2, p. 110; dezelfde, Pensioenrecht, oratie VU, Deventer 1992.
148 HR 3 juni 1981, NJ 1982, 206.

ter in Nederlands geld plaats te vinden indien de werknemer dit wenst (art. 7:620 BW).
Bij overtreding van het voorschrift van art. 7:617 of 7:620 BW is de werknemer in beginsel gerechtigd binnen zes maanden het verschuldigde loon te vorderen, zonder gehouden te zijn het reeds ontvangene terug te geven (art. 7:621 BW).[149]

Het geldloon pleegt als weekloon of als maand (vier weken) loon te zijn vastgesteld. Met betrekking tot deze naar tijdruimte vastgestelde geldlonen geeft art. 7:623 BW een regeling ter zake van het tijdstip van betaling. Op niet-tijdige betaling is een forse sanctie gesteld. Naast betaling van de wettelijke interessen, kan de werknemer ex art. 7:625 BW een verhoging vorderen die kan oplopen tot 50% van het verschuldigde loon, zij het dat dit percentage door de rechter kan worden gematigd (hetgeen in de praktijk dikwijls voorkomt). Voorwaarde is dat de vertraging aan de werkgever is toe te schrijven.[150] Art. 7:625 BW vindt vooral toepassing bij instelling van een loonvordering ex art. 7:628 BW nadat een beroep is gedaan op de vernietigingsgrond van art. 6 jo. 9 BBA (3.6.3.2)

te late betaling

verhoging

Voor geldloon dat niet naar tijdsruimte is vastgesteld, zoals stukloon, provisie, e.d. gelden voor wat het tijdstip van betaling betreft aparte regelingen (art. 7:624 BW). Voor zover dergelijke loonbestanddelen afhankelijk zijn van gegevens die uit de boeken of bescheiden van de werkgever kunnen blijken, kent art. 7:619 BW de werknemer een zeker controlerecht toe.

stukloon

Art. 7:626 BW verplicht de werkgever om de werknemer bij elke betaling van het geldloon schriftelijk te informeren over het brutoloon, de samenstelling daarvan (basisloon, toeslagen, e.d.) en de bedragen die op het brutoloon zijn ingehouden (loonbelasting, premies sociale verzekeringen). De verplichting om een dergelijk loonstrookje te verschaffen geldt niet indien zich ten opzichte van de laatste loonbetaling geen wijziging in de genoemde bedragen heeft voorgedaan.

loonstrookje

3.3.3.3 *Loon en arbeid. Algemene risicoverdeling*

geen arbeid, geen loon

Volgens art. 7:627 BW is de werkgever geen loon verschuldigd voor de tijd dat de werknemer de bedongen arbeid niet heeft verricht. Geen arbeid, geen loon, aldus luidt de hoofdregel.

Een uitzondering op de hoofdregel van art. 7:627 BW wordt aange-

149 In de praktijk schijnen deze voorschriften niet tot moeilijkheden te leiden; gepubliceerde rechtspraak over deze materie ontbreekt.
150 HR 3 januari 1997, JAR 1997, 24. De vordering tot wettelijke interessen kan niet gematigd worden: HR 30 oktober 1998, JAR 1999, 11, NJ 1999, 268.

bracht door art. 7:628 lid 1 BW. Dit artikellid bepaalt dat een werknemer het recht op het naar tijdruimte vastgestelde loon behoudt indien hij de overeengekomen arbeid niet heeft verricht door een oorzaak die in redelijkheid voor rekening van de werkgever behoort te komen.[151]

geen arbeid, toch loon

Om met succes een loonvordering ex art. 7:628 lid 1 BW te kunnen instellen, moet de werknemer in de eerste plaats bereid zijn de bedongen arbeid te verrichten.[152] Deze bereidheid moet aan de werkgever worden kenbaar gemaakt.[153] Wanneer deze bereidheid ophoudt, eindigt ook de verplichting van de werkgever om het loon door te betalen.[154]

In de tweede plaats is voor toewijzing van een loonvordering ex art. 7:628 lid 1 BW noodzakelijk, dat de werkgever van de bereidheid van de werknemer geen gebruik heeft gemaakt ten gevolge van een verhindering die 'in de verhouding tussen partijen meer in de risicosfeer van de werkgever of diens bedrijf ligt, dan in die van de werknemer'.[155] Dit criterium heeft aanleiding gegeven tot een gevarieerde rechtspraak. Soms is het moeilijk te voorspellen in welke mate een verhindering om de bedongen arbeid te verrichten aan de werkgever moet worden toegerekend.

risicosfeer

Dit probleem doet zich bijvoorbeeld voor wanneer er onvoldoende werk is door een economische teruggang, of door onwerkbaar weer.[156] Dikwijls is deze materie nader geregeld bij cao.[157]

Voorts speelt art. 7:628 lid 1 BW een belangrijke rol bij opzeggingen, gegeven in strijd met het opzeggingsverbod van art. 6 lid 1 BBA (zie 3.6.3.2).

vernietigd ontslag

Ten slottte wordt op basis van art. 7:628 BW de vraag beantwoord of werkwillige werknemers recht hebben op doorbetaling van loon wanneer zij door een staking niet kunnen werken (zie 4.7.4.3).

151 C.J. Herman de Groot, bijdrage aan Herziening Wet op de arbeidsovereenkomst, Alphen aan den Rijn 1995, p. 29, C.J. Herman de Groot, Artikel 7:628, Geen werk, geen loon: wanneer wel, wanneer niet, Sociaal recht 1997 7/8, p. 199–201.

152 HR 18 januari 1991, NJ 1991, 273. Zie ook HR 3 maart 1995, NJ 1995, 470, JAR 1995, 79, TVVS 1995, 6, p. 166, m.n. MGR; F.W.G. Ambagtsheer, Werkhervatting onder voorwaarden, ArbeidsRecht 1995, 35. Hoewel na invoering van het Nieuw BW art. 7:628 BW deze eis niet meer expliciet stelt, moet uit de omstandigheid dat geen wijziging was beoogd worden afgeleid dat de desbetreffende eis nog steeds geldt (verg. HR 17 oktober 1997, NJ 1998, 130 en de conclusie van de advocaat-generaal bij dat arrest).

153 HR 7 oktober 1988, NJ 1989, 56.

154 Volgens HR 13 december 1985, NJ 1986, 293 behoeft het aanvaarden van een nieuwe werkkring niet altijd te impliceren dat de bereidheid niet langer bestaat. Zie ook HR 5 november 1993, JAR 1993, 262; HR 6 november 1964, NJ 1965, 88.

155 HR 7 mei 1976, NJ 1977, 55, Arbeidsrechtspraak nr. 11 (Wielemaker/De Schelde).

156 SER-advies inzake de herziening van artikel 8 BBA en artikel 1638d BW van 20 september 1991 (91/21); Ellen W. de Groot, De Golfoorlog, werktijdverkorting en artikel 1638d BW, NJB 1991, 18, p. 740; W.A. Zondag, Short-time als werkgelegenheidsinstrument?, SMA 1997, 5, p. 275.

157 M.M. Olbers, Geen arbeid, wel loon, SMA 1984, 6, p. 394.

afwijkingsmogelijkheid

Art. 7:628 BW is van semi-dwingend tot driekwart-dwingend recht. Afwijkingen ten nadele van de werknemer bij individueel contract zijn slechts mogelijk mits schriftelijk en mits gedurende de eerste zes maanden van de arbeidsovereenkomst. Na die termijn is afwijking ten nadele van de werknemer slechts mogelijk bij cao of regeling door of namens een daartoe bevoegd bestuursorgaan.

Art. 7:628 BW is ten slotte van belang in verband met het recht op tewerkstelling van blijvend arbeidsongeschikte werknemers. Hierop is ingegaan bij de bespreking van de verplichting zich als goed werkgever te gedragen (3.3.1).

3.3.3.4 *Loon en arbeid. Ziekte*[158]

Wulbz

De regeling van de loondoorbetaling tijdens ziekte is in art. 7:629 en 7:629a BW neergelegd. Deze voorschriften zijn in 1996 gewijzigd. Tegelijkertijd werd een wijziging van de Ziektewet gerealiseerd. Vóór deze wijziging, die in de wandeling als Wulbz wordt aangeduid[159] en de daaraan voorafgaande wet Terugdringing Ziekteverzuim[160] hadden werknemers in het algemeen in geval van ziekte reeds vanaf de derde dag van de ongeschiktheid recht op uitkering van de Ziektewet. De werkgever kon die uitkering op zijn loonbetalingsverplichting ex art. 1639c (oud) BW in mindering brengen. De (financiële) verantwoordelijkheid voor de inkomensvorming van werknemers tijdens ziekte lag daardoor bij de (uitvoeringsorganen van de) sociale verzekering. De Wulbz heeft ten doel het ziekteverzuim terug te dringen door de financiële verantwoordelijkheid voor het inkomensverzuim bij de werkgever te leggen. Het stelsel houdt het volgende in.[161]

loonbetaling tijdens ziekte

Krachtens art. 7:629 lid 1 BW behoudt een werknemer gedurende 52 weken recht op doorbetaling van 70% van het naar tijdruimte vastgesteld dagloon[162], indien hij door ziekte, zwangerschap of bevalling ver-

158 B. Hoogendijk, De loondoorbetalingsverplichting gedurende het eerste ziektejaar, diss. EUR 1999, Gouda 1999, I.P. Asscher-Vonk e.a., De zieke werknemer, 2e druk, Deventer, Kluwer 1999, in het bijzonder hoofdstuk 4 en 5.

159 Wet uitbreiding loondoorbetalingsplicht bij ziekte, wet van 8 februari 1968, Stb. 1996, 134.

160 Wet van 22 december 1993, Stb. 750.

161 R.A. van Dam, De Wulbz – eerste perikelen in de praktijk (2), ArbeidsRecht 1996, 46; Malva Driessen, Ziek, zwak en zwanger ..., Over vrouwen en de Wulbz, NJB 1996, 39, p. 1628; J.H.B.M. Willems, e.a., Privatisering van de Ziektewet: effecten en opinies van medische zijde, SMA 1996, 10, p. 624; J.C.J. van Dute, e.a., Gezondheidsrechtelijke aspecten van Wulbz en Pemba, SR 1996, 12, p. 336; C.F. Sparrius, Wulbz in historisch perspectief: trendbreuk of continuïteit, SMA 1996, 9, p. 552; C. Bosse, Bewijslast bij ziekte, SMA 1997, 4, p. 221; C.F. Sparrius, Risicoselectie van werknemers op basis van gezondheid of (potentieel) verzuimrisico. G.C. Boot, de WULBZ, bijna één jaar later, Rechtshulp 1997, 2.

162 Tenminste voor zover het loon niet meer bedraagt dan het maximum dagloon; voorzover het loon meer bedraagt dan het maximumdagloon bestaat geen recht op doorbetaling tijdens ziekte, tenzij dit uitdrukkelijk is overeengekomen.

hinderd is de bedongen arbeid te verrichten.[163] Voor de berekening van het tijdvak van 52 weken worden perioden van ziekte samengeteld, indien zij elkaar met een periode van minder dan vier weken opvolgen (art. 7:629 lid 9 BW). Indien 70% van het loon minder is dan het voor de werknemer geldende minimumloon, dient dit minimumloon te worden betaald.[164]
Werknemers die recht hebben op doorbetaling van loon tijdens ziekte hebben in beginsel geen recht op uitbetaling van ziekengeld krachtens de Ziektewet (art. 29 lid 1 sub a ZW).

begrip ziekte

Een werknemer is ziek indien hij op medische gronden de bedongen arbeid niet kan of mag verrichten; ziekte die niet leidt tot arbeidsongeschiktheid is niet relevant voor toepassing van het BW of de Ziektewet (het in het BW gehanteerde begrip ziekte heeft dezelfde betekenis als in de Ziektewet, 8.2.7).[165]

wachtdagen

dwingend recht

Partijen kunnen overeenkomen dat de werknemer gedurende de eerste twee dagen van zijn ziekte (wachtdagen) geen recht heeft op doorbetaling van loon (art. 7:629 lid 8 BW). Voor het overige is art. 7:629 lid 1 BW van dwingend recht en kan er dus niet ten nadele van de werknemer van worden afgeweken. Uiteraard kan wel geldig worden afgesproken (ook mondeling) dat de werkgever tijdens ziekte meer dan 70% van het loon zal betalen.

aftrekposten

De werkgever is bevoegd het loon te verminderen met het bedrag dat de werknemer krachtens een sociale verzekeringsregeling ontvangt, bijvoorbeeld een zwangerschaps- of bevallingsuitkering (art. 7:629 lid 4 BW, art. 29a ZW). Voorts wordt het loon ex art. 7:629 lid 4 BW gekort met eventuele inkomsten uit arbeid van de werknemer tijdens de ziekteperiode, bijvoorbeeld inkomsten die de werknemer verkrijgt uit passende arbeid (zie hieronder).
Werkgevers zijn vrij het loonrisico zelf te dragen of particulier te verzekeren. In zoverre wordt de Ziektewet geprivatiseerd. Het ideologisch uitgangspunt van deze privatisering is dat de werking van de markt voor betere resultaten (minder arbeidsongeschiktheid wegens ziekte en min-

163 Een werknemer die minder dan drie dagen per week (nagenoeg) uitsluitend huiselijke of persoonlijke diensten verricht, heeft in geval van ziekte slechts recht op doorbetaling van loon gedurende zes weken (art. 7:629 lid 2 BW).

164 Indien een derde aansprakelijk is voor de arbeidsongeschiktheid van de werknemer kan de werkgever zijn schade ten gevolge van de loondoorbetaling verhalen op die derde (art. 6:107a BW). M.J.F. Goethals, Wettelijk regresrecht werkgever, ArbeidsRecht 1996, 10; T. Hartlief en G.E. van Maanen, Regresrecht voor werkgever ter zake van loondoorbetaling na letseltoebrenging door een derde, SR 1996, 5, p. 125. Zie ook B. Hoogendijk, Opzettelijk veroorzaakte ziekte en belemmering of vertraging van de genezing na 1 maart 1996, SR 1996, 9, p. 227. B. Hoogendijk, De loondoorbetalingsverplichting gedurende het eerste ziektejaar, diss. EUR 1999, Gouda 1999, p. 120.

165 Dit valt op te maken uit de verwijzing naar art. 19 Ziektewet in Kamerstukken 24 439, 3, p. 58.

der kosten) zal zorgen dan een publiekrechtelijke collectieve verzekering.[166]

weigeringsgronden

De wet verschaft de werkgever ook een instrument om (de gevolgen van) zijn loondoorbetalingsverplichting te beperken en de reïntegratie van een zieke werknemer te bevorderen. Volgens art. 7:629 lid 3 sub c BW verliest een zieke werknemer namelijk het recht op doorbetaling van zijn loon indien hij, hoewel hij daartoe in staat is, zonder deugdelijke grond weigert hem door de werkgever aangeboden passende arbeid te verrichten, ook al gaat het hier om arbeid die verschilt van de oorspronkelijk overeengekomen arbeid. Dit betekent dat de arbeidsverplichting van de werknemer tijdens ziekte wordt uitgebreid.

passende arbeid

Ook het opzettelijk veroorzaken van de ongeschiktheid of het geven van onjuiste inlichtingen tijdens de aanstellingskeuring, dan wel het belemmeren of vertragen van de genezing zijn gronden om doorbetaling van loon tijdens ziekte te weigeren (art. 7:629 lid 3 sub a en b BW). Beide weigeringsgronden zijn zeer stringent geformuleerd.

Art. 7:629 lid 5 BW geeft de werkgever voorts de bevoegdheid om schriftelijk redelijke voorschriften te geven omtrent het verstrekken van inlichtingen die de werkgever nodig heeft om vast te stellen of hij verplicht is tot doorbetaling van loon. Het gaat hier met andere woorden om controlevoorschriften die het mogelijk moeten maken om vast te stellen of een werknemer inderdaad ziek is en ook overigens aan de voorwaarden voor doorbetaling van loon voldoet. Indien de werknemer zich niet aan deze controlevoorschriften conformeert, is de werkgever bevoegd de loondoorbetaling op te schorten; indien dan blijkt dat de werknemer werkelijk arbeidsongeschikt is wegens ziekte, dient het loon alsnog met terugwerkende kracht te worden voldaan.

controlevoorschriften

De wet geeft niet aan wat onder 'redelijke voorschriften' moet worden verstaan. Het ligt voor de hand om aan te nemen dat wordt voorgeschreven dat een werknemer zich zo spoedig mogelijk ziek moet melden. Voorts zal de werkgever kunnen voorschrijven dat hij de nodige inlich-

166 De gekozen benadering ter bestrijding van het ziekteverzuim leidt onder meer tot een zwaardere medische risicoselectie bij sollicitaties. Hiervan zullen vooral personen met een handicap en oudere werknemers de dupe zijn, terwijl een verhoogde arbeidsparticipatie van deze groepen juist een van de beleidsdoelen van het kabinet is (7.1). Het kabinet heeft (mede) in verband hiermee wetsvoorstellen ingediend die discriminatie bij werving en selectie op grond van leeftijd verbieden (Kamerstukken 26 880). Ook wetgeving die discriminatie op grond van handicap bij werving en selectie verbiedt is in voorbereiding (Ser-advies 1997, 14, een Proeve van wet gelijke behandeling mensen met een handicap of chronische ziekte is op 31 maart 1998 aan de Tweede Kamer aangeboden, kamerstukken 24 170, 36). Zie echter Kamerstukken II 1999/2000, 24 170, 46: over de verdere ontwikkelingen rond dit wetgevingsproject heerst nog onzekerheid. Zie over bestrijding van discriminatie van gehandicapten ook: A. Hendriks, Gelijke toegang tot de arbeidsmarkt voor gehandicapten, Deventer, Kluwer 2000. De Wet op de medische Keuring (3.2.1) heeft tot doel ongerechtvaardigde selectie bij de aanstelling tegen te gaan.

tingen geeft aan zijn bedrijfsgeneeskundige of Arbodienst (2.3.3). Deze instanties zullen bij het doorgeven van gegevens de nodige vertrouwelijkheid in acht moeten nemen; zij zullen zich moeten beperken tot een oordeel over de ongeschiktheid tot werken, dat voor de werkgever voldoende is om over de loondoorbetaling een beslissing te nemen.[167]

sancties

De wet verbindt specifieke sancties aan overtreding van de voorschriften van art. 7:629 lid 3 en 5 BW. Art. 7:629 lid 6 BW regelt dat de werkgever de werknemer onverwijld ervan in kennis moet stellen indien bij hem het vermoeden is gerezen dat er grond is het loon niet of niet geheel door te betalen. Laat hij dat na, dan kan hij geen beroep meer doen op die grond.

Tussen werkgever en werknemer kan een verschil van mening ontstaan over de vraag of de werknemer wegens ziekte verhinderd is de bedongen arbeid te verrichten. Indien de werkgever van oordeel is dat de werknemer arbeidsgeschikt is en daarom weigert het loon door te betalen, zal de werknemer zijn werkgever bij de kantonrechter kunnen aanspreken tot doorbetaling van loon.[168]

second opinion

Voor toewijzing van de vordering is het in ieder geval noodzakelijk dat de werknemer bij het instellen van zijn eis een zogenaamde 'second opinion' overlegt van een onafhankelijke deskundige (art. 7:629a lid 1 en lid 7 BW). De verklaring zal een oordeel moeten geven omtrent de verhindering van de werknemer om de bedongen te verrichten. De rechter is niet aan het oordeel van deze deskundige gebonden.[169] De kosten van de procedure komen ten laste van de werkgever, tenzij er sprake is van kennelijk onredelijk gebruik van procesrecht (art. 7:629a lid 6 BW). Gedurende de procedure is de werknemer verstoken van inkomsten. Zo nodig zal hij een beroep moeten doen op de Algemene bijstandswet. Ook kan hij trachten via een voorlopige voorziening doorbetaling van loon te vorderen.[179] Het is duidelijk dat zijn positie hierdoor zwak is en

167 B. Hoogendijk, De informatie- en mededelingsplichten van de werknemer bij ziekte en de sanctiemogelijkheden van de werkgever, SR 1995, 4, p. 108; A.F. Rommelse, Ziekteverzuim, controle en privacy, SR 1994, 10, p. 287 en SR 1994, 12, p. 361; S.J.H.V. Derhaag, De informatieplicht van de zieke werknemer, AA 1996, p. 67; ; J. Riphagen, Ziekteverzuim, controle en privacy, bijdrage aan Arbeidsrecht en Mensbeeld 1946–1996, Deventer 1996, p. 61; J.K.M. Gevers, De bedrijfsarts en de uitwisseling van medische gegevens bij ziekteverzuim, SMA 1996, 12, p. 683; A.F. Rommelse, Kan de werknemer worden verplicht een medische behandeling te ondergaan?, SMA 1997, 1, p. 27. B. Hoogendijk, De loondoorbetalingsverplichting gedurende het eerste ziektejaar, diss. EUR 1999, Gouda 1999, p. 120-129.

168 Dergelijke procedures zijn overigens zeldzaam. P.E. Minderhoud, I.P. Asscher-Vonk, T. Havinga, Procederen inzake weigering loondoorbetaling bij ziekte: een zeer zeldzaam verschijnsel, SMA 1999, 3, p. 145-153. Zie voor een mogelijke verklaring TNO Arbeid 1999.

169 Ktg. Amsterdam 26 augustus 1996, JAR 1996, 188 achtte een werknemer arbeidsongeschikt ondanks een afwijkend standpunt van de Arbo-arts en de second opinion.

170 Volgens de wetsgeschiedenis (MvT, 24439, nr. 3, p. 64) geldt de verplichte inschakeling van een deskundige slechts voor bodemprocedures. De werknemer die bij wijze van voorlopige voorziening loondoorbetaling verlangt – van de president in kort geding of van de kantonrechter op voet van art. 116 Rv – kan die vragen zonder een verklaring over te leggen. Pres.Rb. Amsterdam 5 december 1996, JAR 1997/9.

zijn animo om het standpunt van de werkgever aan te vechten daardoor gering zal zijn.

uitholling Ziektewet

De kring van verzekerden krachtens de Ziektewet wordt door de Wulbz niet veranderd (8.2.6). De facto wordt de betekenis van de Ziektewet echter aanmerkelijk uitgehold, aangezien volgens art. 29 lid 1 ZW geen ziekengeld wordt uitbetaald indien de verzekerde tijdens ziekte recht op loon heeft krachtens art. 7:629 lid 1 of lid 2 BW; het gaat hier om ca. 85% van alle arbeidskrachten.[171] De ZW blijft echter betekenis behouden als 'vangnetvoorziening'. Uitkering blijft namelijk mogelijk ten aanzien van een aantal in art. 29, 29a en 29b ZW limitatief opgesomde categorieën. Tot die categorieën behoren werknemers die ziek zijn op het moment dat hun tijdelijk contract (arbeidsovereenkomst voor bepaalde tijd) eindigt. Immers, deze werknemers hebben geen loonaanspraak meer jegens hun werkgever (art. 29 lid 1 ZW). Vrouwen die ongeschikt zijn tot het verrichten van haar arbeid ten gevolge van de zwangerschap, en vrouwen die een bevallingsuitkering genieten, behoren eveneens tot deze categorieën (art. 29a ZW). Orgaandonoren hebben recht op ziekengeld op grond van art. 29 lid 2 sub e Ziektewet. Ten slotte regelt art. 29b ZW het recht op ziekengeld van de arbeidsgehandicapte. Praktijkgegeven is, dat een werkgever zal terugdeinzen om een arbeidsgehandicapte in dienst te nemen in verband met het veronderstelde hoge ziekteverzuim. De wetgever wilde de reïntegratie van arbeidsgehandicapten bevorderen door het loondoorbetalingsrisico van de werkgever tijdens ziekte te verminderen.

arbeidsgehandicapte

Daarnaast blijft het recht op ziekengeld gehandhaafd ten aanzien van categorieën arbeidskrachten die niet krachtens arbeidsovereenkomst werkzaam zijn; het gaat hier veelal om flexibele arbeidsrelaties (3.1.4). Op een en ander wordt nader ingegaan in 8.1.3.

3.3.3.5 *Loon en arbeid. Incidentele werkonderbrekingen*

calamiteitenverlof

Art. 7:629b BW brengt voor risico van de werkgever loondoorbetaling gedurende korte werkonderbrekingen ten gevolge van door de overheid opgelegde verplichtingen (bijv. aangifte van een geboorte bij de burgerlijke stand) en een aantal bijzondere persoonlijke omstandigheden (bijv. huwelijk van de werknemer), een en ander voor zover deze activiteiten buiten schuld van de werknemer niet in zijn vrije tijd kunnen geschieden. Gewoonlijk is deze materie in uitgebreide zin geregeld en aangevuld in cao's. Tot de veel voorkomende aanvullingen behoort de verplichting van de werkgever het loon door te betalen in geval van

171 Evenmin wordt ziekengeld uitgekeerd indien het recht op loon ontbreekt door toepassing van art. 7:629 lid 3, lid 4, lid 5 of lid 8 BW.

sollicitatiebezoeken, bezoek aan een arts, vakexamens, vakbondsscholing en andere vormen van educatief verlof.[172]
Een voorstel waarbij de verantwoordelijkheid van de werkgever op dit punt wordt uitgebreid, in samenhang met het in het leven roepen van verlof om andere redenen, is aan de Tweede Kamer aangeboden.[173]

3.3.3.6 *Omvang van het loon*

oproepkrachten

Art. 7:628a BW geeft een regel voor de vaststelling van de omvang van het loon waarop bepaalde oproepkrachten aanspraak hebben. Indien een arbeidsomvang van minder dan 15 uur per week is overeengekomen en de tijdstippen waarop de arbeid wordt verricht niet zijn vastgelegd of de omvang van de arbeid niet is vastgelegd, heeft de werknemer voor iedere periode van minder dan drie uur waarin hij arbeid heeft verricht, recht op het loon waarop hij aanspraak zou hebben indien hij drie uur arbeid zou hebben verricht. Een oproepkracht die in een week driemaal wordt opgeroepen en dan eenmaal een, eenmaal zes en eenmaal twee uur werkt, heeft op grond van deze bepaling aanspraak op loon voor drie plus zes plus drie uur is twaalf uur arbeid.

3.3.3.7 *Loonhoogte. Minimumloon*

betekenis cao

Het bepalen van de hoogte van het loon wordt in beginsel overgelaten aan de werkgever en de werknemer. In de praktijk is het loon echter meestal vastgelegd in collectieve arbeidsovereenkomsten. Gewoonlijk is het (basis)loon gerelateerd aan de functie; daarnaast wordt op beperkte schaal ook wel gewerkt met prestatiebeloningen. Het recht op vakantietoeslag is meestal ook in collectieve arbeidsovereenkomsten geregeld.

wettelijk minimumloon

Sedert 1968 geldt er voorts een algemeen verplicht minimumloon voor alle mannelijke en vrouwelijke werknemers van 23 t/m 64 jaar krachtens de Wet minimumloon en minimumvakantiebijslag (WMM). Tot deze groep van werknemers behoort niet alleen de werknemer in de zin van het BW, maar ook enkele daarmee gelijk gestelde groepen zoals bepaalde thuiswerkers en andere flexibele arbeidskrachten (art. 2 t/m 4 WMM).
Doel van de wet is om te verzekeren, dat alle werknemers minimaal recht hebben op een loon dat gezien de algemene welvaartssituatie in Nederland beschouwd kan worden als een aanvaardbare tegenprestatie voor de verrichte arbeid.[174]
Het volledige minimumloon komt toe aan werknemers met een normale arbeidsduur. Wanneer een kortere dan de normale arbeidsduur is over-

172 M.M. Olbers, Regelingen inzake vrijaf in wet en cao, SMA 1985, 1, p. 11.
173 Nota Arbeid en Zorg, Kamerstukken 26 447.
174 Bijl. Hand. II, 67/68, 9574, 3.

eengekomen, wordt het minimumloon naar evenredigheid verminderd (art. 12 WMM).

bedrag minimumloon

Het bedrag van het minimumloon is bij de totstandkoming van de WMM gesteld op *f* 682,50 per maand (WMM art. 8). De WMM regelt twee soorten herziening van het wettelijk minimumloon. Allereerst de in art. 14 voorziene aanpassing, telkens met ingang van 1 januari. Volgens de in het eerste lid van die bepaling voorgeschreven methode wordt het minimumloon aangepast aan de stijging van de cao-lonen. Aanpassing anders dan in de leden 1 t/m 4 voorzien (bijvoorbeeld: bevriezing van het minimumloon, ondanks stijging van de cao-lonen) kan plaatsvinden indien sprake is van een 'bovenmatige loonontwikkeling zodanig dat hiervan schade voor de werkgelegenheid kan worden verwacht' of 'een zodanige volume-ontwikkeling in de sociale zekerheidsregelingen dat daardoor een betekenende premie- of belastingdrukverhoging noodzakelijk is' (art. 14 lid 5 WMM). In het verleden is ontkoppeling (bevriezing van minimumloon en sociale uitkeringen) eerder regel dan uitzondering geweest.[175] Het thans geldend bedrag is *f* 2345,20 (per 1 januari 2000) per maand voor personen van 23 jaar en ouder.

indexering

De tweede soort herziening kan, eenmaal in de vier jaar, plaatsvinden wanneer bijzondere omstandigheden daartoe aanleiding geven (art. 14 lid 13 WMM).

minimumjeugdloon

Behalve een minimumloon voor personen van 23 tot 65 jaar bestaat er ook minimumjeugdloon voor personen jonger dan 23 jaar. Art. 7 WMM maakt het mogelijk bij Amvb ook aan niet onder de wet vallende groepen van personen een minimumloon toe te kennen. Hiervan is gebruik gemaakt bij KB van 29 november 1973, waarbij per 1 januari 1974 minimumjeugdlonen werden vastgesteld voor 15- tot en met 22 jarigen. Het minimumjeugdloon bedraagt een bepaald percentage van het minimumloon voor volwassenen; het percentage varieert van 30%–85% al naar gelang de leeftijd van de betrokken werknemer.

vakantietoeslag

Tot slot bepaalt art. 15 WMM dat iedere werknemer recht heeft op een minimum vakantiebijslag van 8% van zijn loon (maximaal 8% van drie maal het minimumloon).

De bepalingen van de Wet minimumloon en minimumvakantiebijslag 1968 zijn privaatrechtelijk van aard: de werknemer die minder krijgt dan zijn minimumloon kan dit tekort van de werkgever opvorderen in een civiele procedure. Bedingen in strijd met de wet zijn nietig (art. 19 WMM).[176]

175 H. Vording, Koppelingen in de sociale zekerheid 1977–1993, diss. RUL, 1993; SER-advies inzake Bijzondere wijziging minimumloon en minimum vakantiebijslag van 19 januari 1996 (96/01).

176 Volgens HR 19 december 1986, NJ 1987, 320 impliceert art. 19 WMM dat eveneens nietig is een vóór het einde van de dienstbetrekking verrichte rechtshandeling waardoor de werknemer afstand doet van hetgeen hij krachtens de WMM van zijn werkgever kan vorderen.

3.3.4 *Vakantie en verlof*

De wettelijke regeling van de vakantie is neergelegd in afdeling 3 van titel 10 (art. 7:634–7:642) BW. De regeling is in belangrijke mate van dwingend recht; afwijking ten nadele van de werknemer is slechts toegelaten indien dit is aangegeven (art. 7:645 BW). Voorts is de regeling nogal ingewikkeld. Globaal komt het stelsel op het volgende neer.[177]

opbouw vakantie

Een werknemer verwerft over ieder jaar waarin hij gedurende de overeengekomen arbeidsduur recht op loon heeft gehad, aanspraken op vakantie van ten minste vier maal de overeengekomen arbeidsduur per week. Bij een vijfdaagse werkweek ontstaat na een jaar dus recht op twintig vakantiedagen; bij een onvolledige werkweek (deeltijd) zal de opbouw proportioneel worden verminderd. Dat geldt ook indien een werknemer nog geen vol jaar heeft gewerkt, zal de opbouw eveneens proportioneel worden verminderd (7:634 BW). Het gaat hier om een wettelijke minimumvoorziening. In de praktijk zijn de overeengekomen vakanties meestal langer, terwijl daarnaast nog dikwijls extra vakantiedagen worden toegekend aan werknemers met een lang dienstverband en oudere werknemers. Op deze bovenwettelijke vakantieregelingen zijn de bepalingen van dwingend recht van afdeling 3 van titel 10 Boek 7 BW eveneens van toepassing.[178]

Art. 7:634 BW koppelt de opbouw van vakantierechten aan tijdvakken gedurende welke er een aanspraak op loon bestaat. Indien een loonaanspraak ontbreekt, bijvoorbeeld omdat de bedongen arbeid niet kon worden verricht door een oorzaak die ex art. 7:628 BW voor rekening van de werknemer komt (3.3.3.3), worden er gedurende die periode ook geen vakantierechten opgebouwd. Op deze regel brengt art. 7:635 BW overigens een aantal, nogal cryptisch geformuleerde, uitzonderingen aan. Deze blijven hier onbesproken.

vaststelling vakantie

Het begin en het einde van de vakantie worden, na overleg met de werknemer, vastgesteld door de werkgever. De werkgever is verplicht dit

177 G.C. Boot, Vakantie!, ArbeidsRecht 1995, 9; A.T.J.M. Jacobs en D.G.M. Mattijsen, Het recht op vakantie in het NBW, SR 1995, 7/8, p. 212; P.A. Charbon, Perikelen rond vakantiedagen, ArbeidsRecht 1996, 13. H.M. J. Boogaard, Wederom, vakantie, ArbeidsRecht 1998, 3. Een wijziging van de vakantiewetgeving is in voorbereiding (Kamerstukken 26 079). De wijziging beoogt onder meer het opsparen van vakantierechten mogelijk te maken. Daartoe wordt voorgesteld de verjaringstermijn van de vakantierechten in art. 7:642 BW te stellen op vijf jaar. Een ander onderwerp in het wetsvoorstel heeft betrekking op de mogelijkheid af te spreken dat bepaalde vormen van verlof of verzuim in mindering kunnen worden gebracht op het vakantietegoed (SER-advies 99/15).

178 Afdeling 3 is niet van toepassing op vrije dagen die voortvloeien uit een afspraak tot arbeidstijdverkorting (ATV-dagen). De korte verjaringstermijnen van art. 7:642BW zijn niet van toepassing op vorderingen terzake van niet genoten ATV-dagen. HR 6 februari 1998, JAR 1998, 83.

overleg tijdig en op behoorlijke wijze te voeren.[179] Voorts is de werkgever verplicht een deel van de vakantie aaneengesloten vast te stellen; deze aaneengesloten tijdvakken dienen in beginsel in de periode tussen 30 april en 1 oktober te vallen (art. 7:638 BW).[180]

geen vervanging vakantie door geld

De vakantie dient in natura te worden opgenomen (art. 7:640 BW); een rechtsvordering ter zake van toekenning van vakantie verjaart door verloop van twee jaren na de laatste dag van het kalenderjaar waarin de aanspraak is ontstaan (art. 7:642 BW). Opsparen van vakantiedagen nadien is dus geblokkeerd.[181] Vervanging van niet opgenomen vakantiedagen door een uitkering in geld is slechts geoorloofd bij het einde van de arbeidsovereenkomst (art. 7:641 BW); ten aanzien van deze uitkering geldt de algemene verjaringstermijn van vijf jaren (art. 3:307 BW). Gedurende de vakantie behoudt de werknemer recht op doorbetaling van loon (art. 7:639 lid 1 BW).[182] Daarnaast heeft hij nog recht op een vakantiebijslag krachtens art. 15 e.v. van de Wet op het minimumloon en minimumvakantiebijslag (3.3.3.6). Het recht op vakantietoeslag is meestal ook in collectieve arbeidsovereenkomsten geregeld.

verlof

Buiten de vakantieregeling kent afdeling 3 van titel 10 nog twee andere artikelen die ertoe leiden dat er niet gewerkt behoeft te worden (art. 7:643 en 7:644 BW). In deze gevallen is de werkgever echter niet verplicht tot doorbetaling van loon.[183]
Art. 7:643 BW geeft een werknemer het recht op verlof zonder behoud van loon voor het als lid bijwonen van een aantal vergaderingen van vertegenwoordigende publiekrechtelijke lichamen, zoals de Eerste Kamer of een gemeenteraad. Bestaat daarover tussen werkgever en werknemer geen overeenstemming, dan stelt de kantonrechter vast in welke mate dit verlof behoort te worden verleend.

ouderschapsverlof

Art. 7:644 BW bevat een regeling betreffende de aanspraak van een werknemer op ouderschapsverlof; het artikel is per 1 januari 1991 in werking getreden en per 1 juli 1997 gewijzigd.[184] Globaal bevat de regeling de volgende bepalingen:

179 HR 26 juni 1987, NJ 1988, 208, m.n. PAS. Zie ook HR 25 maart 1994, NJ 1994, 744, m.n. PAS, JAR 1994, 93, TVVS 1994, 8, p. 221, m.n. MGR.

180 Voor het vaststellen door de werkgever van een voorgenomen vakantieregeling is krachtens art. 27 lid 1 sub c WOR in beginsel de voorafgaande instemming van de OR vereist (5.3.4.4).

181 P.S. van Minnen, Stuiting van verjaring van opgebouwde vakantierechten, ArbeidsRecht 1997, 30.

182 Zie over het loonbegrip HR 26 januari 1990, NJ 1990, 499.

183 Daarnaast kennen vele cao's extra verlofregelingen, gewoonlijk met doorbetaling van loon. M.M. Olbers, Regelingen inzake vrijaf in wet en cao, SMA 1985, 1, p. 19; dezelfde, Feestdagen of dagen?, SMA 1993, 12, p. 770; K.G. Tijdens, Arbeid en zorg, de behoefte van werknemers aan calamiteitenverlof, SMA 1996, 4, p. 239.

184 N.M. Krane, De nieuwe regeling omtrent ouderschapsverlof, ArbeidsRecht 1997, nr. 65. Zie over rechtspraak sedert 1991 J.J. van Dijk, Ouderschapsverlof, ArbeidsRecht 1996, 56.

Volgens art. 7:644 BW heeft een werknemer die als ouder in familierechtelijke betrekking staat tot een kind, danwel op hetzelfde adres woont als een kind en duurzaam de verzorging en opvoeding van dat kind als eigen kind op zich heeft genomen, recht op verlof zonder behoud van loon. Het recht bestaat slechts indien de arbeidsovereenkomst in Nederland wordt vervuld en minstens een jaar heeft geduurd.

omvang ouderschapsverlof

De totale omvang van het ouderschapsverlof bedraagt het aantal arbeidsuren per week over een periode van 13 weken. Bij een arbeidsduur van 30 uur per week is het verlof dus 390 uur. Het ouderschapsverlof dient in een periode van ten hoogste zes maanden, in beginsel aaneengesloten, te worden opgenomen. In wetsvoorstel 26 079 wordt voorgesteld om, wanneer de zorgverplichting ten aanzien van meerdere kinderen tegelijk op de schouders is genomen (geboorte van een meerling of adoptie van meerdere kinderen tegelijkertijd) in verband met ieder van die kinderen recht op ouderschapsverlof te laten ontstaan.

Geen recht op verlof bestaat na de datum waarop het kind acht jaar wordt.

Binnen zekere grenzen is afwijking van de wettelijke regeling mogelijk bij cao. De invoering van het ouderschapsverlof is een poging om bij de organisatie van het werk rekening te houden met gezinsverplichtingen. Het gaat hier om een recente trend, die ook elders in het arbeidsrecht tot uiting komt (2.2.1).[185]

3.3.5 *Informatieverplichting*[186]

implementatie richtlijn

Het schriftelijk element in het arbeidsovereenkomstenrecht is versterkt door de Wet van 2 december 1993 tot uitvoering van de EG-richtlijn betreffende de verplichting van de werkgever om de werknemer te informeren over de voorwaarden die op zijn arbeidsovereenkomst of arbeidsverhouding van toepassing zijn (Pb EG L 288/32 van 18 oktober 1991). De wet bevat de invoeging van een nieuw art. 7:655 BW.

schriftelijk

Art. 7:655 lid 1 BW legt op de werkgever de verplichting aan de werknemer een door hem ondertekende schriftelijke opgave te verstrekken.[187] De regeling is ook van toepassing op oproeprelaties (art. 7:655 lid 6 BW). De schriftelijke opgave dient een aantal gegevens te bevatten

185 K. Wentholt, Arbeid en zorg, diss. UvA, Deventer 1990; De Nota Arbeid en zorg (Kamerstukken 26 447) lanceert een aantal voorstellen voor een nieuw evenwicht tussen arbeid en zorg. In de nota wordt het begrip zorg ruim opgevat: ook het mogelijk maken van allerlei vormen van educatief verlof wordt eronder begrepen. Voorgesteld wordt een aantal wettelijke maatregelen te nemen die allerlei vormen van verlof mogelijk moeten maken. Zie M. Westerveld, Vakantie en verlof: van specialisatie- naar combinatiemodel, SMA 1999/11/12, p. 492-502.

186 P.M.M. Massuger en W.G.M. Plessen, Informatieverplichting van de werkgever, een aantal kritische kanttekeningen, Sociaal Maandblad Arbeid 1998, p. 176–183.

187 Indien de overeenkomst betreft het doorgaans op minder dan drie dagen per week uitsluitend of nagenoeg uitsluitend verrichten van huishoudelijke of persoonlijke diensten ten behoeve van een natuurlijk persoon, behoeft de werkgever de gegevens slechts op verzoek te verschaffen (art. 7:655 lid 4 BW).

die inzicht geven in de geldende arbeidsvoorwaarden, zulks teneinde de rechtspositie van de werknemer te versterken. Tot die gegevens behoren onder meer:

inhoud informatie

- het tijdstip van indiensttreding;
- de duur van de overeenkomst indien deze voor bepaalde tijd is aangegaan;
- de functie van de werknemer of de aard van zijn arbeid;
- de plaats of plaatsen waar de arbeid wordt verricht;
- de gebruikelijke arbeidsduur per dag of per week;
- de geldende opzegtermijnen;
- de toepasselijke cao;
- of de arbeidsovereenkomst een uitzendovereenkomst is.[188]

De werkgever is verplicht de gegevens binnen een maand na de aanvang van de werkzaamheden (of zo veel eerder als de overeenkomst eindigt) aan de werknemer te verstrekken (art. 7:655 lid 3 BW).
Het niet voldoen aan bovengenoemde verplichtingen leidt niet tot ongeldigheid van de arbeidsovereenkomst. Voor wat de sanctie betreft bepaalt art. 7:655 lid 5 dat een werkgever die weigert de opgaven te verstrekken of die daarin onjuiste mededelingen opneemt, jegens de werknemer aansprakelijk is voor de daardoor veroorzaakte schade. Het zal in de praktijk echter dikwijls niet zo eenvoudig zijn deze schade te bewijzen. Effectiever lijkt een groepsactie tot nakoming, die terzake ex art. 3:305a BW door een vakvereniging kan worden ingesteld.[189]

3.3.6 *Getuigschrift*

Krachtens art. 7:656 BW (Afdeling 6 van titel 10 van Boek 7 BW, Enkele bijzondere verplichtingen van de werkgever) is de werkgever verplicht bij het einde van de arbeidsovereenkomst aan de werknemer op diens verzoek een getuigschrift uit te reiken dat een opgave bevat van de aard van de verrichte arbeid en de duur van de dienstbetrekking. Voorts dient de werkgever – doch alleen indien de werknemer hierom vraagt – in het getuigschrift te vermelden de wijze waarop de werknemer aan zijn verplichtingen heeft voldaan en de wijze waarop de arbeidsovereenkomst is geëindigd.

3.3.7 *Veiligheid*[190]

In afdeling 6 van titel 10 regelt art. 7:658 de verplichtingen van de werkgever ten aanzien van de veiligheid van de werk-

188 Voor zover de in art. 7:655 lid 1 BW genoemde gegevens zijn vermeld in een toepasselijke cao kan worden volstaan met een verwijzing naar deze cao (art. 7:655 lid 2 BW).

189 G.J.J. Heerma van Voss, De informatieplicht van de werkgever: een papieren tijger of een nieuwe rechtsbron in het arbeidsrecht?, SR 1994, 3, p. 67; dezelfde, bijdrage aan Arbeidsovereenkomst (losbladig).

190 L. Bier, Aansprakelijkheid voor bedrijfsongevallen en beroepsziekten, Deventer 1995; A.J.C.M. Geers, Recht en humanisering van de arbeid, diss. RUL, Deventer 1988; T. van Peijpe, →

nemer. Art. 7:658 lid 1 verplicht de werkgever de nodige maatregelen te nemen ter voorkoming van schade aan de persoon of goederen van de werknemer door onveilige lokalen,[191] werktuigen en gereedschappen of door een ondeugdelijke organisatie van de werkzaamheden. Indien de werkgever deze verplichting niet nakomt pleegt hij wanprestatie en moet hij de daardoor veroorzaakte schade aan de werknemer vergoeden.[192] Ook immateriële schade komt voor vergoeding in aanmerking op grond van art. 6:106 BW.[193]

smartengeld

Dezelfde verplichtingen rusten op degene die in zijn bedrijf arbeid laat verrrichten door iemand met wie hij geen arbeidsovereenkomst heeft, dus bijvoorbeeld de inlener van een arbeidskracht. Degene die de arbeid laat verrichten en de werkgever zijn hoofdelijk aansprakelijk (art. 7:658 lid 4 BW).[194]

Art. 7:658 BW is tot stand gebracht door de Wet op de arbeidsovereenkomst van 1907. In de periode die verliep vanaf de invoering van deze wet in 1909 tot de invoering van de Wet op de arbeidsongeschiktheidsverzekering (WAO) in 1967 heeft dit artikel in de rechtspraak echter slechts een ondergeschikte rol gespeeld. De reden hiervan lag voornamelijk in de in die periode bestaande ongevallenwetgeving.

verhouding tot sociale zekerheid

De Ongevallenwet 1901 introduceerde een verplichte verzekering van werklieden in bepaalde, als zodanig aangewezen bedrijven, tegen geldelijke gevolgen van ongevallen hun in verband met de uitoefening van het bedrijf overkomen. De verzekeringspremie werd betaald door de werkgever. Het werd destijds onbillijk geacht de normale civielrechtelijke aansprakelijkheid van de werkgever jegens die arbeiders (wegens wanprestatie, c.q. onrechtmatige daad) naast deze verplichte verzekering te handhaven. Deze 'burgerrechtelijke verantwoordelijkheid' van de werkgever werd dan ook in de Ongevallenwet 1901 uitdrukkelijk

→ Aansprakelijkheid van werkgever/werknemer voor schade, bijdrage aan De arbeidsovereenkomst in het NBW, Deventer 1991; D. Christe, bijdrage 1638x, Arbeidsovereenkomst (losbladig). H.M.G. Manders, Schade en werk, SR 1995, 10, p. 290; G.C. Boot, bijdrage aan Herziening Wet op de arbeidsovereenkomst, Alphen aan den Rijn 1995, p. 61; T. Hartlief, De reikwijdte van de aansprakelijkheid voor bedrijfsongevallen mede in het licht van recente wetgeving, Sociaal Recht 1998, 7, p. 220-227; E.J.M. Lousberg, Bescherming van de arbeid in het licht van nieuwe technologieën, Deventer, Kluwer 1998; H. Dammingh, De aansprakelijkheid voor bedrijfsongevallen en beroepsziekten in driehoeksrelaties, SMA 1999, p. 188-197.

191 Zie over de (ruime) interpretatie van het begrip lokaal HR 1 juli 1993, NJ 1993, 687, 153, JAR 1993, 194.

192 Een werkgever die zijn werknemer bij een derde laat werken is ex art. 7:658 lid 2 BW aansprakelijk jegens de werknemer voor een bedrijfsongeval dat de werknemer in het bedrijf van de derde overkomt. Zie ook K. Festen-Hoff, Aansprakelijkheid voor bedrijfsongevallen, overkomen aan flexibele arbeidskrachten, SMA 1996, 2, p. 87.

193 A.M.P.C. van den Beuken, Vergoeding van immateriële schade: is artikel 1637w BW overbodig? SR 1992, 1, p. 8; Zie ook L. Schreuders, Smartegeld bij beëindiging van de arbeidsovereenkomst, SR 1992, 1, p. 4.

194 Kamerstukken 25 263, 14, p. 6.

uitgesloten, behoudens enkele uitzonderingen. Ook in later tot stand gebrachte ongevallenwetgeving bleef dit principe gehandhaafd.[195]

invoering WAO

Met de invoering van de WAO in 1967 veranderde de situatie. De WAO vereist voor het ontstaan van een recht op uitkering niet dat de arbeidsongeschiktheid door een bedrijfsongeval is veroorzaakt. In verband hiermede werd de bestaande ongevallenwetgeving afgeschaft en daarmede verdween ook de civielrechtelijke immuniteit die de werkgever op grond hiervan had genoten uit onze wetgeving. Dit betekende dat vanaf dat moment de werkgever weer door iedere werknemer ex art. 7:658 BW aansprakelijk kon worden gesteld voor de niet door de sociale verzekeringswetgeving gedekte schade die deze ten gevolge van een bedrijfsongeval of beroepsziekte had geleden, de zogenaamde excedentschade (art. 52 ZW, 82 AAW, 89 WAO, 83a ZFW).[196] Deze ontwikkeling heeft geleid tot een toename van het aantal op art. 7:658 BW gebaseerde procedures.[197]

schuldaansprakelijkheid

Art. 7:658 lid 1 BW vestigt geen risico-aansprakelijkheid maar een schuldaansprakelijkheid: indien vaststaat dat de werkgever de nodige zorg heeft aangewend om aan zijn verplichtingen te voldoen, is hij niet aansprakelijk voor de schade die de werknemer door het bedrijfsongeval heeft geleden.[198] Volgens art. 7:658 lid 2 BW kan de werkgever zich van zijn aansprakelijkheid bevrijden indien hij aantoont, dat hij redelijkerwijs heeft gedaan wat nodig is om te voorkomen dat de werknemer in de uitoefening van zijn werkzaamheden schade leidt.[199]

eigen schuld werknemer

Indien de werkgever er niet in slaagt te bewijzen dat hij geen schuld heeft aan het bedrijfsongeval is hij volgens art. 7:658 lid 2 BW aanspra-

195 R.J.S Schnitters, De risico's van de arbeid, Het ontstaan van de Ongevallenwet 1901 in sociologisch perspectief, Groningen 1991.

196 Het risicodragende verzekeringsorgaan kan regres nemen op de werkgever, doch uitsluitend voor zover de arbeidsongeschiktheid van de werknemer te wijten is aan opzet of bewuste roekeloosheid van die werkgever. Vgl. HR 7 december 1990, NJ 1991, 596; HR 4 oktober 1991, NJ 1992, 410. A.R. Bloembergen, Het SER-rapport over regresrechten: een fout verhaal, NJB 1994, 4, p. 117; B. Hoogendijk, Arbeidsongeschiktheid en het verhaalsrecht van de werkgever, SR 1994, 1, p. 8; P. Beekman, Recente ontwikkelingen rond het regresrecht, PS 1995, 20, p. 1124.

197 A.J.C.M. Geers, Recht en humanisering van de arbeid, diss. RUL, Deventer 1988, p. 166; H. Vinke, Werknemerscompensatie bij beroepsgebonden schade, diss. UvA, Den Haag 1997.

198 Aan de zorgplicht van de werkgever worden door de rechtspraak echter soms zware eisen gesteld, waardoor men tot een resultaat kan komen dat de risico-aansprakelijkheid dicht benaderd. HR 29 april 1983, NJ 1984, 19, Arbeidsrechtspraak nr. 22; HR 25 juni 1993, NJ 1993, 686, JAR 1993, 170, AA 1994, 2, p. 109 (asbest-arrest).

199 Met dit voorschrift wordt afgeweken van de krachtens art. 1638x BW oud geldende bewijslastverdeling die, aansluitend bij de normaliter geldende privaatrechtelijke bewijsregels, er van uitging dat de wanprestatie van de werkgever door de werknemer moest worden bewezen. C.J.M. Klaassen, Een nieuw arbeidsongevallenrecht? Sociaal recht 1997–10, p. 280–284. Deze bewijslastverdeling was door de rechtspraak overigens reeds enigermate afgezwakt, HR 24 november 1995, JAR 1995, 275, TVVS 1996, 3, p. 81, m.n. MGR, SMA 1996, 4, p. 263, m.n. A. Rijlaarsdam.

kelijk voor de schade, tenzij hij bewijst dat de schade in belangrijke mate het gevolg is van opzet of bewuste roekeloosheid van de werknemer.[200] Is dat laatste het geval, dan is de werkgever niet aansprakelijk. Een dergelijk bewijs zal echter zelden geleverd kunnen worden, want volgens de Hoge Raad is hiervan slechts sprake 'indien de gedragingen van de werknemer die opzet of bewuste roekeloosheid opleveren, in zodanige mate tot het ongeval hebben bijgedragen dat het tekortschieten van de werkgever in diens verplichtingen daarbij als oorzaak in het niet valt.'[201]

alles-of-niets

In aansluiting hierop is het van belang om te vermelden dat de vraag of medeschuld van de werknemer aan het ongeval, niet bestaande uit opzet of bewuste roekeloosheid, tot een verminderde schadevergoedingsplicht van de werkgever moet leiden – zoals in het algemene privaatrecht het geval is (art. 6:101 BW) – [202] door de Hoge Raad ontkennend is beantwoord, zulks met een beroep op het specifieke beschermingskarakter van art. 7:658 lid 2 BW.[203]
Hieruit vloeit voort dat een werknemer, wanneer zijn opzet of bewuste roekeloosheid in bovenomschreven betekenis ontbreekt, recht heeft op volledige vergoeding van de excedentschade.

dwingend recht

De hierboven omschreven uit art. 7:658 BW voortvloeiende verplichtingen van de werkgever worden door de wetgever als bijzonder belangrijk beschouwd. Dienovereenkomstig worden zij in art. 7:658 lid 3 BW tot dwingend recht bestempeld: van art. 7:658 lid 1 en lid 2 BW kan niet ten nadele van de werknemer worden afgeweken. Ook van hetgeen in titel 3 van boek 6 BW met betrekking tot de aansprakelijkheid van de werkgever is geregeld kan volgens art. 7:658 lid 3 BW niet ten nadele van de werknemer worden afgeweken.
Indien de niet-nakoming door de werkgever van zijn in art. 7:658 lid 1 BW omschreven verplichtingen leidt tot de dood van de werknemer, kan de werkgever door de in art. 6:108 BW genoemde personen worden aansprakelijk gesteld wegens het derven van levensonderhoud. Tot die personen behoren onder meer de overblijvende echtgenoot en de kinderen van de overledene. Ook hier geldt dat de werkgever is bevrijd, indien hij opzet of bewuste roekeloosheid van de werknemer bewijst.

200 De termen 'opzet of bewuste roekeloosheid' vervingen het oorspronkelijk in art. 1638x BW oud gebruikte begrip 'grove schuld'. Een materiële wijziging werd met deze vervanging echter niet beoogd.
201 HR 20 september 1996, NJ 1997, 198, m.n. PAS, JAR 1996, 203, TVVS 1996, 12, p. 354, m.n. MGR.
202 Asser-Hartkamp I, nr. 448.
203 HR 9 januari 1987, NJ 1987, 948.

3.3.8 *Aanpassing arbeidsduur*

vermindering of vermeerdering

De Wet aanpassing arbeidsduur (WAA)[204] verplicht de werkgever een verzoek van de werknemer om aanpassing van zijn arbeidsduur, dat aan bepaalde voorwaarden voldoet, in te willigen. De aanpassing kan zowel een vermindering als een vermeerdering van de arbeidsduur betreffen. Alleen ingeval zwaarwegende bedrijfs- of dienstbelangen zich tegen inwilliging verzetten vervalt de verplichting van de werkgever. Van de verplichting een verzoek tot vermeerdering in te willigen kan bij cao of regeling door of namens een daartoe bevoegd bestuursorgaan worden afgeweken, dan wel, zo niet een dergelijke regeling van kracht is, wanneer schriftelijk overeenstemming is bereikt met de ondernemingsraad of personeelsvertegenwoordiging. Art. 3 WAA verbiedt de werkgever de arbeidsverhouding van een werknemer te beëindigen wegens de omstandigheid dat de werknemer in of buiten rechte om aanpassing van de arbeidsduur heeft verzocht.

3.4 Wettelijke verplichtingen van de werknemer

Art. 7:611 BW regelt niet alleen voor de werkgever, maar ook voor de werknemer een algemene verplichting zich naar redelijkheid en billijkheid te gedragen. Voor de werknemer is dit geformuleerd als 'zich gedragen als goed werknemer'. Afdeling 7 van titel 10 noemt bovendien enkele bijzondere verplichtingen van de werknemer.

3.4.1 *De werknemer is verplicht zich als een goed werknemer te gedragen.*[205]

andere werkzaamheden

De werknemer is op grond van art. 7:611 BW gehouden zich als goed werknemer te gedragen. Recent is door de Hoge Raad enige duidelijkheid geschapen over de betekenis van deze bepaling. In het arrest Van der Lely/Hofman Taxi[206] werd een voormalig taxichauffeur, die na een periode van arbeidsongeschiktheid andere passende werkzaamheden (administratief werk) had verricht, door zijn werkgever opgedragen (wederom) arbeid als taxichauffeur te gaan verrichten. De Hoge Raad overwoog dat het beginsel dat een werknemer niet ge-

204 Wet van 19 februari 2000, Stb. 114, in werking getreden 1 juli 2000. I.P. Asscher-Vonk, Wet aanpassing arbeidsduur, SMA 1999, 5, p. 231-233; P.C. Vas Nunes, De WAA: gedachten van een werkgeversadvocaat, SMA 2000/1, p. 6-13.

205 A.M. Luttmer-Kat, De goede werknemer, een achterhaald begrip of een dynamisch concept? bijdrage aan de De Leede-bundel, p. 317. F.R. Boelhouwer, Werkgever, werknemer en vrije tijd, bijdrage aan de Rood-bundel, p. 353.

206 HR 26 juni 1998, JAR 1998, 199, NJ 1998, 744, Arbeidsrechtspraak nr. 6. Over dit arrest P.F. van der Heijden, De wederkerige arbeidsbetrekking, in P.F. van der Heijden e.a., Naar een nieuwe rechtsorde van de arbeid? Den Haag, SDU 1999, p. 47.

houden is andere werkzaamheden dan de bedongene (in dit geval waren dat de andere passende werkzaamheden) te gaan verrichten, uitzondering lijdt indien voldaan is aan twee voorwaarden. De eerste voorwaarde is dat de werkgever een redelijke grond had om andere passende arbeid te verlangen. De andere grond is dat de werknemer die andere werkzaamheden redelijkerwijs niet heeft kunnen weigeren.

gewijzigde omstandigheden

De werknemer heeft op redelijke voorstellen van de werkgever, verband houdend met gewijzigde omstandigheden op het werk, in het algemeen positief in te gaan. Dergelijke voorstellen mag hij alleen afwijzen wanneer aanvaarding daarvan redelijkerwijs niet van hem kan worden gevergd. Dit geldt zelfs wanneer de verandering van omstandigheden in de risicosfeer van de werkgever ligt. In casu was het administratieve werk overgenomen door een nieuwe werknemer (een nichtje van de werkgever), die de administratie in haar eentje aankon.

3.4.2 *De werknemer is verplicht de bedongen arbeid persoonlijk te verrichten*

Volgens art. 7:659 lid 1 BW is de werknemer verplicht de arbeid zelf te verrichten. Met toestemming van de werkgever mag de werknemer een deel van zijn werkzaamheden door anderen laten verrichten.

3.4.3 *De werknemer is verplicht redelijke instructies van de werkgever op te volgen*

directierecht

De werknemer is verplicht de instructies op te volgen die de werkgever hem 'omtrent het verrichten van den arbeid' en 'ter bevordering van de goede orde in de onderneming' binnen het kader van de arbeidsovereenkomst en de wet geeft (art. 7:660 BW). Deze instructies kunnen zowel worden gegeven aan een collectiviteit van werknemers (bijvoorbeeld door middel van een circulaire), als aan een werknemer persoonlijk. Het instructierecht van de werkgever wordt wel aangeduid als het directierecht (3.1.2). In de praktijk speelt hier het probleem dat dikwijls van te voren niet precies is aan te geven hoe de grenzen van de gehoorzaamheidsplicht getrokken moeten worden. Wanneer is een bevel niet meer redelijk te achten? Deze onzekerheid klemt temeer omdat de werknemer die weigert een bevel op te volgen, zich blootstelt aan sancties, waaronder zelfs onverwijlde opzegging om een dringende reden (3.6.3.9).

3.4.4 *Aansprakelijkheid van de werknemer voor schade*[207]

Art. 7:661 BW regelt de aansprakelijkheid van de

207 T. van Peijpe, bijdrage aan De arbeidsovereenkomst in het NBW, P.F. van der Heijden (red.), Deventer 1991, p. 57; S.W. Kuip, bijdrage aan Herziening Wet op de arbeidsovereenkomst, Alphen aan den Rijn 1995, p. 65.

werknemer voor schade die hij toebrengt bij de uitvoering van de arbeidsovereenkomst. Het artikel vervangt eenzelfde regeling die sedert 1 januari 1992 was neergelegd in art. 7A:1639da BW.[208]

schade aan werkgever

Indien een werknemer bij de uitvoering van de overeenkomst rechtstreeks schade toebrengt aan de werkgever, is hij volgens art. 7:661 lid 1 BW voor die schade slechts aansprakelijk indien de schade een gevolg is van zijn opzet of bewuste roekeloosheid, tenzij uit de omstandigheden van het geval anders voortvloeit.

opzet of bewuste roekeloosheid

De Hoge Raad stelt stringente eisen aan de opzet of bewuste roekeloosheid van de werknemer. In casu ging het om een kastekort van ruim *f* 22 000, ontstaan omdat de werknemer het geld bij een klant zou hebben geïnd en niet zou hebben afgedragen aan de werkgever. Volgens de Hoge Raad is de werknemer in dat geval slechts aansprakelijk indien de werkgever bewijst dat het kastekort is ontstaan door een 'persoonlijk handelen of bewust nalaten van de werknemer'.[209]

Volgens art. 7:661 lid 2 BW kan van deze beperkte aansprakelijkstelling slechts schriftelijk ten nadele van de werknemer worden afgeweken en dan nog alleen voor zover de werknemer voor de schade is verzekerd.

schade aan derde

Een gelijke regeling geldt indien de werknemer schade toebrengt aan een derde jegens wie de werkgever tot vergoeding van de schade gehouden is. Een dergelijke aansprakelijkheid van de werkgever kan ontstaan krachtens art. 6:170 lid 1 BW. Volgens dit artikellid is een werkgever aansprakelijk voor de door een ondergeschikte aan een derde toegebrachte schade, indien de kans op de fout door de opgedragen taak is vergroot. Het gaat hier om een risico-aansprakelijkheid van de werkgever.[210]

Onder 'fout' wordt verstaan een onrechtmatig handelen van de werknemer.[211] Dit betekent dat niet alleen de werkgever, maar ook de werknemer jegens de derde aansprakelijk is voor de door zijn fout veroorzaakte schade en wel op grond art. 6:162 BW.[212]

208 Voor het tot stand komen van art. 7A:1639da BW werd de vraag in hoeverre een werknemer aansprakelijk kon worden gesteld voor door fouten veroorzaakte schade door de rechtspraak beantwoord via interpretatie van het algemene voorschrift, dat de werknemer verplicht is 'de arbeid naar beste vermogen te verrichten' (art. 7A:1639 BW). Uit de wetsgeschiedenis blijkt dat de wetgever met de wettelijke regeling slechts beoogde de bestaande rechtspraak te codificeren. Zie over de toepassing van art. 7A:1639da BW door de lagere rechtspraak B.F. van Harinxma thoe Slooten, ArbeidsRecht 1995, 67.

209 HR 10 mei 1996, NJ 1996, 669, m.n. PAS, JAR 1996, 131. J.W.M. Pothof en C.H.J. van Leeuwen, Kastekorten, ArbeidsRecht 1996, 78, HR 9 januari 1998, RvdW 1998, 16.

210 De in art. 6:170 lid 1 BW gebruikte term 'ondergeschikte' is ruimer dan het begrip 'werknemer'; vgl. Onrechtmatige daad (losbladig), Deventer, Artikel 170, aant. 6 e.v. Zie ook art. 6:170 lid 2 BW, dat een werkgever in de privésfeer met een minder vergaande aansprakelijkheid voor fouten van ondergeschikten belast.

211 Asser-Hartkamp III, p. 121.

212 Indien de werkgever bij overeenkomst zijn aansprakelijkheid tegenover een derde heeft uitgesloten, kan ook de werknemer zich op deze uitsluiting jegens die derde beroepen (art. 6:257 BW).

In de praktijk wordt in een dergelijke situatie door de derde meestal verhaal gezocht op de werkgever, hetgeen de vraag doet rijzen in hoeverre de werkgever krachtens de bestaande arbeidsovereenkomst op zijn beurt gerechtigd is regres uit te oefenen op de werknemer.

regres

Deze vraag wordt beantwoord door art. 7:661 lid 1 en 6:170 lid 3 BW. Volgens deze artikelen behoeft ook hier de werknemer de schade slechts aan de werkgever te vergoeden indien deze schade aan zijn opzet of roekeloosheid te wijten is, tenzij uit de omstandigheden van het geval anders voortvloeit. En ook hier geldt dat een afwijking ten nadele van de werknemer schriftelijk moet worden overeengekomen en alleen geldig is voor zover de werknemer ter zake is verzekerd.

lichte aansprakelijkheid werknemer

Art. 7:661 lid 1 en 6:170 lid 3 BW leggen op de werknemer een lichtere aansprakelijkheid dan die welke voor debiteuren normaliter geldt krachtens het overeenkomstenrecht. Volgens het algemene overeenkomstenrecht is een debiteur gewoonlijk reeds jegens de crediteur wegens wanprestatie aansprakelijk voor de bij de uitvoering van een verbintenis veroorzaakte schade, indien hem schuld te verwijten valt; soms rust op hem zelfs een risico-aansprakelijkheid.[213] De aansprakelijkheid van de werknemer daarentegen is, zoals hierboven aangegeven, in beginsel beperkt tot schade veroorzaakt door zijn opzet of bewuste roekeloosheid. De rechtsgrond voor deze beperking kan worden gevonden 'in het ervaringsfeit dat (...) het dagelijks verkeren in een bepaalde werksituatie tot een vermindering van de ter voorkoming van ongelukken raadzame voorzichtigheid leidt'[214] en in het feit dat het irreëel lijkt een werknemer op de gebruikelijke wijze aansprakelijk te stellen voor fouten die in het moderne productieproces tot enorme schade kunnen leiden.[215]

3.5 Rechten en plichten bij overgang van een onderneming

Het vraagstuk van de overgang van de rechten en verplichtingen bij overgang van een onderneming wordt geregeld in de afdeling 8 van titel 10 (art. 7:662–7:666) BW. Deze artikelen zijn toegevoegd door de Wet van 15 mei 1981. Door deze wetswijziging werd uitvoering gegeven aan de EG-richtlijn inzake het behoud van rechten van werknemers bij overgang van ondernemingen van 14 februari

doel Richtlijn

213 Asser-Hartkamp I, nr. 309–330.

214 Aldus HR 27 maart 1992, NJ 1992, 496 met betrekking tot de aansprakelijkheid ex art. 7:658 BW voor een bedrijfsongeval.

215 Volledigheidshalve verwijs ik nog naar HR 16 oktober 1992, NJ 1993, 264, JAR 1992, 12, waarin werd aangenomen dat de werkgever onder bepaalde omstandigheden ook aansprakelijk kan worden gesteld voor de schade die de werknemer bij de uitvoering van de arbeidsovereenkomst aan zijn eigen zaken toebrengt.

1977[216], herzien bij Richtlijn 98/50/EG.[217] Doel van de richtlijn is te bewerkstelligen dat werknemers in geval van overgang van een onderneming op de voor hen geldende arbeidsvoorwaarden in dienst van de verkrijger kunnen blijven.[218]
Door de nieuwe artikelen werd met het privaatrechtelijke systeem, dat de nieuwe werkgever vrij was met de werknemers al dan niet een nieuwe overeenkomst af te sluiten, gebroken. Thans wordt de arbeidsovereenkomst in geval van overgang van de onderneming behandeld als een relatie die bovenal een onderdeel is van een onderneming en die dientengevolge in haar geheel automatisch met de onderneming overgaat indien deze aan een andere ondernemer/werkgever wordt overgedragen. Art. 7:662 e.v. BW regelen de rechtspositie van de werknemer tegenover zijn nieuwe werkgever, zowel voor wat betreft zijn ontslagbescherming, als zijn arbeidsvoorwaarden in het algemeen.[219]

rechtspositie werknemer

begrip onderneming

Het begrip onderneming wordt in art. 7:662 BW niet gedefinieerd. Ook de richtlijn bevat geen definitie . Niettemin is 'onderneming' in de zin van de richtlijn een communautair begrip en moet het begrip in art. 7:662 BW dus worden uitgelegd aan de hand van de omschrijving die daarvan door het Hof van Justitie werd gegeven.[220] Uit de jurisprudentie van het Hof blijkt dat een onderneming een eenheid is die een economische activiteit uitoefent.[221] Gezien het sociale doel dat met de richtlijn wordt nagestreefd moet het begrip onderneming ruim worden opgevat. Een personeelskantine en een schoonmaakdienst bijvoorbeeld kunnen een onderneming in de zin van de richtlijn zijn. Wel moet het gaan om een georganiseerd geheel van personen en elementen waarmee duurzaam een economische activiteit met een eigen doelstelling wordt uitgeoefend. De entiteit is meer dan een (bepaalde) activiteit.[222]

overgang

Overgang van (een onderdeel van) de onderneming kan op verschil-

216 Richtlijn 77/187/EEG, PbEG 1977, L61/26.
217 PbEG 1998, L 201/88. Zie M. Holtzer, De gewijzigde richtlijn overgang ondernemingen, Sociaal recht 1999, 7/8. p. 189-194.
218 M.J. van Vliet, Overgang van een onderneming, Arnhem 1994; A.M. Luttmer-Kat, Rechten van werknemers bij overgang van onderneming, TVVS 1994, 1, p. 1; Th.P. ten Brink, Rechten van de werknemer bij overgang van een onderneming, bijdrage aan Herziening Wet op de arbeidsovereenkomst, Alphen aan den Rijn 1995; P.W. van Straalen, Jurisprudentie inzake overgang van ondernemingen, De Naamloze Vennootschap, 1997, p. 197; P.W. van Straalen, Behoud van rechten van werknemers bij overgang van onderneming, diss. Groningen 1999.
219 Zie over mogelijke toekomstige ontwikkelingen P.W. van Straalen, TVVS 1995, 1, p. 12; W.J. Oostwolder, Nieuwe mogelijkheden voor 'contracting out services' en voor overdracht van insolvente ondernemingen?, SMA 1996, 1, p. 24.
220 Dit in tegenstelling tot het begrip werknemer dat ook in de richtlijn wordt gebezigd: de definitie van dat begrip wordt aan de lidstaten overgelaten. P. W. van Straalen, Behoud van rechten van werknemers bij overgang van onderneming, diss. Groningen 1999, p. 14.
221 Van Straalen, t.a.p. p. 37 en de daar genoemde jurisprudentie.
222 HvJ EG 11 maart 1997, Jur. 1997, p. I-1259, r.o. 15.

lende wijzen plaatsvinden. In de eerste plaats door overeenkomst. Daarbij worden de verschillende bestanddelen (bedrijfsgebouwen, handelsnaam, vorderingen, schulden, enz.) overgedragen, elk op de daarvoor juridisch voorgeschreven wijze. Voorts worden, in samenhang daarmee, de ondernemingsactiviteiten door de overdrager gestaakt, en voortgezet door de verkrijger.[223] Ook op de overgang als gevolg van een juridische splitsing is deze afdeling van toepassing (art. 7:662 sub b BW). De in Nederland veel voorkomende overname van ondernemingen die in de vorm van een BV of NV worden gedreven door middel van koop of ruil van aandelen valt buiten de werking van art. 7:662 e.v. BW, aangezien hierbij geen verandering van werkgever optreedt.

overgangsrechten en -plichten

De kern van de regeling ligt in art. 7:663 BW. Dit artikel schrijft dwingend voor dat bij overgang van (een deel van) een onderneming alle op dat tijdstip bestaande rechten en plichten uit arbeidsovereenkomst van de aldaar werkzame werknemers[224] automatisch overgaan op de verkrijger; er vindt van rechtswege contractsovername plaats; de verkrijger wordt op dezelfde wijze gebonden aan de op het tijdstip van de overdracht bestaande arbeidsovereenkomsten als de vervreemder.[225] Art. 7:664 BW maakt echter een niet onbelangrijke uitzondering op de automatische overgang van rechten en plichten ten aanzien van pensioentoezeggingen.[226]
Het voorgaande betekent dat de verkrijger na de overdracht verplicht is de bestaande arbeidsvoorwaarden in acht te nemen. Ook is de overnemer jegens de werknemers die ten tijde van de overname in dienst zijn

223 HvJ EG 14 april 1994, NJ 1995, 149, JAR 1994, 107, Arbeidsrechtspraak nr. 32 (Schmidt); HvJ EG 7 maart 1996, JAR 1996, 169; A.M. Luttmer-Kat, Wanneer is er sprake van overgang van een onderneming, TVVS 1994, 8, p. 197; M.O. Meulenbelt, Opdracht + enige werknemers = 'onderneming'?. ArbeidsRecht 1996, 39. T. van Peijpe, Overdracht van uitbesteed werk na het arrest Süzen, SMA 1997, 11/12, p. 583. M.G. Rood, 'Doorstart' in sociaalrechtelijke perspectief, TVVS 1997/7, p. 202–204. Het Hof van Justitie rekt het begrip overdracht krachtens overeenkomst zeer ver uit. Een ontbinding van een pachtovereenkomst van een restaurant, gevolgd door een nieuwe pachtovereenkomst met een andere exploitant, is te zien als een overdracht krachtens overeenkomst in de zin van de richtlijn (HvJ EG 10 februari 1988, Jur. 1988, p. 739; P. W. van Straalen, Behoud van rechten van werknemers bij overgang van onderneming, diss. Groningen 1999, p. 47). De aan de overdracht ten grondslag liggende verbintenis kan ook een eenzijdige rechtshandeling zijn. Een besluit een subsidie aan een stichting voor verslavingszorg in te trekken, en vervolgens het verstrekken van subsidie aan een andere stichting leidde tot overgang van de onderneming (HvJ EG 19 mei 1992, Jur. 1992, p. I-3189, NJ 1992, 476, Arbeidsrechtspraak nr. 32).

224 Volgens HR 8 oktober 1993, NJ 1994, 211, JAR 1993, 244 is art. 7:663 BW in beginsel ook van toepassing op de arbeidsovereenkomst van de bestuurder van een vennootschap, maar niet op de bestuursfunctie zelf.

225 Volgens HR 23 oktober 1987, NJ 1988, 235, Arbeidsrechtspraak nr. 21 (Ibes/Atmos), geldt dit ook voor de rechten en verplichtingen die voortvloeien uit een concurrentiebeding ex art. 7:653 BW. Hierover P.W. van Straalen, Moet het concurrentiebeding in de overgang?, SR 1995, 7/8, p. 221.

226 E. Lutjens, N.O.P. Roché, Pensioen en overgang van ondernemingen, Zwolle 1986. E. Lutjens en W.A. van Zelst, Pensioenproblematiek bij overgang van onderneming, Zwolle 1991.

aansprakelijkheid

van de vervreemder, aansprakelijk voor eventuele schulden uit arbeidsovereenkomst van de vervreemder die vóór de overdracht zijn ontstaan (bijvoorbeeld achterstallige lonen, vorderingen uit kennelijk onredelijk ontslag,[227] e.d.).[228] Aangezien dit laatste risico niet altijd even overzienbaar is, leidt dit er in de praktijk soms toe dat er geen koper voor de onderneming kan worden gevonden.

hoofdelijke aansprakelijkheid vervreemder

Als extra waarborg is voorts bepaald dat de oude werkgever nog gedurende een jaar na de overgang hoofdelijk aansprakelijk blijft jegens de betrokken werknemers voor verplichtingen uit arbeidsovereenkomst die vóór dit tijdstip zijn ontstaan.[229] Dit is gedaan om benadeling van een werknemer, bijvoorbeeld door overdracht van de onderneming aan een stroman die geen verhaal biedt, te voorkomen.

ontslag

Overgang van de onderneming *op zichzelf* mag – noch voor de overdragende ondernemer, noch voor de ondernemer die het bedrijf voortzet – een reden zijn om een werknemer te ontslaan; een dergelijk ontslag is van rechtswege nietig.[230] Dit laat echter onverlet de mogelijkheid om de werknemer te ontslaan wegens technische, economische of organisatorische redenen, of om op die gronden ontbinding te vragen. Deze ontsnappingsmogelijkheid wordt noodzakelijk geacht om de ondernemer de kans te laten ingeval van overdracht van de onderneming veranderingen in de organisatie en productie aan te brengen die noodzakelijk zijn voor de rationalisatie van het bedrijf.

ontslag nemen

Hoewel de nieuwe werkgever op dezelfde wijze als de oude aan de arbeidsovereenkomst is gebonden, kunnen de arbeidsomstandigheden van de werknemer door de overgang de facto verslechteren. Zo kunnen bijvoorbeeld zijn promotiekansen verminderen en de afstand tussen zijn woning en werkplaats kan aanmerkelijk worden vergroot. Indien de werknemer op grond hiervan de arbeidsovereenkomst door ontbinding wil doen eindigen, wordt deze ontslagreden door art. 7:665 BW 'voor rekening van de werkgever' gebracht. De bedoeling hiervan is dat de kantonrechter – voor zover de werknemer op grond van zijn verslechterde situatie ex art. 7:685 BW ontbinding van de arbeidsovereenkomst

227 HR 21 april 1995, NJ 1995, 671, JAR 1995, 110.

228 Bij onmacht van een werkgever om achterstallig loon te betalen kan deze verplichting onder bepaalde omstandigheden worden overgenomen door de bedrijfsvereniging (artt. 61 e.v. WW). Na overdracht van de onderneming van deze werkgever heeft de bedrijfsvereniging hiervoor regres op de verkrijger (art. 66 WW). W.M. Levelt-Overmars, De positie van werknemers en bedrijfsverenigingen bij surséance van betaling en faillissement, Zwolle 1986.

229 M.L.W. Weerts en L. Spronken, De boemerang van art. 7A:1639aa e.v. BW, NJB 1995, 16, p. 588.

230 De nietigheid is een absolute. HR 29 december 1995, JAR 1996, 29, SMA 1996, 3, p. 202, m.n. P.W. van Straalen, TVVS 1996, p. 116, m.n. MGR; A.J. Swelheim, Ontslag wegens overgang van een onderneming en verjaring, ArbeidsRecht 1996, 28; D.Th.J. van der Klei, Buitenwettelijk ontslagverbod: Risico's aan sanering buiten faillissement, ArbeidsRecht 1997, 5.

heeft verzocht – bij het bepalen van zijn vergoeding krachtens art. 7:685 lid 8 BW daarmee rekening houdt.[232]

cao-rechten bij overgang onderneming

De Wet van 15 mei 1981 heeft niet alleen veranderingen aangebracht in het Burgerlijk Wetboek, maar ook in de Wet op de cao van 1927 (art. 14a) en de Wet op het algemeen verbindend en onverbindend verklaren van collectieve arbeidsovereenkomsten (art. 2a). De (algemeen verbindend verklaarde) cao bepaalt mede welke rechten en verplichtingen uit een arbeidsovereenkomst ontstaan; ook deze rechten en verplichtingen gaan uiteraard bij overgang van de onderneming van rechtswege over op de verkrijger. De nieuwe art. 14a en 2a geven gedetailleerd aan wanneer die rechten en verplichtingen ophouden te bestaan. In het algemeen is dat het geval wanneer voor de nieuwe ondernemer een andere (algemeen verbindend verklaarde) cao van kracht wordt.[232]

toepasselijkheid bij faillissement

De toepassing van art. 7:662 e.v. BW heeft geleid tot talloze interpretatieproblemen. In de praktijk was de belangrijkste vraag of deze artikelen ook van toepassing waren indien de overdrager in staat van faillissement was verklaard. Deze vraag is door het Hof van Justitie EG[233] en daarna door de Hoge Raad ontkennend beantwoord.[234] Deze uitspraak is door de Vaststellingswet neergelegd in art. 7:666 BW.

surséance

De regeling van art. 7:662 e.v. BW is wel van toepassing bij overdracht tijdens een surséance van betaling Daar is immers de procedure gericht op voortzetting van de ondernemersactiviteit. In geval van overdracht in het kader van schuldsanering van een natuurlijke persoon, als geregeld in titel III van de Faillissementswet, is de regeling van art. 662 e.v. BW waarschijnlijk niet van toepassing, omdat die procedure gericht is op liquidatie.[235]

schuldsanering

231 De werknemer is niet verplicht bij de overnemende ondernemer in dienst te treden. Vgl. HvJ EG 7 maart 1996, NJ 1997, 172, JAR 1996, 169. W.J.M. van Tongeren, De werknemer die weigert over te gaan, ArbeidsRecht 1996, 55. Zie ook HvJ EG 11 juli 1985, NJ 1988, 907; HvJ EG 16 december 1992, JAR 1993/64. Verzet de werknemer zich tegen de overgang, dan eindigt zijn arbeidsovereenkomst van rechtswege. HR 7 oktober 1988, NJ 1989, 240.

232 Niettemin kan de werknemer onder omstandigheden ook na dat moment nog rechten aan de cao ontlenen. Zie L.A.J. Schut, CAO-recht langs lijnen van geleidelijkheid, SMA 1998, 5, p. 222-225. A.M. Luttmer-Kat, Collectieve arbeidsvoorwaarden en overgang van onderneming, Nederlands tijdschrift voor sociaal recht 1997, 10, p. 284-287. T.S. Pieters, Botsende cao's bij overgang van ondernemingen, Arbeidsrecht 1997, nr. 9, A.A. de Jong, Botsende CAO's bij overgang van ondernemingen II, ArbeidsRecht 1997, 31; Rb. Amsterdam 18 september 1996, JAR 1996, 228, SMA 1997, 5, p. 306, m.n. M.M. Olbers.

233 HvJ EG 7 februari 1985, NJ 1985, 900.

234 HR 30 oktober 1987, NJ 1988, 191. Zie ook M.L. Lennarts en P.W. van Straalen, Toepassing van de artt. 7A:1639aa e.v. BW, ook in faillissement?, TVVS 1997, 1, p. 1; Reactie TVVS 1997, 4, p. 124. Artikel 7:662 e.v. zijn wel van toepassing in geval van surséance van betaling.

235 E. Loesberg, Tijdschrift voor Insolventierecht 1998, p. 226.

3.6 Einde van de arbeidsovereenkomst. Ontslagrecht[236]

3.6.1 *Algemeen*

Het wettelijk ontslagrecht is neergelegd in afdeling 9 van titel 10 (Einde van de arbeidsovereenkomst), art. 7:667–7:686 BW en in art. 6 en 9 Buitengewoon Besluit Arbeidsverhoudingen (BBA). Het gaat hier om het meest gecompliceerde en meest technisch-juridische onderdeel van het arbeidsrecht.

Er kunnen vier verschillende manieren worden onderscheiden waardoor een arbeidsovereenkomst kan eindigen. Deze zullen hieronder worden behandeld. Achtereenvolgens komen aan de orde: de beëindigingsovereenkomst (3.6.2), de opzegging (3.6.3), de ontbinding door de rechter (3.6.4) en het einde van rechtswege (3.6.5). Alvorens tot deze behandeling over te gaan echter eerst drie kanttekeningen.

term 'ontslagrecht'

De eerste kanttekening is van terminologische aard. De term 'ontslagrecht' kan verwarring wekken. De term ontslag, hoewel niet voorkomend in onze civielrechtelijke wetgeving, wordt meestal gebruikt als synoniem voor het doen eindigen van een dienstbetrekking door opzegging. Daarnaast wordt het begrip ontslagrecht in de literatuur echter gemakshalve ook wel gehanteerd om daarmede *alle* wijzen van eindigen van de arbeidsovereenkomst aan te duiden. Ook in dit boek wordt het begrip ontslag in beide betekenissen gebruikt; uit de context waarin dit gebeurt moge blijken of met deze term slechts een beëindiging door een opzegging is bedoeld, dan wel het eindigen van de dienstbetrekking in het algemeen.

De tweede kanttekening betreft de vooronderstellingen die aan het ontslagrecht ten grondslag liggen.

beginselen ontslagrecht

bescherming

Het ontslagrecht beoogt een aantal tegenstrijdige grondbeginselen zo rechtvaardig mogelijk met elkaar in harmonie te brengen.
In de eerste plaats is het ontslagrecht gericht op de bescherming van de werknemer tegen ontslag, hetgeen begrijpelijk is daar de werknemer zowel materieel als immaterieel een groot belang heeft bij het behoud van zijn arbeidsovereenkomst. Maar de ontslagbescherming van de werknemer kan niet zo ver gaan, dat hierdoor een onaantastbaar recht op continuering van zijn arbeidsovereenkomst zou ontstaan. Dit recht vindt zijn begrenzing in het belang van de werkgever bij een goede functionering

236 Arbeidsovereenkomst (losbladig), deel 1; L.H. van den Heuvel, Ontslagrecht, Zwolle 1996. Zie voor rechtsvergelijkende aspecten van het ontslagrecht Bulletin of Comparative Labour Relations, nr. 11, Deventer 1980; B. Hepple, Flexibility and security of employment, bijdrage aan Comparative labour law and industrial relations in industrialised market economies, Deventer 1990, p. 167.

van de onderneming, hetgeen ertoe kan leiden dat werknemers worden ontslagen die niet (meer) passen in het productieproces.[237]
In de tweede plaats ligt de situatie in concrete gevallen ook wel eens zo dat de werknemer niet zozeer behoefte aan ontslagbescherming heeft, maar juist graag van betrekking wil veranderen. Het behoeft geen betoog, dat de ontslagbepalingen het recht van een werknemer op vrije keuze van dienstbetrekking niet mogen blokkeren (art. 19 lid 3 Gr.w). Maar evenzeer is duidelijk dat een werkgever in moeilijkheden kan geraken – in het bijzonder als het gespecialiseerde, moeilijk vervangbare werknemers betreft – wanneer de werknemer het recht zou hebben dit beginsel op ieder gewenst moment te realiseren. Ook hier wordt van het ontslagrecht een afweging van belangen vereist.

vrije keuze

Tot slot heeft ook de overheid belang bij de wijze waarop het ontslagrecht is ingericht, omdat de gevolgen van ontslagen in veel gevallen mede ten laste komen van de collectieve middelen (WW, ABW).[238]

overheid

De derde kanttekening betreft de ontwikkeling van het ontslagrecht in de loop der jaren.

ontwikkeling

Voor wat die ontwikkeling betreft kunnen we constateren, dat de ontslagbescherming van de werknemer vanaf de invoering van de wettelijke opzeggingstermijn in 1909 tot 1999 voortdurend is vergroot, ten koste van de ontslagvrijheid van de werkgever. Uit deze verschuiving, van ontslag*vrijheid* (van de werkgever) naar ontslag*bescherming* (van de werknemer), blijkt een toegenomen waardering van het sociaal en economische belang dat het behoud van de arbeidsrelatie voor de werknemer vertegenwoordigt.
In de loop van de jaren tachtig wezen de tekenen erop dat deze trend zou worden omgebogen. De door het kabinet in 1982 gestarte zogenaamde dereguleringsoperatie beoogde onder meer een vereenvoudiging van het rechtsstelsel en het schrappen van normen die meer kosten dan baten opleverden. Voor wat het ontslagrecht betreft vond dit streven zijn neerslag in voorstellen om het ontslagrecht te vereenvoudigen en de ontslagmogelijkheden (flexibiliteit) te vergroten door de ontslagbescherming te beperken, zulks omdat de bestaande ontslagbescherming werkgevers zou ontmoedigen om nieuw personeel aan te trekken.[239]
Met het van kracht worden van de wet Flexibiliteit en zekerheid[240] op

Flexibiliteit en zekerheid

237 Zie over de spanning tussen de behoefte aan zekerheid van de werknemer en de behoefte aan flexibiliteit van de onderneming G.J.J. Heerma van Voss, Ontslagrecht in Nederland en Japan, diss. RUU, Deventer 1992. Zie voorts T. van Peijpe, Ongelijkheidscompensatie in het ontslagrecht, bijdrage aan de Rood-bundel, p. 369.

238 W.P.J.M. Fase, Wederzijds begrip, over de aansluiting tussen het arbeids- en sociale verzekeringsrecht, oratie RUL, Deventer 1993.

239 A.T.J.M. Jacobs en W. Plessen, Deregulering in het arbeidsrecht, SEW 1992, 2, p. 83.

240 Wet van 2 juni 1998, Stb. 300. S.W. Kuip en C.G. Scholtens, Flexibiliteit en zekerheid, Deventer, Kluwer 1999; E. Verhulp, Flexibiliteit en zekerheid, 2e druk, Den Haag: Sdu 1999; G.J.J. Heerma van Voss, Wet flexibiliteit en zekerheid, Deventer: Kluwer 1998.

1 januari 1999 heeft deze ombuiging zijn juridische neerslag gekregen. De wijzigingen van het wettelijk ontslagrecht die bij die gelegenheid zijn gerealiseerd, strekken ertoe een nieuw evenwicht tot stand te brengen tussen partijen op de arbeidsmarkt waarbij flexibiliteit en zekerheid hand in hand gaan, en wel zodanig dat het proces van flexibilisering van de arbeid op een verantwoorde en evenwichtige wijze voor beide partijen verloopt.[241] Gestreefd is in dit kader onder meer naar verbetering van de procedures en verkorting van de totale duur van de beëindiging.

structuur ontslagrecht ongewijzigd

Ook met betrekking tot het einde van overeenkomsten voor bepaalde tijd is de regeling versoepeld. De structuur van het ontslagrecht bleef bij deze operatie onaangetast. Met name het vereiste van toestemming van de Regionaal Directeur van de Arbeidsvoorzieningsorganisatie voor opzegging van de arbeidsverhouding (art. 6 BBA) bleef gehandhaafd. De beoogde versnelling en versoepeling werd nagestreefd door verkorting van de ontslagtermijnen, versoepeling van het verbod van ontslag tijdens ziekte en versoepeling van de mogelijkheid van een overeenkomst voor bepaalde tijd gebruik te maken.
Een op 25 februari ingestelde Adviescommissie Duaal Ontslagrecht onderzoekt de mogelijke toekomstige ontwikkelingen die zich met betrekking tot het wettelijk ontslagrecht kunnen voordoen.

3.6.2 *Beëindigingsovereenkomst*

Overeenkomsten – ook arbeidsovereenkomsten – ontstaan door toestemming van partijen en evenzo kunnen zij door toestemming tenietgaan (art. 6:217, 3:33–37 BW). Deze wijze van tenietgaan is een tweezijdige rechtshandeling, dat wil zeggen zij bestaat uit een overeenstemmende wilsverklaring van twee partijen (werkgever en werknemer), gericht op het tenietdoen van de arbeidsovereenkomst. Men kan deze rechtshandeling betitelen als een beëindigingsovereenkomst.
Hoewel het tenietgaan van een arbeidsovereenkomst door middel van de toestemming van partijen in de praktijk veelvuldig voorkomt, wordt deze wijze van eindigen niet genoemd in afdeling 9 van titel 10 van Boek 7 BW.
Aangezien een specifieke wettelijke regeling van de beëindigingsovereenkomst ontbreekt, moeten we aannemen dat het tenietgaan van arbeidsovereenkomsten door toestemming van partijen wordt beheerst door de algemene beginselen van het contractenrecht.[242]

aanbod en aanvaarding

Volgens het contractenrecht komt een beëindigingsovereenkomst tot stand door aanvaarding van een aanbod tot beëindiging (art. 6:217 BW).

241 Kamerstukken 25 263, 3, p. 1.
242 De eigen aard van de arbeidsovereenkomst kan echter soms aan de toepassing van algemene privaatrechtelijke beginselen een eigen uitwerking geven. Y. Konijn, Cumulatie of exclusiviteit? Diss. Utrecht 1999, Den Haag, Boom Juridische Uitgevers, in het bijzonder hoofdstuk 4; M.G. Rood, Over de goede trouw in het ontslagrecht, bijdrage aan Frenkel-bundel, p. 132.

Als moment van totstandkoming van de overeenkomst geldt in beginsel het moment dat de aanvaarding de aanbieder heeft bereikt (art. 3:37 lid 3 BW).
Een aanbod is in beginsel herroepelijk (art. 6:219 lid 1 BW). Intrekking van het aanbod is mogelijk zolang het niet is aanvaard en evenmin een schriftelijke aanvaarding is verzonden (art. 6:219 lid 2 BW).[243] Herroeping van een aanbod kan in iedere vorm geschieden (art. 3:37 lid 1 BW).

wilsverklaring

Een ander algemeen privaatrechtelijk leerstuk komt naar voren bij de vraag in hoeverre een werkgever mag afgaan op een acceptatie door de werknemer van een beëindigingsaanbod, indien deze acceptatie niet overeenstemt met de werkelijke wil van de werknemer.
In het contractenrecht geldt als wilsverklaring niet alleen de verklaring van de werkelijke wil maar – bij discrepantie tussen wil en verklaring – ook de toerekenbare schijn daarvan. Anders gezegd: met de werkelijk gewilde verklaring wordt gelijkgesteld de verklaring die door de wederpartij als zodanig mocht worden opgevat (art. 3:33, 3:35 BW).
Uit de rechtspraak van de Hoge Raad komt naar voren, dat een werkgever er niet al te spoedig op mag vertrouwen dat een werknemer met een beëindigingsaanbod heeft ingestemd. In het algemeen is daarvoor vereist dat de verklaringen of gedragingen van de werknemer duidelijk en ondubbelzinnig blijk geven van zijn instemming.[244] Soms is daarbij een nader onderzoek van de werkgever vereist. Dat blijkt bijvoorbeeld uit het geval waarin een buitenlandse werknemer een werkgeversverklaring had ondertekend, die enerzijds een salarisafrekening bevatte en die anderzijds ten doel had tot het einde van de arbeidsovereenkomst te geraken. De werknemer, die de Nederlandse taal slecht beheerste, stelde dat zijn ondertekening slechts de afrekening had betroffen en dat hij niet tevens bedoeld had met het einde van de arbeidsovereenkomst akkoord te gaan. Naar zijn mening was er dan ook geen beëindigingsovereenkomst tot stand gekomen.

onderzoek werkgever

De Hoge Raad gaf de werknemer gelijk, overwegende dat de werkgever in de gegeven omstandigheden niet zonder meer op de ondertekening had mogen afgaan, doch zich er 'met redelijke zorgvuldigheid' van had moeten vergewissen 'of de werknemer heeft begrepen dat zijn instem-

243 Asser-Hartkamp II, nr. 146. Zie over de bindendheid van een aanbod in het kader van een kennelijk onredelijk ontslag en van een ontbindingsprocedure respectievelijk HR 20 juni 1975, NJ 496, SMA 1976, p. 118 en HR 1 juli 1983, NJ 1984, 150; J.J. Trap en W.M. Hes, KLM/van Dam revisited: kennelijk onredelijk ontslag en door werknemer niet aanvaarde afvloeiingsregeling, ArbeidsRecht 1995, 27.

244 HR 25 maart 1994, JAR 1994, 92; HR 19 april 1996, JAR 1996/116, Arbeidsrechtspraak nr. 34. C.C.A.M. Jacobs-de Klerk, De duidelijke en ondubbelzinnige verklaring, bijdrage aan de De Leede-bundel; J. van der Hulst, De gebondenheid van de werknemer aan vrijwillige beëindiging van het dienstverband, SR 1994, 11, p. 318.

ming met de beëindiging van de arbeidsovereenkomst wordt gevraagd.'[245]

gevolgen beëindigingsovereenkomst

Acceptatie van een aanbod van de werkgever om de arbeidsovereenkomst te beëindigen, kan voor de werknemer ernstige gevolgen hebben. Niet alleen eindigt daardoor zijn dienstbetrekking, maar ook bestaat de kans, dat hij daardoor zijn recht op een werkloosheidsuitkering niet (onverkort) geldend kan maken (8.4.4).[246] In een dergelijk geval mag niet al te lichtvaardig worden aangenomen dat van acceptatie sprake is. Bij mogelijke twijfel zal de werkgever er daarom verstandig aan doen na te gaan of de werknemer inderdaad met het eindigen van de arbeidsovereenkomst akkoord gaat. In ieder geval zal het dikwijls raadzaam zijn de beëindigingsovereenkomst en de daaraan verbonden gevolgen zo duidelijk mogelijk schriftelijk vast te leggen.[247]

vernietiging beëindigingsovereenkomst

Tot slot kan er op worden gewezen dat een geldig tot stand gekomen beëindigingsovereenkomst kan worden vernietigd indien een der partijen bij het afsluiten heeft gehandeld onder invloed van een wilsgebrek. Het BW kent vier wilsgebreken, te weten: bedreiging, bedrog, misbruik van omstandigheden (art. 3:44 BW) en dwaling (art. 6:228 BW).[248]

3.6.3 *Opzegging*

3.6.3.1 *Algemeen*

De opzegging is een eenzijdige rechtshandeling. Zij kan worden gedefinieerd als een wilsverklaring van een werknemer of een werkgever, gericht op het doen eindigen – hetzij direct, hetzij op termijn – van de arbeidsovereenkomst.[249]

opgave redenen

De opzegging is een vormvrije rechtshandeling. Schriftelijke opgave van

245 HR 14 januari 1983, NJ 457, Arbeidsrechtspraak nr. 35 (Hajziani/Van Woerden). In gelijke zin HR 25 maart 1994, NJ 1994, 390, JAR 1994, 92, TVVS 1994, 6, p. 166, m.n. MGR, Arbeidsrechtspraak nr. 34 (Ritico). Een onderzoeksplicht kan ook buiten het arbeidsovereenkomstenrecht bestaan, vgl. J.B.M. Vranken, Mededelings-, informatie en onderzoeksplichten in het verbintenissenrecht, Zwolle 1989, p. 40.

246 A. van der Kolk en C.G. Scholtens, De nieuwe WW (Wet boeten, etc.) en een nieuwe beëindigingsprocedure-overeenkomst?, ArbeidsRecht 1996, 54; M.J.P.M. Kieviet, Wet Boeten, maatregelen en terug- en invordering sociale zekerheid en de beëindiging van de arbeidsovereenkomst, ArbeidsRecht 1996, 73.

247 M.G. Rood, Over convenanten in ontslagzaken, in: Van Binsbergen e.a., Antidorum, Zwolle, W.E.J. Tjeenk Willink, Zwolle 1990, p. 139.

248 HR 4 juni 1993, JAR 1993, 157 (vernietiging beëindigingsovereenkomst wegens dwaling); Rb. 's-Gravenhage 26 februari 1992, JAR 1992, 6 (vernietiging beëindigingsovereenkomst wegens misbruik van omstandigheden); HR 17 januari 1997, JAR 1997, 54 (vernietiging beëindigingsovereenkomst wegens dwaling en bedrog). Ch.G.A. van Rijckevorsel, Wilsgebrek en wilsdefect bij beëindiging van de arbeidsovereenkomst, ArbeidsRecht 1996, 45.

249 M. Reinsma, Opzegging van de arbeidsovereenkomst, SMA 1986, 7/8, p. 520. Zie ook G.J.P. de Vries, Opzegging van obligatoire overeenkomsten, diss. UvA, Zwolle 1990, pp. 110–219.

de reden is echter verplicht wanneer de wederpartij daarom verzoekt (art. 7:669 BW).

Het door een opzegging beoogde rechtsgevolg – het einde van de arbeidsovereenkomst – wordt meestal niet zonder meer bereikt. De wet heeft de opzegging met talloze voorschriften omgeven. Deze wetgeving is uitvoerig, verbrokkeld en ingewikkeld.[250] Daarbij komt dat in talloze cao's nadere of afwijkende bepalingen betreffende de opzegging zijn opgenomen.[251]

uitgangspunten

De ingewikkeldheid van de wettelijke regeling wordt vooral veroorzaakt door het feit dat de opzegging daarin wordt benaderd vanuit twee verschillende uitgangspunten, die tot verschillende resultaten leiden. Soms wordt uitgegaan van de geldigheid van de opzegging, hetgeen wil zeggen dat opzegging leidt tot het beoogde resultaat: de verbreking van de arbeidsovereenkomst op het beoogde moment. Daarnaast kent de wet echter ook de vernietigbare opzegging, die niet tot het beoogde rechtsgevolg leidt, zodat de arbeidsovereenkomst in stand blijft indien de werknemer tijdig een beroep op de vernietigingsgrond doet.

uitgangspunt BW

De geldige opzegging ligt ten grondslag aan de regeling in het Burgerlijk Wetboek. Het BW gaat er vanuit dat de arbeidsovereenkomst te allen tijde door opzegging kan worden verbroken (art. 7:677 lid 1 en 2 BW).

rechtsgeldig ontslag

Bij de opzegging moeten weliswaar bepaalde normen worden in acht genomen, maar een opzegging in strijd met deze normen tast de geldigheid van de opzegging niet aan, doch leidt uitsluitend tot de verplichting om aan de gelaedeerde een bedrag in geld te betalen.[252] De regel dat werkgever of werknemer op ieder gewenst moment de arbeidsovereenkomst door opzegging kunnen verbreken, vormt een inbreuk op de algemene beginselen van ons contractenrecht. Ook andere voor onbepaalde duur aangegane overeenkomsten, zoals huur en maatschap, kunnen door opzegging worden beëindigd, doch uitsluitend voor zover de daarbij geldende opzeggingstermijnen in acht worden genomen; eenzijdige voortijdige verbreking is hier niet mogelijk (nietig).[253]
Bij het tot stand komen van de Wet op de arbeidsovereenkomst in 1907 werd deze inbreuk als volgt gemotiveerd: 'In het ontwerp staat hier op den voorgrond het beginsel, dat ook door eigenmachtige eenzijdige verbreking de dienstbetrekking eindigt. Daarmede wordt vooreerst ter

250 Door Flexibiliteit en Zekerheid is geen grote verbetering op dit punt gebracht. Zie P.F. van der Heijden, Ontslagrecht 1998, een klassiek geval van polderitis, Sociaal Recht, 1997, 12, 347. Door de plaatsing per 1 juli 2000 van een nieuw opzegverbod in art. 3 WAA is de verbrokkeling nog verder toegenomen.

251 M.M. Olbers, Opzegbepalingen in cao's, SMA 1983, 7/8, p. 429.

252 De wet kent wel de mogelijkheid tot veroordeling de arbeidsovereenkomst te herstellen (art. 7:682 BW).

253 Asser-Hartkamp II, nr. 310. Zie ook J.F.M. Strijbos, Opzegging van duurovereenkomsten, diss. Nijmegen, Deventer 1985, p. 15 e.v.

zijde gesteld de werkelijke dwang, in het bijzonder tegenover den werknemer, tot nakoming der overeenkomst'. Deze reële executie '...zou geheel strijden met de ten onzent heersende opvattingen. En bovendien, de praktische waarde van gedwongen nakoming zou in de meeste gevallen van arbeidsovereenkomst al zeer gering zijn'.[254] Behalve de mogelijkheid van een 'eigenmachtige eenzijdige verbreking' introduceerde de wetgever in 1907 tevens het voorschrift om bij opzegging een termijn in acht te nemen (art. 7:671 lid 1 BW). Het negeren van dit voorschrift leidde echter niet tot nietigheid van de opzegging, doch slechts tot de verplichting om een bedrag te betalen gelijk aan het loon over de geschonden opzeggingstermijn.

termijn

Sedert 1907 zijn de wettelijke opzeggingstermijnen herhaaldelijk gewijzigd en daarnaast werd, in 1953, het begrip kennelijk onredelijke opzegging in het BW opgenomen (art. 7:681 BW). Al deze wijzigingen hebben echter het hier besproken principe onaangetast gelaten. Wel werd in 1976 op dit principe een uitzondering aangebracht door de introductie van de in art. 7:670 BW opgenomen ontslagverboden (zie hieronder).

vernietigbaar ontslag

Het nietig ontslag deed in Nederland zijn intrede met het Buitengewoon Besluit Arbeidsverhoudingen (BBA) 1945. Krachtens het BBA 1945 mocht een opzegging van een arbeidsovereenkomst in principe slechts geschieden met toestemming van de directeur van het Gewestelijk Arbeidsbureau (thans: Regionaal Directeur van de Arbeidsvoorzieningsorganisatie of Regionaal Directeur); een opzegging zonder deze toestemming is vernietigbaar (art. 6 lid 1, art. 9 lid 1, BBA).

Na de invoering van dit algemene opzegverbod door het BBA 1945, is er in de loop der jaren een aantal bijzondere opzegverboden – geldend in specifieke situaties of ten aanzien van bepaalde categorieën personen – tot stand gekomen. Overtreding van een opzegverbod leidt tot een vernietigbare opzegging. Wanneer bijvoorbeeld tijdens zwangerschap is opgezegd (art. 7:670 lid 2 BW) en de werkneemster doet, in de twee maanden volgende op de opzegging, een beroep op de vernietigingsgrond door kennisgeving aan de werkgever (art. 7:677 lid 5 BW) dan heeft dat beroep het resultaat dat de arbeidsovereenkomst niet verbroken is geweest en de rechten en verplichtingen uit die overeenkomst doorlopen. Overtreding van het in art. 7:664 BW geïmpliceerde opzegverbod leidt tot een (absoluut) nietige opzegging (zie 3.5).

Bij de bespreking van de opzegging wordt de navolgende systematiek aangehouden. Begonnen wordt met een behandeling van vernietigbare opzegging (3.6.3.2-3.6.3.3). Daarna komen opzeggingsbepalingen aan de orde die gewoonlijk eerst een rol spelen wanneer een opzegging niet,

254 Bles IV, p. 98.

of niet meer, nietig is: de onregelmatige opzegging (3.6.3.4) en de kennelijk onredelijke opzegging (3.6.3.5). Vervolgens wordt aandacht geschonken aan het collectief ontslag (3.6.3.6) en aan de opzegging tijdens faillissement en surséance van betaling (3.6.3.6), die respectievelijk een uitbreiding en een beperking van de ontslagbescherming met zich brengen. Daarna worden twee situaties behandeld waarin ontslagbescherming (vrijwel geheel) ontbreekt: de opzegging tijdens proeftijd (3.6.3.8) en de onverwijlde opzegging wegens een dringende reden (3.6.3.9). Het slotgedeelte geeft enkele voorbeelden van samenloop van opzeggingsregelingen (3.6.3.10).

opzet behandeling

Alvorens tot behandeling van de opzegging over te gaan, dient een opmerking vooraf te worden gemaakt. Bij het eindigen van de arbeidsovereenkomst is het van belang of de arbeidsovereenkomst voor bepaalde of voor onbepaalde tijd is aangegaan. In het eerste geval is het einde van de arbeidsovereenkomst van tevoren door partijen vastgelegd, in het tweede niet. In de praktijk worden de meeste arbeidsovereenkomsten voor onbepaalde tijd aangegaan. Bij de behandeling van de opzegging is daarom het accent gelegd op deze categorie; de arbeidsovereenkomst voor bepaalde tijd komt apart ter sprake bij het eindigen van rechtswege (3.6.5.1).

3.6.3.2 *Algemeen opzeggingsverbod. BBA 1945*

Inleiding

Volgens art. 6 lid 1 BBA behoeft de werkgever voor de opzegging van de arbeidsverhouding voorafgaande toestemming van de Regionaal Directeur van de Arbeidsvoorzieningsorganisatie (RDA).

verbod behoudens toestemming

Een geslaagd beroep op de vernietigingsgrond betekent dat de arbeidsverhouding doorloopt, met alle daaraan verbonden rechten en plichten. Met name de verplichting van de werkgever loon te betalen maakt het beroep op de vernietigingsgrond een geducht wapen in handen van de werknemer.

Regeling

De toestemming van de RDA is nodig wanneer een werkgever een werknemer wil *opzeggen*. Geen toestemming is dus nodig bij een verzoek tot ontbinding door de rechter,[255] bij een einde van de arbeidsovereenkomst van rechtswege[256] en evenmin bij het sluiten van een beëindigingsovereenkomst.

toepasselijkheid BBA: welke gevallen?

In het tweede lid van art. 6 BBA zijn enige uitzonderingen op het verbod van opzegging zonder toestemming geregeld. Toestemming voor opzeg-

255 HR 2 april 1959, NJ 1959, 199.
256 HR 8 april 1952, NJ 1952, 243.

ging is niet vereist indien de werknemer onverwijld is opgezegd om een dringende reden (3.6.3.9) (art. 6 lid 2 sub a BBA). In de praktijk is het deze uitzondering die tot de meeste loonprocedures na een beroep op de vernietigingsgrond aanleiding geeft: de werkgever passeert de RDA omdat hij meent een dringende reden voor onverwijlde opzegging te hebben, terwijl de werknemer de aanwezigheid van een dringende reden ontkent en dientengevolge een beroep op de vernietigingsgrond doet en doorbetaling van loon vordert. Toestemming van de RDA is evenmin vereist voor een opzegging tijdens de proeftijd (art. 6 lid 2 sub b BBA) of indien de opzegging geschiedt ten gevolge van faillissement van de werkgever of toepassing ten aanzien van hem van de Schuldsaneringsregeling natuurlijke personen (art. 6 lid 2 sub c BBA).

toepasselijkheid BBA: welke werknemers?

De personele werkingssfeer van het BBA is enerzijds ruimer, anderzijds beperkter dan die van titel 10 van boek 7 BW.

uitbreiding

Enerzijds is het BBA niet alleen van toepassing op werknemers in de zin van art. 7:610 BW (art. 1 sub b onder 1^{e} BBA), maar ook op daarmee vergelijkbare personen, nl. degene die persoonlijk arbeid verricht voor een ander, zoals omschreven in art. 1 sub b onder 2^{e}. Denk bijvoorbeeld aan een ijsverkoper die niet ondergeschikt is aan de partij die hem voor zijn arbeid betaalt.

uitsluiting

Anderzijds sluit art. 2 BBA de toepassing van het Besluit uit ten aanzien van de aldaar genoemde personen. Deze kunnen werknemer zijn in de zin van het BW. Alsdan zijn de (ontslag)regels van het BBA niet, maar die van het BW wel op hen van toepassing. Het betreft met name:

a. werknemers bij een publiekrechtelijk lichaam. Het ten aanzien van hen gevoerde ontslagbeleid ligt reeds volledig in handen van de overheid, zodat aan de bemoeienissen van de RDA geen behoefte bestaat;[257]
b. onderwijzend en docerend personeel, omdat moet worden aangenomen dat de besluitwetgever overheidsbemoeienis ex het BBA met het onderwijs in de zin van art. 23 Grondwet heeft willen uitsluiten.[258] Meestal gaat het hier om personeel verbonden aan bijzondere onderwijsinstellingen, aangezien personeel verbonden aan een openbare school reeds op grond van art. 2 lid 1 sub a niet onder het BBA valt.
c. personen die een geestelijk ambt bekleden, omdat moet worden aangenomen dat de besluitwetgever, gelet op de in de Grondwet neergelegde vrijheid van godsdienst, overheidsbemoeienis ex het BBA met de arbeidsverhouding van deze geestelijke ambtsdragers heeft willen vermijden;[259]
d. werknemers die doorgaans op minder dan drie dagen per

257 HR 15 januari 1971, NJ 1971, 305.
258 HR 19 oktober 1979, NJ 1980, 57; HR 20 maart 1993, NJ 1992, 725.
259 HR 30 mei 1986, NJ 1986, 702.

week (het aantal gewerkte uren is daarbij van geen betekenis) uitsluitend of hoofdzakelijk huishoudelijke of persoonlijke diensten in de huishouding van een natuurlijk persoon verrichten. Hierdoor wordt aangesloten bij de wijze waarop de kring van verzekerden op grond van de socialeverzekeringswetten is geregeld, vergelijk art. 6 lid 1 sub c ZW, WAO, WW. Het gaat hier bijvoorbeeld om schoonmaaksters die een dag of een ochtend per week bij een particulier werken.

Bovendien kan de werkingssfeer van het BBA, in vergelijking met die van titel 10 van Boek 7 BW, worden beperkt door een ministeriële vrijstellingsregeling op grond van art. 6 lid 9 BBA. Een dergelijke regeling kan voorwaardelijk of onvoorwaardelijk ontheffing of vrijstelling verlenen van de verplichting voor opzegging toestemming te vragen aan de RDA. Van zijn bevoegdheid op grond van dit artikelonderdeel heeft de minister gebruik gemaakt ten aanzien van directeuren (statutaire bestuurders) van naamloze en besloten vennootschappen.[260]

directeuren

Toetsingsnorm en procedure

procedure

Regels over de procedure die gevolgd wordt bij de verlening van toestemming voor opzegging op grond van art. 6 BBA zijn vastgelegd in art. 6 BBA zelf en in het Ontslagbesluit.[261]
De normale procedure bij de behandeling van een verzoek om toestemming voor opzegging is als volgt.

verzoek

De beslissing moet genomen worden door de RDA binnen wiens werkgebied de werknemer arbeid verricht of heeft verricht (art. 1:2 Ontslagbesluit). Tot die RDA moet dan ook het verzoek gericht worden. Het verzoek moet van gegevens en bescheiden zijn voorzien; zijn die onvoldoende dan kunnen ze binnen een bepaalde termijn worden aangevuld (art. 2:1 Ontslagbesluit).
Ontvangst van het verzoek wordt door de RDA schriftelijk meegedeeld, de werknemer kan binnen twee weken na deze mededeling verweer voeren (art. 2:2 lid 1 Ontslagbesluit). Na ontvangst van het verweer kan de RDA werkgever en werknemer vervolgens gelegenheid geven voor repliek en dupliek (art. 2:2 lid 2 Ontslagbesluit). Vervolgens vraagt de RDA advies aan de Ontslagadviescommissie (art. 2:5 Ontslagbesluit en 6 lid 4 BBA). Deze commissie bestaat uit vertegenwoordigers van werkgevers en werknemers.
Na ontvangst van het advies van die Commissie neemt de RDA zijn beslissing. Behelst die beslissing toestemming voor opzegging, dan bevat

260 Besluit van de Minister van Sociale Zaken van 21 november 1972, nr. 31 553, Stcrt. 1972, 234.
261 Regeling van 7 december 1998, Stcrt. 1998, 238.

die tevens de termijn gedurende welke die toestemming geldt. Die termijn is hoogstens 8 weken (art. 2:7 Ontslagbesluit).

geen beroep

Tegen beslissingen van de RDA inzake het verlenen van toestemming voor opzegging staat geen beroep open bij het College van beroep voor het bedrijfsleven (art. 6 lid 10 BBA). Ook op grond van de Algemene wet bestuursrecht kan niet tegen de beslissing van de RDA worden opgekomen. Art. 6 BBA is expliciet uitgezonderd in art. 8:5 Awb, Bijlage onder F. De vraag of deze gang van zaken in strijd is met het Europese verdrag voor de rechten van de mens, art. 6, is in de literatuur meermalen aan de orde gesteld.[262] De regering stelt zich op het standpunt dat deze strijd niet aanwezig is.[263] Wel is het mogelijk gebleken onder omstandigheden met succes een actie tegen de Arbeidsvoorzieningsorganisatie in te stellen op grond van onrechtmatigheid van de beslissing.[264] Ook een klacht bij de Nationale Ombudsman is in een aantal gevallen – bijvoorbeeld voorafgaand aan de onrechtmatigedaadprocedure – in behandeling genomen en in sommige gevallen gegrond beoordeeld. Gegrondbeoordeling betekent dat de Nationale ombudsman uitspreekt dat de RDA zich in de onderzochte zaak niet behoorlijk heeft gedragen.[265]

onrechtmatige daad

Ombudsman

Op de geschetste procedureregels wordt in een aantal gevallen een uitzondering gemaakt.

arbeidsomstandigheden

De RDA kan een onderzoek naar de arbeidsomstandigheden aan de betrokken werknemer laten instellen door de Arbeidsinspectie. Het rapport van de Arbeidsinspectie moet binnen twee weken na ontvangst van het verzoek aan de RDA worden verzonden. Werkgever en werknemer kunnen vervolgens in de gelegenheid worden gesteld binnen twee weken op dat rapport te reageren (art. 2:3 BBA).

arbeidsongeschiktheid

Voorts is in een afwijkende procedure voorzien wanneer de grond voor opzegging ongeschiktheid wegens ziekte of gebreken is. In dat geval moet de RDA advies inwinnen bij het Lisv naar de vraag of binnen 26 weken herstel te verwachten is (art. 5:2 lid 2 Ontslagbesluit). De RDA kan werkgever en werknemer in de gelegenheid stellen ook op dit advies, binnen twee weken, te reageren (art. 2:4 Ontslagbesluit).

bedrijfseconomische redenen

Een belangrijke uitzondering op de procedureregels wordt gemaakt in de in art. 2:6 Ontslagbesluit omschreven situatie. Wanneer een verzoek om toestemming voor opzegging wegens bedrijfseconomische reden is gedaan en tevens een verklaring van de werknemer is bijgevoegd dat hij

262 Bijvoorbeeld P.F. van der Heijden en G.J.J. Heerma van Voss, Artikel 6 BBA en artikel 6 EVRM, NJB 1990, p. 1313.

263 Kamerstukken 25 263, 132b, p. 8.

264 Rb. 's-Gravenhage 1 februari 1995, JAR 1995, 65. Zie H. Uhlenbroek, Remedies tegen ondeugdelijke ontslagvergunningen, ArbeidsRecht 1995, nr. 38.

265 De rapporten van de Nationale Ombudsman op klachten betreffende art. 6 BBA worden gepubliceerd in de JAR.

tegen de voorgenomen opzegging geen bezwaar heeft, zijn art. 2:2 en 2:5 Ontslagbesluit niet van toepassing. Als bedrijfseconomische omstandigheden die aanleiding kunnen zijn tot de ontslagaanvraag zijn onder meer aan te merken een slechte financiële situatie, een structurele werk- of omzetvermindering, een noodzakelijke reorganisatie of technologische veranderingen.[266] De schriftelijke ronde van repliek en dupliek, en het advies van de Ontslagcommissie vervallen dus. Wel worden de relevante stukken voor de Ontslagcommissie ter inzage gelegd. Bovendien zijn de termijnen korter: de werknemer moet binnen een week zijn zienswijze naar voren brengen. De RDA beslist vervolgens zo spoedig mogelijk. De omstandigheid dat op deze wijze en (uitsluitend) om deze reden toestemming is verleend brengt mee dat de werknemer niet verwijtbaar werkloos is (art. 24 lid 3 WW, zie 8.4.4.).

verkorte procedure

toetsingsnorm

Bij het nemen van zijn beslissing is de RDA gebonden aan de normen die in het Ontslagbesluit zijn neergelegd.[267]
Bij de totstandkoming van het ontslagrecht in het BBA 1945 en van de op het BBA gebaseerde Richtlijnen die als voorlopers van het huidige Ontslagbesluit kunnen worden aangemerkt,[268] hebben voornamelijk drie motieven gegolden:

1. de bescherming van de belangen van de werknemer;
2. de bescherming van de belangen van de werkgever;
3. de bevordering van de rust op de arbeidsmarkt, teneinde een ongestoorde en zo gunstig mogelijke productie te verkrijgen.

Dit laatste motief is in de jaren na de Tweede Wereldoorlog op de achtergrond geraakt.
Het vergunningenbeleid wordt ook gebruikt als instrument bij arbeidsmarktpolitiek en als middel dat kan bijdragen tot de volumebeheersing van de sociale zekerheid. Wanneer bijvoorbeeld door de wijze waarop art. 6 BBA wordt gehanteerd voorkomen kan worden dat gedeeltelijk arbeidsongeschikten hun werk verliezen, zal dat van invloed zijn op het aantal personen dat aanspraak maakt op een uitkering.[269]
Het moge duidelijk zijn dat tussen de beoordeling van een opzegging op individuele redelijkheidsgronden enerzijds en de arbeidspolitieke hantering van het toestemmingsstelsel anderzijds spanning kan bestaan.[270]

266 Kamerstukken 25 263, nr. 3, p. 16-17.
267 Volgens HR 11 mei 1979, NJ 1979, 441, Arbeidsrechtspraak nr. 51 (Werkhoven/Hal) kan de rechtsgeldigheid van een ontslagvergunning niet worden bestreden op grond van het feit dat de Regionaal Directeur van de Arbeidsvoorzieningsorganisatie in strijd met de richtlijnen (nu: Ontslagbesluit) zou hebben gehandeld.
268 Laatstelijk van 1993, Stcrt. 1993, 11. Vanaf 1993 was van toepassing het Delegatiebesluit, Besluit van 14 januari 1993, Stcrt. 11.
269 A.D.M. van Rijs en A.J.C.M. Wilthagen, Ontslagbescherming voor arbeidsongeschikte werknemers: tussen wal en schip?, SMA 1994, 7/8, p. 417; Kamerstukken 25 263, 132d, p. 6.
270 P.F. van der Heiden (e.a.), Ontslagrecht zonder ontslagvergunning, Amsterdam 1995, p. 3.

redelijkheid

De algemene toetsingsmaatstaf voor een voorgenomen ontslag is de redelijkheid (art. 3:1 Ontslagbesluit)

anciënniteit

Bij ontslag om bedrijfseconomische redenen moet het anciënniteit- of dienstjarenbeginsel worden toegepast. Dat wil zeggen dat per categorie uitwisselbare functies de personen met het kortste dienstverband het eerst voor opzegging in aanmerking komen. In geval van groepsontslagen kan het anciënniteitsbeginsel per leeftijdsgroep worden toegepast. Dit noemt men het afspiegelingsbeginsel.
Een afwijkende regeling wordt toegepast bij ontslagen in de schoonmaaksector en bij opzegging van een uitzendovereenkomst.

bedrijfseconomische redenen art. 4:2 Ontslagbesluit

Uitzondering op het anciënniteits- dan wel afspiegelingsbeginsel kan worden gemaakt indien het een voor de onderneming 'onmisbare' werknemer betreft (art. 4:2 lid 4 Ontslagbesluit). Toestemming kan, ondanks het feit dat het anciënniteit- of afspiegelingsbeginsel niet geschonden is, niettemin geweigerd worden indien deze werknemer een zwakke arbeidsmarktpositie heeft, en dit niet het geval is met de werknemer die alsdan voor ontslag in aanmerking komt (art. 4:2 lid 5 Ontslagbesluit).

ongeschiktheid voor functie

Indien als reden voor de opzegging de werkgever aanvoert dat de werknemer ongeschikt is voor zijn functie ligt de bewijslast van die ongeschiktheid op de werkgever. Bovendien moeten voldoende pogingen tot verbetering zijn aangebracht. Ongeschiktheid die voortvloeit uit onvoldoende zorg voor de arbeidsomstandigheden door de werkgever leidt niet tot ontslag. Wanneer bijvoorbeeld een werknemer zijn taak niet aankan omdat onvoldoende maatregelen tegen stress worden genomen, kan de ongeschiktheid niet als reden voor opzegging worden aangevoerd.

arbeidsongeschiktheid

Ongeschiktheid voor de arbeid ten gevolge van ziekte en gebreken kan alleen onder bepaalde voorwaarden reden voor opzegging zijn. Art. 5:2 Ontslagbesluit schrijft voor dat de werkgever verschillende zaken aannemelijk moet maken. Allereerst de ongeschiktheid zelf, vervolgens dat binnen zesentwintig weken geen herstel zal optreden en ten slotte dat hij redelijkerwijs niet de mogelijkheid heeft de werknemer binnen de onderneming te herplaatsen. Deze bijzondere ontslagbescherming van (gedeeltelijk) arbeidsongeschikte werknemers kan worden gezien als een complement op het verbod van opzegging tijdens ziekte dat in art. 7:670 BW is neergelegd (3.3.5), de rechten en verplichtingen op grond van de Wet op de (re)ïntegratie arbeidsgehandicapten (8.3.7) en de verplichtingen ten opzichte van blijvend arbeidsongeschikte werknemers die voortvloeien uit art. 7:611 BW.

werknemersvertegenwoordigers

De verzoeken om toestemming voor opzegging van bepaalde werknemersvertegenwoordigers moeten op grond van art. 6:1 Ontslagbesluit aan een extra toets worden onderworpen. Toestemming mag slechts worden verleend indien de werkgever aannemelijk maakt dat het ontslag geen verband houdt met de vertegenwoordigende activiteiten.

Sancties

vernietigbaar

Opzegging in strijd met het verbod van art. 6 BBA is vernietigbaar. De werknemer kan binnen zes maanden[271] een beroep op die vernietigingsgrond doen (art. 9 BBA).

loon betalen

Is een beroep op de vernietigingsgrond gedaan dan blijft een werkgever die in strijd met het ontslagverbod heeft opgezegd, verplicht de werknemer het loon door te betalen, tenminste zolang deze bereid blijft de bedongen arbeid te verrichten (art. 7:627 en 7:628 BW) (3.3.3.3). Wanneer een beroep op de vernietigingsgrond is gedaan en de werknemer een ondubbelzinnig aanbod heeft gedaan de arbeid te verrichten wordt alleen ontbreken van de bereidheid de arbeid te verrichten aangenomen op grond van door de werkgever te stellen en te bewijzen duidelijke aanwijzingen dat die bereidheid ontbrak.[272]
Een beding waardoor de loonbetalingsverplichting van de werkgever op grond van art. 628 BW wordt uitgesloten mist rechtskracht in geval van een nietig ontslag.[273]
Indien de werkgever weigert het loon door te betalen, kan de werknemer bij de rechter een loonvordering instellen. Deze loonvordering verjaart na vijf jaren na de aanvang van de dag volgende op die waarop de vordering opeisbaar is geworden (art. 3:308 BW). Wegens niet-tijdige betaling kan de werknemer voorts ex art. 7:625 BW een verhoging vorderen, die kan stijgen tot 50% van het verschuldigde loon; deze verhoging kan echter ambtshalve door de rechter worden gematigd.[274] De verhoging is slechts verschuldigd wanneer het de werkgever is toe te rekenen dat de betaling vertraagd is.[275] Cumulatief kunnen ten slotte nog de wettelijke renten ex art. 6:119–120 BW worden gevorderd;[276] deze wettelijke renten kunnen niet door de rechter worden gematigd.[277]

verhoging

matiging

Aangezien de verplichting om loon te betalen in beginsel in stand blijft zolang de arbeidsovereenkomst voortduurt, kunnen loonvorderingen zeer hoog oplopen. Rechterlijke procedures – zeker als zij in meerdere instanties gevoerd worden – duren lang. Loonvorderingen die zich over meer dan een jaar uitstrekken zijn geen uitzondering. Een bijzondere regel voor de loonvordering ex art. 7:628 BW nadat een beroep op een

271 Deze termijn is een vervaltermijn. Na verstrijken is de werknemer niet meer bevoegd een beroep op de vernietigingsgrond te doen. HR 26 juni 1998, NJ 1998, 744.
272 HR 30 mei 1997, NJ 1997, 611.
273 HR 19 juni 1959, NJ 1959, 588.
274 HR 1 juli 1982, NJ 1983, 45.
275 HR 3 januari 1997, JAR 1997, 24.
276 HR 5 januari 1979, NJ 1979, 207; HR 24 juni 1994, NJ 1994, 596.
277 HR 14 september 1984, NJ 1984, 244.

vernietigingsgrond is gedaan geeft art. 7:680a BW. De rechter kan die loonvordering matigen indien toewijzing in de gegeven omstandigheden tot onaanvaardbare gevolgen zou leiden.[278] Deze matiging kan de rechter ook ambtshalve toepassen.[279] Bij de matiging is de rechter gebonden aan een minimum van drie maanden.

codificatie leer Hoge Raad

Art. 7:680a BW legt de leer van de Hoge Raad, zoals die in een reeks arresten is ontwikkeld, in een wettelijk voorschrift neer. De Hoge Raad heeft in 1979 in een geruchtmakend arrest uitgesproken, dat loonvorderingen door de feitelijke rechter kunnen worden gematigd via analoge toepassing van art. 7:680 lid 5 BW.[280] Dit artikel betreft de matiging van de vordering tot gefixeerde schadevergoeding, die ingesteld kan worden als de arbeidsovereenkomst onregelmatig is geëindigd (2.6.3.4). Door analoge toepassing van dit artikel kon ook de loonvordering, die voortvloeit uit een nog lopende arbeidsovereenkomst, worden gematigd. Art. 7:680a BW kan ook toepassing vinden wanneer de in art. 7:647 of 648 BW, dan wel de in art. 7:670 of 670a BW geregelde ontslagverboden zijn overtreden (3.6.3.3).

Deze ingrijpende uitspraak heeft veel kritiek ontmoet.[281] De Hoge Raad heeft in 1990 aangegeven de toepassing van de matigingsleer enigszins te willen beperken.[282] In het arrest werd opgemerkt dat de matigingsbevoegdheid ertoe strekt een onaanvaardbaar resultaat te vermijden en dat de feitelijke rechter een eventuele matiging van een loonvordering in het licht van deze strekking met terughoudendheid dient toe te passen.

onaanvaardbaar resultaat vermijden

De feitelijke rechters maken regelmatig gebruik van de matigingsbevoegdheid.[283] Tot de omstandigheden die volgens de rechtspraak aanleiding kunnen zijn om een loonvordering te matigen behoren:

omstandigheden

- het elders verwerven van inkomsten uit arbeid;
- het onvoldoende pogingen in het werk stellen om een andere baan te vinden;[284]

278 G.C. Scholten, Artikel 7:680a BW, Matiging van loonvorderingen, Sociaal Recht 1997, 7/8, p. 217–219, in het bijzonder p. 218.

279 HR 14 mei 1982, NJ 1982, 604.

280 HR 5 januari 1979, NJ 1979, 207. In dit arrest ging het overigens niet om een loonvordering na een nietige opzegging, maar om een loonvordering ingesteld tegen een werkgever die ontkende dat een arbeidsovereenkomst tot stand was gekomen. Dit laatste werd in de procedure echter door de feitelijke rechter als vaststaand aangenomen.

281 Zie bij voorbeeld C.H.J. van Leeuwen, Hoe ver reikt de matigingsarm van de Hoge Raad?, NJB 1986, 43, p. 1360. Anders R.A.A. Duk, Loonmatiging: steen der wijzen of steen des aanstoots, bijdrage aan Bakels-bundel, p. 39.

282 HR 1 juni 1990, NJ 1990, 715, AA 1991, 3, p. 244, m.n. J. Riphagen, Arbeidsrechtspraak nr. 9 (Kasteijn/Penrod). Zie ook HR 1 juli 1993, NJ 1993, 666, JAR 1993/177, waarin de Hoge Raad de loonmatigingsleer niet van toepassing achtte ten aanzien van een op non-actief gestelde werknemer die elders betaalde arbeid verrichtte.

283 H. van Noord, Rechterlijke matiging van de loonvordering, SMA 1984, 10, p. 649; W. Reehoorn, Een praktijkonderzoek naar rechterlijke matiging van loonvorderingen, SMA 1987, 12, p. 750. HR 30 oktober 1998, JAR 1999, 11, NJ 1999, 268. Zie M. Otter, Matiging van een loonvordering, ArbeidsRecht 1999, 27.

284 Hierover M.G. Rood, Over vage normen in het sociaal recht, Gratia Commercii, Zwolle 1981, p. 251.

- verwijtbaar gedrag van de werknemer;
- een slechte financiële situatie van de werkgever;
- rechtsdwaling door de werkgever.

In geval van matiging wordt de in beginsel onbepaalde loonvordering door de rechter gefixeerd op een bepaald bedrag. Dikwijls geschiedt deze vaststelling doordat de rechter de loonvordering in tijd beperkt tot een aantal maanden loon. Met het verstrijken van deze periode is de dienstbetrekking niet geëindigd, aangezien het ontslagrecht een dergelijke wijze van eindigen niet kent. Praktisch gesproken leek het daar echter wel op neer te komen, want volgens de Hoge Raad is de werkgever na het aldus door de rechter vastgestelde tijdstip in beginsel geen loon meer verschuldigd.[285]

beperking in tijd

In een arrest van 1989 heeft de Hoge Raad echter vastgesteld, dat handelen als een goed werkgever (art. 7:611 BW) in zo'n geval onder omstandigheden kan meebrengen dat de werkgever door de feitelijke rechter wordt verplicht de werknemer na afloop van dit tijdstip toe te laten tot hervatting van zijn arbeid (of eventueel andere passende arbeid).[286] Indien een vordering van de werknemer tot wedertewerkstelling in een dergelijke situatie zou worden toegewezen, betekent dit dat ook het recht op doorbetaling van loon vanaf dat tijdstip herleeft.

tewerkstelling

De regeling in het BBA is van dwingend recht; partijen kunnen niet bij voorbaat afstand doen van de bevoegdheid om een beroep te doen op de vernietigingsgrond. Wel kan afstand van deze bevoegdheid worden gedaan nadat de arbeidsverhouding is opgezegd.[287]

dwingend recht

Toekomst van het 'dubbele ontslagrecht'

Het verbod van ontslag behoudens toestemming moet worden gezien in zijn historische context. Het was oorspronkelijk bedoeld als één van een serie arbeidsmarktpolitieke maatregelen, die door het BBA werden gecreëerd om in de na-oorlogse chaos de productie op gang te helpen en de werkgelegenheid te bevorderen. Tot die maatregelen behoorde allereerst de verplichting van iedere werkgever om – behoudens dispensatie van de directeur van het Gewestelijk arbeidsbureau (thans Regionaal Directeur van de Arbeidsvoorzieningsorganisatie) – een werknemer wiens arbeidsverhouding na 9 mei 1940 door toedoen van de bezetter was verbroken, weer in dienst te nemen (art. 4 BBA). Het ontslagverbod van art. 6 BBA en een verbod tot werktijdverkorting (art. 8 BBA), waren het logisch complement van deze herplaatsingsplicht, daar de herplaatsingsplicht zonder deze beide maatregelen spoedig door de werkgever ontkracht zou kunnen worden. Voorts diende het ontslagverbod om te

historische context

herplaatsing

285 HR 26 april 1985, NJ 1985, 663.
286 HR 12 mei 1989, NJ 1989, 801, Arbeidsrechtspraak nr. 12 (Chelbi/Klene).
287 HR 25 maart 1988, NJ 1988, 582.

voorkomen dat werknemers werkzaam in de bouw, voedselvoorziening, e.d. al te gemakkelijk zouden kunnen overstappen naar bedrijfstakken die minder essentieel waren voor de wederopbouw.
In de loop der jaren hebben deze maatregelen echter hun betekenis verloren, behalve het ontslagverbod (en art. 8 BBA).[288] Thans wordt door het toestemmingsbeleid, zoals aangegeven, voorkomen dat opzeggingen onredelijk geschieden.[289]

justa causa demissionis

De invoering van het BBA hield de erkenning in, dat de arbeidsovereenkomst slechts mag worden beëindigd als daaraan een geldige reden – een justa causa demissionis – ten grondslag ligt. Principieel bracht dit een nieuw en belangrijk element in het ontslagrecht.[290] Over de wijze waarop dit principe door het ontslagbeleid van de Regionaal Directeur in de praktijk wordt verwezenlijkt bestaat echter onzekerheid. Empirisch onderzoek is schaars en enigszins verouderd.[291] Het belangrijkste voordeel van de BBA-procedure lijkt te zijn dat een werkgever daardoor wordt gedwongen een opzegging goed te overwegen en te motiveren.

kritiek

De laatste jaren is er in toenemende mate kritiek uitgeoefend op de BBA procedure en is de vraag gesteld of de tijd niet rijp is om de in het BBA 1945 neergelegde als 'noodwetgeving' bedoelde preventieve overheidstoetsing van ontslagen af te schaffen.[292] Een dergelijke toetsing is in ons omringende landen onbekend.[293] Zij lijkt een typisch voorbeeld van de overheidsbemoeienis met arbeidsverhoudingen die zo kenmerkend is

288 Zie over art. 8 BBA het SER-advies inzake de herziening van art. 8 BBA en art. 1638d BW van 20 september 1991 (91/21); Ellen W. de Groot, De Golfoorlog, werktijdverkorting en artikel 1638d BW, NJB 1991, 18, p. 740; C.E.M. van den Boom, BBA 1945, bijdrage aan Arbeidsovereenkomst (losbladig), aantekening bij artikel 8 BBA.

289 Bijlage bij MvA I 25 263, p. 15 . C.G. Scholtens, Matiging van loonvordering, Sociaal Recht 1997, p. 217.

290 Althans bij de toepassing van het wettelijk ontslagrecht. De term justa causa demissionis is door M.G. Levenbach in zijn openbare les in 1926 (Arbeidsrechtelijke Oraties, p. 55–71, zie p. 65) geïntroduceerd. J. Ringeling, een rechtvaardig ontslag, Amsterdam zj p. 20 vermeldt dat de Boekdrukkerscao in 1920 al de regel kende dat aan een ontslag een rechtvaardige reden ten grondslag moest liggen.

291 A.J. Hoekema, bijdrage aan Hoe goed werkt het ontslagrecht?, Onderzoeken naar de werking van het ontslagrecht in Nederland, Groot-Brittanië en de Bondsrepubliek Duitsland, Deventer 1985, p. 20; J.R.A. Verwoerd en E.R. Blankenburg, Beroep op de rechter als laatste remedie?, NJB 1986, 33, p.1045; R. Knegt, A.J.C.M. Wilthagen, e.a., Toetsing van ontslag, Groningen 1988; M.J. van der Veen, De gevolgen van het weigeren van een ontslagvergunning door het GAB, Een kwantitatieve oriëntatie, SMA 1984, 12, p. 814.

292 Een voorstel om het toestemmingsvereisten van het BBA niet van toepassing te laten zijn op de eerste periode van de arbeidsovereenkomst formuleert A.M.Luttmer-Kat, De voorgenomen herziening van het ontslagrecht. Waarom niet gewoon terug naar de basis? NJB 1997, p. 1877. Zie ook P.F. van der Heijden, Ontslagvergoeding bij de RDA?, NJB 1998, p. 643–646.

293 De modellen van ontslagbescherming verschillen per land. Zo kent bijvoorbeeld België zeer lange opzegtermijnen, terwijl in Duitsland een rol is toegedeeld aan de ondernemingsraad. Vgl. R. Blanpain (red.), Comparative Labour Law and Industrial Relations in Industrialised Market Economies, Labour Law, Deventer 1990, p. 12 en 167.

voor Nederland. Bij de jongste herziening van het ontslagrecht is het toestemmingsrecht van het BBA evenwel gehandhaafd.

handhaving BBA

Intussen wordt de gang naar de RDA in vele gevallen vermeden, en wordt gekozen voor een verzoek tot ontbinding van de arbeidsovereenkomst bij de kantonrechter (3.6.4.1).
Daarvoor werd als argument aangevoerd dat door de preventieve ontslagtoets de functies worden vervuld van een algemene bescherming tegen onredelijk ontslag, een bescherming van zwakke groepen op de arbeidsmarkt. Tevens werd gesteld dat de preventieve ontslagtoets een belangrijk overheidsinstrument vormt om oneigenlijke instroom in de sociale zekerheid tegen te gaan.[294]

3.6.3.3 *Bijzondere opzeggingsverboden*[295]

Naast het algemene opzeggingsverbod van het BBA 1945 kent onze wetgeving ook opzeggingsverboden met een beperkter geldingsgebied: bijzondere opzeggingsverboden. De bijzondere opzeggingsverboden laten onverlet de mogelijkheid om tevens een beroep te doen op de vernietigingsgrond ex art. 6, 9 BBA; zij verschaffen de betrokken werknemers dus een extra bescherming.

limitatieve opsomming

De opsomming van de bijzondere opzeggingsverboden in art. 7:646, 647, 648, 470, 670a BW, art. 5 en 8 AWGB en art. 3 WAA is limitatief. Dat impliceert dat een opzegging die niet onder deze opzeggingsverboden valt (bijvoorbeeld een opzegging op grond van leeftijd), niet kan worden vernietigd wegens strijd met de wet, de openbare orde of de goede zeden (art. 3:40 BW); wel zal een dergelijke opzegging kennelijk onredelijk kunnen zijn (3.6.3.5).[296]

1. *De ontslagverboden van art. 7:670 en 670a BW*

toepasselijkheid

De bijzondere opzegverboden van art. 7:670 en 670a BW gelden slechts bij opzegging. Evenmin als het voorschrift van art. 6 BBA hebben zij dus betrekking op het eindigen van een arbeidsovereenkomst door middel van een beëindigingsovereenkomst, op een einde van rechtswege of op ontbinding door de kantonrechter. Wat dit laatste betreft moet echter gewezen worden op het in art. 7:685 lid 1 BW vervatte voorschrift dat

294 Kamerstukken 25 263, nr. 3, p. 11.

295 P.F. van der Heijden, Ontslagrecht 1998, een klassiek geval van polderitis, SR 1997, 12, p. 347–349.

296 Aldus HR 20 maart 1992, NJ 1992, 495, JAR 1992, 11, NJCM-Bulletin, 1992, 6, p. 646, Arbeidsrechtspraak nr. 52 (Nedlloyd-zaak); Het ging hier om een discriminatoir ontslag van buitenlandse schepelingen (de AWGB, waarin onderscheid op grond van nationaliteit wordt verboden, was destijds nog niet van kracht). Op deze regel wordt een uitzondering aangebracht bij opzegging wegens overgang van onderneming. Een dergelijke opzegging is nietig. Deze – buitenwettelijke – nietigheid is een absolute (HR 29 september 1995, JAR 1996, 29) (3.5).

de kantonrechter zich moet vergewissen of het verzoek verband houdt met het bestaan van een ontslagverbod.

ziekte

Art. 7:670 lid 1 BW verbiedt de werkgever op te zeggen gedurende de tijd dat de werknemer ongeschikt is tot het verrichten van zijn arbeid wegens ziekte. Met het begrip 'ziekte' is bedoeld aan te sluiten bij het in de Ziektewet gebezigde begrip, dat wil zeggen dat het gaat om ongeschiktheid voor de eigen arbeid.[297] Dit opzegverbod geldt niet wanneer de ongeschiktheid ten minste twee jaar heeft geduurd, dan wel een aanvang heeft genomen nadat een verzoek om toestemming als bedoeld in art. 6 BBA door de RDA is ontvangen.

zwangerschap en jong moederschap

Art. 7:670 lid 2 BW verbiedt opzegging gedurende de zwangerschap van de werkneemster en gedurende de periode dat de werkneemster op grond van de Ziektewet of de Wet arbeidsongeschiktheidsverzekering zelfstandigen[298] uitkering geniet in verband met zwangerschap of bevalling, alsmede gedurende een tijdvak van zes weken na afloop van die periode.

militaire dienst

Art. 7:670 lid 3 BW verbiedt opzegging gedurende de tijd dat de werknemer verhinderd is de bedongen arbeid te verrichten omdat hij zijn militaire dienstplicht vervult. Sedert het vervallen van de dienstplicht in Nederland heeft dit artikelonderdeel nog slechts betekenis voor in het buitenland vervulde dienstplicht.

OR

Art. 7:670 lid 4 BW verbiedt opzegging van bepaalde vertegenwoordigers van werknemers. Het betreft: leden van de OR, COR of GOR of een vaste of onderdeelcommissie van die raden, of van een personeelsvertegenwoordiging of arbocommissie. Eveneens geldt het opzegverbod ten aanzien van leden van een Europese ondernemingsraad, van een bijzondere onderhandelingsgroep dan wel ten aanzien van personen die als vertegenwoordiger van werknemers op grond van die wet optreden bij een andere wijze van informatieverstrekking en raadpleging van werknemers. Het opzegverbod op grond van dit artikelonderdeel betreft ten slotte de eventuele ambtelijke secretaris van de ondernemingsraad of personeelsvertegenwoordiging.

bescherming tegen discriminatie o.g.v. vakbondslidmaatschap

Art. 7:670 lid 5 BW verbiedt opzegging wegens lidmaatschap van een vakorganisatie dan wel wegens het verrichten of deelnemen van activiteiten ten behoeve van die vakorganisatie, tenzij die activiteiten in de arbeidstijd van de werknemer worden verricht zonder toestemming van de werkgever.

vertegenwoordigende organen

Art. 7:670 lid 6 BW verbiedt opzegging wegens het bijwonen van vergaderingen van Eerste Kamer en andere in art. 7:643 BW genoemde

297 B. Hoogendijk, De loondoorbetalingsverplichting gedurende het eerste ziektejaar, diss. Rotterdam 1999, Gouda Quint 1999, p. 160-161.

298 Op een zwangerschaps- en bevallingsuitkering op grond van deze wet heeft onder andere het van de werkingssfeer van de Ziektewet uitgezonderde deeltijd huishoudelijk personeel aanspraak.

vertegenwoordigende organen, van commissies van deze organen, mits de werknemer daarvoor verlof heeft. Art. 7:643 BW regelt het recht op verlof om deze reden.

beroep doen op recht op ouderschapsverlof

Art. 670 lid 7 BW verbiedt de werkgever de arbeidsovereenkomst op te zeggen wegens de omstandigheid dat de werknemer zijn recht op ouderschapsverlof geldend maakt. Een dergelijk ontslagverbod, dat ertoe strekt te voorkomen dat de werknemer benadeeld wordt omdat hij een beroep doet op hem toekomende rechten wordt wel aangeduid als bescherming tegen victimisatieontslag. Bescherming tegen victimisatieontslag is ook geregeld in verband met het een beroep doen op gelijke behandeling (zie hieronder).

verbod tenzij toestemming

vertegenwoordigende functie

Art. 7:670a BW bevat regelingen die opzegging verbieden, tenzij voorafgaande toestemming van de kantonrechter is verkregen. De kantonrechter verleent de toestemming slechts indien de werkgever aannemelijk heeft gemaakt dat de opzegging geen verband houdt met de omstandigheid dat de werknemer een vertegenwoordigende functie, als omschreven in art. 7:670a lid 1 BW vervult. Het betreft hier dus ontslagverboden wegens bepaalde omstandigheden. In tegenstelling tot de hiervoor besproken ontslagverboden is opzegging niet absoluut verboden: wanneer toestemming is verleend kan opzegging in de in art. 7:670a BW genoemde situaties plaatsvinden. Van de beslissing van de kantonrechter staat geen hoger beroep en beroep in cassatie open (art. 7:670a lid 2 BW).

Het verbod van art. 7:670a BW betreft onder meer opzegging van een werknemer die geplaatst is op de kandidatenlijst voor een ondernemingsraad of personeelsvertegenwoordiging en werknemers die lid geweest zijn van bedoelde organen (gedurende twee jaar), werknemers die lid zijn van een voorbereidingscommissie van een ondernemingsraad of een groepsondernemingsraad, of in verband met de Arbowet vertegenwoordigende functies vervullen.

uitzonderingen

Op grond van art. 7:670 lid 8 BW kan van het verbod van opzegging tijdens ziekte of militaire dienst worden afgeweken bij cao of bij regeling door of namens een daartoe bevoegd bestuursorgaan. Is een dergelijke afwijking van kracht, dan gelden in de betreffende arbeidsovereenkomst deze opzegverboden dus niet.

Voorts zijn op grond van art. 7:670b BW de opzegverboden van art. 7:670 en 670a BW niet van toepassing bij een opzegging gedurende de proeftijd of wegens een dringende reden.

Ten slotte zijn de in art. 7:670 en 670a BW neergelegde opzegverboden niet van toepassing indien de werknemer schriftelijk met de opzegging instemt of indien de opzegging geschiedt wegens de beëindiging van de werkzaamheden van de onderneming of van het onderdeel van de onderneming waarin de werknemer werkzaam is. Een uitzondering op deze uitzondering van het opzegverbod betreft werkneemsters die zwangerschaps- of bevallingsverlof genieten. Wanneer een onderneming moet sluiten zijn dus ook de in beginsel door art. 7:670 en 670a BW beschermde werknemers opzegbaar, behalve de werkneemsters die zwangerschaps- en bevallingsverlof genieten.

sanctionering

Het niet in acht nemen van de opzegverboden van art. 7:670 of 7:670a BW maakt de werkgever niet schadeplichtig. De werknemer kan een beroep op de vernietigingsgrond doen, maar moet dat wel binnen twee maanden doen (art. 7:677 lid 5 BW).[299]
De (loon)vordering in verband met de vernietigde opzegging verjaart na verloop van zes maanden (art. 7:683 lid 2 BW). Hetgeen in 3.6.3.2 is opgemerkt met betrekking tot de loonvordering na vernietigde opzegging (verhoging, matiging, rente) geldt ook hier.

2. *De opzegverboden uit de gelijkebehandelingswetgeving*

De gelijkebehandelingswetgeving bevat eveneens opzegverboden. Deze zijn deels in titel 10 van boek 7 BW geregeld, deels in de AWGB neergelegd.

toepasselijkheid: welke situaties?

Art. 7:646 en 647 BW (verbod van onderscheid tussen mannen en vrouwen) geven, evenals de zojuist besproken bepalingen, voorschriften met betrekking tot *opzegging*. Art. 7:648 BW (verbod van onderscheid op grond van een verschil in arbeidsduur) verbiedt (onder meer) onderscheid bij de *voorwaarden waaronder een overeenkomst wordt opgezegd*. Ondanks het verschil in formulering lijkt ook art. 7:648 BW een verbod van onderscheid bij opzegging te bevatten. Op het verschil in terminologie is in de wetsgeschiedenis niet ingegaan.[300] De Commissie gelijke behandeling negeert aangeduid verschil in terminologie en oordeelt of bij de opzegging onderscheid is gemaakt.[301] Het verbod van onderscheid van art. 5 AWGB betreft het aangaan en *beëindigen* van een arbeidsverhouding. Onder beëindigen in deze bepaling verstaat de Commissie gelijke behandeling ook het niet-verlengen van een arbeidsovereenkomst voor bepaalde tijd[302] en het indienen van een ontbindingsverzoek ex art. 7:685 BW.[303]

welke relaties?

De voorschriften die in art. 7:646 en 647 BW zijn neergelegd, waaron-

299 Van den Heuvel (L.H. van den Heuvel, De redelijkheidstoetsing van ontslagen, diss. Amsterdam, Deventer, Kluwer 1983, p. 95) en Verhulp (E. Verhulp (red.), Flexibiliteit en zekerheid, Den Haag, Sdu 1998, p. 222-223) verdedigen dat, in weerwil van de tekst van art. 7:677 lid 5 BW ter zake van opzegging in strijd met de opzegverboden van art. 7:670 en 670a BW een vordering op grond van kennelijk onredelijke opzegging mogelijk is.

300 Verg. I.P. Asscher-Vonk, Het verbod van onderscheid op grond van een verschil in arbeidsduur, SMA 1997, p. 387.

301 Een overzicht van uitspraken van de Commissie gelijke behandeling geeft M.A. de Groot, Twee jaar WOA, SMA 1999, 5, p. 246-254.

302 Oordeel 98-114, zie E. Cremers in I.P. Asscher-Vonk en C.A. Groenendijk, Gelijke behandeling, regels en realiteit, Den Haag, Sdu 1998, p. 56.

303 Commissie gelijke behandeling oordeel 98-113.

der het opzegverbod, hebben een ruimere werkingssfeer dan die welke is aangegeven door art. 7:610 BW. Op grond van art. 1b Wet gelijke behandeling van mannen en vrouwen zijn art. 7:646 en 647 BW van overeenkomstige toepassing ingeval een natuurlijk persoon, rechtspersoon of bevoegd gezag een ander onder zijn gezag arbeid laat verrichten, anders dan krachtens arbeidsovereenkomst naar burgerlijk recht of ambtelijke aanstelling. Het gaat hier bijvoorbeeld om stagiaires en vrijwilligers. Art. 5 AWGB hanteert een (nog) ruimer begrip om de toepassingssfeer van de bepaling aan te duiden. In deze laatste bepaling gaat het om arbeidsverhoudingen. De regels van art. 5 AWGB normeren bijvoorbeeld ook het handelen van een inlener tegenover een uitzendkracht.[304] Art. 7:648 BW vindt eveneens toepassing buiten de arbeidsovereenkomst in de zin van art. 7:610 BW.[305]

verbod discriminerende opzegging

Art. 7:646 lid 1 BW verbiedt opzegging waarbij onderscheid wordt gemaakt tussen mannen en vrouwen. Daaronder moet mede begrepen worden onderscheid op grond van zwangerschap, bevalling en moederschap. Deze bepaling vult dus, wat betreft dit laatste, het voorschrift van art. 7:670 lid 2 BW aan. Onderscheid bij opzegging is niet alleen verboden tijdens zwangerschap, maar ook wegens zwangerschap. Het voornemen om een in vitro fertilisatiebehandeling te ondergaan, bijvoorbeeld kan niet als ontslaggrond worden gebruikt.

victimisatie-ontslag

Art. 7:647 lid 1 BW verbiedt opzegging wegens de omstandigheid dat de werknemer een beroep heeft gedaan op het in art. 7:646 BW vervatte verbod van onderscheid. Dit verbod beoogt bescherming tegen victimisatieontslag.

Art. 7:648 BW verbiedt opzegging waarbij onderscheid gemaakt wordt op grond van arbeidsduur, en bovendien wegens de omstandigheid dat de werknemer op het verbod van onderscheid op grond van arbeidsduur een beroep heeft gedaan.

Art. 5 AWGB verbiedt beëindiging van de arbeidsverhouding waarbij onderscheid wordt gemaakt op grond van godsdienst, levensovertuiging, politieke gezindheid, ras, geslacht, nationaliteit, hetero- of homoseksuele gerichtheid of burgerlijke staat. Art. 8 AWGB verbiedt opzegging wegens de omstandigheid dat de werknemer op het in art. 5 AWGB geregelde verbod van onderscheid een beroep heeft gedaan.

uitzonderingen?

Op het verbod van onderscheid in de gelijkebehandelingswetten zijn verscheidene uitzonderingen mogelijk. Zie daarvoor de bespreking in paragraaf 3.3.2. De regelingen kennen geen specifieke uitzonderingsmogelijkheden op het verbod van opzegging waarbij onderscheid wordt gemaakt. De in art. 7:670b BW geregelde uitzonderingsmogelijkheden

304 Commissie gelijke behandeling oordeel 99-34.
305 Art. III WOA.

hebben uitsluitend betrekking op art. 7:670 en 670a BW. Dit betekent dat bijvoorbeeld ook tijdens proeftijd opzegging waarbij onderscheid wordt gemaakt niet is toegestaan.

sanctionering

Het niet in acht nemen van de opzegverboden van art. 7:646, 647 of 648 BW, dan wel art. 5 en art. 8 AWGB maakt de werkgever niet schadeplichtig. De werknemer kan een beroep op de vernietigingsgrond doen, maar moet dat wel binnen twee maanden doen. De (loon)vordering in verband met de vernietigde opzegging verjaart na verloop van zes maanden (art. 7:647 lid 2 en 3 en art. 7:648 lid 1 BW, art. 8 lid 2 en 3 AWGB, art. 7:677 lid 5 en 7:683 BW[306]). Hetgeen in 3.6.3.2 is opgemerkt met betrekking tot de loonvordering na vernietigde opzegging (verhoging, matiging, rente) geldt ook hier.

3. *Opzegverbod uit de WAA*

Op 1 juli 2000 is een nieuw opzegverbod in het Nederlands arbeidsrecht ingevoerd. Art. 3 WAA bepaalt dat de werkgever de arbeidsverhouding van een werknemer niet kan beëindigen wegens de omstandigheid dat de werknemer in of buiten rechte om aanpassing van de arbeidsduur heeft verzocht. Het betreft dus bescherming tegen victimisatieontslag. De wet regelt niet het rechtsgevolg van een opzegging in strijd met dit verbod. Nietigheid van de opzegging is niet uitdrukkelijk geregeld.

victimisatie-ontslag

3.6.3.4 *Onregelmatige (schadeplichtige) opzegging*

Indien de vernietigbaarheid van een ontslag (met een beroep op het BBA 1945 en/of een beroep op een van de bijzondere opzeggingsverboden) niet – of niet meer – kan worden ingeroepen, leidt de opzegging tot het gewenste resultaat: het einde van de arbeidsovereenkomst op het beoogde tijdstip.
Bij deze (geldige) opzegging dienen echter bepaalde voorschriften in acht te worden in acht genomen. Schending van deze voorschriften[307] door werkgever of werknemer kan leiden tot een aantal sancties die variëren naar gelang de opzegging als een onregelmatig (schadeplichtig) ontslag dan wel als een kennelijk onredelijke opzegging moet worden gequalificeerd, doch die in beide gevallen – uiteindelijk – neerkomen op de verplichting om aan de gelaedeerde een bedrag in geld te betalen.

termijn

De voorschriften waar het hier om gaat zijn de wettelijke bepalingen die voorschrijven welke opzeggingstermijn moet worden nageleefd (art. 672

306 A.M. Luttmer-Kat, Wanneer begint de verjaringstermijn van art. 7:683 BW? Nederlands tijdschrift voor sociaal recht 1999, 7/8, p. 195-197.
307 Over de complicaties die de nieuwe regeling van de opzegtermijn in verband met het overgangsrecht opleveren zie E. Verhulp, Opzeggen of opgeven? Nederlands tijdschrift voor Sociaal Recht, 1999, 9, p. 224-228.

BW en 40, 239 Fw) en tegen welke dag moet worden opgezegd, alsmede soortgelijke clausules in (collectieve) arbeidsovereenkomsten.[308] Wanneer de voorgeschreven opzeggingstermijn inachtgenomen is, is het ontslag regelmatig. Wanneer dit niet is gebeurd, spreekt men van een onregelmatig of schadeplichtig ontslag. Een onregelmatige opzegging maakt een einde aan de arbeidsovereenkomst. Na een dergelijke opzegging is geen loon meer verschuldigd (wel eventueel een schadevergoeding) en evenmin is de werknemer gehouden arbeid te verrichten.[309]

termijn werkgever

De door de *werkgever* bij opzegging in acht te nemen termijn is afhankelijk van de duur van de arbeidsovereenkomst. Bij een arbeidsovereenkomst die minder dan vijf jaar heeft geduurd is de termijn één maand. De door de werkgever in acht te nemen termijn loopt op tot een maximum van vier maanden bij een arbeidsovereenkomst die vijftien jaar of langer heeft geduurd (art. 7:672 lid 2 BW). Deze termijn wordt verkort met één maand, indien toestemming als bedoeld in art. 6 BBA is gevraagd en verkregen, met dien verstande dat de (overblijvende) termijn ten minste één maand bedraagt (art. 7:672 lid 4 BW). Opzegging moet naar luid van art. 7:672 lid 1 BW geschieden tegen het eind van de maand, tenzij bij schriftelijke overeenkomst of gebruik een andere dag is aangewezen. Dit voorschrift betekent dat de laatste dag van de overeenkomst de laatste dag van de maand is (behoudens afwijking bij schriftelijke overeenkomst of gebruik). Het gaat dus om de vertrekdag.

termijn werknemer

De door de *werknemer* in acht te nemen termijn is, ongeacht de duur van de arbeidsovereenkomst één maand. Door het verschil in opzegtermijn wordt rekening gehouden met het verschil in maatschappelijke positie en het principiële verschil in prestaties tussen werkgever en werknemer.[310] Het verschil in lengte van opzegtermijn voor de werkgever is in 1954 ingevoerd, heeft sedertdien niet meer ter discussie gestaan en is ook bij de jongste wijziging gehandhaafd.

afwijkingsmogelijkheden

De mogelijkheid van de wettelijke termijnen af te wijken is beperkt door procedurele en inhoudelijke voorschriften. Voor verkorting van de termijn die de werkgever in acht te nemen heeft is in de regel een afspraak bij cao nodig; voor andere afwijkingen is de schriftelijke vorm voorgeschreven (art.7:672 lid 5 en 6 BW). Bij afwijking van de door de werknemer in acht te nemen termijn moet er, in geval van verlenging, voor worden gewaakt dat de termijn niet langer wordt dan 6 maanden. Bij deze verlenging mag de door de werkgever in acht te nemen termijn – behoudens andersluidende cao-bepalingen – bovendien niet korter zijn dan het dubbele van de termijn van de werknemer (art. 7:672 lid 6 BW).

308 Zie over bepalingen in cao's het artikel van M.M. Olbers, SMA 1983, 7/8, p. 429.
309 Onder uitzonderlijke omstandigheden is niettemin een vordering op grond van wanprestatie mogelijk, HR 16 april 1999, NJ 1999, 546.
310 Kamerstukken 1948–1949, 552, nr. 3, p. 7.

De opzegging moet geschieden tegen het eind van de maand (art. 7:672, lid 1 BW). Dit betekent dat de dienstbetrekking zal eindigen op de laatste dag van de kalendermaand.[311] Afwijking van deze regel is mogelijk. Dergelijke afwijkingen vindt men wel in cao's.

schadeplichtigheid

Een opzegging in strijd met de voor opzegging geldende bepalingen leidt tot schadeplichtigheid (art. 7:677 lid 1 en 2 BW). Dit betekent allereerst dat de benadeelde het recht heeft om een *gefixeerde schadevergoeding* te vorderen (art. 7:677 lid 4 BW).[312] Deze gefixeerde schadevergoeding bestaat volgens art. 7:680 lid 1 BW uit een bedrag dat gelijk is aan het in geld vastgesteld loon voor de tijd dat de dienstbetrekking bij regelmatige beëindiging had behoren voort te duren, oftewel: een bedrag gelijk aan het loon over het niet in achtgenomen gedeelte van de opzeggingstermijn. Bovengenoemde berekeningsmethode herleidt de gefixeerde schadevergoeding tot een vast bedrag. De werkelijk geleden schade – die geringer kan zijn als de werknemer tijdens die periode een beter betaalde baan vindt of groter als de werknemer beloning in natura (gebruik van een auto bijvoorbeeld) derft, of inkomsten derft die niet van de werkgever afkomstig zijn (fooien bijvoorbeeld) – speelt bij de bepaling van de hoogte van de gefixeerde schadevergoeding geen rol.[313] De rechter is bevoegd de gefixeerde schadevergoeding, zo deze hem met het oog op de omstandigheden van het geval bovenmatig voorkomt, te matigen, doch niet op minder dan het in geld vastgesteld loon voor de duur van de opzeggingstermijn volgens art. 7:672 BW, noch op minder dan het in geld vastgestelde loon voor 3 maanden (art. 7:680 lid 5 BW). Dit matigingsrecht is vooral van betekenis bij een onregelmatige tussentijdse opzegging van een arbeidsovereenkomst voor bepaalde tijd. In dat geval kan de tijd gedurende welke de dienstbetrekking bij regelmatige beëindiging had behoren voort te duren immers tamelijk lang zijn (zie nader 3.7.5.1). De gefixeerde schadevergoeding wordt verhoogd met de wettelijke interessen (art. 7:680 lid 7 BW).

gefixeerde schadevergoeding

volledige schadevergoeding

De benadeelde partij kan krachtens art. 7:677 lid 4 BW in plaats van een gefixeerde schadevergoeding ook *volledige schadevergoeding* vorderen. Deze term is misleidend, want het is vaste rechtspraak dat onder deze volledige schadevergoeding niet de schade valt die door het ontslag als zodanig is veroorzaakt, doch uitsluitend de schade die is veroorzaakt door het niet

311 SER-advies Herziening ontslagrecht, Publikatienummer 88/12.

312 Voor de invoering van de Vaststellingswet sprak de wet in dit geval van *schadeloosstelling* (art. 7A:1639o en r BW oud). Met deze naamsverandering werd geen materiële wijziging beoogd; beide termen dekken dezelfde inhoud. Kamerstuknr. 23 438, nr. 3, p. 50 en nr. 5, p. 10.

313 Volgens HR 21 oktober 1983, NJ 1984, 255, Arbeidsrechtspraak nr. 41 (Jes/Bettman) speelt evenmin een rol of de werknemer tijdens de geschonden opzeggingstermijn recht had op betaling van loon; in casu bestond deze aanspraak niet wegens ziekte van de werknemer. Evenzo HR 30 juni 1995, NJ 1996, 52, m.n. PAS, JAR 1995, 152, TVVS 1995, 9, p. 252, m.n. MGR. J.J. Dijk, Onregelmatig ontslag: conversie en schadevergoeding, ArbeidsRecht 1996, 21.

in acht nemen van de opzeggingstermijn.[314] Schade die óók geleden zou zijn indien de arbeidsovereenkomst regelmatig zou zijn beëindigd blijft dus buiten beschouwing. Dit impliceert dat de 'volledige schadevergoeding' maximaal gelijk zal zijn aan het in geld vastgesteld loon dat door de ontijdige opzegging werd gederfd, behalve in die gevallen waarin ook iets anders dan het in geld vastgesteld loon – bijvoorbeeld loon in natura of van derden afkomstige fooien – werd gederfd. Dikwijls echter zal de volledige schadevergoeding minder bedragen dan de gefixeerde schadevergoeding, namelijk indien de werknemer binnen de opzeggingstermijn ander werk heeft gevonden. Om deze reden, alsmede omdat de omvang van de schade door de benadeelde moet worden bewezen, komt de vordering tot volledige schadevergoeding in de praktijk weinig voor.

volledige schadevergoeding

Tot slot kan de werknemer *herstel van de arbeidsovereenkomst* vorderen (art. 7:682 BW).[315] Indien de rechter deze vordering toewijst zal hij moeten bepalen vóór of op welk tijdstip de dienstbetrekking moet worden hersteld (de arbeidsovereenkomst is immers door de onregelmatige opzegging verbroken). Voorts kan hij voorzieningen treffen omtrent de rechtsgevolgen van de onderbreking; hij kan bijvoorbeeld de werkgever veroordelen een bedrag aan de werknemer te betalen wegens het in de onderbrekingsperiode gederfde loon. Wanneer de werkgever dit wenst, wordt een bevel tot herstel echter altijd vervangen door een afkoopsom. Slechts zelden wordt de rechter gevraagd de schadeplichtige partij tot herstel van de arbeidsverhouding te veroordelen.[316]

herstel

De vorderingen tot gefixeerde schadevergoeding, volledige schadevergoeding en herstel verjaren na zes maanden; de termijn begint te lopen op de dag nadat de arbeidsovereenkomst, al dan niet regelmatig, feitelijk is geëindigd (art. 7:683 lid 1 BW).[317]

verjaren

3.6.3.5 *Kennelijk onredelijke opzegging*[318]

Het begrip kennelijk onredelijke opzegging is door invoering in 1954 van de Wet van 17 december 1953 opgenomen in ons BW (art. 7:681

314 HR 1 februari 1946, NJ 106, Arbeidsrechtspraak nr. 40 (Beks/Philips). Zie echter over een mogelijkheid om schadevergoeding te vorderen wegens het verloren gaan van de dienstbetrekking door verwijtbaar gedrag van de werkgever HR 1 december 1989, NJ 1990, 451, m.n. PAS, SMA 1990, 6, p. 387, m.n. L.H. van den Heuvel, Arbeidsrechtspraak nr. 59.

315 Herstel van de dienstbetrekking is niet mogelijk als de opzegging een bestuurder van een vennootschap betreft (art. 2:134 en 2:244 BW).

316 J.J. Willemsen, De mogelijkheid van herstel dienstbetrekking bij voorlopige voorziening, ArbeidsRecht 1995, 12, 66; R. van de Water, De mogelijkheid van herstel van de dienstbetrekking, ArbeidsRecht 1996, 25.

317 HR 16 januari 1987, NJ 1987, 961. Zie A.M. Luttmer-Kat, Wanneer begint de verjaringstermijn van art. 7:663 BW? Nederlands tijdschrift voor sociaal recht 1999, 7/8, p. 195-197.

318 L.H. van den Heuvel, De redelijkheidstoetsing van ontslagen, diss. Amsterdam, Deventer 1983; R.A.A. Duk, AA 1990, 1, p. 30.

BW). Aan de introductie ervan lag de gedachte ten grondslag, dat opzegging[319] van een arbeidsovereenkomst met inachtneming van de voor opzegging geldende bepalingen onder bepaalde omstandigheden toch als onrechtvaardig kan worden beschouwd.
De gedachte dat de strikt formele toetsing – aan de hand van de opzeggingstermijn alléén – onvoldoende was en aangevuld moest worden door toetsing aan een materieel criterium was reeds lang verdedigd.[320] De vraag was echter welk toetsingscriterium moest worden aanvaard en door welke sancties het moest worden versterkt. Beide vragen hebben in 1953 een voorlopige beantwoording gevonden.

regelmatig of onregelmatig ontslag

kennelijk onredelijk

Zowel een regelmatige als een onregelmatige opzegging kan kennelijk onredelijk zijn.[321] Datzelfde geldt voor een regelmatige opzegging met een toestemming van de Regionaal Directeur van de Arbeidsvoorzieningsorganisatie; de rechter oordeelt zelfstandig – los van de bevindingen van de Regionaal Directeur – of een dergelijk ontslag kennelijk onredelijk is.[322] Discutabel is, of in geval van een opzegging in strijd met een bijzonder opzeggingsverbod, in plaats van een beroep op de vernietigbaarheid, een beroep op de kennelijke onredelijkheid kan worden gedaan.[323]

voorbeelden

De wetgever geeft niet duidelijk aan onder welke omstandigheden een opzegging kennelijk onredelijk is. Slechts geeft art. 7:681 lid 2 en lid 3 BW enige voorbeelden van omstandigheden op grond waarvan de rechter eventueel – wanneer hij dit gerechtvaardigd acht – tot de kennelijke onredelijkheid van een ontslag kan besluiten. Maar overigens heeft de

319 Toetsing op kennelijk onredelijkheid kan alleen geschieden ten aanzien van opzegging door een der partijen, en niet in geval de arbeidsovereenkomst door rechterlijke ontbinding tot een einde is gekomen HR 24 oktober 1997, JAR 1997, 248.

320 S. Mok, Arbeidsrechtelijke opstellen, Alphen aan den Rijn 1950, p. 93.

321 Wanneer een onregelmatig ontslag tevens kennelijk onredelijk wordt geacht, kunnen de gefixeerde schadevergoeding wegens onregelmatig ontslag en de schadevergoeding wegens kennelijk onredelijk ontslag cumuleren; HR 29 september 1995, NJ 1996, 90, JAR 1995, 232. Na een onverwijlde opzegging wegens een dringende reden is echter geen plaats voor een vordering tot schadevergoeding wegens kennelijk onredelijke opzegging, HR 12 februari 1999, NJ 1999, 643 m.nt. PAS; T. Veling, Nederlands tijdschrift voor sociaal recht 1999, 11, p. 276; J. Riphagen, Ars Aequi 1999, 941-949.

322 HR 5 april 1990, NJ 1991, 422; HR 11 maart 1997, JAR 1997, 90.

323 L.H. van den Heuvel, Herziening van het ontslagrecht: Verboden ontslag kan kennelijk onredelijk zijn en oneigenlijk gebruik van art. 7A:1639w BW, PRG 1992, 23, p. 735 is van mening dat zulks mogelijk is. Zie ook E. Verhulp, Flexibiliteit en zekerheid, 2^{e} druk, Den Haag, Sdu 1999, p. 245, onder verwijzing naar HR 13 november 1992, NJ 1993, 265. Ik lees bedoeld arrest aldus, dat de Hoge Raad vaststelt dat ingeval sprake is van een opzegverbod, en bovendien de opzegging om een andere reden kennelijk onredelijk kan worden geacht, een vordering tot schadevergoeding op grond van kennelijk onredelijke opzegging mogelijk is. De Hoge Raad heeft mijns inziens niet beslist dat een vordering tot schadevergoeding om een reden in verband waarmee een opzegverbod is geregeld, mogelijk is. Tegen deze opvatting pleit de tekst van art. 7:677 lid 5: 'Het niet in acht nemen van artikel 670 lid 1 tot en met 7 (...) maakt de werkgever niet schadeplichtig'.

wetgever het aan de rechter overgelaten om aan dit begrip inhoud te geven.[324]

rechtspraak kennelijk onredelijke opzegging

De rechtspraak met betrekking tot art. 7:681 BW heeft een opmerkelijke ontwikkeling vertoond.[325] Na de invoering van het kennelijk onredelijk ontslag in 1954 heeft de rechter dit nieuwe criterium aanvankelijk vooral gehanteerd om duidelijke (kennelijke) misslagen te corrigeren. Dit marginale karakter van de rechterlijke toetsing is in de loop der jaren echter enigszins verwaterd. De toetsing is ruimer geworden; zij richt zich niet meer zozeer op de redenen voor, maar op de gevolgen van de opzegging.
In het bijzonder is dit veroorzaakt door de toepassing die de rechter heeft gegeven aan art. 7:681 lid 2 sub b BW. Hierin staat te lezen, dat een opzegging door de werkgever kennelijk onredelijk kan worden geacht: 'wanneer, mede in aanmerking genomen de voor de werknemer getroffen voorzieningen en de voor hem bestaande mogelijkheden om ander passend werk te vinden, de gevolgen der beëindiging voor hem te ernstig zijn in vergelijking met het belang van de werkgever bij de beëindiging'.
De impuls tot een ruime toepassing van art. 7:681 lid 2 sub b BW werd gegeven door een uitspraak van de Hoge Raad in 1961.[326] Het betrof een 58-jarige cheffin, die na een dienstverband van 8 1/2 jaar met toestemming van de Regionaal Directeur van de Arbeidsvoorzieningsorganisatie en met inachtneming van de opzeggingstermijn was ontslagen. Samenwerkingsproblemen, ontstaan na een wijziging van de leiding, waren de reden van het ontslag. Hoewel de reden van het ontslag op zichzelf niet kennelijk onredelijk was, werd de werkgever niettemin door de rechtbank via toepassing van art. 7:681 lid 2 sub b BW veroordeeld om aan de werknemer een schadevergoeding van *f* 4000 (± 2/3 jaarsalaris) te betalen. De Hoge Raad achtte dit geen onjuiste interpretatie van art. 7:681 BW. In een later arrest besliste de Hoge Raad dat de werkgever onder omstandigheden – in casu was sprake van weigering van een werknemer, na psychische ongeschiktheid, ander werk te verrichten – ook al heeft hij belang bij opzegging, dat belang niet laten prevaleren boven het belang van de werknemer zonder een billijke schadevergoeding toe te kennen.[327]

gouden handdruk

Sedert het standaardarrest van 1961 is de rechtspraak waarin een ontslag

324 A. Hoffmans, De kennelijk onredelijke beëindiging: stilstand of dynamiek, SR 1991, 2, p. 47; hiertegen SR 1991, 7/8, p. 215. Zie ook HR 29 januari 1999, JAR 1999, 46: ook omstandigheden die niet in art.7:681 BW worden genoemd kunnen aanleiding zijn tot een schadevergoeding op grond van kennelijk onredelijke opzegging.

325 A.J. Haakman, Kennelijk onredelijk ontslag ondanks vergunning, Hedendaags arbeidsrecht, p. 146; A. Bockwinkel, De verwatering van het kennelijk onredelijk ontslag, SMA 1976, p. 155; H.L. Bakels, Ontslagrecht, oud en nieuw. SMA 1977, p. 549.

326 HR 1 december 1961, NJ 1962, 78, Arbeidsrechtspraak nr. 50 (De Vries/Lampe). Zie ook HR 1 december 1978, NJ 1979, 185.

327 HR 30 januari 1998, NJ 1998, 476.

financiële voorzieningen

kennelijk onredelijk werd verklaard omdat de financiële nazorg van de werkgever onvoldoende werd geacht, toegenomen.[328]
Daarnaast zijn ook in cao's, of in een apart met vakbonden overeengekomen 'sociaal plan', meestal afvloeiingsregelingen getroffen.[329] Ondanks de toepasselijkheid van een overeengekomen afvloeiingsregeling blijft de rechter bevoegd om, bij instelling van een vordering tot schadevergoeding wegens kennelijk onredelijk ontslag, te beoordelen of de overeengekomen vergoeding hoog genoeg is om te voorkomen dat de opzegging kennelijk onredelijk is.[330]

sanctie

De werkgever of de werknemer die meent dat zijn wederpartij de arbeidsovereenkomst op kennelijk onredelijke wijze heeft opgezegd kan een schadevergoeding vorderen (art. 7:681 lid 1 BW). Het gaat hier niet om een gefixeerd bedrag, doch om een bedrag dat de rechter vaststelt rekening houdende met alle omstandigheden van het geval.[331] Ook een vordering tot herstel van de arbeidsovereenkomst is mogelijk (art. 7:682 lid 1 BW). Beide vorderingen verjaren zes maanden nadat de dienstbetrekking is geëindigd (art. 7:683 lid 1 BW). Volgens HR 11 mei 1979[332] is een (herstel)vordering op basis van de goede trouw niet mogelijk aangezien de regeling van het kennelijk onredelijk ontslag in deze uitputtend wordt geacht.

328 F.B.J. Grapperhaus en C.J.Loonstra (red.), Afvloeiingsregelingen in het arbeidsrecht, Deventer 1997.

329 R. van de Water, Van kennelijk onredelijk ontslag naar onredelijk ontslag, Sociaal Recht 1998 (1) p. 8–10 bepleit een richtlijn vanuit de rechterlijke macht om de hoogte van de vergoedingen te stroomlijnen. Anders: G.C. Boot, de Aanbevelingen één jaar later en nu verder met het kennelijk onredelijk ontslag... Sociaal Recht 13 (1998), 1 p. 4–7. Zie ook: R.M. Beltzer, R. Knegt, A.D. M. van Rijs, Vergoedingen bij ontslag van werknemers: regelingen en praktijk. Interim rapport Amsterdam-Tilburg 1998.

330 J. van der Hulst, Het sociaal plan, diss. UvA 1999, p. 81 e.v. HR 7 april 1995, NJ 1995, 681, m.n. PAS, JAR 1995, 98, TVVS 1995, 6, p. 167, m.n. MGR, Arbeidsrechtspraak nr. 53 (Statenbank/Fiet). Th.P. ten Brink, Afvloeiingsregeling bij voorbaat: minimum of maximum, ArbeidsRecht 1995, 6/7, 40; W.J.M. van Tongeren, De vaststellingsovereenkomst in het arbeidsrecht, SMA 1996, 1, p. 34; J.M. van Slooten, De aard en werking van het sociaal plan, SR 1995, 12, p. 362. Zie ook J.J. Trap en W.M. Hes, KLM/van Dam revisited: kennelijk onredelijk ontslag en door werknemer niet aanvaarde afvloeiingsregeling, ArbeidsRecht 1995, 27; M. Jansen, Gebondenheid van werknemer en rechter aan het Sociaal Plan, als CAO overeengekomen, ArbeidsRecht 1997, 3; C.J. Herman de Groot, De (gewenste) gebondenheid van de werknemer en de rechter aan een Sociaal Plan, met OR en vakbonden overeengekomen, ArbeidsRecht 1997, 33, J. van der Hulst, Toepassing of afwijking van het Sociaal Plan?, Sociaal Recht 1998, 3, p. 84–89. Zie ook de Richtlijnen van de kring van kantonrechters zoals aangevuld april 1998, NJB 1998, p. 969.

331 Al heeft de rechter een grote vrijheid, wanneer hij een ontslag kennelijk onredelijk acht is hij verplicht (enige) schadevergoeding toe te kennen (HR 4 juni 1976, NJ 1977, 98). Bij de bepaling van het bedrag aan schadevergoeding op grond van kennelijk onredelijke opzegging behoren de na het einde van de arbeidsovereenkomst intredende omstandigheden buiten beschouwing te worden gelaten, behoudens voorzover daaruit aanwijzingen zijn te putten voor hetgeen ten tijde van het ontslag met betrekking tot de gevolgen van het ontslag kon worden verwacht. HR 3 mei 1995, NJ 1995, 451 en HR 18 oktober 1997, JAR 1997, 245. In zijn conclusie voor dit laatste arrest weidt de AG een uitvoerige beschouwing aan de schadevergoeding wegens kennelijk onredelijke opzegging.

331 NJ 1979, 441, Arbeidsrechtspraak nr. 51 (Van Werkhoven/Hal).

De feitelijke rechter heeft een grote beleidsvrijheid met betrekking tot het bepalen van de omvang van de schadevergoeding. Een voordeel hiervan is dat hij rekening kan houden met alle omstandigheden van het geval.[333]
De schadevergoedingen die door de kantonrechters wegens kennelijk onredelijk ontslag worden toegekend kunnen in vergelijkbare gevallen zeer uiteenlopen.[334]

berekening schadevergoeding

De wetgever geeft de kantonrechter geen houvast voor het berekenen van de schadevergoeding. Vóór de invoering van de Vaststellingswet stelde de wet op een kennelijk onredelijk ontslag als sanctie een schadevergoeding 'naar billijkheid', hetgeen wijst op een ruime beleidsvrijheid van de rechter. Met ingang van 1 januari 1997 zijn de aangehaalde woorden geschrapt, maar uit de wetsgeschiedenis blijkt dat hiermede slechts een redactionele wijziging werd bedoeld. Evenals voordien behoudt de rechter dus een grote vrijheid bij de begroting van de schade en is hij niet gebonden aan de gewone regels van stel- en bewijsplicht.[335]
De rechtsonzekerheid met betrekking tot de omvang van de schadevergoeding klemt te meer nu in de rechtspraak recentelijk een tendens lijkt waar te nemen om na een opzegging waarvan de werknemer geen verwijt kan worden gemaakt het toekennen van een schadevergoeding (afvloeiingsregeling) min of meer vanzelfsprekend te achten.[336] Eenzelfde probleem doet zich overigens voor bij het vaststellen van een vergoeding in geval van een ontbinding ex art. 7:685 lid 8 BW wegens veranderingen in de omstandigheden (3.7.4.1). Dergelijke ontbindingsprocedures komen in de praktijk veel vaker voor dan procedures wegens kennelijk onredelijk ontslag.

aansluiting bij ontbindingsvergoeding

Hoewel er verschillen bestaan tussen een procedure wegens kennelijk onredelijk ontslag en een ontbindingsprocedure (zo wordt de eerste procedure meestal vooraf gegaan door een BBA-procedure en een opzegtermijn) is het niet onbegrijpelijk dat kantonrechters bij het vaststellen van een schadevergoeding na kennelijk onredelijk ontslag soms aansluiting zoeken bij berekeningsmaatstaven die zich met betrekking tot het vaststellen van de ontbindingsvergoeding hebben ontwikkeld (kantonrechtersformule).

333 Bij de bepaling van het bedrag aan schadevergoeding behoren de na het einde van de arbeidsovereenkomst intredende omstandigheden buiten beschouwing te worden gelaten, behoudens voorzover daaruit aanwijzingen zijn te putten voor hetgeen ten tijde van het ontslag met betrekking tot de gevolgen van het ontslag kon worden verwacht. HR 3 mei 1995, NJ 1995, 451 en HR 18 oktober 1997, JAR 1997, 245.

334 R.A.A. Duk, Redelijkheidtoetsing van ontslagen: wil de echte Sinterklaas opstaan?, SMA 1993, 4, p. 223; G.C. Boot, Ontslagvergoedingen: grondslag, vormen en toekomst, SMA 1999, 9, p. 406; A.M. Luttmer-Kat, De rechtsgrond van (forfaitaire) ontslagvergoedingen, SMA 1999/10, p. 435-441; C.G. Scholtens, Systematiek ontslagrecht en afvloeiingsregelingen, ArbeidsRecht 1999, nr. 59; dezelfde: De kantonrechtersformule en normering van de ontslagvergoeding, voortschrijdend inzicht en de commissie ADO, NJB 2000, p. 15-17.

335 Kamerstuknr. 23 438, nr. 3, p. 51.

336 P.F. van der Heijden, Ontslag: handdruk verplicht, AA 1996, 11, p. 688.

3.6.3.6 *Collectief ontslag*[337]

oorzaken collectief ontslag

Het ontslagrisico van de werknemer wordt groter naarmate het proces van productie en consumptie meer aan veranderingen onderhevig is. De laatste decennia is dit ongetwijfeld het geval. Consumptiepatronen veranderen in snel tempo, evenals de maatschappelijke eisen die aan werknemers worden gesteld; de EG dwingt de ondernemingen in toenemende mate tot heroriënteringen en de technische ontwikkeling houdt rigoureus opruiming onder productiemethoden, bedrijven en bedrijfstakken die tot voor kort stabiel en onaantastbaar leken. Bovengenoemde veranderingen leiden in het bedrijfsleven tot reorganisaties, fusies en inkrimpingen, tot faillissementen en surséances van betaling. Soms leiden deze veranderingen tot een massaal ontslag voor werknemers, die – zeker als het oudere werknemers betreft – niet of moeilijk meer een plaats in het productieproces kunnen vinden.

WMCO

De Wet melding collectief ontslag 1976 (WMCO) verschaft werknemers een extra bescherming in geval van een collectief ontslag. Primair beoogt deze wet door tijdige arbeidsmarktpolitieke maatregelen werkloosheid te voorkomen of te beperken. Daartoe introduceert de wet een uitbreiding van de ontslagprocedure die normaliter ex art. 6 BBA moet worden gevolgd. De wet is een uitvloeisel van de EG-richtlijn inzake collectief ontslag d.d. 17 februari 1975.[338]

melding

De wet verplicht een werkgever die 'voornemens is' de arbeidsovereenkomsten van minstens 20 werknemers, werkzaam binnen het territoir van een Regionaal bestuur van de Arbeidsvoorzieningsorganisatie (7.2), op een of meer binnen een tijdvak van drie maanden gelegen tijdstippen op te zeggen, daarvan gemotiveerd mededeling te doen aan de Regionaal Directeur van de Arbeidsvoorzieningsorganisatie (RDA) (art. 3 en 4 WMCO).[339] De RDA neemt verzoeken om toestemming tot ontslag van de daarbij betrokken individuele werknemers – die door de werkgever tegelijk met de melding kunnen worden ingediend – eerst in behandeling nadat een maand na de melding is verstreken (art. 6 lid 1

337 Zie ook J. van der Hulst, Het sociaal plan, diss. Amsterdam 1999; J. Heinsius, De wet melding collectief ontslag en artikel 7A:1639w BW, in: K.F. Haak e.a. (red.), Recht in bedrijf, Rotterdam, Frg EUR 1997.

338 Deze richtlijn is gewijzigd door de EG-richtlijn van 24 juni 1992. Als gevolg hiervan werden eveneens veranderingen aangebracht in de WMCO. Zie C.E.M. van den Boom, WMCO, bijdrage aan Arbeidsovereenkomst (losbladig). Colin Bourn, Amending the Collective Dismissal Directive: A Case of Re-arranging the Deckchairs?, The International Journal of Comparative Law and Industrial Relations, Deventer 1993, 3, p. 227.

339 Voor de berekening van het aantal van 20 werknemers worden ook ontbindingsverzoeken wegens reorganisatie ex art. 7:685 BW meegeteld voor zover het daarbij gaat om minstens vijf ontbindingsverzoeken binnen de periode van drie maanden (art. 3 lid 2 WMCO).

WMCO).[340] Gedurende deze wachtperiode heeft de RDA de gelegenheid om na te gaan of door arbeidsmarktpolitieke maatregelen (overheidssteun, herscholing, etc.) werkloosheid kan worden voorkomen of zoveel mogelijk kan worden bekort. Deze wachttijd geldt niet wanneer bij de melding een verklaring wordt overgelegd van de belanghebbende verenigingen van werknemers dat zij zijn geraadpleegd en dat zij zich ermee kunnen verenigen (art. 6a WMCO).

wachttijd

Wanneer de Regionaal Directeur van de Arbeidsvoorzieningsorganisatie mocht merken dat een werkgever niet op de wettelijk voorgeschreven wijze aan zijn meldingsplicht heeft voldaan, neemt hij de ontslagaanvragen niet in behandeling (art. 5 en 6 WMCO).
Het moge overigens duidelijk zijn dat van deze maatregelen in een periode van grote werkeloosheid weinig effect verwacht mag worden.

sanctie

Behalve deze arbeidsmarktpolitieke doelstelling heeft de wet ook repercussies voor het collectief overleg. Deze repercussies worden behandeld in 4.8.3.

3.6.3.7 *Opzegging tijdens faillissement, surséance van betaling en schuldsanering van de werkgever*[341]

Het ontslagrecht, zoals dat tot dusver werd beschreven, ondergaat op een aantal punten een verandering indien de werkgever in staat van faillissement is verklaard. Globaal gesproken kan men constateren dat de opzegging voor beide partijen in dit geval wordt vergemakkelijkt, zulks enerzijds om de boedelcrediteuren te beschermen tegen het oplopen van loonvorderingen, anderzijds om de werknemer niet nodeloos lang aan het failliete bedrijf te binden.

In geval van faillissement van de werkgever is het algemeen ontslagverbod niet van toepassing (art. 6 lid 2 sub c BBA):[342] de curator[343] die de dienstbetrekking wil opzeggen heeft daartoe geen toestemming nodig van de Regionaal Directeur van de Arbeidsvoorzieningsorganisatie. Gewoonlijk wordt aangenomen dat de curator evenmin gebonden is aan de bijzondere opzegverboden.[344]

faillissement

340 De Regionaal Directeur van de Arbeidsvoorzieningsorganisatie kan deze wachttijd buiten toepassing laten indien door toepassing de werkgelegenheid van de overige werknemers in de betrokken onderneming zou worden bedreigd (art. 6 lid 3 WMCO).

341 E. Loesberg, De werknemer en zijn insolvente werkgever, Tijdschrift voor insolventierecht 1998, 4; dezelfde, De schuldsaneringsregeling natuurlijke personen en werknemers, Tijdschrift voor insolventierecht 1998, 10, p. 226-227.

342 Anders: W.F. Boele, Ontslagbescherming tijdens faillissement, NJB 1997, 6, p. 253–254.

343 De curator heeft voor opzegging machtiging nodig van de rechter-commissaris.

344 L.H. van de Heuvel, t.a.p., p. 56: art. 670 BW is niet van toepassing in geval van faillissement en surséance van betaling.

Faillietverklaring van de werkgever leidt ook overigens tot andere regels met betrekking tot opzegging. Weliswaar moeten de werknemer in dienst van de gefailleerde, alsmede de curator, bij opzegging de overeengekomen of wettelijke opzeggingstermijn in acht nemen, maar de arbeidsovereenkomst kan in elk geval worden beëindigd door opzegging met een termijn van zes weken (art. 40 Fw).
De termijn van 6 weken is zeer stringent. Zij kan niet met beroep op een eventueel latere vertrekdag worden verlengd; er kan met andere woorden tegen elke dag van de week of de maand worden opgezegd.[345]

loon

Vanaf de dag der faillietverklaring is het verschuldigde loon boedelschuld (art. 40 lid 2 Fw.). Dit betekent dat dit loon rechtstreeks uit de boedel moet worden betaald voordat de overige schuldeisers aan bod komen. Bij onmacht van de werkgever om te betalen, wordt betaling van dit loon, binnen de uit art. 40 Fw. voortvloeiende opzegtermijnen voor ten hoogste zes weken, gegarandeerd door het Landelijk instituut sociale verzekeringen (art. 61 WW e.v.).[346]

Al met al is een ontslag tijdens faillissement voor werknemers buitengewoon nadelig. Hun ontslagbescherming is beperkt tot bovenomschreven loongarantie. Vooraf overeengekomen afvloeiingsregelingen verliezen hun geldingskracht.[347]
Weliswaar blijft een beroep op kennelijk onredelijke opzegging mogelijk, maar de toestand van de boedel zal gewoonlijk aan toewijzing van een schadevergoeding ex art. 7:681 BW in de weg staan.[348]

surséance van betaling

Hetgeen hierboven is opgemerkt ten aanzien van het faillissement, geldt in beginsel evenzeer indien aan de werkgever surséance van betaling is verleend. Op een viertal punten valt echter een verschil te constateren. In de eerste plaats is de werkgever gebonden aan het ontslagverbod van art. 6 BBA.[349]

345 HR 22 mei 1970, 1970, NJ 419.

346 Zie voor de sociale verzekeringsrechtelijke dekking van deze vorderingen art. 61 t/m 68 WW. J.M. Fleuren-van Walsum, WW-problemen van ex-werknemers van failliete bedrijven, SMA 1993, 1, p. 7; P.R.W. Schaink, Loongarantie bij faillissement, ArbeidsRecht 1996, 43.

347 HR 12 januari 1990, NJ 1990, 662, TVVS 1990, 5, p. 132, m.n. MGR.

348 Zie over de vraag of het aanvragen van een faillissement door de werkgever met het oogmerk om afbreuk te doen aan de ontslagbescherming van werknemers kan leiden tot nadere claims van die werknemers de uitspraken opgenomen in JAR 1996, 58; M.L. Lennarts en S.N. de Valk, TVVS 1996, 7, p. 205; R.H. van het Kaar en R. Knegt, Doorstart na faillissement: de positie van werknemers, NJB 1996, 39, p. 1622; W.F. Boele, Ontslagbescherming tijdens faillissement, NJB 1997, 6, p. 253; R.H. van het Kaar, Faillissementsaanvraag als misbruik van bevoegdheid, ArbeidsRecht 1996, 50. Zie voorts F.B.J. Grapperhaus, De curator en de verplichte handdruk, ArbeidsRecht 1996, 71.

349 De vraag of de bijzondere ontslagverboden bij surseance van toepassing zijn wordt bevestigend beantwoord door Van der Grinten p. 208 en E. Loesberg, De werknemer en zijn insolvente werkgever, Tijdschrift voor insolventierecht 1998, 4, p. 73 en ontkennend door L.H. van den Heuvel, t.a.p., p. 56.

In de tweede plaats is de werkgever onverkort gebonden aan de Wet melding collectief ontslag.
In de derde plaats mag de werkgever – met machtiging van de bewindvoerders (art. 228 Fw) – de arbeidsovereenkomst met een termijn van 6 weken beëindigen, tenzij de termijn voortvloeiende uit art. 7:672 lid 2 BW langer is; alsdan geldt deze laatste termijn (art. 239 lid 1 Fw).
In de vierde plaats geldt de bepaling dat de werknemer in elk geval met een termijn van 6 weken mag opzeggen niet tijdens surséance van betaling. De werknemer blijft gebonden aan de voor hem geldende overeengekomen opzeggingstermijn. Hij is niet gebonden door het voorschrift van art. 7:672 lid 3 BW (art. 239 lid 2 Fw).[350]

Vanaf de aanvang van de surséance is het verschuldigde loon boedelschuld (art. 239 lid 3 Fw). Uitbetaling van dit loon wordt krachtens de Werkloosheidswet gegarandeerd tot ten hoogste de uit art. 40 Fw voortvloeiende opzegtermijn van zes weken (art. 64 sub b WW).

schuldsanering

De Faillissementswet kent de mogelijkheid dat op een natuurlijke persoon, op diens verzoek, de schuldsaneringsregeling wordt toegepast (art. 284 e.v. Faillissementswet).[351] Wanneer dat is geschied heeft zulks onder meer tot gevolg dat andere regels gelden bij opzegging. Alleen de bewindvoerder is tot opzegging bevoegd (art. 316 Faillissementswet). Bij opzegging is geen toestemming van de RDA (art. 6 lid 2 sub c BBA) nodig. Het besproken art. 40 Faillissementswet is van overeenkomstige toepassing op opzegging waarbij de Schuldsaneringsregeling van toepassing is.

3.6.3.8 *Opzegging tijdens proeftijd*

Wanneer tijdens een overeengekomen proeftijd (3.2.5.2) wordt opgezegd is een aantal regels die de werknemer of werkgever in geval van opzegging beschermen, niet van toepassing.
Op grond van art. 6 lid 2 sub c BBA is bij opzegging gedurende de proeftijd geen toestemming van de RDA nodig. Voorts is krachtens art. 7:676 BW ieder der partijen, zolang de proeftijd niet is verstreken, bevoegd de arbeidsovereenkomst met onmiddellijke ingang op te zeggen. Een termijn hoeft dus niet in acht genomen te worden. Bovendien sluit het tweede lid van art. 7:676 BW de vordering tot schadevergoeding op grond van kennelijk onredelijke opzegging of de vordering tot herstel van de arbeidsovereenkomst in geval van opzegging tijdens de proeftijd uit. Ten slotte bepaalt art. 7:670b lid 1 BW dat art. 7:770 en 670a BW

350 A.M. Luttmer-Kat, Tijdschrift voor insolventierecht 1999, 4, p. 99 en de reactie van E. Loesberg, Tijdschrift voor insolventierecht 1999, 7, p. 167. Zie ook Van der Grinten, p. 207.
351 E. Loesberg, De schuldsaneringsregeling natuurlijke personen en werknemers, Tijdschrift voor Insolventierecht 1998, 10, p. 226-227.

(opzegverboden) niet van toepassing zijn in geval van opzegging gedurende de proeftijd.[352]

ratio proeftijd

Een proeftijd biedt partijen de gelegenheid wederzijds met elkaar ervaring op te doen alvorens een meer definitieve arbeidsovereenkomst aan te gaan. Opzegging vóór het begin van de overeengekomen proeftijd is echter mogelijk; aan een proeftijdbeding kunnen partijen niet het recht op een werkelijke proeftijd ontlenen. De wet eist niet dat de proeftijd een bepaalde minimumperiode heeft geduurd.

misbruik van bevoegdheid

De Hoge Raad heeft in een arrest van 1995[353] aangegeven dat opzegging tijdens de proeftijd niettemin aan zekere eisen moet voldoen. Uitoefening van de ontslagbevoegdheid tijdens proeftijd kan worden getoetst aan de regel van misbruik van bevoegdheid (art. 3:13 BW). Misbruik als bedoeld in art. 3:13 BW kan aanwezig zijn wanneer sprake is van discriminatie. In casu werd het beroep op (leeftijds)discriminatie door de Hoge Raad niet gehonoreerd. Onduidelijk is welke sancties aan misbruik van de opzeggingsbevoegdheid tijdens proeftijd – schadevergoeding?, nietigheid? – zijn verbonden.

3.6.3.9 *Overwijlde opzegging om een dringende reden*

De ten aanzien van de opzegging gestelde voorschriften zijn evenmin van toepassing indien een partij de arbeidsovereenkomst onverwijld opzegt om een dringende reden, onder gelijktijdige mededeling van die reden aan de wederpartij (art. 1 lid 1 sub f en art. 6 lid 2 sub a BBA, art. 7:677 lid 1 BW, art. 7:670b lid 1 BW). Een dergelijke opzegging kan dus zonder meer, zonder schadeplicht, leiden tot een onmiddellijke verbreking van de arbeidsverhouding, tot een zogenaamd ontslag op staande voet. Daarenboven wordt de wederpartij schadeplichtig indien de dringende reden berust op zijn opzet of schuld (art. 7:677 lid 3 BW). Soms kan dan niet alleen een schadeloosstelling worden gevorderd, maar tevens (cumulatief) schadevergoeding wegens wanprestatie.[354]

dringende redenen werkgever

Dringende redenen voor de werkgever zijn daden, eigenschappen of gedragingen van de werknemer, die ten gevolge hebben dat van de werkgever redelijkerwijs niet gevergd kan worden de arbeidsovereenkomst te laten voortduren (art. 7:678 BW). Er kan sprake zijn van een dringende reden ook al valt de werknemer van zijn daad of gedraging geen

352 De overige opzegverboden, bijvoorbeeld het verbod van discriminatoire opzegging van art. 7:646 BW behouden dus wel hun werking bij opzegging tijdens proeftijd.

353 HR 13 januari 1995, NJ 1995, 430, m.n. PAS, Arbeidsrechtspraak nr. 14 (Codfried); S.W. Kuip, Misbruik van de proeftijd-ontslagbevoegdheid, ArbeidsRecht 1995, 23; M.V. Ulrici, De grenzen aan ontslag tijdens proeftijd, ArbeidsRecht 1995, 52; G.J.J. Heerma van Voss, Misbruik van bevoegdheid in het arbeidsrecht, in het bijzonder bij ontslag tijdens de proeftijd, bijdrage aan Arbeidsrecht en algemeen vermogensrecht, Alphen aan den Rijn, Samsom 1993, p. 61; A.M.J.J. Nieskens, Spreken is zilver, maar zwijgen blijft goud in de proeftijd, ArbeidsRecht 1977, 32.

354 HR 26 november 1976, NJ 268.

verwijt te maken (al zal dit geval zich zeer zelden voordoen).[355] Een dringende reden kan aanwezig zijn voordat de werknemer met zijn werkzaamheden is begonnen.[356] Een terecht onverwijld gedane opzegging op grond van een dringende reden kan niet tegelijkertijd kennelijk onredelijk zijn, zo heeft de Hoge Raad uitgemaakt.[357] Bij de beoordeling of er een dringende reden voor ontslag is moeten wel factoren die bij de beoordeling van de vraag of een opzegging kennelijk onredelijk is ook een rol gespeeld zouden hebben, zoals arbeidsverleden en positie op de arbeidsmarkt van de werknemer, een rol spelen. Er is echter geen regel dat bij een 'brandschoon' verleden aard en ernst van zijn gedragingen niet tot onverwijlde opzegging van een werknemer kan leiden.[358]

mee te wegen factoren

De wet geeft in art. 7:678 BW een opsomming van gedragingen en eigenschappen van de werknemer die een dringende reden voor ontslag kunnen zijn, zoals ernstige onbekwaamheid, de weigering om een redelijk bevel op te volgen, diefstal, enz. De wettelijke opsomming heeft echter slechts illustratieve waarde. De gegeven voorbeelden leveren niet automatisch een dringende reden op maar slechts als zij in het concrete geval van zo ernstige aard zijn, dat voortzetting van de arbeidsovereenkomst redelijkerwijs niet meer van de werkgever kan worden geëist. Anderzijds zijn er dringende redenen mogelijk die niet in de opsomming worden genoemd. Een afspraak dat een bepaalde gedraging van de werknemer als een dringende reden voor ontslag zal gelden, is nietig; ook hier blijft doorslaggevend of deze gedraging in concreto een onmiddellijke verbreking van de arbeidsovereenkomst rechtvaardigt.[359]

voorbeelden dringende reden

De rechtspraak betreffende de vraag of er in concreto van een dringende reden sprake is, is zeer omvangrijk en gevarieerd. In het kader van dit boek is het niet mogelijk daarvan ook maar bij benadering een volledig beeld te geven. Zeer veel hangt af van de omstandigheden van het geval.[360] Zo zal de beantwoording van de vraag of bepaalde misdragingen van de werknemer een dringende reden voor ontslag opleveren, mede afhankelijk kunnen zijn van de voorgeschiedenis. Heeft de werknemer

rechtspraak

355 HR 3 maart 1989, NJ 1989, 549; HR 5 december 1986, NJ 1987, 404.

356 HR 5 februari 1954, NJ 1954, 782; zie ook HR 20 maart 1981, NJ 1981, 507, Arbeidsrechtspraak nr. 42 (Mijnals/NDSM).

357 HR 12 februari 1999, NJ 1999, 643, Arbeidsrechtspraak nr. 49. J. Riphagen, De ruzie met de hamer: het ontslag op staande voet en de gevolgen voor de werknemer, Ars Aequi 1999 p. 941 e.v.; J.A.J. Peeters, De man met de hamer, SMA 1999, 135-137.

358 HR 26 april 1996, NJ 1996, 489; HR 21 januari 2000, JAR 2000, 45.

359 HR 24 februari 1995, NJ 1995, 450, m.n. PAS, JAR 1995, 67, TVVS 1995, 5, p. 139, m.n. MGR, AA 1995, 11, p. 888, m.n. J. Riphagen.

360 R.A.A. Duk, De Hoge Raad en het ontslag op staande voet, SMA 1982, 7/8, p. 508. Zie ook S.W. Kuip, Het ontslag op staande voet in het ontwerp Boek 7, titel 10 NBW, SR 1992, 4, p. 101; dezelfde, Ontslagrecht met bijzondere aandacht voor de dringende reden, diss. VU, Deventer 1993.

waarschuwing

zich reeds eerder misdragen en is hij daarvoor gewaarschuwd?[361] In het licht van de voorgeschiedenis kunnen gedragingen die op zichzelf geen ontslag op staande voet rechtvaardigen toch een dringende reden zijn. Men spreekt in dit verband wel van 'de druppel die de emmer doet overlopen – doctrine'.[362]

weigering opdracht

Casuïstisch is ook de rechtspraak betreffende de vraag of de werknemer een bepaalde door de werkgever gegeven opdracht moet uitvoeren.[363] Mag hij de opdracht weigeren indien hij daartegen steekhoudende bezwaren heeft?[364] In hoeverre is de werknemer verplicht een opdracht uit te voeren indien hij van mening is dat deze in strijd is met de wet? Een weigering van de werkgever om te voldoen aan een opdracht van een werkgever die in strijd is met hetgeen bij of krachtens de wet is bepaald, levert geen dringende reden voor een ontslag op staande voet op. Op de werknemer kan wel de verplichting rusten – als strijd met genoemde bepalingen niet evident is – zijn weigering zo tijdig ter kennis te brengen van de werkgever dat deze nog voorzieningen kan treffen met het oog op die weigering. Niet-naleving van deze mededelingsverplichting kan onder omstandigheden ontslag op staande voet wettigen.[365]

beweerde ziekte

Een ander veel voorkomend twistpunt betreft de vraag of de werkgever een werknemer op staande voet mag ontslaan indien deze niet op zijn werk verschijnt omdat hij meent ziek te zijn, hetgeen door de werkgever niet wordt geloofd. Hoe ligt de bewijslast? De rechtspraak hierover is zeer genuanceerd. Hoofdregel is dat de werkgever die een werknemer onverwijld opzegt het bestaan van een dringende reden moet bewijzen, ook wanneer de werknemer zich op arbeidsongeschiktheid als reden voor het niet verrichten van de werkzaamheden richt. Dat is niet anders wanneer de werkgever in redelijkheid heeft mogen aannemen dat de werknemer arbeidsgeschikt is.[366]

Tot slot wijs ik op de situatie waarin een arbeider een snipperdag wil opnemen om een voor hem belangrijke gebeurtenis te kunnen bijwo-

361 HR 15 februari 1991, NJ 1991, 340. Zie ook HR 26 april 1996, NJ 1996, 489, JAR 1996, 117, TVVS 1996, 8, p. 228, m.n. MGR, SMA 1996, 12, p. 716, m.n. S.W. Kuip.

362 T. Hoogenboom, bijdrage aan Arbeid in kort geding. Deventer 1983, p. 56.

363 R.A.A. Duk, Redelijk bevel en dringende reden, SMA 1976, 2, p. 89 ; M.M. Olbers, Klachtrecht tegen een opdracht van de werkgever, SMA 1990, 5. p. 260.

364 HR 24 juni 1966, NJ 457, Arbeidsrechtspraak nr. 43 (Krommenhoek/Gooise Foto Centrale).

365 I.P. Asscher-Vonk e.a., De zieke werknemer, 2e druk, Deventer, Kluwer 1999, p. 66; M.M. Olbers, Opdracht in strijd met de wet, SMA 1984, 3, p. 150; HR 12 januari 1991, NJ 1991, 768; HR 27 januari 1995, NJ 1995, 306, JAR 1995, 50; A.J. Swelheim, (Over-)werk-weigering en wettelijk voorschrift, ArbeidsRecht 1995, 24.

366 HR 3 oktober 1997, NJ 1998, 83. M.G. Rood, Ontslag op staande voet, ziekte en de Hoge Raad, NJB 1983, 34, p. 1101; HR 22 januari 1982, NJ 1982, 470, Arbeidsrechtspraak nr. 44 (Chemlal/Jaarbeurs); HR 20 september 1991, NJ 1991, 768; HR 3 oktober 1997, NJ 1998, 83.

nen. Onstaat er een dringende reden voor ontslag indien de werkgever deze snipperdag weigert en de werknemer niettemin niet op het werk verschijnt? Ook hier is het antwoord in sterke mate afhankelijk van de omstandigheden van het geval.[367]

feestdag

Dringende redenen voor de werknemer zijn omstandigheden, die ten gevolge hebben dat van de werknemer redelijkerwijs niet kan worden gevergd de arbeidsovereenkomst te laten voortduren (art. 7:679 BW). Deze omschrijving is ruimer dan die van de dringende redenen voor de werkgever: ook omstandigheden die niet tot gedragingen of eigenschappen van de werkgever zijn te herleiden, kunnen voor de werknemer een dringende reden zijn om ontslag te nemen. In de praktijk komt het overigens zelden voor dat de werknemer wegens een dringende reden de arbeidsovereenkomst beëindigt. Het geval dat de werkgever het loon niet op de bepaalde tijd voldoet, is wel het belangrijkste voorbeeld (art. 7:679, lid 2 sub c BW).[368] Overigens geldt hetgeen hierboven is opgemerkt over de dringende redenen voor de werkgever ook hier.

dringende redenen werknemer

Voor een onverwijlde opzegging is nodig dat er een dringende reden aanwezig is (men noemt dit het vereiste van de 'objectiviteit' van de dringende reden). Dit is echter niet voldoende. De partij die zich op de dringende reden beroept, moet bovendien laten blijken dat de dringende reden door hemzelf ook als een dringende reden wordt ervaren; men spreekt in dit verband ook wel over de 'subjectiviteit' van de dringende reden of de 'dringendheid van de dringende reden'. Dit houdt in dat hij de arbeidsovereenkomst onmiddellijk na het plaatsvinden van de dringende reden en voorts zonder opzeggingstermijn moet doen eindigen, op straffe van rechtsverwerking.[369] In de wet is dit tot uitdrukking gebracht door te spreken van 'onverwijlde' opzegging. Op deze regel bestaan uitzonderingen.

subjectieve dringende reden

In de eerste plaats wordt soms enige tijd toegestaan alvorens het ontslag te effectueren, bijvoorbeeld om een nader onderzoek in te stellen naar de feiten of omdat dit organisatorisch noodzakelijk is.[370] Ook een uitstel van enkele dagen om met een raadsman te overleggen werd toelaatbaar geacht. Aangenomen wordt voorts dat een werkgever zijn beslissing eni-

dringendheid

367 HR 3 november 1961, NJ 1962, 192 (bezoek Allerheiligenmarkt te Winschoten); HR 30 maart 1984, NJ 1985, 350, Arbeidsrechtspraak nr. 45 (Islamitische feestdag); zie ook E. Verhulp, Grondrechten in het arbeidsrecht, Geschriften Vereniging voor Arbeidsrecht nr. 28, Deventer, Kluwer 1999, p. 101 e.v.

368 In dat geval kan de werknemer ook zijn arbeidsverplichtingen opschorten ex artikel 6:262 BW; vgl. Y. Konijn, NBW: eigen richting in het arbeidsrecht?, SR 1991, 4, p. 112.

369 HR 10 augustus 1984, NJ 1985, 34; HR 27 september 1996, NJ 1997, 42, JAR 1996, 217.

370 HR 18 september 1987, NJ 1988, 238, Arbeidsrechtspraak nr. 46 (Breejen/Potze); HR 4 november 1983, NJ 1984, 187, Arbeidsrechtspraak nr. 47 (Van Kimmenade/Keller). A.M.R.G.L. Noy, Rek in de onverwijldheid bij ontslag op staande voet, NJB 1986, 21, p. 633; NJB 1986, 30, p. 968; R.W. Polak, Ontslag op staande voet in concernverband, ArbeidsRecht 1995, 6.

ge tijd mag uitstellen, indien hij de werknemer terzake van zijn gedrag heeft geschorst.[371]
In de tweede plaats werd door de Hoge Raad een ontslag op termijn toegestaan omdat de omstandigheden het noodzakelijk maakten het dienstverband nog gedurende een kortere tijd te laten voortbestaan. In casu betrof het een arts op het eiland Sinkep (voormalig Nederlands Indië) die wegens een dringende reden met een termijn van 14 dagen was opgezegd; niettemin werd het beroep van de rechter op een dringende reden gehonoreerd omdat deze termijn noodzakelijk was om voor een vervanger te zorgen.[372] Een dergelijke situatie is echter vrij uitzonderlijk.

mededeling onverwijld

De dringende reden dient gelijktijdig met de opzegging aan de wederpartij te worden medegedeeld. Deze moet kunnen weten waarom hij wordt ontslagen. Op ontslagredenen die hem niet onverwijld met zoveel woorden zijn medegedeeld, kan geen beroep worden gedaan wanneer eventueel de aanwezigheid van een dringende reden in een procedure wordt aangevochten, tenzij bij de aanzegging van het ontslag bij de werknemer redelijkerwijs geen enkele twijfel kon bestaan over de redenen voor het ontslag op staande voet.[373]

gevolgen onverwijlde opzegging

Een onverwijlde opzegging komt in de praktijk nogal eens voor en leidt verhoudingsgewijs dikwijls tot het aanspannen van een procedure door de werknemer.[374] Dit is begrijpelijk. Een dergelijk ontslag wordt als oneervol beschouwd en heeft voor de werknemer ernstige materiële gevolgen. Het leidt tot een onmiddellijk loonverlies en – zoals reeds is opgemerkt – tot de mogelijkheid van een vordering tot schadeloosstelling ex art. 7:677 lid 3 BW en een vordering tot schadevergoeding wegens wanprestatie. In de regel zal de WW-uitkering geweigerd worden, omdat de werknemer zich verwijtbaar zodanig heeft gedragen dat hij redelijkerwijs heeft moeten begrijpen, dat dit gedrag de beëindiging van zijn dienstbetrekking tot gevolg zou hebben (art. 24 lid 2 sub a in verbinding met art. 27 lid 1 WW).

bewijslast

Een dergelijke opzegging is ook voor de werkgever niet zonder risico's. Hij zal in beginsel moeten bewijzen dat er objectief een dringende reden aanwezig was.[375] Dikwijls valt het moeilijk te voorspellen of de rechter het in deze met de werkgever eens zal zijn. Ook moet aan het vereiste

371 Van der Grinten, p. 113, noot 11. Vgl. HR 21 januari 2000, JAR 2000, 45.
372 HR 19 juni 1925, NJ 1925, 936.
373 HR 23 april 1993, NJ 1993, 504, JAR 1993, 121, Arbeidsrechtspraak nr. 48 (Bakermans/Straalservice).
374 Meestal tot een procedure bij de kantonrechter. Soms tot een procedure in kort geding; R.R.F. van der Mark, Ontslag op staande voet en kort geding, Advocatenblad 1985, 8, p. 171.
375 HR 14 december 1984, NJ 1985, 231.

van de subjectiviteit van de dringende reden zijn voldaan en dient de dringende reden onverwijld te zijn medegedeeld.

sanctie

schadeplichtigheid

vernietigbaarheid

Faalt het verweer van de werkgever op een van deze drie punten dan is hij schadeplichtig en is hij verplicht aan de werknemer de gefixeerde schadevergoeding ex art. 7:677 lid 1 BW te betalen. Dit risico is overigens overzienbaar. Ernstiger is de positie van de werkgever indien de werknemer wegens het ontbreken van een dringende reden een beroep doet op de vernietigingsgrond ex art. 6 en 9 BBA of een van de bijzondere opzegverboden en een vordering instelt tot doorbetaling van loon, zolang hij bereid is de bedongen arbeid te verrichten (art. 7:628 BW). Dergelijke vorderingen kunnen bijzonder hoog oplopen, al kan matiging van de loonvordering (3.6.3.2), het aanvragen van een ontslagvergunning voor zover vereist of een verzoek tot ontbinding voor zover vereist (3.6.4.1) hier de werkgever soms soelaas brengen.
Gezien bovengenoemde risico's doet een werkgever er verstandig aan in twijfelgevallen niet onverwijld op te zeggen, doch de toestemming voor ontslag van de Regionaal Directeur van de Arbeidsvoorzieningsorganisatie aan te vragen en na verkrijgen van de ontslagvergunning vervolgens regelmatig op te zeggen. Een andere, meer gebruikte mogelijkheid is de rechter te verzoeken de arbeidsovereenkomst te ontbinden ex art. 7:685 BW.

3.6.3.10 *Samenloop van opzeggingsregelingen*

In de rechtspraktijk kunnen zich situaties voordoen waarbij de tot dusver besproken ontslagregelingen samenlopen, elkaar aanvullen of corrigeren. Ter illustratie hiervan volgen hieronder enkele casusposities.
Bij de gekozen illustraties zijn bij de voorbeelden onder 1, 2 en 3 de bijzondere opzegverboden (3.6.3.3) buiten beschouwing gelaten; deze komen apart aan de orde onder 4. Voorts is bij al deze voorbeelden uitgegaan van een ontslag dat door de werkgever wordt gegeven.

1. *De werkgever vraagt en verkrijgt van de Regionaal Directeur van de Arbeidsvoorzieningsorganisatie toestemming om de arbeidsverhouding op te zeggen*

toestemming en termijn

De werkgever mag eerst tot opzeggen van de arbeidsverhouding overgaan wanneer hij daarvoor de toestemming van de RDA heeft verkregen. Aangezien tussen het aanvragen en het verlenen van de ontslagvergunning enige tijd pleegt te verlopen, zou het bestaan van het BBA in deze situatie meebrengen dat de door het BW voorgeschreven opzeggingstermijn de facto met deze periode wordt verlengd. Art. 7:672 lid 4 BW beperkt deze verlenging. De opzeggingstermijn wordt na verkregen toestemming verkort met één maand, met dien verstande dat de resterende termijn van opzegging ten minste één maand bedraagt.
Wanneer de werkgever van de verleende ontslagvergunning gebruik

maakt, zal hij daarbij de in het BW gestelde bepalingen in acht moeten nemen. Met name zal hij ervoor moeten waken regelmatig en niet op kennelijk onredelijke wijze op te zeggen.

2. *De werkgever vraagt aan de Regionaal Directeur van de Arbeidsvoorzieningsorganisatie toestemming om de arbeidsverhouding op te zeggen, doch zijn verzoek wordt geweigerd*

De wet voorziet niet in de mogelijkheid van hoger beroep tegen de beschikking van de Regionaal Directeur van de Arbeidsvoorzieningsorganisatie. Wel kan de werkgever trachten via een kantongerechtsprocedure de arbeidsovereenkomst alsnog te laten ontbinden wegens gewichtige redenen (3.6.4.1). Indirect bestaat op deze wijze een zekere rechterlijke controle op de beslissingen van de Regionaal Directeur van de Arbeidsvoorzieningsorganisatie. Ook is het mogelijk dat werkgever na verloop van tijd zijn verzoek om toestemming herhaalt onder aanvoering van nieuwe feiten en daarmede succes heeft.

3. *De werkgever zegt de arbeidsverhouding op zonder toestemming van de Regionaal Directeur van de Arbeidsvoorzieningsorganisatie, hoewel hij daarmede in strijd handelt met het ontslagverbod*

Tot een dergelijk gedrag zal de werkgever bijvoorbeeld kunnen komen, wanneer hij van mening is dat een dringende reden voor onverwijlde opzegging aanwezig is – een in de praktijk dikwijls voorkomende situatie. Wanneer nu de werknemer van mening is dat een dringende reden ontbreekt, heeft hij de keus, hetzij binnen zes maanden na de opzegging een beroep te doen op de vernietigingsgrond ex art. 6 en 9 BBA, hetzij de verbreking van de dienstbetrekking als zodanig te accepteren doch zich te beroepen op een schending van de BW-bepalingen.[376]

vordering vernietiging

Kiest de werknemer de eerste weg, dan zal hij na het beroep op de vernietigingsgrond doorbetaling van zijn loon kunnen vorderen zolang hij aantoont bereid te blijven om zijn werkzaamheden te verrichten (art. 7:628 BW). Deze loonvordering zal worden toegewezen wanneer de rechter van mening mocht zijn, dat aan de opzegging geen dringende reden ten grondslag ligt.

Om het risico van een hoogoplopende loonvordering te beperken, kan de werkgever in dit geval alsnog aan de Regionaal Directeur van de Arbeidsvoorzieningsorganisatie een toestemming voor de opzegging voorzover vereist (dat wil zeggen voor het geval een dringende reden voor ontslag op staande voet volgens de rechter ontbreekt) vragen en na verkrijgen van deze vergunning, de arbeidsovereenkomst door (regelmatige) opzegging doen eindigen. Verkrijging van een toestemming is in dit geval zeer wel mogelijk, immers een gedraging van de werknemer kan – hoewel niet laakbaar genoeg om als een dringende reden te

toestemming voorzover vereist

376 Binnen zekere grenzen kan op een eenmaal gemaakte keus worden teruggekomen. HR 8 mei 1953, NJ 1953, 418, Arbeidsrechtspraak nr. 37 (Van Lieshout/Bandel); HR 7 oktober 1994, NJ 1995, 171, JAR 1994, 234, SMA 1995, 10, p. 591, m.n. G.C. Boot.

worden beschouwd – zeer wel een voldoende motief zijn om een ontslagvergunning af te geven.
Voorts is er nog een tweede uitweg. De werkgever kan de loonvordering van de werknemer beantwoorden met het instellen van een ontbindingsactie ex art. 7:685 BW voor het geval de rechter het ontslag op staande voet nietig zou verklaren. Deze 'ontbinding voor zover vereist' kan zowel steunen op een 'dringende reden' (die niet dezelfde behoeft te zijn als de dringende reden die tot de opzegging leidde), als op 'veranderingen in de omstandigheden' (3.6.4.1).

ontbinding voorzover vereist

Wanneer de werknemer een beroep op onregelmatige opzegging of kennelijk onredelijke opzegging prefereert boven een beroep op de vernietigingsgrond zal hij een gefixeerde schadevergoeding of een volledige schadevergoeding kunnen vorderen wegens de onregelmatigheid van het ontslag, eventueel in combinatie met schadevergoeding naar billijkheid wegens de kennelijk onredelijkheid van de opzegging.

keuze

De keus tussen een beroep op de vernietingsgrond of het vorderen van een schadevergoeding zal gewoonlijk in hoofdzaak afhangen van de werkgelegenheidssituatie en de lengte van de opzeggingstermijn waarop de werknemer recht heeft. Wanneer zijn kans om spoedig ander werk te vinden gering en zijn opzeggingstermijn kort is, zal hij een zo lang mogelijke continuering van zijn arbeidsverhouding op prijs stellen en dus een beroep doen op de vernietigingsgrond en doorbetaling van loon vorderen (BBA). Is daarentegen de opzeggingstermijn lang en zal hij spoedig ander werk kunnen vinden, dan ligt de vordering van een gefixeerde schadevergoeding meer voor de hand (BW).

berusting

Het is mogelijk dat de werknemer te kennen geeft zich noch op de vernietigingsgrond (BBA), noch op een grond tot schadevergoeding (BW) te zullen beroepen. Er is dan sprake van een (totale)berusting in het ontslag. Qua gevolgen bestaat er dan geen verschil met een acceptatie door een werknemer van een aanbod door de werkgever tot onmiddellijke beëindiging (zie voor dit tenietgaan door 'toestemming' 3.6.2); in beide gevallen is de kous af.
Soms is het moeilijk om uit min of meer onbestemde verklaringen van de werknemer af te leiden of deze als een totale berusting in het ontslag mogen worden opgevat. Niet al te spoedig wordt dit door de rechter aangenomen. In het algemeen wordt daarvoor een ondubbelzinnige verklaring geëist.[377]

377 HR 17 januari 1986, NJ 1986, 731; HR 28 april 1995, NJ 1995, 651, JAR 1995, 111.

4. *De werkgever zegt de arbeidsverhouding op; samenloop van de ontslagverboden van BW of AWGB met BBA*

De introductie van de bijzondere ontslagverboden (3.6.3.3) heeft het ontslagrecht er niet eenvoudiger op gemaakt. Zeer globaal kan hierover het volgende worden opgemerkt.

samenloop

Bovengenoemde ontslagverboden en de in het BBA neergelegde ontslagbescherming lopen hier grotendeels parallel. Wanneer bijvoorbeeld een werknemer bezwaar heeft tegen een voorgenomen opzegging van de werkgever wegens strijd met één van de gronden van art. 7:646, 7:647, 7:648, 7:670 BW, art. 5 AWGB of art. 3 WAA, ligt het voor de hand dat de werkgever zich in eerste instantie tot de Regionaal Directeur van de Arbeidsvoorzieningsorganisaties wendt. Als deze het beroep van de werknemer ongegrond acht zal hij zijn toestemming geven. De werkgever zal dan binnen de in de ontslagvergunning gestelde termijn van de toestemming gebruik kunnen maken en de arbeidsovereenkomst opzeggen. Wanneer hij dit doet, kan echter achteraf blijken dat deze opzegging toch vernietigbaar is. Immers, wanneer de werknemer binnen twee maanden een beroep op deze vernietigingsgrond heeft gedaan wegens strijd met art. 7:646, 7:647, 7:648, 7:670 BW, art. 5 AWGB of art. 3 WAA, kan de kantonrechter (of een hogere rechter) dit beroep achteraf alsnog honoreren en de loonvordering van de werknemer toewijzen. De dubbele vernietigbaarheid kan hier dus tot een langdurige periode van onzekerheid leiden.

3.6.4 Ontbinding door de rechter

gewichtige reden

3.6.4.1 Ontbinding wegens gewichtige redenen[378]

Behalve het doen eindigen van de arbeidsovereenkomst door opzegging kent het BW ook de mogelijkheid van ontbinding van de arbeidsovereenkomst door de rechter. Zowel de werkgever als de werknemer kunnen zich te allen tijde tot de rechter wenden met het schriftelijk verzoek de arbeidsovereenkomst te ontbinden wegens gewichtige redenen (art. 7:685 BW);[379] de mogelijkheid van een beroep op art. 7:685 BW kan niet contractueel worden uitgesloten.[380] De verzoeker is echter niet ontvankelijk indien, wanneer het een zieke werknemer betreft, bij het ver-

378 J.J. Groen, Rechterlijke ontbinding van de arbeidsovereenkomst, diss. KUN, Arnhem 1989, p. 34 e.v.; P.F. van der Heijden, De clausula rebus sic stantibus en artikel 1639w BW, bijdrage aan Bakels-bundel, p. 82; C.J. Loonstra, Het bereik van de ontbindingsprocedure ex artikel 7A:1639w BW, Nijmegen 1995.

379 HR 8 november 1996, NJ 1997, 217, m.n. PAS, JAR 1996, 249: art. 7:685 is niet van toepassing op een arbeidsverhouding in de zin van het BBA die geen arbeidsovereenkomst is. Een dergelijke arbeidsverhouding kan door de rechter worden ontbonden op de voet van art. 6:258 en 260 BW. M.T. Boerlage en M.E. Allegro, Freelance-overeenkomst ontbonden op grond van imprévision: een onvoorzien arrest, ArbeidsRecht 1997, 12; M.S.A. Vegter, Ontbinding van arbeids- en opdrachtovereenkomst wegens onvoorziene omstandigheden, SR 1997, 4, p. 104.

380 HR 25 februari 1994, NJ 1994, 377, JAR 1994, 167, ook niet in een sociaal plan, HR 20 maart 1998, JAR 1998, 126.

zoek geen reïntegratieplan wordt overgelegd (art. 7:685 lid 1 BW). Het betreft hier een verzoekschriftprocedure waarop art. 429a–429r Rv van toepassing zijn.

reïntegratieplan

Bij toewijzing van dit verzoek kan de kantonrechter de arbeidsovereenkomst zowel terstond als op een later tijdstip ontbinden; de ontbinding kan echter niet met terugwerkende kracht worden uitgesproken.[381]
De kantonrechter geeft zijn beschikking in beginsel in hoogste ressort; appel en cassatie zijn uitgesloten (art. 7:685 lid 11 BW).[382] De uitslag staat dus snel vast. Request-civiel tegen een beschikking is in beginsel toegelaten indien dit rechtsmiddel is gegrond op de in art. 382 Rv onder 1e, 7e en 8e genoemde redenen (globaal: gevallen waarbij in de ontbindingsprocedure bedrog of arglist heeft plaatsgevonden).[383]

verschil ontbinding/opzegging

Juridisch-technisch gezien maakt het een groot verschil of een arbeidsovereenkomst wordt opgezegd, danwel een verzoek tot ontbinding wordt ingediend. In het eerste geval is de opzeggende partij in beginsel gebonden aan de toestemming van de Regionaal Directeur van de Arbeidsvoorzieningsorganisatie, de opzeggingstermijnen en de ontslagverboden van het BW, enz. Wordt de tweede weg gekozen, dan gelden deze barrières niet voor de werkgever. De ontslagverboden spelen niettemin een rol bij ontbinding van de arbeidsovereenkomst. De kantonrechter kan het verzoek tot ontbinding slechts inwilligen indien hij zich ervan vergewist heeft of het verzoek verband houdt met het bestaan van een van de opzegverboden.[384] Deze bepaling zorgt voor een processuele versterking van de positie van de zieke werknemer. De bepaling dat bij het ontbindingsverzoek wanneer het een arbeidsongeschikte werknemer betreft een reïntegratieplan moet worden overgelegd verzekert dat

381 HR 26 mei 1966, NJ 1966, 345.

382 Appel en cassatie zijn echter mogelijk indien de kantonrechter art. 7:685 BW ten onrechte buiten toepassing heeft gelaten (HR 21 oktober 1983, NJ 1984, 296, Arbeidsrechtspraak nr. 57 (Nijman); HR 4 april 1986, NJ 1986, 549, Arbeidsrechtspraak nr. 58 (Franssen/Safe Sun), buiten het toepassingsgebied van dit artikel is getreden (HR 15 oktober 1993, NJ 1994, 64, JAR 1993, 246, Arbeidsrechtspraak nr. 55 (Lussenburg/Glasfabrieken) of essentiële vormen heeft verzuimd (met name het beginsel van hoor en wederhoor, vgl. HR 22 november 1996, JAR 1996, 253, TVVS 1997, 1, p. 20, m.n. MGR, NJ 1997, 204, m.n. PAS). Zie voorts HR 24 april 1992, NJ 1992, 672, JAR 1992, 13, Arbeidsrechtspraak nr. 54 (Woesthoff) (geen appel en cassatie in geval van een discriminatoire beslissing); HR 9 oktober 1992, NJ 1992, 771, JAR 1992, 102 (geen appel en cassatie indien kantonrechter arbeidsovereenkomst met terugwerkende kracht heeft ontbonden). Hierover P.F. van der Heijden, Denkacrobatiek in plaats van recht, SR 1993, 5, p. 116; E. Cremers-Hartman, Een discriminatoire ontbinding van de arbeidsovereenkomst is niet cassabel, SR 1992, 6, p. 163; A.J. Swelheim, Appel en cassatie van beschikkingen ex art. 7:685 BW: een vierde inventarisatie, ArbeidsRecht 1999, 67; Baudien de Vries, Uitzondering of (hoofd)regel? De uitsluiting van hoger beroep en cassatie ex artikel 7:685 BW en de derde fase van de herziening burgerlijk procesrecht, Ars Aequi 1999, 7/8, p. 515-524.

383 HR 4 oktober 1996, JAR 1996, 218. C.J. Loonstra, Ontbinding van de arbeidsovereenkomst ex artikel 7A:1639w BW en het rekest-civiel, SR 1995, 1, p. 39.

384 S.T.W. Verhaagh, Reflexwerking van opzegverboden, SMA 2000, p. 109-116 en daar genoemde literatuur.

de kantonrechter over adequate informatie kan beschikken over de (re)integratiemogelijkheden van de werknemer.[385]

1. *Gewichtige redenen. Dringende reden*

Als gewichtige redenen worden in de eerste plaats beschouwd de hierboven besproken dringende reden (3.6.3.9). Een partij die een dringende reden voor opzegging meent te hebben, doch een ontslag op staande voet niet aandurft omdat hij er niet zeker van is of de rechter dit oordeel zal delen, kan door het indienen van een verzoek tot ontbinding deze zekerheid verkrijgen. Vergeleken bij het ontslag op staande voet biedt deze weg bepaalde voordelen. De werknemer wordt niet rauwelijks uit zijn werk gestoten en de werkgever ontloopt het gevaar om met betrekking tot de aanwezigheid van de dringende reden een beoordelingsfout te maken, hetgeen hem op een hoogoplopende loonvordering kan komen te staan. Evenmin behoeft een overhaaste beslissing te worden genomen, want de subjectiviteit van de dringende reden – de eis van de 'onverwijldheid' van het ontslag – geldt niet ten aanzien van deze ontbindingsactie.[386]

schadevergoeding bij ontbinding

Wanneer een ontbinding wegens een dringende reden wordt toegewezen kan de eisende partij vervolgens gefixeerde schadevergoeding of volledige schadevergoeding vorderen wanneer de dringende reden aan opzet of schuld van de wederpartij te wijten is (art. 7:677 lid 3 BW). Deze vorderingen kunnen echter niet in de ontbindingsprocedure van art. 7:685 BW worden behandeld. Zij moeten via de normale, contentieuze, kantongerechtsprocedure worden aanhangig gemaakt, waarbij appel en cassatie mogelijk zijn (3.6).[387]

Indien een werknemer ontbinding van de arbeidsovereenkomst heeft verkregen wegens een door de werkgever gegeven dringende reden, zal het in het algemeen weinig zin hebben om daarna nog eens in een aparte procedure de gefixeerde schadevergoeding of volledige schadevergoeding te vorderen aangezien het hier gewoonlijk om beperkte bedragen gaat (3.6.3.4).

schadevergoeding wanprestatie?

In 1989 is echter de vraag aan de orde gesteld of de werknemer in zo'n geval ook gerechtigd is om wegens wanprestatie van de werkgever de schade te vorderen die door het voortijdig einde van de arbeidsovereenkomst is veroorzaakt. Het ging in casu om een schadeclaim dienende tot ongedaan maken van loonderving voor de toekomst; de schadever-

385 Kamerstukken 25 263, 132b, p. 24. Over het moment van indienen van een reïntegratieplan zie aanbeveling nr. 5 van de Kring van Kantonrechters, zoals aangevuld in 1999, NJB 1999, p. 969.
386 Rb. Breda 12 november 1976, NJ 1977, 349; anders L.H. van den Heuvel. De redelijkheidstoetsing van ontslagen, diss. UvA, Deventer 1983, p. 117; S. Kuip in zijn noot bij Ktr. Groningen 1 oktober 1990, PRG 1991, 7, p. 183.
387 HR 28 april 1967, NJ 1967, 260.

goeding was ex aequo et bono gesteld op het brutosalaris van 2 1/2 jaar (*f* 75 000).
De feitelijke rechter was van oordeel dat de regeling van art. 7:677 BW (lex specialis) in dit geval slechts een veroordeling tot gefixeerde schadevergoeding toeliet (in casu *f* 2849,37) en wees het meer gevorderde af. De Hoge Raad was echter van mening dat een werkgever, wiens verwijtbaar gedrag de werknemer heeft genoopt de kantonrechter te verzoeken de arbeidsovereenkomst krachtens art. 7:685 BW wegens een dringende reden te ontbinden, gehouden is de schade te vergoeden welke de werknemer lijdt ten gevolge van het uit die wanprestatie van de werkgever verloren gaan van zijn dienstbetrekking en vernietigde dit vonnis.[388]

2. *Gewichtige redenen. Veranderingen in de omstandigheden*

Krachtens art. 7:685 lid 2 BW kunnen ook 'veranderingen in de omstandigheden, welke van dien aard zijn, dat de arbeidsovereenkomst billijkheidshalve dadelijk of na korte tijd behoort te eindigen' als gewichtige redenen worden beschouwd. Deze ontbindingsgrond is bijzonder ruim. Tot bekende voorbeelden van ontbindingsgronden behoren onder meer een verstoring van de arbeidsrelatie[389] en economische veranderingen.[390]

voorbeelden

Vóór 1945 werd ontbinding wegens veranderingen in de omstandigheden vooral toegepast bij langlopende arbeidsovereenkomsten voor bepaalde tijd. Bij arbeidsovereenkomsten voor onbepaalde tijd bestond hieraan weinig behoefte, aangezien deze krachtens het BW gewoonlijk op vrij korte termijn door opzegging konden worden beëindigd.

geweigerde toestemming

Met de invoering van het BBA 1945 kon ook bij deze laatste categorie behoefte aan ontbinding ontstaan, namelijk in die gevallen waarin de toestemming voor de opzegging werd geweigerd. Verschillende keren is de kantonrechter ook aan deze behoefte tegemoet gekomen. Discrepantie tussen het oordeel van de kantonrechter en de Regionaal Directeur voor de Arbeidsvoorziening RBA betreffende de vraag of de arbeidsovereenkomst dient te eindigen is nu eenmaal mogelijk. Voorts beschikt de kantonrechter over de mogelijkheid om de ontbinding uit te spreken onder voorwaarde dat een vergoeding (zie hieronder) wordt betaald. De Regionaal Directeur van de Arbeidsvoorzieningsorganisatie beschikt

388 HR 1 december 1989, NJ 1990, 451, Arbeidsrechtspraak nr. 59 (Deuss/Holland); TVVS 1990, 2, p. 48, m.n. MGR; SMA 1990, 6, p. 387, m.n. L.H. van den Heuvel. W.K. Bischot, Ontbinding en schadevergoeding wegens toerekenbare tekortkomingen in de arbeidsovereenkomst, ArbeidsRecht 1997, 18.

389 Ktg. Arnhem 21 maart 1984, NJ 1984, 413; PRG 1984, 14, p. 376, (ongewenste toenaderingspogingen); Ktg. 's-Gravenhage 22 oktober 1984, NJ 1985, 286; PRG 1984, 22, p. 624 (ontbreken vruchtbare samenwerking).

390 Ktg. Amsterdam 10 januari 1984, PRG 1984, 16, p. 439 (reorganisatie).

niet over een dergelijke bevoegdheid.[391] Ook dit is een reden waarom een ontbindingsactie soms tot andere resultaten kan leiden dan een procedure bij het RBA. Art. 7:685 BW fungeert hier de facto ook als een soort hoger beroep na weigering van een ontslagvergunning (zoals art. 7:681 BW een zekere correctie mogelijk maakt indien wordt opgezegd met een ontslagvergunning). Daarnaast komt het dikwijls voor dat werkgevers de Regionaal Directeur van de Arbeidsvoorzieningsorganisatie passeren en zich rechtstreeks tot de kantonrechter wenden met het verzoek de arbeidsovereenkomst te ontbinden.

ontbinding voorzover vereist

Het bestaan van het BBA 1945 is eveneens de oorzaak geweest van het ontstaan van de zogenaamde 'ontbinding voorzover vereist'. Wanneer een werknemer een beroep doet op de vernietigingsgrond ex art. 6 en 9 BBA (bijvoorbeeld omdat hij meent dat een ontslag op staande voet niet op een dringende reden berustte) en doorbetaling van loon vordert (art. 7:628 BW), kan de werkgever deze actie beantwoorden door los van deze kantongerechtprocedure (art. 125a Rv) een tweede procedure te starten, een verzoekschriftprocedure (art. 429a e.v. Rv) en daarin ontbinding ex art. 7:685 BW te verzoeken onder voorwaarde dat de arbeidsovereenkomst blijkens rechterlijk gewijsde (in de eerste procedure) niet al op eerdere datum (in casu de datum van het ontslag op staande voet) is geëindigd. Dit verzoek tot ontbinding kan zowel gebaseerd zijn op een dringende reden (die niet op dezelfde feiten behoeft te steunen als de dringende reden die tot de opzegging leidde), als op veranderingen in de omstandigheden. De rechter kan het ontbindingsverzoek voorwaardelijk toewijzen. Bij toewijzing van het verzoek – hetgeen in deze procedure op korte termijn en in hoogste instantie kan geschieden – eindigt de arbeidsovereenkomst op de datum waarop de ontbinding ingaat en wordt het verder oplopen van de loonvordering voorkomen.[392]

dubbel ontslag?

Een ander probleem kan ontstaan door een zogenaamde dubbel ontslag. Aan een vraag waarover de Hoge Raad in 1997[393] uitspraak heeft gedaan lag de volgende casus ten grondslag. In november 1993 was de ontbinding van de arbeidsovereenkomst uitgesproken, met ingang van 1 januari 1994. Bij de ontbinding was een vergoeding vastgesteld, door de

391 Naar (onder meer) de mogelijkheid aan de RDA de bevoegdheid toe te kennen aan het verlenen van een ontslagvergunning de voorwaarde van een vergoeding van de werkgever aan de werknemer te verbinden is in 1998 een onderzoek ingesteld. De oordelen hierover waren verdeeld. R.M.Beltzer, R. Knegt, A.D.M. van Rijs, Vergoedingen bij ontslag van werknemers: regelingen en praktijk, Amsterdam 1998.

392 Over de toelaatbaarheid van de ontbinding voor zover vereist werd aanvankelijk door rechtspraak en doctrine verschillend geoordeeld, doch de Hoge Raad heeft dit toelaatbaar geacht. Zie HR 21 oktober 1983, NJ 1984, 296, Arbeidsrechtspraak nr. 57 (Nijman). Zie over de verhouding ontbindingsprocedure en loonvorderingsprocedure ook HR 27 januari 1989, NJ 1989, 588.

393 HR 21 maart 1997, JAR 1997, 88, NJ 1997, 380.

werkgever aan de werknemer te voldoen. Na de ontbindingsuitspraak, maar vóór de datum die als ingangsdatum voor de ontbinding in het vonnis was vermeld, zegde de werkgever de arbeidsovereenkomst op op staande voet wegens een dringende reden. De vraag was of de werknemer aanspraak kon maken op de ontbindingsvergoeding, dan wel of aangenomen moest worden dat de arbeidsovereenkomst geëindigd was door het vóór de ontbindingsdatum gelegen ontslag op staande voet. De Hoge Raad heeft beslist dat de vergoeding niettemin verschuldigd was. Een andere opvatting zou onverenigbaar zijn met het gesloten stelsel van in de wet geregelde rechtsmiddelen. Met dit laatste wordt bedoeld dat in geval de vergoeding niet verschuldigd zou zijn zulks in feite een (extra) beroepsmogelijkheid tegen de ontbinding van de arbeidsovereenkomst zou betekenen.[394]

pro forma ontbinding

Verder kent de rechtspraktijk de zogenaamde pro forma ontbinding. Deze kan worden gevraagd indien werkgever en werknemer het eens zijn over de datum van de ontbinding en de hoogte van de vergoeding, doch daarnaast de WW-uitkering willen veilig stellen. Dit laatste gebeurt door als grond van de ontbinding een reden te noemen die niet aan de werknemer kan worden verweten, bijvoorbeeld een reorganisatie. In dat geval is er immers geen sprake van verwijtbare werkloosheid.[395] Naar grove schatting gaat het in de praktijk in circa 50% van de gevallen om een pro forma ontbinding.[396]
Het Ontslagbesluit, de Ministeriële regeling bedoeld in art. 6 lid 3 BBA, geeft een bijzondere procedure voor het ontslag wegens reorganisatie. Door een speciale regeling te geven voor de procedure bij de Regionaal Directeur van de Arbeidsvoorzieningsorganisatie in geval van opzegging wegens reorganisatie en door te regelen dat de daaropvolgende werkloosheid niet verwijtbaar is (art. 24 lid 3 WW) wil de minister het vóórkomen van het verschijnsel pro-forma ontbindingen terugdringen.[397]

opzegverboden

Voorts herinner ik eraan dat ontbinding wegens veranderingen in de omstandigheden in klemmende gevallen ook een oplossing kan bieden wanneer een opzegging is geblokkeerd door de bijzondere opzegverboden (3.6.3.3).[398]

394 A.M. Luttmer-Kat, Ontbinding op termijn heeft ongewenste gevolgen NJB 1997, 27,p. 1212–1213 en Voorink, Dubbel ontslag, dubbele opvatting ArbeidsRecht 1997, 5; A.L. Asscher, Arbeidsprocesrecht, Tijdschrift voor civiele rechtspleging 1997, p. 70–71.

395 M.J.P.M. Kieviet, Wet Boeten, maatregelen en terug- en invordering sociale zekerheid en de beëindiging van de arbeidsovereenkomst, ArbeidsRecht 1996, 73; E.J. van der Molen, Eerst duidelijkheid over de WW-uitkering voordat ontbinding wordt uitgesproken, ArbeidsRecht 1997, 7.

396 Tweede Kamer 25 263, 3, p. 12.

397 25 263, 3, p. 13–15. Zie F.M. Noordam, Pro-formaproblematiekreductie, Sociaal Recht 1998, 1, p. 39.

398 J.J.M. de Laat, Flexibiliteit en zekerheid: artikel 7:685 BW. Ontbinding en ziekte. Sociaal Recht 1997, 8/9, p. 219.

Tot slot wijs ik op het verschijnsel van de partiële ontbinding. Het gaat bij een gedeeltelijke ontbinding van een arbeidsovereenkomst dikwijls om een pro forma ontbinding, dat wil zeggen dat partijen het eens zijn over een vermindering van de oorspronkelijk overeengekomen arbeidsuren, bijvoorbeeld om een reorganisatie of persoonlijke omstandigheden van de werknemer dit wenselijk maken. Een dergelijke wijziging van de arbeidsovereenkomst kan door partijen natuurlijk ook in onderling overleg worden afgesproken.

gedeeltelijke ontbinding

Daarnaast wordt gedeeltelijke ontbinding, tegen de wil van de werkgever, ook wel door de werknemer verzocht om na een zwangerschapsverlof meer tijd te kunnen besteden aan de verzorging van kinderen. In feite gaat het hier dan om de vraag in hoeverre er in casu een recht op deeltijd bestaat.

Literatuur en rechtspraak zijn verdeeld over de vraag of en onder welke omstandigheden een partiële ontbinding mogelijk is.[399]

vergoeding

Sedert de wetswijziging van 17 december 1953 kan de kantonrechter in geval van ontbinding wegens veranderingen in de omstandigheden 'aan een der partijen een *vergoeding* toekennen, 'zo hem dat met het oog op de omstandigheden van het geval billijk voorkomt' (art. 7:685 lid 8 BW).[400] De kantonrechter is geheel vrij om een vergoeding al of niet toe te kennen en datzelfde geldt ten aanzien van het bepalen van de hoogte van de vergoeding. Deze beleidsvrijheid heeft geleid tot een grote mate van rechtsonzekerheid en rechtsongelijkheid; de uitslag van een ontbindingsprocedure was dikwijls volstrekt onvoorspelbaar.[401]

Teneinde de rechtsonzekerheid en rechtsongelijkheid te beperken, werden op 8 november 1996 door de Kring van Kantonrechters aanbevelingen vastgesteld, die inzicht beoogden te geven in de maatstaven die zouden worden gehanteerd bij het vaststellen van een vergoeding (in de wandeling ook wel 'gouden handdruk' genoemd). De aanbevelingen

399 C.J. Loonstra, Partiële opzegging en partiële ontbinding van de arbeidsovereenkomst, NJB 1995, 14, p. 204; reacties, NJB 1995, 14, p. 529; J.J.M. de Laat, Gedeeltelijke ontbinding van de arbeidsovereenkomst, SR 1995, 10, p. 299; R.L.J. van der Meer, Partiële ontbinding van de arbeidsovereenkomst; een overzicht van de jurisprudentie, ArbeidsRecht 1995, 8; G. van Amstel, Partiële ontbinding van de arbeidsovereenkomst, ArbeidsRecht 1995, 54; reacties, ArbeidsRecht 1995, 73; M.S.A. Vegter, Ontbinding van de arbeids- en opdrachtovereenkomst wegens onvoorziene omstandigheden, Sociaal Recht 1997, 4, p. 104.

400 Volgens HR 26 januari 1990, NJ 1990, 499 laat toekenning van een vergoeding onverlet, dat de gelaedeerde partij daarna nog de mogelijkheid heeft wegens wanprestatie immateriële schadevergoeding te vorderen ex art. 1637w BW oud (art. 6:106 BW).

401 HR 22 september 1995, NJ 1996, 38, JAR 1995, 215. J.J. Trap (red.), Ontslag en afvloeiingsregeling, Alphen aan den Rijn 1995; C.J. Loonstra, De 1639w-vergoeding in het licht van de weigering ander werk te aanvaarden, ArbeidsRecht 1996, 18; R.A.A. Duk, Redelijkheidstoetsing van ontslagen: wil de echte Sinterklaas opstaan?, SMA 1993, 4, p. 223; J.J. Trap en M.P. Vogel, Ontbindingsvergoeding: is het einde van de tombola in zicht?, SR 1996, 10, p. 251.

zijn per 1 januari 1997 van kracht geworden.[402] De aanbevelingen zijn 16 april 1998 gewijzigd c.q. aangevuld.[403] Enige praktijkproblemen na invoering van de wet 'Flexibiliteit en zekerheid' hebben de Kring van Kantonrechters ertoe gebracht op 8 oktober 1999 twee nieuwe aanbevelingen vast te stellen.[404]

kantonrechters-aanbevelingen

De aanbevelingen bevatten een aantal procedurele voorschriften en de verplichting om bij een op tegenspraak gegeven beschikking te motiveren hoe de rechter tot zijn beslissing ten aanzien van de ontbinding, alsmede ten aanzien van de toekenning van een vergoeding van een bepaalde hoogte of het achterwege laten daarvan is gekomen. Daarnaast is er een aantal aanbevelingen die door de kantonrechter – voor zover hij van mening is dat een arbeidsovereenkomst dient te worden ontbonden – zoveel mogelijk zullen worden toegepast bij het bepalen van de omvang van de vergoeding. Deze aanbevelingen vormen de kantonrechtersformule. Globaal komen zij op het volgende neer.

formule

Voor het vaststellen van de vergoeding is in de eerste plaats het aantal gewogen dienstjaren van belang (A). Het aantal dienstjaren vanaf de aanvang van de arbeidsovereenkomst tot het moment van de ontbinding wordt afgerond op hele dienstjaren, met dien verstande dat een periode van een half jaar en één dag telt als een heel dienstjaar. Vervolgens worden de dienstjaren gewogen op de volgende wijze: dienstjaren voor het 40e levensjaar gelden voor 1, van het 40e tot het 50e levensjaar voor 1,5 en elk dienstjaar vanaf het 50e telt voor 2. Een en ander betekent dat het aantal gewogen dienstjaren voor een werknemer van 54 jaar met zeventien dienstjaren uitkomt op (3x1) + (10x1,5) + (4x2) = 26.
In de tweede plaats gaat het om het vaststellen van de beloning (B). Daarbij wordt uitgegaan van het bruto maandsalaris. Dit bedrag wordt in ieder geval vermeerderd met vast overeengekomen looncomponenten, zoals vakantietoeslag, een vaste dertiende maand e.d.
De hoogte van de vergoeding wordt in beginsel vastgesteld door de beloning (B) te vermenigvuldigen met het aantal gewogen dienstjaren (A). In het hierboven gegeven voorbeeld leidt dit tot een bedrag gelijk aan 26 x het volgens (B) berekende maandsalaris.
Bij een werkgeversverzoek tot ontbinding waarbij de ontbindingsrond

402 H.T. van der Meer en G.J.J. Rensink, 'Achter de aanbevelingen', De aanbevelingen van de Kring van Kantonrechters d.d. 8 november 1996 nader bezien, SMA 1997, 1, p. 7; D. Christe, A x B x C = *f* ..., De billijkheid door kantonrechters verklaard, SR 1997, 1, p. 3; D.J. Buijs en F.A.M. Stroink, Landelijke kantonrechtersformule bij ontbinding van de arbeidsovereenkomst, SR 1997, 2, p. 32; G.C. Boot en J.M. van Slooten, De landelijke kantonrechtersformule en het sociaal plan, SR 1997, 5, p. 136; G.L. Boot, De Aanbevelingen één jaar later en hoe nu verder met het kennelijk onredelijk ontslag... . Sociaal Recht 13 (1998), 1, p 4–7; A.Ph.C.M. Jaspers, De kantonrechtersformule, een succes van de praktijk?! Sociaal Recht 13 (1998), 1, p. 3–4; C. Loonstra, De aanbevelingen van de kring van kantonrechters en het sociaal plan, SMA 1999, p. 159-165; J. Van der Hulst, Het sociaal plan, Deventer, Kluwer 1999.

403 NJB 1998, p. 969 e.v.

404 NJB 1999, p. 969.

in de risicosfeer van de werkgever ligt zonder dat verwijtbaarheid aan de orde is, is de correctiefactor gelijk aan 1. Bij een werknemersverzoek waarbij de ontbindingsgrond in de risicosfeer van de werknemer ligt is de correctiefactor gelijk aan nul. Is sprake van verwijtbaarheid met betrekking tot het einde van de arbeidsovereenkomst, dan kan dat in de correctiefactor tot uitdrukking worden gebracht. Bij ernstige verwijtbaarheid aan de kant van de werkgever kan er grond zijn voor een hogere correctiefactor dan 1. In geval van reorganisatie zal de kantonrechter in de regel een vergoeding toekennen overeenkomstig een terzake gemaakt sociaal plan (Aanbevelingen 3.6).[405]

richtlijnen met betrekking tot arbeidsongeschikten

De in 1999 toegevoegde aanbevelingen[406] betreffen het in art. 7:685 BW voorgeschreven 'zich vergewissen' en de gang van zaken rond het reïntegratieplan. Aanbeveling nr. 4 betreft het 'zich vergewissen of het verzoek in verband staat met een opzegverbod'. Indien beide partijen meedelen dat het verzoek geen verband houdt met een opzegverbod, heeft de kantonrechter in beginsel voldaan aan de verplichting zich te vergewissen. Indien een van de partijen aangeeft dat het verzoek wel verband houdt met enig opzegverbod, wordt er in beginsel een mondelinge behandeling gehouden. In de beschikking wordt aangegeven dat het betreffende onderzoek is geschied. De tweede nieuwe aanbeveling, nr. 5, betreft het reïntegratieplan. Voorafgaand aan het ontbindingsverzoek moet een volledig reïntegratieplan[407], met bijlage (waarin onder meer de visie van de werknemer op de reïntegratiemogelijkheden) worden overgelegd, en zulks dient reeds bij indiening van het verzoekschrift te geschieden. Er is slechts beperkte mogelijkheid een verzuim op dit punt te herstellen.[408]

ontbinding intrekken

Alvorens een ontbinding met vergoeding uit te spreken, stelt de rechter partijen hiervan in kennis en geeft hij een termijn binnen welke de verzoeker zijn eis alsnog kan intrekken (art. 7:685 lid 9 BW). De ver-

405 In de kantonrechtersformule is nog als slotbepaling opgenomen dat een vergoeding, behoudens immateriële schade, niet hoger zal zijn dan de verwachte inkomensderving tot aan de pensioengerechtigde leeftijd. Dit om bijvoorbeeld te voorkomen dat een 63-jarige werknemer met 20 dienstjaren een vergoeding zou ontvangen die hoger ligt dan zijn redelijkerwijs te verwachten inkomensderving.

406 NJB 1999, p. 969.

407 Zie voor de eisen waaraan dit moet voldoen Stcrt. 1998, 75.

408 Vgl. A.L. Asscher, Tijdschrift voor civiele rechtspleging 1999, 3, p. 65 en S.W. Kuip, Reïntegratieplan als ontvankelijkheidsvereiste in de ontbindingsprocedure, Nederlands tijdschrift voor sociaal recht 1999, 9, p. 216-223. Zie ook F.W.G. Ambagtsheer, Het reïntegratieplan: ziekte als 'wapen' in een ontbindingsprocedure, Nederlands tijdschrift voor sociaal recht 1999, 5, p. 132-134. A. Schellart en R.S. van Coevorden, De 'nieuwe' kantonrechtersformule, een brug te ver, NJB 1998, 1821-1822 achten, juist omdat in de regel geen appel en cassatie van de beschikking ex art. 7:685 BW mogelijk is, de formule te zeer normerend. Zij tonen zich er echter een voorstander van dat de formule ook bij het vaststellen van schadevergoeding in geval van kennelijk onredelijke opzegging zou worden toegepast. Ten slotte betogen zij dat ook in geval van collectief ontslag een volle toetsing van de redenen voor ontbinding is voorgeschreven.

zoeker zal geneigd zijn dit te doen wanneer hij de vergoeding die hij aan zijn wederpartij moet betalen te hoog vindt.[409] Evenzo kan het verzoek worden ingetrokken indien de kantonrechter voornemens blijkt in het geheel geen vergoeding toe te kennen (art. 7:685 lid 10 BW).

vergoeding aan verzoeker

Bij de invoering van de vergoeding heeft de wetgever in het bijzonder gedacht aan situaties waarin de vergoeding *door* de verzoeker moet worden betaald *aan* zijn wederpartij. In deze zin is het nieuwe art. 7:685 BW sedert 1953 dan ook verschillende malen toegepast. In 1976 werd voor het eerst door de lagere rechter een vergoeding toegekend aan de verzoeker zelf.[410] In 1977 heeft de Hoge Raad deze ontwikkeling goedgekeurd.[411]

De nieuwe toepassingsmogelijkheden van art. 7:685 BW hebben ertoe geleid dat thans veelvuldig een beroep op dit artikel wordt gedaan. Het aantal ontbindingsverzoeken ex art. 7:685 BW is explosief gestegen van 10 605 in 1990 tot 38 220 in 1997[412] De preventieve toetsing door de kantonrechter is daarmede een geduchte concurrent geworden van de preventieve toetsing door de Regionaal Directeur van de Arbeidsvoorzieningsorganisatie (3.6.3.2).

tekortkoming

De vraag heeft zich voorgedaan of naast een toegekende vergoeding op grond van art. 7:685 BW aanspraak gemaakt kan worden op schadevergoeding op grond van redelijkheid en bilijkheid wegens tekortkoming van de werkgever.[413] In het betreffende geval ging het om een werknemer die door de werkgever tijdens ziekte op ontoelaatbare wijze onder druk gezet was. Kon terzake schadevergoeding worden gevorderd op grond van niet voldoen aan de in art. 7:611 BW neergelegde verplichting, naast de toegekende ontbindingsvergoeding? De Hoge Raad oordeelde dat toetsing van het handelen van de werkgever in beginsel volledig tot uitdrukking komt in de vergoeding die ter zake van de ontbinding wordt toegekend. Dit lijdt alleen uitzondering wanneer het gaat om feiten of omstandigheden waarmee de rechter bij zijn beslissing geen rekening kon houden.

3.6.4.2 *Ontbinding van de arbeidsovereenkomst wegens wanprestatie*

Krachtens art. 6:265 BW e.v. kunnen wederkerige overeenkomsten wor-

409 HR 1 juli 1983, NJ 1984, 150, stelde vast dat een werkgever niet gebonden is aan een schikkingsvoorstel dat hij vóór de ontbinding heeft gedaan (dat is van belang indien de aan de werknemer toegekende vergoeding lager blijkt uit te vallen dan het schikkingsvoorstel).

410 Zie PRG 1976, p. 291, met noot J.M.

411 HR 28 juni 1977, NJ 1978, 17.

412 Bron: Ministerie van Justitie. Zie ook: A.J.C.M. Wilthagen, De teloorgang van de informele rechtscultuur?, SR 1992, 10, p. 267.

413 HR 5 maart 1999, JAR 1999, 73 (FNV/Tulkens), Arbeidsrechtspraak nr. 61. Zie J.J.M. de Laat, Geen ruimte voor red. en bill., ArbeidsRecht 1999, 40 en R.A.A. Duk, Cassatierechter en arbeidsovereenkomst: tussen algemeen en bijzonder, SMA april 2000.

den ontbonden wegens een tekortkoming van een der partijen in de nakoming (wanprestatie), tenzij de tekortkoming gezien haar geringe betekenis de ontbinding niet rechtvaardigt. Deze algemene ontbindingsmogelijkheid geldt krachtens art. 7:686 BW ook met betrekking tot de arbeidsovereenkomst, met dien verstande dat ter bescherming van de werknemer is bepaald dat ontbinding slechts mogelijk is door een uitspraak van de rechter.[414] De rechter kan de (arbeids)overeenkomst slechts ontbinden met ingang van zijn uitspraak of een moment nadien; de ontbinding heeft geen terugwerkende kracht (art. 6:269 BW).[415] Gezien het bestaan van art. 7:685 BW, lijkt het onwaarschijnlijk dat art. 7:686 BW in het ontslagrecht een rol van enige betekenis zal spelen.[416]

geen terugwerkende kracht

3.6.4.3 *Ontbinding wegens onvoorziene omstandigheden*

imprévue

In de literatuur[417] is de vraag aan de orde gesteld of de arbeidsovereenkomst ook ontbonden kan worden op grond van onvoorziene omstandigheden (art. 6:258 BW). Aangenomen wordt[418] dat art. 6:258 BW naast art. 7:685 BW toepasselijk is. Er zijn echter ook argumenten aan te voeren om aan art. 7:658 BW werking met betrekking tot ontbinding van de arbeidsovereenkomst te ontzeggen en aan art. 7:685 BW een exclusieve positie toe te kennen.

3.6.5 *Einde van rechtswege*

3.6.5.1 *De arbeidsovereenkomst voor bepaalde tijd*[419]

De arbeidsovereenkomst voor bepaalde tijd onderscheidt zich van die voor onbepaalde tijd doordat – wanneer de bepaalde tijd is verstreken – in de regel geen opzegging hoeft plaats te vinden. Naarmate de aan opzegging verbonden, de werknemer beschermende regelingen toene-

414 Ontbinding door een schriftelijke verklaring (art. 6:267 BW) is dus niet mogelijk.

415 Voor de invoering van art. 6:269 per 1 januari 1992 werd aangenomen dat de ontbinding terugwerkte tot het moment van de wanprestatie. Dit heeft in enkele gevallen geleid tot een toepassing van art. 7:686 BW, vgl. HR 12 december 1980, NJ 1981, 202.

416 Ton Hartlief, Is er toekomst voor de ontbinding van de arbeidsovereenkomst wegens wanprestatie?, Tijdschrift voor Nederlands Burgerlijk Recht 1992, 5, p. 156.

417 P.F. van der Heijden, Onvoorziene omstandigheden en de arbeidsovereenkomst, in: Werkgroep herziening ontslagrecht, Arbeidsovereenkomst en algemeen vermogensrecht, Alphen aan den Rijn 1993; G.J.P. de Vries, De onderlinge verhouding tussen onvoorziene omstandigheden als beëindigingsgrond van overeenkomsten, WPNR 1990, blz. 717; L.H. van den Heuvel, Artikel 7A:1639w BW kan worden afgeschaft, in: Sociaal recht, de grenzen verkend (De Leede-bundel) Zwolle 1994, p. 145.

418 Y. Konijn, Cumulatie of exclusiviteit?, diss. Utrecht 1999, Den Haag, Boom Juridische Uitgevers, p. 262.

419 D. de Wolff, Flexibiliteit, zekerheid en de voortgezette arbeidsovereenkomst voor bepaalde tijd, SMA 52 (1997), 5, p. 285 e.v.; dezelfde, De arbeidsovereenkomst voor bepaalde tijd, diss. Nijmegen 1999, Kluwer, Deventer 1999.

men valt het ontbreken daarvan bij het einde van de overeenkomst voor bepaalde tijd des te meer op. Bovendien is ook in andere opzichten de positie van werknemers die een bepaalde tijd overeenkomst hebben ongunstiger dan die van 'vaste' werknemers. Een en ander heeft onder meer tot initiatieven op het niveau van de EU geleid. Een Richtlijnvoorstel in verband met de arbeidsovereenkomst voor bepaalde tijd is aan de Raad voorgelegd.[420] Het voorstel voorziet erin te voorkomen dat werknemers die op een overeenkomst voor bepaalde tijd werkzaam zijn ongunstiger arbeidsvoorwaarden hebben dan 'vaste' werknemers, tenzij daarvoor een objectieve rechtvaardiging kan worden aangevoerd. Voorts beoogt de ontwerp-richtlijn misbruik van de bepaaldetijdconstructie door het gebruik van opvolgende overeenkomsten voor bepaalde tijd tegen te gaan.[421]

EG-Richtlijn

Er is sprake van een arbeidsovereenkomst voor bepaalde tijd wanneer het moment van eindigen van de arbeidsovereenkomst tevoren, bij het aangaan van de overeenkomst, door afspraak is vastgesteld. Dit einde kan door partijen worden vastgeknoopt aan het verstrijken van een bepaalde tijdseenheid (bijvoorbeeld een jaar), maar ook aan het voltooien van een bepaald werk,[422] of aan het herstel van een zieke werknemer.[423] Mengvormen komen ook voor. Hoofdzaak is dat het einde van de arbeidsovereenkomst objectief bepaalbaar is, dat wil zeggen onafhankelijk van de wil of de subjectieve waardering van een der betrokken partijen. Hierin onderscheidt deze arbeidsovereenkomst zich van de dienstbetrekking voor onbepaalde tijd, waarbij het tijdstip van eindigen juist afhankelijk is van een eenzijdige rechtshandeling (opzegging) van werkgever of werknemer (art. 7:667 lid 4 BW).

einde objectief vaststelbaar

Krachtens art. 7:667 lid 1 BW eindigt een arbeidsovereenkomst voor bepaalde tijd van rechtswege wanneer de tijd waarvoor zij is aangegaan is verstreken. Van *rechtswege*, dat wil zeggen dat voorafgaande opzegging niet is vereist. Dit betekent dat geen toestemming aan de Regionaal Directeur van de Arbeidsvoorzieningsorganisatie behoeft te worden gevraagd, dat de bijzondere opzeggingsverboden en de wettelijke opzeggingstermijnen hier niet gelden, enz. Het belangrijkste verschil in gevolgen tussen de arbeidsovereenkomst voor bepaalde en voor onbepaalde tijd is hiermede gegeven.

einde van rechtswege

Het ontbreken van de gebruikelijke bescherming tegen opzegging

420 COM(1999)203 def. 28 april 1999.

421 D.J.B. de Wolff, Een nieuw Richtlijnvoorstel inzake arbeidsovereenkomsten voor bepaalde tijd, SMA 1999, 418 en dezelfde, Europees compromis over arbeid voor bepaalde tijd, Nederlands tijdschrift voor sociaal recht, 1999, 9, p. 215.

422 HR 8 januari 1952, NJ 1952, 243; in casu was de arbeidsovereenkomst 'voor de duur van steencampagne' er niet een voor bepaalde tijd, aangezien het eindtijdstip afhankelijk was van de wil van de werkgever.

423 HR 11 juni 1937, NJ 1937, 987.

plaatst de werknemer die een arbeidsovereenkomst voor bepaalde tijd aangaat in een kwetsbare positie. Vandaar dat wel wordt voorgesteld deze dienstbetrekking alleen toelaatbaar te achten indien zij werkelijk noodzakelijk is. Men denkt daarbij bijvoorbeeld aan gevallen als: tijdelijke vermindering van de personeelsbezetting (vakanties), tijdelijke uitbreiding van de bedrijvigheid en het verrichten van een incidentele taak.[424]

cao

Dergelijke beperkingen komen ook voor in sommige cao's, terwijl daarin ook wel een schriftelijke vorm wordt voorgeschreven, of een maximum wordt gesteld aan de duur waarvoor een arbeidsovereenkomst voor bepaalde tijd mag worden aangegaan.[425]

tussentijdse opzegging

Tussentijdse opzegging van een arbeidsovereenkomst voor bepaalde tijd is slechts mogelijk wanneer voor ieder der partijen dat recht schriftelijk is overeengekomen (art. 7:667 lid 3 BW). Uitzondering op deze regel vindt men in art. 7:676 BW en art. 6 lid 2 sub b BBA voor opzegging tijdens de proeftijd (3.6.3.8) en in art. 7:677 lid 1 BW en art. 6 lid 2 sub a BBA voor onverwijlde opzegging om een dringende reden (3.6.3.9). Op een tussentijdse opzegging van een voor bepaalde tijd aangegane overeenkomst zijn de aan een opzegging verbonden voorschriften van toepassing. Dit betekent dat een werkgever de arbeidsovereenkomst slechts kan opzeggen, indien de Regionaal Directeur van de Arbeidsvoorzieningsorganisatie daartoe toestemming heeft gegeven en indien er geen sprake is van situaties als bedoeld in de bijzondere ontslagverboden. Rechtsgeldige opzegging beëindigt de arbeidsovereenkomst vóór de afgesproken einddatum; een beding van tussentijdse opzegging leidt dus tot een vrij zwakke rechtspositie van een werknemer die voor een bepaalde tijd is aangenomen. Tussentijdse opzegging zonder dat een daartoe strekkend rechtsgeldig beding is gemaakt tast niet de geldigheid van de opzegging aan maar leidt tot schadeplichtigheid van de opzeggende partij.[426]

toch opzegging

De regel dat de arbeidsovereenkomst voor bepaalde tijd van rechtswege eindigt lijdt uitzondering wanneer opzegging schriftelijk is bedongen dan wel uit wet of gebruik voortvloeit (art. 7:667 lid 3 BW). Een dergelijk afspraak kan ook tussentijds worden gemaakt.[427] Behalve in een arbeidsovereenkomst treft men in de praktijk een dergelijk beding ook wel aan in een cao. Op een dergelijke opzegging zijn de normale opzeggingsregels van toepassing: toestemming van de RDA moet zijn verkregen en in beginsel gelden de normale wettelijke opzeggingstermij-

424 S.D. Burri, Tijdelijk in dienst, De Franse wettelijke regeling van de dienstbetrekking voor bepaalde tijd, SMA 1993, 4, p. 237.

425 D. de Wolff, De arbeidsovereenkomst voor bepaalde tijd, diss. Nijmegen 1999, Kluwer, Deventer 1999, p. 64-66.

426 HR 4 september 1998, NJ 1999, 267.

427 25 263, 6, p. 40.

nen; de dag waartegen moet worden opgezegd is de dag volgend op het verstrijken van de bepaalde periode.
In de praktijk is het soms niet duidelijk of een opzeggingsvoorschrift in een arbeidsovereenkomst of cao inderdaad refereert aan een opzegging ex art. 7:667 lid 2 BW, danwel slechts is opgenomen om te bewerkstelligen dat de werknemer gewaarschuwd wordt dat de dienstbetrekking van rechtswege op het overeengekomen tijdstip zal eindigen, zodat hij tijdig naar een andere baan kan omzien. Het verschil in interpretatie is niet onbelangrijk, aangezien de bovengenoemde opzeggingsbepalingen op een dergelijke 'waarschuwing' niet van toepassing zijn.[428]

voortgezette overeenkomst

De regel dat de arbeidsovereenkomst voor bepaalde tijd van rechtswege eindigt lijdt bovendien uitzondering in het volgende geval. Wanneer een voor onbepaalde tijd aangegane overeenkomst die anders dan door rechtsgeldige opzegging is geëindigd eenmaal of meermalen wordt voortgezet met een overeenkomst voor bepaalde tijd, en tussen de onderscheiden overeenkomsten liggen tussenpozen van niet meer dan drie maanden, eindigt de laatste overeenkomst niet van rechtswege, maar is voor beëindiging voorafgaande opzegging (met toepasselijkheid van de opzeggingsregels) nodig (art. 7:667 lid 3 BW). Van een situatie als deze is bijvoorbeeld sprake wanneer iemand na zijn pensionering een overeenkomst voor bepaalde tijd aangaat met de werkgever, waarbij hij dezelfde taken vervult als voor zijn pensionering.[429] De regel van art. 7:667 lid 3 BW geldt ingevolge het vierde lid van art. 7:667 BW ook wanneer de werknemer achtereenvolgens in dienst is geweest bij verschillende werkgevers die ten aanzien van de bedongen arbeid elkanders opvolger zijn. Van dat laatste is bijvoorbeeld sprake wanneer iemand achtereenvolgens na een overeenkomst voor onbepaalde tijd die door een beëindigingsovereenkomst is geëindigd vervolgens als uitzendkracht bij datzelfde bedrijf dezelfde werkzaamheden verricht, op grond van een arbeidsovereenkomst voor bepaalde tijd, en daarna weer een overeenkomst voor bepaalde tijd met de oorspronkelijke werkgever sluit. De laatste overeenkomst eindigt – mits de tussenpozen niet langer dan drie maanden zijn – niet van rechtswege. Opzegging is nodig voor beëindiging van de arbeidsovereenkomst.

keten

De wet beperkt in art. 7:668a BW de mogelijkheid achtereenvolgens (dat wil zeggen met een tussenpoos van niet meer dan drie maanden) arbeids-

428 HR 10 juni 1983, NJ 1984, 60.
429 Van een voortgezette overeenkomst in de zin van dit artikelonderdeel is alleen sprake wanneer de identiteit van de verschillende overeenkomsten niet te zeer verschilt: MvT 26 257, 3, p 2. Wanneer de voormalige directeur van het bedrijf na haar pensionering voor bepaalde tijd in de kantine van het bedrijf gaat werken, is m.i. geen sprake van een voortgezette overeenkomst in de zin van deze bepaling.

overeenkomsten voor bepaalde tijd aan te gaan.[430] Men kan zich opvolgende arbeidsovereenkomsten voor bepaalde tijd voorstellen als een keten. Wanneer arbeidsovereenkomsten elkaar in een keten gedurende 36 maanden[431] of langer zijn opgevolgd, dan wel de keten meer dan drie overeenkomsten bevat, geldt de laatste arbeidsovereenkomst (de laatste schakel in de keten) als voor onbepaalde tijd aangegaan (art. 7:668a BW).
Beperkingen van de mogelijkheid opeenvolgende arbeidsovereenkomsten voor bepaalde tijd (die zonder opzegging eindigen) aan te gaan zijn in de wet opgenomen om te voorkomen dat de regels die gelden voor opzegging van arbeidsovereenkomsten zouden kunnen worden ontdoken.

draaideur

Ontduiking van de regels van het ontslagrecht vond in de praktijk ook plaats door gebruik te maken van de zogenaamde draaideurconstructie. Dat is de constructie waarbij een werknemer in dezelfde functie afwisselend dan weer werkt op basis van een arbeidsovereenkomst voor bepaalde tijd, dan weer via een uitzendbureau te werk wordt gesteld. Op deze wijze kan een werkgever proberen enerzijds zonder onderbreking te beschikken over een bepaalde arbeidskracht, anderzijds aan de toepassing van opzeggingsvereisten te ontkomen.
De Hoge Raad heeft de draaideurconstructie in een aantal gevallen geblokkeerd.[432] Sedert 1998 keert een uitdrukkelijke wettelijke regel, art. 7:668a lid 2 BW zich tegen (bepaalde) draaideurconstructies. Lid 1 van art. 7:668a BW is ook van toepassing op elkaar opvolgende arbeidsovereenkomsten tussen een werknemer en verschillende werkgevers, die ten aanzien van de verrichte arbeid redelijkerwijze geacht moeten worden elkanders opvolger te zijn (art. 7:668a lid 2 BW).[433]
Een eenmalige, korte verlenging voor niet meer dan drie maanden van een langdurige arbeidsovereenkomst leidt niet tot toepassing van de regel dat de laatste arbeidsovereenkomst er een voor onbepaalde tijd is (art. 7:668a lid 3 BW).

afwijkingsmogelijkheid

Afwijking van de leden 1 tot en met 4 van art. 7:668a BW is slechts mogelijk bij cao of regeling door of namens een daartoe bevoegd bestuursorgaan. Van die mogelijkheid is bijvoorbeeld gebruik gemaakt in art. 9 van de ABU-cao (uitzendbureaus).[434] Ingevolge die bepaling

430 W.H.A.C.M. Bouwens, Kettingrelaties, SMA 1999, 1, p. 5-17.
431 Inclusief de (niet meer dan drie maanden durende) tussenpozen: EK 25 263, 132b, p. 10.
432 HR 22 november 1991, NJ 1992, 707, m.n. PAS, TVVS 1992, 2, p. 51, m.n. MGR, Arbeidsrechtspraak nr. 39 (Campina-arrest); J. Riphagen, Draaideurconstructie exit?, AA 1993, 4, p. 288; HR 12 april 1996, JAR 1996, 114, TVVS 1996, 6, p. 177, m.n. MGR, NJ 1997, 195 en HR 25 oktober 1996, JAR 1996, 235. Zie voorts HR 27 november 1992, NJ 1993, 273, JAR 1992, 148; hierover P. Messer-Dinnissen, Biedt het Campina-arrest bescherming tegen de 'halve draaideur'?, TVVS 1993, 3, p. 48.
433 Art. 7:668a lid 2 BW biedt in een aantal gevallen, waarin de Hoge Raad wel opzegging geboden achtte, geen ontslagbescherming. Zie R. Hansma, Artikel 7:668a BW, Verlenging arbeidsovereenkomst voor bepaalde tijd. Sociaal recht 1997 7/8, p. 208–210, i.h.b. p. 209.
434 ABU-uitzend-cao 1999.

wordt art. 7:668a BW pas van toepassing op de uitzendrelatie na afloop van fase 1 en 2, dat is in de praktijk na het eerste jaar van de uitzending.

3.6.5.2 *De arbeidsovereenkomst onder ontbindende voorwaarde*

ontbindende voorwaarde

Van de arbeidsovereenkomst voor bepaalde tijd moet worden onderscheiden de arbeidsovereenkomst onder ontbindende voorwaarde. In het eerste geval is het einde van rechtswege gekoppeld aan het intreden van een toekomstige *zekere* gebeurtenis. In het tweede geval is het einde van rechtswege van de arbeidsovereenkomst verbonden aan het intreden van een toekomstige *onzekere* gebeurtenis (art. 6:22 BW).[435]
Het is de vraag of een beding dat het einde van een arbeidsovereenkomst vastknoopt aan een dergelijk toekomstig onzeker voorval rechtsgeldig is (art. 3:38 BW). Een zonder meer bevestigend antwoord zou impliceren dat de met de opzegging verbonden ontslagbescherming contractueel zou kunnen worden ondergraven, bijvoorbeeld door in de arbeidsovereenkomst op te nemen dat deze automatisch zal zijn ontbonden indien de werknemer te laat van vakantie terugkeert, of indien een ziekte langer dan twee jaren heeft geduurd (art. 7:670 lid 1 BW).

verboden voorwaarden

De wetgever heeft de ontbindende voorwaarde van een bepaalde inhoud, namelijk die welke de arbeidsovereenkomst van rechtswege doet eindigen wegens huwelijk dan wel wegens zwangerschap of bevalling van de werkneemster, uitdrukkelijk nietig verklaard (art. 7:667 lid 7 en 8 BW). Dergelijke bedingen kwamen ten tijde van het invoeren van het verbod van opzegging wegens huwelijk en tijdens zwangerschap en de periode na de bevalling regelmatig voor. Gelijk met de invoering van het opzegverbod om genoemde redenen is, om uitholling van de opzeggingsverboden te voorkomen, de mogelijkheid het door de wetgever niet gewenste doel langs de weg van de ontbindende voorwaarde te bereiken afgesneden.[436]
Bedingen die de arbeidsovereenkomst doen eindigen bij ziekte of militaire dienst zijn ook nietig, hoewel de wet hierover zwijgt. Ware dit anders dan zouden immers de in art. 7:670 lid 1 en lid 3 BW genoemde opzeggingsverboden eveneens gemakkelijk ontdoken kunnen worden.[437]

iedere ontbindende voorwaarde nietig?

In een arrest van 1992 heeft de Hoge Raad de stelling, dat een in een arbeidsovereenkomst opgenomen ontbindende voorwaarde (altijd) nietig is wegens strijd met het gesloten stelsel van regels betreffende het

435 Asser-Hartkamp I, nrs. 154 en 231.
436 Kamerstukken 12 403, 3, p. 4 linkerkolom.
437 I.P. Asscher-Vonk, De ontbindende voorwaarde in arbeidsovereenkomsten, SMA 1978, 5, p. 326; H.L. Bakels, Het arbeidsovereenkomstenrecht en het algemene overeenkomstenrecht, SMA 1983, 3, p. 136; J.G.M. Arnold, SMA 1983, 9, p. 526; P. Coehorst, bijdrage aan de bundel Goed en trouw, Zwolle 1984, p. 349. Anders, met betrekking tot de voorwaarde dat de arbeidsovereenkomst eindigt bij aanvang militaire dienst: Van der Grinten, Arbeidsovereenkomstenrecht, p. 25 en 231.

ontslagrecht, verworpen. Volgens de Hoge Raad kan een ontbindende voorwaarde in strijd zijn met dit stelsel, doch behoeft dit niet noodzakelijk het geval te zijn; van geval tot geval moet worden bezien in hoeverre de strekking van de regels van het ontslagrecht tot nietigheid van de ontbindende voorwaarde leidt.[438] In latere uitspraken heeft de Hoge Raad echter benadrukt dat bij de beantwoording van de vraag of een ontbindende voorwaarde geldig is, grote betekenis toekomt aan het gesloten stelsel van het ontslagrecht.[439] Met dat gesloten stelsel laat zich redelijkerwijs niet verenigen dat de werkgever door een eigen waardering van de gevolgen van de als ontbindende voorwaarde aangemerkte 'act of God' zich aan de eisen van het ontslagrecht zou kunnen onttrekken.[440] Door deze uitspraken is de betekenis van de ontbindende voorwaarde beperkt tot vrij uitzonderlijke gevallen.

stelsel ontslagrecht

3.6.5.3 *Dood van de werknemer*

De arbeidsovereenkomst eindigt van rechtswege door de dood van de werknemer. Zulks wordt bepaald door art. 7:674 lid 1 BW, doch het vloeit eveneens logisch voort uit het persoonlijk karakter van de dienstbetrekking.

dood werkgever

De dood van de werkgever doet de dienstbetrekking niet eindigen, tenzij het tegendeel uit de arbeidsovereenkomst voortvloeit. Bij een arbeidsovereenkomst voor onbepaalde tijd blijven zowel de werknemer als de erfgenamen van de werkgever gebonden aan de voor opzegging geldende voorschriften. Indien echter de arbeidsovereenkomst voor bepaalde tijd is aangegaan, kunnen zowel de werknemer als de erfgenamen deze opzeggen alsof deze dienstbetrekking voor onbepaalde tijd was aangegaan (art. 7:675 BW).[441]

438 HR 6 maart 1992, NJ 1992, 509, JAR 1992, 10, Arbeidsrechtspraak nr. 36 (Specialistenarrest). In casu werd een ontbindende voorwaarde, inhoudende dat de arbeidsovereenkomst van een specialist met een maatschap zou eindigen indien het bestuur van een ziekenhuis (derde) de specialist geen toestemming meer zou verlenen om zijn werkzaamheden voort te zetten, geldig geacht. Hierover Ellen W. de Groot, Hoe open is het ontslagrecht?, NJB 1992, 38, p. 1225; D. Christe, De Hoge Raad billijkt ontbindende voorwaarde in ontslagrecht, SR 1992, 12, p. 342; S.W. Kuip, De arbeidsovereenkomst onder ontbindende voorwaarde: onzekerheid troef, SMA 1993, 3, p. 163.

439 G.P.M. Kreijen en P.H.E. Voûte, De arbeidsovereenkomst en de ontbindende voorwaarde, SMA 52 (1997), 10, p. 531–539.

440 HR 24 mei 1996, NJ 1996, 685, m.n. PAS, TVVS 19996, 8, p. 230 m.n. MGR. HR 13 februari 1998, NJ 1998, 708. Zie hierover D. de Wolff, SMA 1999, 5, p. 275-278.

441 Meestal is de werkgever een rechtspersoon. Art. 7:675 BW is dan niet van toepassing.

3.7 Handhaving van het arbeidsovereenkomstenrecht

3.7.1. *Kantongerechtsprocedure*

Het arbeidsovereenkomstenrecht behoort tot het privaatrecht en dienovereenkomstig dient de handhaving van de uit de arbeidsovereenkomst voortvloeiende verbintenissen te geschieden door het aanspannen van een procedure voor de burgerlijke rechter.
Verschillende landen, zoals Engeland, de Duitse Bondsrepubliek en België kennen speciale rechters of gerechten voor de behandeling van arbeidszaken.[442] Een dergelijke specialisatie is in Nederland echter onbekend.
Arbeidszaken worden in Nederland in eerste instantie berecht door de kantonrechter volgens de daarvoor algemeen geldende procedureregels (art. 97 Rv e.v.).[443] De procedure bij de kantonrechter moet worden ingeleid met een dagvaarding. In de praktijk wordt een procedure over een arbeidsrechtelijk geschil vervolgens meestal schriftelijk afgewikkeld; partijen kunnen zelf het proces voeren (hetgeen weinig voorkomt) of via een gemachtigde, die echter niet een advocaat en procureur behoeft te zijn (in arbeidszaken treedt voor de werknemer dikwijls een vakbondsfunctionaris als gemachtigde op). Hoger beroep en cassatie tegen een uitspraak van de kantonrechter zijn in beginsel mogelijk.

procesrecht
absolute competentie

Slechts op een enkel punt verschilt het procesrecht in arbeidszaken van de normale civiele procedure. Dat verschilpunt betreft de absolute competentie. De kantonrechter is bevoegd verklaard om kennis te nemen van alle vorderingen met betrekking tot een arbeidsovereenkomst, een cao en algemeen verbindend verklaarde bepalingen van een cao; normaliter is de absolute competentie van de kantonrechter beperkt tot vorderingen van *f* 10 000 (art. 38, 39 RO).[444] Van bijzonder belang voor procedures in arbeidszaken is de eigen bevoegdheid van de vakorganisatie nakoming van cao-verplichtingen te vorderen (art. 9 lid 2 WCAO).[445]
Procederen kost tijd en dat geldt ook voor procedures in arbeidszaken.[446] Dat valt te betreuren, want in arbeidszaken – meestal ontslagzaken –

442 J.H.M. Petri, Heeft Nederland behoefte aan gespecialiseerde arbeidsrechtspraak?, SMA 1992, 1, p. 3. Zie ook C.J. Loonstra, De kantonrechter als arbeidsrechter, oratie Rotterdam, Deventer, Kluwer 2000, p. 4.
443 A.L. Asscher, G.C. Scholtens, A. Beker, A.S.Rueb (red.) Vademecum Burgerlijk Procesrecht; Arbeidszaken/huurzaken, Deventer losbl. Zie voorts F.B.J. Grapperhaus, Dwaalwegen bij einde dienstverband, Over de noodzaak om enkele regels van arbeidsrecht en arbeidsprocesrecht te wijzigen, SR 1997, 3, p. 74.
444 Voor procedures tussen een naamloze of besloten vennootschap en een bestuurder gelden daarentegen de normale competentieregels (artt. 131 en 241 Boek 2 BW).
445 Bijvoorbeeld HR 19 augustus 1997, JAR 1998/39.
446 R.A.A. Duk, De duur van ontslagprocedures, SMA 1984, 12, p. 781. Zie ook SR 1989, 2, p. 35 e.v., Themanummer: Procederen of demonstreren; J.H.M. Petri, De berechting in arbeidszaken in verband met de overwogen opheffing van de kantongerechten, SMA 1989, 6, p. 328.

staan veelal grote menselijke belangen op het spel die om een snelle beslissing vragen.

voorlopige voorziening

In dit verband kan worden gewezen op de mogelijkheid om op snelle wijze een beslissing te verkrijgen en wel door een voorlopige voorziening te vragen, hetzij aan de kantonrechter, hetzij aan de president in kort geding.

Volgens art. 116 Rv kan in spoedeisende zaken ieder der partijen vorderen dat de kantonrechter een voorlopige voorziening treft, tenzij ter zake reeds een vordering in kort geding is ingesteld.[447] Tegen een vonnis gewezen naar aanleiding van een vordering tot een voorlopige voorziening kan geen hoger beroep of cassatie worden ingesteld. Wel verliest dit vonnis zijn kracht indien de partij tegen wie een vordering tot het treffen van een voorlopige voorziening is toegewezen hiertegen schriftelijk bezwaar maakt, tenzij de wederpartij overgaat tot dagvaarding in de hoofdzaak. Voorts verliest het vonnis zijn kracht indien de hoofdzaak eindigt door royement of eindvonnis.

Een voorlopige voorziening kan bijvoorbeeld worden gevorderd na een ontslag op staande voet en zal dan kunnen bestaan uit een vordering tot tewerkstelling en/of loondoorbetaling. Een snelle beslissing ter zake kan een terugkeer naar de arbeid soms bevorderen.[448]

In de praktijk wordt art. 116 Rv thans veelvuldig toegepast naast de reeds bestaande mogelijkheid van beroep op de president in kort geding.[449]

Tot slot memoreer ik, volledigheidshalve, dat ook een ontbindingsprocedure wegens gewichte redenen in ontslagconflicten tot een snelle beslissing kan leiden (3.6.4.1).

3.7.2 *Bedrijfsrechtspraak*

In vele cao's wordt de beslechting van geschillen betreffende de cao en de daarop steunende arbeidsovereenkomst geheel of gedeeltelijk opgedragen aan geschillencommissies en op deze wijze onttrokken aan de rechtsmacht van de burgerlijke rechter. Dergelijke geschillencommissies kunnen een uitspraak geven in de vorm van arbitrage (art. 1020 e.v. Rv) of bindend advies; in de cao-praktijk overheerst de laatste vorm.[450]

bindend advies

Het bindend advies is niet door de wet geregeld; vormvoorschriften ontbreken. Het bindend advies is niet meer dan een overeenkomst dat men zich zal houden aan de afspraak van de adviseurs. Wanneer een van de partijen achteraf weigert aan het bindend advies te voldoen, zal zijn wederpartij alsnog nakoming van de overeenkomst in een civiele procedure moeten vorderen. Volgens vaste rechtspraak zal de rechter een

447 H. Uhlenbroek, De snelle rechter (116 Rv), SMA 1996, 5, p. 304.
448 Zie ook noot HLB bij HR 26 maart 1965, NJ 1965, 163, Arbeidsrechtspraak nr. 18.
449 Zie over de rol van de president in arbeidszaken Arbeid in kort geding, Deventer 1983.
450 P.F. van der Heijden, Een eerlijk proces in het sociaal recht? Diss. Leiden, Deventer 1984, p. 137.

actie tot nakoming van het bindend advies toewijzen, tenzij het bindend advies 'hetzij uit hoofde van zijn inhoud, hetzij uit hoofde van de wijze waarop het tot stand is gekomen, zozeer ingaat tegen hetgeen redelijk en billijk is, dat een partij in strijd met de goede trouw handelt door zijn wederpartij daaraan gebonden te willen achten'.[451]

Bedrijfsrechtspraak is in de meeste bedrijfstakken van weinig betekenis. Dit wordt mede veroorzaakt door het feit dat bedrijfsrechtspraakclausules slechts bindend zijn voor de partijen die een cao afsluiten en hun leden. Algemeen verbindend verklaren van bedrijfsrechtspraakclausules, waardoor ook de andere betrokkenen in de bedrijfstak onder de jurisdictie van de geschillencommissie zouden worden gebracht, is niet mogelijk want krachtens art. 2 lid 5 Wet AVV kunnen bepalingen in een cao die ten doel hebben 'de beslissing van den rechter omtrent twistgedingen uit te sluiten' niet algemeen verbindend worden verklaard.[452]
Het is overigens de vraag of de geringe betekenis van de bedrijfsrechtspraak moet worden betreurd: de bedrijfsrechtspraakclausules zijn niet altijd even helder en doelmatig geformuleerd, hetgeen de belangen van de rechtzoekenden kan schaden.[453]

451 HR 29 januari 1931, NJ 1931, 1317.

452 Betwist is of art. 2 lid 5 Wet AVV alleen het algemeen verbindend verklaren van arbitrageclausules met nietigheid treft, of ook het algemeen verbindend verklaren van bedrijfsrechtspraak in de vorm van bindend advies. HR 8 juni 1951, NJ 1952, 144. heeft deze vraag in het midden gelaten, doch beslist dat een beschikking, waardoor een bepaling in een cao inhoudende dat geschillen tussen werkgevers en werknemers zullen worden beslist door een bindend advies wordt algemeen verbindend verklaard, reeds nietig is wegens strijd met art. 17 Grondwet. Zie ook Rb. 's-Gravenhage 16 september 1992, SMA 1993, 2, p. 118, m.n. M.M. Olbers, JAR 1992, 97.

453 Zie over een vorm van bedrijfsrechtspraak in het grafisch bedrijf G. van Loenen, e.a., De eigen-aardige ontslagprocedure in het grafisch bedrijf: historie of toekomst?, SMA 1996, 7/8, p. 471.

4 Collectief arbeidsrecht

Collective bargaining is a process of decision making. Its overriding purpose is the negotiation of an agreed set of rules to govern the substantive and procedural terms of the employment relationship, as well as the relationship between the bargaining parties themselves.

Collective bargaining in industrialized market economies, Geneva 1974, p. 7.

4.1 Inleiding

Onder collectief arbeidsrecht wordt hier verstaan het geheel van rechtsregels dat betrekking heeft op verenigingen van werkgevers en werknemers, de collectieve onderhandelingen over arbeidsvoorwaarden, de invloed van de overheid op de collectieve onderhandelingen en de collectieve conflicten.[1]

collectieve arbeidsovereenkomst

Collectieve onderhandelingen over arbeidsvoorwaarden plegen hun neerslag te vinden in een collectieve arbeidsovereenkomst.[2] De cao is de belangrijkste rechtsbron in het arbeidsrecht; de juridische gevolgen van de cao en enkele andere aspecten worden besproken in par. 4.4. Collectieve arbeidsovereenkomsten worden in Nederland voornamelijk tot stand gebracht via onderhandelingen tussen werkgevers- en werknemersverenigingen. Daarom wordt, voordat de cao zelf ter sprake komt, in 4.2 eerst enige feitelijke informatie gegeven over de vakcentrales van

1 M.G. Levenbach, Het recht van de vakorganisaties in Nederland, een EGKS-publicatie. Het recht van de vakbondsorganisaties in de deelnemende staten van de EGKS, Luxemburg, 1966. In deze studie behandelt Levenbach ook een aantal vraagstukken, die in dit boek niet in Hoofdstuk 4, maar elders worden behandeld. Vgl.W.J.P.M. Fase en J.J.M. van der Ven, La liberté syndicale des salariés in De Koalitionsfreiheit der Arbeitnehmer, Berlin 1980, p. 517 e.v.; W.J.P.M. Fase, C.a.o.-recht, Alphen aan den Rijn 1982, W.J.P.M. Fase, e.a., Het collectief arbeidsrecht nader beschouwd, Deventer 1984; F. Koning, Het systeem van het collectieve arbeidsvoorwaardenrecht, diss. RUG, Deventer 1987; C.E.M. Schutte, Overzicht van het cao-recht, Nijmegen 1995. Zie voor de rechtsvergelijkende aspecten: A.T.J.M. Jacobs, Het recht op collectief onderhandelen, diss. KUB, Alphen aan den Rijn 1986; Bulletin of comparative Labour Relations, Bulletin nr. 16, Deventer 1987; Bulletin 17, Deventer 1988; M. Rigaux, T. van Peijpe, Knelpunten in het Nederlands en Belgisch cao-recht, Alphen aan den Rijn 1994. Zie voor achtergrondinformatie: J.P. Windmuller/C. de Galan/A.F. van Zweeden, Arbeidsverhoudingen in Nederland, Aula Pocket 1983; W. Albeda en W. Dercksen, Arbeidsverhoudingen in Nederland, Alphen aan den Rijn 1994; W. van Voorden e.a., Macht in banen, Leiden 1993.

2 Zie over verschillende methoden van collectieve vorming van arbeidsvoorwaarden W.J.P.M. Fase, Collectieve arbeidsvoorwaardenvorming en contractueel evenwicht, bijdrage aan de Rood-bundel, p. 11.

werkgevers en werknemers en de daarbij aangesloten leden (de werkgevers- en werknemersorganisaties worden dikwijls de sociale partners genoemd). Daarbij aansluitend wordt de vakverenigingsvrijheid behandeld, aangezien deze ten grondslag ligt aan het bestaan en functioneren van de werkgevers- en werknemersorganisaties (4.3).

overheid en collectief overleg

De houding die de overheid tegenover de collectieve onderhandelingen inneemt, vertoont twee kanten. In de eerste plaats kan in dit verband worden gewezen op een aantal wettelijke maatregelen die hetzij impliciet, hetzij expliciet, ten doel hebben het collectieve overleg te bevorderen. De belangrijkste van deze maatregelen, de algemeen verbindendverklaring (die zich richt op het bedrijfstakniveau), wordt behandeld in 4.5; de overige (die zich richten op het ondernemingsniveau) in 4.8. Anders ligt het met de door de overheid na de tweede wereldoorlog gevoerde en tot het begin van de jaren tachtig doorlopende loonpolitiek. Deze loonpolitiek richtte zich niet op een stimulering van het collectief overleg, maar had veeleer een beperkende werking. Deze beperkingen hadden voornamelijk ten doel de uitkomst van de collectieve onderhandelingen (in het bijzonder het loonniveau) ondergeschikt te maken aan de door de overheid wenselijk geachte inkomenspolitiek. Eerst vanaf 1982 heeft zich op dit terrein een omslag voltrokken (4.6).
Via collectieve onderhandelingen trachten de betrokken partijen hun verschillende belangen onder één noemer te brengen. Soms lukt dit eerst na het uitbreken van een collectief conflict. Hierover handelt paragraaf 4.7.

4.2 Verenigingen van werkgevers en werknemers

4.2.1 *Werknemersorganisaties. Vakbeweging*

4.2.1.1 *Algemeen*

organisatiegraad

Circa 29% van de Nederlandse beroepsbevolking is aangesloten bij een vakbond. In 1960 was dit nog 40%, daarna zette een daling in die eerst recentelijk enigszins werd omgebogen. Ook in andere West-Europese landen valt een daling van de organisatiegraad waar te nemen.[3]

In Nederland bestaan drie grote vakcentrales, de Federatie Nederlandse Vakbeweging (FNV), het Christelijk Nationaal Vakverbond (CNV) en de Unie MHP, Middengroepen en Hoger Personeel. De FNV telt ca 1, 2

3 Zie Bert Klandermans en Jelle Visser (red.), De vakbeweging na de welvaartsstaat, Assen 1995, p. 31; Jelle Visser, Kwaliteit voor de vakbeweging, SMA 1995, 6, p. 371; Ulrich Zachert, Trade Unions in Europe – Dusk or a new Dawn?, The International Journal of Comparative Labour Law and Industrial Relations 1993, 1, p. 17, Deventer.

miljoen leden, het CNV 360 duizend leden en de Unie MHP ca. 225 duizend leden. De FNV is dus op afstand de grootste van de drie vakcentrales. Deze vakcentrales zijn verenigingen van verenigingen. Leden van de vakcentrales zijn immers vakbonden.[4]

de FNV

De bij de FNV aangesloten bonden zijn overwegend bedrijfsbonden. Veruit de grootste is FNV Bondgenoten met 500 duizend leden, die opereert in de sectoren industrie, metalelectro, dienstverlening, handel, vervoer en voeding. De Abvakabo FNV (Algemene bond van Ambtenaren-Katholieke Bond van Overheidspersoneel) telt 360 duizend leden, de Bouw- en Houtbond FNV 160 duizend leden, de Algemene Onderwijsbond 75 duizend leden en de FNV KIEM (kunsten, informatie en media) 70 duizend leden. Daarnaast heeft de FNV nog negen kleinere aangesloten vakbonden in onder meer de horeca, het leger, de politie, het kappersbedrijf, de journalistiek, de zeevaart en sport. Het zal duidelijk zijn, dat met name de superbonden bij de FNV, Bondgenoten en Abvakabo, grote invloed hebben op het beleid van de vakcentrale, mede ook omdat zij groot genoeg zijn om ook zelfstandig te opereren buiten een vakcentrale om. Voor de kleine bonden is de invloed op het beleid van de vakcentrale relatief klein, maar is het aangesloten zijn bij de vakcentrale van groot belang, gezien haar algemene belangenbehartigende taak en coördinatie in het te voeren vakbondsbeleid.

het CNV

Bij het CNV is de organisatiestructuur anders dan bij de FNV. Bij hem is de grootste aangesloten bond de CNV Bedrijvenbond met 86 duizend leden, die werkzaam is in de industrie, de voeding, horeca en het kappersbedrijf. Dan volgt de Christelijke Federatie overheidspersoneel CFO met ongeveer eenzelfde aantal leden. Belangrijke bonden zijn ook De Onderwijsbond CNV (58 duizend leden), de Hout- en Bouwbond CNV (51 duizend leden), de Dienstenbond CNV (34000 leden) en de Jongerenorganisatie CNV (50 duizend leden). Verder zijn nog zes andere bonden bij het CNV aangesloten. Die organiseren politie, militairen, marechaussee, kunstenaars, kosters en kerkelijke medewerkers.

de Unie MHP

De Unie MHP telt slechts vier organisaties als lid. Veruit de grootste is de Unie van onafhankelijke vakorganisaties (UOV) met 167 leden. De Centrale Van Middelbare en Hogere functionarissen bij overheid, bedrijven en instellingen CMHF telt 55 duizend leden. De beroepsorganisatie Banken en Verzekeringen (BBV) heeft 2000 leden en ten slotte telt de Vereniging van Nederlandse Verkeersvliegers (VNV) 2500 leden.
Naast de bij een van de vakcentrales aangesloten bonden opereren ook zelfstandige bonden, meestal aangeduid als categorale bonden. Zij zijn vaak klein in omvang. De bekendste zijn het Onafhankelijk Verbond van

4 Een vierde vakcentrale van recente datum, de Algemene vakcentrale AVC met ruim 100 duizend leden (waarvan 80% in de (semi-)overheidssfeer werkzaam is) is in 1998 opgegaan in de FNV.

Bedrijfsorganisaties (OVB) met ongeveer 10 duizend leden[5] en het Zwarte Korps (grond- , weg- en waterbouw en utiliteitsbouw) met 11 duizend leden.
Ten slotte valt te vermelden dat nog het Gereformeerd Maatschappelijk Verbond met 11 duizend leden bestaat, al mag dat verbond in strikte zin geen vakorganisatie worden genoemd, omdat ook werkgevers er lid van kunnen worden en ook zijn.
In het navolgende gaat het in eerste instantie om de drie grote vakcentrales, die feitelijk een exclusieve positie innemen.[6]

samengaan vakcentrales

De FNV is in 1982 ontstaan uit een fusie van het NVV (Nederlands Verbond van Vakverenigingen) en het NKV (Nederlands Katholiek Vakverbond).
Het bestaan van NVV, NKV en CNV weerspiegelde de verzuiling, die ook andere delen van de Nederlandse samenleving in de vorige eeuw kenmerkte. De laatste helft van die eeuw is deze verzuiling echter in toenemende mate onder druk komen te staan, hetgeen ook repercussies had binnen de vakbeweging.
De samenwerking van de drie vakcentrales werd in de loop van de jaren zestig steeds hechter, zulks niet alleen gestimuleerd door het verzwakken van ideologische verschillen, maar ook door financiële noodzaak. Het was de bedoeling dat de samenwerking van de drie vakcentrales zou worden verankerd door de oprichting van een overkoepelende federatie. Aanvankelijk leek het of dit resultaat inderdaad zou worden bereikt, doch in 1974 besloot het CNV, dat zijn 'eigen identiteit' binnen de federatie onvoldoende gewaarborgd achtte, zelfstandig te blijven. Het NVV en NKV zetten de onderhandelingen voort. In 1981 werden de onderhandelingen met succes afgerond: per 1 januari 1982 hielden NVV en NKV op te bestaan; vanaf die datum gingen zij op in de Federatie Nederlandse Vakbeweging.[7]

taken vakcentrales

De vakcentrales coördineren het werk van de aangesloten organisaties, oefenen pressie uit op de wetgevende activiteiten en het begrotingsbeleid van regering en parlement en op internationaal terrein, dit laatste onder meer in het kader van het Europees Verbond van Vakverenigingen (EVV) en het Internationaal Verbond van Vrije Vakverenigingen (IVVV).

5 Een opmerkelijke ontwikkeling is, dat het Onafhankelijk Verbond van Bedrijfsorganisaties OVB met kleine werkgeversorganisaties onder meer in de horeca, de benzinestations en de uitzendbranche een cao heeft afgesloten met als doel om de algemeen verbindendverklaring van de reguliere cao in die sectoren te ontgaan.

6 De geschiedenis van de Nederlandse vakbeweging blijft buiten beschouwing. Deze is reeds herhaaldelijk beschreven. Van de vele boeken over dit onderwerp kunnen worden genoemd: Molenaar, Arbeidsrecht 1, p. 124; Ger Harmsen en Bob Reinalda, Voor de bevrijding van de arbeid, Nijmegen 1975; Fr. de Jong Edz, Om de plaats van de arbeid, Amsterdam 1956; Windmuller/De Galan/van Zweeden, p. 11.

7 W.H.J. Reynaerts, SMA 1981, 10, p. 699.

Zij verrichten daarnaast allerlei vakbondswerkzaamheden die het best op centraal niveau, dus in gezamenlijkheid, kunnen worden verricht.

Het zwaartepunt van het dagelijks vakbondswerk ligt niet bij de vakcentrales doch bij de aangesloten organisaties. Het zijn deze bonden die de cao's afsluiten, die de werknemers vertegenwoordigen in de besturen van bedrijfscommissies (5.3.6.2) en de besturen van produkt- en bedrijfschappen (6.2.2). Daarnaast houden zij zich bezig met talloze andere activiteiten, zoals de belangenbehartiging van individuele leden, scholing en vorming, propaganda-acties, soms rechtsbijstand, enz.

vakbonden

De bedrijfsbonden zijn landelijke organisaties, die weer territoriaal zijn onderverdeeld in districten en plaatselijke afdelingen. Vele bonden kennen daarnaast weer functionele vakgroepen. Het accent van de besluitvorming ligt bij de bezoldigde hoofdbesturen van de bonden en heeft betrekking op vraagstukken op het niveau van de bedrijfstak.

vakbondswerk in de onderneming

Op het niveau van de onderneming is de invloed van de bonden minder groot, mede door hun territoriale structuur. Deze structuur beïnvloedt de communicatie tussen de bondsleiding en de leden, vooral bij grote ondernemingen die hun werknemers uit een uitgestrekt gebied aantrekken. Voor de districtsgewijs georganiseerde bonden zijn deze werknemers onbereikbaar, tenzij men ze in de onderneming zelf kan benaderen. Om dit effect te neutraliseren zijn in de jaren zeventig pogingen ondernomen om de invloed van de bond op ondernemingsniveau te vergroten. Deze ontwikkeling is belangrijk genoeg om hieraan afzonderlijke aandacht te besteden.

4.2.1.2 *Vakbeweging en onderneming*

bedrijfstakoverleg

Vanouds was de belangstelling van de vakbeweging nationaal – en zelfs internationaal – gericht, namelijk op een structurele verandering van de maatschappij als geheel. Op kortere termijn beschouwden de bonden de cao als het middel bij uitstek om de beslissingsvrijheid van de werkgevers te beperken en de medezeggenschap van de werknemers te bevorderen, doch de collectieve contracten richtten zich in hoofdzaak op de bedrijfstak. Daar kwam nog bij dat de werkgevers de vakorganisaties beschouwden als een 'extern orgaan' en zich altijd met kracht hebben verzet tegen bemoeienissen van de bonden met de interne gang van zaken in de onderneming.
In het vooroorlogse sociaal-economisch klimaat was de voorkeur van de bonden voor de bedrijfstak-cao volkomen begrijpelijk. In die periode vertoonde de arbeidsmarkt een structureel overschot aan arbeidskrachten. In een dergelijke situatie is een ondernemingscao weinig zinvol, daar dit contract door de niet-gebonden werkgevers in de bedrijfstak gemakkelijk onderboden kan worden. Het streven naar een met werkgeversorganisaties gesloten de gehele bedrijfstak omvattende cao – zo

mogelijk nog versterkt door een algemeen verbindendverklaring (4.5) – ligt dan meer voor de hand.
Ook de wijze van loonvorming na 1945 was weinig bevorderlijk voor het ontplooien van activiteiten op ondernemingsniveau. De onderneming verdween nog verder uit de gezichtskring, want in deze periode verschoof het accent bij de loononderhandelingen gedurende vele jaren van het bedrijfstakniveau naar het nationaal niveau, van de bedrijfsbonden naar de vakcentrales in de Stichting van de Arbeid (4.6).

bedrijfsledengroep

Met ingang van de jaren zeventig is de belangstelling van de vakbeweging voor het ondernemingsniveau echter duidelijk toegenomen. In die periode werd door een aantal bonden besloten de in een onderneming werkzame leden te verenigen in een bedrijfsledengroep. De bedrijfsledengroep kiest uit haar midden een voorzitter (de bedrijfscontactman), die belast is met de leiding van de groep, de zorg voor de communicatie tussen bond en leden en het medebepalen van het bondsbeleid tegenover de onderneming. In grotere ondernemingen wordt deze functionaris bijgestaan door een uit de bedrijfsledengroep gevormd bestuur (de bedrijfscontactcommissie).
Deze nieuwe, op de afzonderlijke onderneming toegespitste organisatorische lijn, kwam in de bond naast de tot dusver bestaande territoriale structuur van plaatselijke afdelingen, verenigd in districten onder leiding van een bezoldigde districtsbestuurder.
Door middel van het bondswerk in de onderneming (bedrijvenwerk) hoopten de bonden onder meer de communicatie met de leden te bevorderen en de participatie van de leden in het vakbondswerk te vergroten (democratisering van de bond) en voorts meer invloed te kunnen uitoefenen op het beleid van de werkgever (democratisering van de onderneming). Hoewel het bondswerk niet zonder betekenis is gebleken, heeft het in het algemeen toch niet aan deze verwachtingen voldaan.[8]

verdere decentralisatie

Een nieuwe situatie ontstond in 1982 door het Akkoord van Wassenaar. Zoals onder 4.6. wordt aangegeven heeft dit akkoord geleid tot decentralisatie van het collectief overleg. Dit houdt onder meer in dat steeds meer afspraken in bedrijfstak-cao's een globale vorm krijgen en nader geconcretiseerd moeten worden op het niveau van de ondernemingen. Deze nadere invulling geschiedt in vele gevallen door de ondernemingsraad daarbij te betrekken. Het bondswerk wordt in aansluiting op deze ontwikkeling in toenemende mate gebruikt om het werk van vakbondsleden in de OR te ondersteunen.

8 G.E. van Vliet, Bedrijvenwerk als vorm van belangenbehartiging, Alphen aan den Rijn 1979; J.C. Looise, Meer flexibel en terug naar de kern? Structuur en strategie van de vakbeweging in de jaren '90, SMA 1992, 7/8, p. 419.

4.2.1.3 *Hoger en middelbaar personeel*

opkomst eigen organisaties

Naast de toenmalige grote vakcentrales bestonden al lange tijd centrales van middelbaar en hoger personeel, in de particuliere sector bijvoorbeeld de Nederlandse Centrale van Hoger Personeel (NCHP) en in de overheidssector op de Centrale van hogere functionarissen (CHA). Aanvankelijk waren deze organisaties kwantitatief slechts van bescheiden betekenis. Twee gebeurtenissen hebben echter aan deze groepsvorming een krachtige impuls gegeven.
In de eerste plaats kan worden gewezen op de in 1973 door de bij de drie vakcentrales aangesloten Industriebonden gestelde cao-eisen, die door hun nivellerend effect een bedreiging inhielden van de positie van het middelbaar en hoger personeel (4.7.3). Deze eisen werkten polariserend; mede onder invloed hiervan liep het ledental van het NCHP in 1973 op van 13 000 tot 28 000.
Een tweede impuls ging uit van de hiervoor gememoreerde federatievorming van de vakcentrales, NVV, NKV en CNV. Onder de dreiging hiervan keerde in 1974 de Federatie van Christelijke Handelsreizigers en Handelsagenten het CNV de rug toe. Kort daarna traden om dezelfde reden twee bonden uit het NKV: de Unie van Beambten, Leidinggevend- en Hoger Personeel (BLHP) en de Katholieke Bond van Werknemers in Bank- en verzekeringsbedrijf en Administratieve kantoren (BVA). De drie organisaties sloten zich aan bij de op 9 april 1974 door vijf organisaties (waaronder de NCHP en CHA) opgerichte Raad van Overleg voor middelbaar en hoger personeel,[9] waaruit de Vakcentrale MHP is voortgekomen, thans Unie MHP genaamd.

oorzaken eigen organisaties

De klassieke bedrijfsbonden hebben voor het middelbaar en hoger personeel in het verleden altijd maar weinig aantrekkingskracht gehad en deze aantrekkingskracht is in 1973 door de bovengenoemde bondsactiviteiten begrijpelijkerwijs niet vergroot. De groei van de organisaties van middelbaar en hoger personeel kan echter niet uitsluitend vanuit deze feiten worden verklaard.
Aannemelijk is in de eerste plaats dat deze groei samenhangt met veranderingen in het productieproces, die de behoefte aan 'white-collar workers' hebben doen toenemen waardoor een nieuwe categorie werknemers ontstond met eigen collectieve belangen.
In de tweede plaats is door de schaalvergroting binnen de ondernemingen, collectieve ontslagen, e.d., in toenemende mate bij de hoger gekwalificeerden zelf het besef doorgedrongen dat ook zij kwetsbaar zijn en behoefte (kunnen) hebben aan bescherming door een vakorganisatie.

9 W.J.P.M. Fase, Kanttekeningen bij het eerste congres van de Raad van Overleg voor middelbaar en hoger personeel, SMA 1975, p. 183.

Gezien deze structurele veranderingen, die zich niet tot Nederland beperken,[10] mag worden aangenomen dat de bonden van middelbaar en hoger personeel binnen de vakbeweging een blijvende plaats zullen innemen.

4.2.2 *Werkgeversorganisaties*

De werkgeversorganisaties, die het merendeel van de Nederlandse ondernemers hebben georganiseerd, waren tot voor kort, evenals de vakbeweging, gesplitst door verschil in religieuze achtergrond. In 1994 en 1995 is hieraan echter door een aantal fusies een einde gekomen. Thans verschillen werkgeversorganisaties nog slechts in werkterrein.

het VNO-NCW

De grootste werkgeversorganisatie is de Vereniging VNO-NCW, voortgekomen uit het Verbond van Nederlandse Ondernemingen (VNO) en het Nederlands Christelijk Werkgeversverbond (NCW). Zij vertegenwoordigt ruim 80 duizend Nederlandse ondernemingen in hoofdzakelijk de industrie, handel en zakelijke dienstverlening, maar ook wel het midden- en kleinbedrijf. Het VNO-NCW kent vijf regionaal opererende zelfstandige organisaties, maar heeft daarnaast ook ongeveer honderdenvijftig branche-organisaties als lid. Van de laatste zijn bijvoorbeeld te noemen de Algemene Werkgeversvereniging (AWVN), de Algemene Bond van Uitzendondernemingen (ABU), de Bond van autohandelaren en Garagehouders (BOVAG), de Vereniging voor Ondernemingen in de Metaal-, Electronica- en Electrotechnische Industrie en aanverwante sectoren (FME/CWM) en de Nederlandse zorgfederatie (NZf).

MKB

Het midden- en kleinbedrijf kent zijn eigen centrale organisatie, de Koninklijke vereniging MKB-Nederland, waarbij ca 450 regionale en plaatselijke ondernemersverenigingen zijn aangesloten. Ook is een groot aantal branche-organisaties lid van MKB-Nederland. Deze centrale organisatie vertegenwoordigt ongeveer 125 duizend werkgevers.

LTO

De land- en tuinbouw en veehouderij heeft thans als centrale organisatie de Vereniging LTO-Nederland. Deze kent een hoge organisatiegraad en telt ca 65 duizend ondernemers als lid.

Deze drie werkgeverscentrales, VNO-NCW, MKB en LTO , werken samen in de Raad van Centrale Ondernemersorganisaties (RCO).

andere organisaties

Er bestaan daarnaast nog vele andere werkgeversorganisaties. In de gepremieerde en gesubsidieerde sector valt te noemen de Federatie van Werkgeversverenigen (FW), waarbij zes werkgeversverenigingen zijn aangesloten en in de overheidssector het Verbond Sectorwerkgevers Overheid (VSO) met elf aangesloten bonden (interprovinciaal overleg, gemeenten, rijkssector, defensie, rechterlijke macht, politie, waterschappen, onderwijs, hbo-onderwijs (HBO-raad), universiteiten

10 O. Kahn-Freund, Labour relations. Heritage and adjustment, Oxford 1979. Zie voorts A.W.M. Teulings, Ontwikkelingen binnen werknemersorganisaties, een organisatie-sociologische benadering, SMA 1984, 11, p. 720.

(VSNU) en onderzoeksinstellingen). Deze werkgeversorganisaties zijn anders dan VNO-NCW, MKB en LTO niet vertegenwoordigd in de Sociaal-Economische Raad en de Stichting van de Arbeid, die zich tot het bedrijfsleven beperken. Nu het arbeidsvoorwaardenbeleid bij de overheid en aanpalende sectoren een min of meer zelfstandige betekenis heeft -vroeger werd via het trendbeleid het bedrijfsleven gevolgd- is de afwezigheid in de centrale overlegorganen niet langer vanzelfsprekend.

Evenals de vakbonden treden de centrale werkgeversorganisaties, zowel afzonderlijk als gezamenlijk, op als pressiegroep op nationaal en internationaal vlak. Voorts is de individuele dienstverlening aan ondernemingen van belang. Zij geven adviezen op sociaal-economisch en juridisch gebied, organiseren opleidingen en coördineren het cao-overleg.[11]

4.2.3 *Samenwerkingsvormen*

Het VNO-NCW, MKB en LTO werken, zoals gezegd, met de FNV, het CNV en de vakcentrale MHP samen in de Stichting van de Arbeid (STAR). Zij zijn ook allen vertegenwoordigd in de Sociaal-Economische Raad (SER).

Stichting van de Arbeid

De STAR is door sociale partners als privaatrechtelijke samenwerkingsvorm opgericht op 17 mei 1945. De vorming is al in de Tweede Wereldoorlog voorbereid. De STAR kent een paritair bestuur, dat wil zeggen, dat werkgevers en werknemers evenveel zetels bezetten. De STAR is het centrale platform voor overleg en advies aan de overheid ten aanzien van sociale aangelegenheden. Zij vervult bijvoorbeeld een rol bij de algemeen verbindendverklaring van cao-bepalingen, doet aanbevelingen aan cao-partijen[12], wordt door de overheid om advies gevraagd (bijvoorbeeld ten aanzien van de Nota Flexibiliteit en zekerheid, die tot herziening van het ontslagrecht in 1998 heeft geleid) en is gesprekspartner van de centrale overheid ten aanzien van de inbedding van het arbeidsvoorwaardenbeleid in het sociaal-economisch beleid.

Sociaal-Economische Raad

De SER is een publiekrechtelijk lichaam, dat zijn ontstaan dankt aan de Wet op de bedrijfsorganisatie 1950 (zie 6.2.1). De SER heeft een tripartiete samenstelling. Werkgevers, werknemers en onafhankelijke leden, kroonleden genoemd, vormen even grote geledingen in de SER. De SER pleegt over belangrijke beleidsplannen op sociaal-economisch terrein advies te worden gevraagd. Dat kan door de verantwoordelijke minister of een der kamers van de Staten-Generaal. Op sociaal terrein is de taakverdeling tussen de SER en de STAR niet altijd even duide-

11 P.W.M. Nobelen, Ondernemers georganiseerd. diss. EUR, Den Haag 1987.

12 Zie voor een overzicht van de adviezen van de STAR voor zover nog actueel M.A.C. de Wit (red.), Aanbevolen Arbeidsrecht, Aanbevelingen van de Stichting van de Arbeid, Den Haag 1995. Zie voorts Maarten van Bottenburg, Aan den Arbeid!, in de wandelgangen van de Stichting van de Arbeid 1945–1995, Amsterdam 1995.

lijk.[13] Soms fungeert slechts de STAR als adviesorgaan, soms doet de SER het advies van de STAR nog eens over, soms wordt louter de opvatting van de SER gevraagd.

bedrijfstakssamenwerking

De aangesloten werkgeversorganisaties en vakbonden hebben op bedrijfstakniveau soms informele, soms institutionele samenwerkingsvormen in het kader van hun cao-taak. Zo kennen sommige bedrijfstakken een vakraad of raad van overleg. Ook houden zijn arbitrage-colleges en dispensatie-commissies op cao-terrein in stand. Daarnaast bestaan er vele stichtingen ter uitvoering van cao-bepalingen (vut-regelingen, scholingsfondsen e.d.). Daarnaast bemensen sociale partners de bedrijfscommissies, die krachtens de Wet op de ondernemingsraden ten behoeve van ondernemingsraden zijn ingesteld, benoemen zij de bestuursleden van produkt- en bedrijfschappen, vormen zij sectorraden als adviesorgaan van hun bedrijfstak richting het Landelijk instituut sociale verzekeringen (Lisv) en bemensen zij de besturen van bedrijfspensioenfondsen. Op velerlei terrein en ten aanzien velerlei onderwerpen werken sociale partners dus samen. Dit heeft de Nederlandse overlegcultuur de naam poldermodel opgeleverd. De herkomst van deze benaming is niet bekend. Zij dook in de jaren negentig van de vorige eeuw op, terwijl voordien vaak gesproken werd van het harmonie- of coalitiemodel. Bij de introductie van de term poldermodel heeft men zich niet gerealiseerd, dat minister Talma, bij de verdediging van de uitvoering van de Ziektewet door sociale partners omstreeks 1913, al een parallel trok met waterschappen, waarin belanghebbenden ook het bestuur vormden, om te verdedigen dat dit de beste waarborg vormde voor een competent en adequaat beleid. Het poldermodel heeft dus duidelijke historische wortels in de (drassige) vaderlandse bodem.

poldermodel

vrijheid van vereniging

4.3 Vakverenigingsvrijheid

4.3.1 *Collectieve vakverenigingsvrijheid*

De oprichting en inrichting van vakverenigingen zijn in Nederland niet onderworpen aan speciale rechtsregels. Wij kennen geen grondwettelijke of wettelijke normen die specifiek voor vakverenigingen gelden, zoals Frankrijk en Duitsland wel kennen. Bij ons worden oprichting en inrichting van vakverenigingen beheerst door de algemene regels van het verenigingsrecht. De daarin neergelegde vrijheid van (vak)vereniging, die overigens in grote delen van de wereld

13 In de praktijk pleegt een minister de STAR om advies te vragen indien hij het mogelijk acht dat een vraagstuk zonder nadere wetgeving kan worden opgelost, bijvoorbeeld door een tot het bedrijfsleven gerichte aanbeveling van de STAR. Indien daarentegen wettelijke maatregelen worden overwogen, dan is de SER het aangewezen advieslichaam.

niet of nauwelijks bestaat, is in Nederland in de loop van de voorgaande twee eeuwen tot stand gebracht.
Het recht van vereniging werd voor het eerst erkend door de grondwetsherziening van 1848 (art. 9; thans art. 8 Grondwet) en de daarop gebaseerde Wet op de vereniging en vergadering van 1855. Volgens deze wet stond het een ieder vrij een vereniging op te richten. Rechtspersoonlijkheid verkreeg een vereniging eerst nadat de statuten bij KB waren goedgekeurd; weigering van de goedkeuring mocht alléén geschieden op grond van het algemeen belang. Dit preventief toezicht richtte zich echter slechts uiterst zelden tegen de vakbeweging. Wel gold tot 1872 het zgn. coalitieverbod dat aan werkgevers- en werknemersverenigingen verbood hun vereniging als pressiemiddel te gebruiken om lonen te verlagen resp. te verhogen.

Met ingang van 8 april 1976 is het verenigingsrecht geregeld in art. 26–52 Boek 2 BW. Uit de regeling vloeit voort dat men in Nederland vrij is om een vakvereniging op te richten. De oprichters hebben hiervoor geen voorafgaande toestemming van de overheid nodig en evenmin bestaat er overheidscontrole op de inrichting van vakverenigingen. De oprichters zijn, voor wat betreft de inrichting van de vakorganisatie, gebonden aan de voorschriften van het BW, doch deze bepalingen laten de oprichters veel vrijheid om het doel van de vereniging en de middelen waardoor men dit doel wil trachten te bereiken, naar eigen inzicht in de statuten en huishoudelijke reglementen te formuleren. En datzelfde geldt voor de inwendige organisatie en financiële controle en voor de vraag wie als lid zal kunnen worden toegelaten en welk orgaan daarover zal beslissen.

rechtsbevoegdheid

In de huidige regeling ontbreekt ook het preventief overheidstoezicht betreffende het verkrijgen van rechtspersoonlijkheid. Een vereniging verkrijgt thans volledige rechtsbevoegdheid door de statuten op te nemen in een notariële akte (art. 2:30 BW).
Om als vakvereniging te kunnen functioneren is het noodzakelijk dat de vereniging volledige rechtsbevoegdheid bezit. Een vakvereniging dient onder meer volledige rechtsbevoegdheid te bezitten om in staat te zijn een cao af te sluiten (art. 1 WCAO), een kandidatenlijst voor de verkiezing van ondernemingsraadleden in te dienen (art. 9 WOR) en als overlegpartner betrokken te worden bij een collectief ontslag (art. 3 Wet melding collectief ontslag) of bij een fusie (art. 14 Fusiecode).
Uit het bovenstaande blijkt dat de Nederlandse overheid aan het oprichten van vakverenigingen en de inrichting daarvan geen strobreed in de weg (meer) legt.

Het belang van de vakverenigingsvrijheid voor het arbeidsrecht wordt nog eens extra onderstreept door een aantal specifieke, op arbeidsverhoudingen betrekking hebbende internationale afspraken, zoals de IAO-Conventie nr. 87 van 9 juli 1948 betreffende de vrijheid tot het oprichten van vakverenigingen en de bescherming van het vakverenigingsrecht (9.2), en art. 5 van het Europees Sociaal Handvest (9.3).

collectieve vakverenigingsvrijheid

De collectieve vakverenigingsvrijheid krijgt eerst inhoud indien de vakverenigingen ook de mogelijkheid krijgen om als zodanig te functioneren. Het recht op collectief onderhandelen is onder meer vastgelegd in IAO-conventie nr. 98 en art. 6 van het Europees Sociaal Handvest. Dit brengt in het bijzonder mee dat de overheid zeer terughoudend moet zijn als het er om gaat het collectief overleg tegen de zin van de sociale partners te reguleren. Aan deze terughoudendheid heeft het in Nederland wel eens ontbroken (4.6).

In de tweede plaats kan in dit verband de vraag worden gesteld in hoeverre vakorganisaties aan de vakverenigingsvrijheid het recht kunnen ontlenen om deel te nemen aan het sociaal-economisch overleg op ondernemings-, bedrijftaks- en nationaal niveau. Het gaat hier om het zogenoemde representativiteitsvraagstuk. Het representativiteitsvraagstuk speelt zowel in het kader van het publiekrechtelijk als het privaatrechtelijk overleg een rol. In beide gevallen moet gewoonlijk een keus worden gemaakt uit de talloze organisaties van werkgevers en werknemers die zich als vertegenwoordigers van hun leden opwerpen, al was het reeds omdat een efficiënte overlegstructuur in vele gevallen een onbeperkte toelating van deelnemers niet gedoogt.

representativiteit

aanwijzing organisaties

In de publiekrechtelijke overlegstructuur is de beslissing over de toelating overgelaten aan een door de wet aangewezen instantie. Zo is bijvoorbeeld de centrale overheid (na advies van de SER) bevoegd ondernemers- en werknemersorganisaties representatief te verklaren voor wat betreft de aanwijzing door die organisaties van leden van de SER en de SER op zijn beurt voor de bestuursleden van produkt- en (hoofd)bedrijfschappen (6.2 en 6.3). Voor wat betreft de benoeming door representatieve organisaties van bestuursleden van bedrijfscommissies ligt een soortgelijke aanwijzingsbevoegdheid bij de SER (5.3.6.2). Bij het bepalen van de representativiteit spelen de door de SER vastgestelde Richtlijnen representativiteit organisaties van 17 augustus 1977 een richtinggevende rol.
Een privaatrechtelijke overlegstructuur, zoals het cao-overleg, laat geen ruimte aan het machtswoord van een overheidsinstantie. Hier is de toelating van een organisatie afhankelijk van de instemming van alle bij die overlegstructuur betrokken deelnemers. Op het representativiteitsvraagstuk in deze sector wordt in de loop van dit hoofdstuk nog nader ingegaan (4.4.5).

4.3.2 *Individuele vakverenigingsvrijheid*

Naast de collectieve vakverenigingsvrijheid staat de individuele vakverenigingsvrijheid: de vrijheid van de individuele werkgever of werknemer om zich te organiseren bij de vakorganisatie van zijn keus of om zich niet te organiseren. In Nederland bestaat deze vrijheid, al is zij niet absoluut.

Het staat een ieder vrij zich voor aansluiting te wenden tot een vakorganisatie, maar die vakorganisatie is in beginsel niet verplicht iemand als lid te aanvaarden.[14] Dit is de positieve vakverenigingsvrijheid, waartegenover de negatieve vakverenigingsvrijheid staat, het recht om ongeorganiseerd te zijn. Dit recht kan met name van belang zijn voor werknemers, die vanuit een bepaalde geloofsovertuiging of op grond van gewetensbezwaren geen lid van een vakbond willen zijn.

positieve vrijheid

De negatieve vakverenigingsvrijheid raakt in het geding als een cao een verplicht lidmaatschapsclausule (closed shop) bevat. Dat beding gebiedt de werkgevers uitsluitend vakbondsleden in dienst te nemen en werknemers, die geen lid meer zijn van een vakorganisatie (vaak geroyeerd wegens een contributieschuld) te ontslaan. Een dergelijk cao-beding wordt door de WCAO slechts met nietigheid bedreigd, indien een bepaalde vereniging een exclusieve positie krijgt, dan wel wordt uitgesloten. Met andere woorden de verplicht lidmaatschapsclausule mag niet worden gebruikt als wapen in de richtingenstrijd binnen de vakbeweging.

negatieve vrijheid

Internationaal gezien ondervindt de negatieve vakverenigingsvrijheid in zoverre erkenning, dat het in strijd is met het Europese Verdrag voor de rechten van de mens als het verlies van het vakbondslidmaatschap tevens zonder meer het verlies van de arbeidsovereenkomst inhoudt. De ILO-verdragen 87 en 98 gaan uit van een gelijke behandeling van alle vakbonden en bovendien moeten gewetensbezwaren worden erkend.[15]

Het verplicht lidmaatschap komt in Nederland vrijwel niet voor. Het grafisch bedrijf vormt een uitzondering.[16] Daardoor kon zich in het grafisch bedrijf de bedrijfsrechtspraak ontwikkelen, waar eenieder door zijn lidmaatschap van een vakorganisatie via de cao aan gehouden is. De redenen, dat het verplicht lidmaatschap in Nederland uiterst impopulair

verplicht lidmaatschap

14 Het staat vakverenigingen vrij iemand als lid te weigeren. M.G. Levenbach, Het recht van de vakorganisaties in Nederland, p. 638. Rechtspraak over deze vraag ontbreekt. Zo is het aan communisten lange tijd verboden geweest lid te worden van het NVV (nu geldt dat bij de FNV voor centrum-democraten) en hebben confessionele en laagorganisaties hun signatuur mede aan het vrije toelatingsbeleid te danken. Vgl. voor de vrijheid van vakorganisatie, W.J.P.M. Fase, Vrijheid van vakorganisatie, bundel Praesidium libertatis, Deventer 1975, p. 281.

15 Voor rechtspraak zie men HR 9 april 1954, NJ 1954, 788; HR 16 januari 1970, NJ 1970, 156. Zie ook CRvB 11 november 1986, RSV 1988, 2, m.n. R.A.A. Duk; Europees Hof voor de rechten van de mens 30 juni 1993, NJ 1994, 223. Vgl. C.E.M. Schutte, Overzicht van het cao-recht, Nijmegen 1995, p. 29.

16 L. van Vollenhoven, Het verplicht lidmaatschap in de grafische industrie, bijdrage aan D. Kokkini-Iatridou en F.W. Grosheide (red.), Eenvormig en vergelijkend privaatrecht 1992, Lelystad 1992.

is, zijn onder meer de werking van art. 14 van de WCAO ten aanzien van ongeorganiseerden, de mogelijkheid van algemeen verbindendverklaring van cao-bepalingen en niet in de laatste plaats de keerzijde van het verplicht lidmaatschap, de plicht van de vakbonden om bij de toelating niet te selecteren, zodat een ongeïnteresseerd en misschien vijandig ledenbestand ontstaat.
Werkgevers zijn tegen een verplicht lidmaatschap, omdat dat hun mogelijkheden tot vrije werving van personeel beperkt en aan de vakbonden macht geeft ten aanzien van het arbeidsaanbod en dus invloed op de beloning als dat aanbod bewust krap wordt gehouden.
Een enkele maal trachten vakbonden om hun aantrekkingskracht te vergroten bij cao voordelen voor eigen leden te bedingen.[17] Dat stuit bij werkgevers veelal op principieel verzet, nu zij hun werknemers gelijk wensen te behandelen. Bevoordeling van vakbondsleden komt praktisch niet voor. Daarvoor is in de plaats getreden de werkgeversbijdrage aan het vakbondswerk.[18] De cao kent aan de werknemersorganisaties een vergoeding toe voor hun cao-werkzaamheden. Daardoor draaien de vakbondsleden niet langer alleen op voor de kosten, die de vakbonden voor het afsluiten van cao's maken. Deze werkgeversbijdrage aan het vakbondswerk wordt op verschillende wijze gerealiseerd. Vaak gebeurt dat via door de cao in het leven geroepen (scholings)fondsen onder de noemer van voorlichting over en bevordering van de naleving van de cao. Voor een aantal bonden is de werkgeversbijdrage substantieel voor de jaarlijkse begroting van uitgaven. Andere bonden beschouwen die bijdragen als een extra, waarmee de kosten van vitale vakbondstaken niet mogen worden gedekt om de onafhankelijkheid ten opzichte van de werkgevers te handhaven. Maar hoe het ook zij, de werkgeversbijdrage aan vakbondswerk kan het cao-overleg beïnvloeden, omdat het verkrijgen daarvan op de cao is gebaseerd en dus van inkomstenverlies voor een vakbond sprake is, als er geen cao tot stand komt, die zij mede ondertekent. Het gaat daarbij zeker niet om marginale bedragen, die worden prijsgegeven als een vakbond weigert een cao te ondertekenen. Veelal bevatten de regelingen van de werkgeversbijdragen aan het vakbondswerk waarborgen, dat de baten niet ten goede mogen komen aan de stakingskas van de vakbonden. Voor de werkgevers is een stap te ver, dat zij acties tegen hen gericht, mede financieren. Er kunnen dus zeker wel vraagtekens worden geplaatst bij de onafhankelijkheid van vakorganisaties in verband met de werkgeversbijdrage.

werkgeversbijdrage

neutrale overheid

De overheid oefent geen organisatiedwang uit. Integendeel, de bestaande wetgeving wijst overheidsinvloed dienaangaande uitdrukkelijk af:

17 Art. 14 van de Wet op de cao ('Wanneer niet anders is bepaald') staat ongelijke behandeling toe.
18 Het zgn. vakbondstientje, aanvankelijk omstreden. Zie Pres. Rb. 's-Gravenhage 10 februari 1966, NJ 1966, 148 en Pres. Rb. 's-Gravenhage 13 februari 1970, NJ 1970, 183.

art. 2 lid 5 onder b en c WAVV sluit uit van algemeen verbindend verklaring door de minister van SZW clausules in een cao, die ten doel hebben dwang uit te oefenen op werkgevers of werknemers om zich bij een vakvereniging aan te sluiten of een ongelijke behandeling van georganiseerden en ongeorganiseerden teweeg te brengen (4.5).

4.4 Collectieve onderhandelingen

4.4.1 *Juridische gevolgen van de collectieve onderhandelingen*

4.4.1.1 *Algemeen*

In Nederland monden collectieve onderhandelingen tussen werkgevers- en werknemersorganisaties gewoonlijk uit in een overeenkomst. Meestal zal deze overeenkomst gequalificeerd kunnen worden als een collectieve arbeidsovereenkomst.[19] Partijen moeten hebben bedoeld een cao te sluiten.

eerste cao's

Collectieve arbeidsovereenkomsten ontstonden in toenemende mate aan het begin van de vorige eeuw. Een wettelijke regeling van dit instituut ontbrak aanvankelijk. Van verschillende zijden werd echter voor een wettelijke regeling van de cao gepleit. Onder meer door de Nederlandse Juristenvereniging die in 1905 vergaderde over de vraag: 'Is wettelijke regeling van het zogenaamde collectieve arbeidscontract doenlijk en wenschelijk; zoo ja, op welke wijze?' Op die vergadering werd vrij algemeen erkend dat individuele onderhandelingen over arbeidsvoorwaarden tussen een werkgever en arbeider wegens de economische ongelijkheid van partijen tot onrechtvaardige resultaten leidden en algemeen werd de invoering van door vakbonden gesloten collectieve arbeidsovereenkomsten als een oplossing van het probleem beschouwd. 'Alleen dan wanneer tussen werkgever en *vakvereeniging* over de arbeidsvoorwaarden is onderhandeld en eenstemmigheid is verkregen, is de ongelijkheid weggenomen en kan er van eene rechtvaardige regeling van arbeidsloon en arbeidsvoorwaarden sprake zijn. Daartoe dient den arbeider's wetgevers behulpzame hand gereikt.' Aldus schreef de preadviseur A.P.L. Nelissen, lid van de Hoge Raad.[20]
Deze 'behulpzame hand' kwam spoedig daarna in actie: de eerste wettelijke regeling van de cao vond plaats bij de Wet op de arbeidsovereenkomst van 1907, waarin ook een enkel artikel aan de cao was gewijd.

19 J. van Schaik, bijdrage aan Het collectief arbeidsrecht nader beschouwd, Deventer 1984, p. 119; J.M. van Slooten, De aard en werking van het sociaal plan, SR 1995, 12, p. 362. Zie ook M. Jansen, Gebondenheid van werknemer en rechter aan het sociaal plan, als cao-overeengekomen. Arbeidsrecht 1997, 1, p. 9 en C.J. Loonstra, Collectieve afvloeiingsregelingen: het sociaal plan in F.B.J. Grapperhaus en C.J. Loonstra, Afvloeiingsregelingen in het arbeidsrecht, Deventer 1997, p. 75 e.v.
20 Handelingen NJV 1905, I, p. 307.

Dit artikel (art. 1637n BW oud) was echter weinig gelukkig geredigeerd en heeft nauwelijks toepassing gevonden. Beter geslaagd was de tweede poging, die leidde tot de Wet op de collectieve arbeidsovereenkomst 1927 (WCAO).[21]

Wet op de CAO

De WCAO definieert de cao als: een overeenkomst aangegaan door een of meer werkgevers of volledige rechtsbevoegdheid bezittende verenigingen van werkgevers enerzijds en een of meer volledige rechtsbevoegdheid bezittende verenigingen van werknemers anderzijds, waarbij 'voornamelijk of uitsluitend worden geregeld arbeidsvoorwaarden bij arbeidsovereenkomsten in acht te nemen' (art. 1 WCAO).[22]
Een vakvereniging is slechts bevoegd tot het aangaan van een cao indien de statuten der vereniging deze bevoegdheid uitdrukkelijk vermelden (art. 2 WCAO).
Een cao moet, wil zij als zodanig worden beschouwd, schriftelijk worden aangegaan (art. 3 WCAO). De tekst van de cao moet worden overgelegd aan de minister van SZW; de cao kan (zij het met terugwerkende kracht) eerst in werking treden op de dag dat de kennisgeving van ontvangst door de minister aan de cao-partijen is verzonden (art. 4 LW).[23]
Gewoonlijk wordt een cao voor één of twee jaar aangegaan; het wettelijk maximum bedraagt vijf jaar (art. 18 WCAO).
Een cao is een privaatrechtelijke overeenkomst en dient in beginsel dan ook als zodanig te worden behandeld. Het is echter een contract met een aantal specifieke juridische aspecten.

normatieve bepalingen

In de eerste plaats worden de in een cao neergelegde 'arbeidsvoorwaarden, bij arbeidsovereenkomsten in acht te nemen' (de zogenaamde normatieve bepalingen, ook wel horizontale bepalingen of arbeidsvoorwaardenregelingen genoemd) in de desbetreffende arbeidsovereenkomsten geïncorporeerd op een wijze die overigens in het contractenrecht onbekend is. Op deze normatieve of horizontale werking van de cao wordt ingegaan in 4.4.1.2.[24]

21 L.G. Kortenhorst en Mac.M.J. van Rooy, De collectieve arbeidsovereenkomst, Zwolle 1939; J. Mannoury, De collectieve arbeidsovereenkomst, Alphen aan den Rijn 1961; W.J.P.M. Fase, C.A.O.-recht, Alphen aan den Rijn 1982; M.G. Rood, bijdrage aan Het collectief arbeidsrecht nader beschouwd, Deventer 1984, p. 13; M.M. Olbers, bijdrage Wet CAO, Arbeidsrecht (losbladig). Zie voorts SMA 1987, 11, p. 662 (jubileumcongres 60 jaar cao); SMA 1988, 3, p. 169 (themanummer cao-recht) en ten slotte C.E.M. Schutte, Overzicht van het cao-recht, Nijmegen 1995.

22 De cao kan ook betreffen aanneming van werk en overeenkomsten tot het verrichten van enkele diensten (bedoeld is opdracht, zie art. 1, lid 2 Wet op de cao), doch deze uitbreiding van de werkingssfeer van een cao komt weinig voor. M.M. Olbers, De werkingssfeer van de CAO, SMA 1981, 5, p. 359.

23 De minister van SZW heeft deze taak gedelegeerd aan de Arbeidsinspectie.

24 De cao-afspraken die niet beschouwd kunnen worden als normatieve bepalingen, doch bedoeld zijn als regulering van de collectieve betrekkingen tussen werkgevers (organisaties) en werknemersorganisaties (obligatoire en diagonale bepalingen) komen ter sprake in 4.4.1.3.

In de tweede plaats kan de minister van SZW krachtens art. 2 WAVV 'bepalingen van eene collectieve arbeidsovereenkomst' algemeen verbindend verklaren. Op de meerwaarde die een cao op deze wijze kan verkrijgen wordt teruggekomen in 4.5.
In de derde plaats is al gememoreerd dat de bijzondere betekenis van de cao eveneens blijkt uit het feit, dat van bepaalde wettelijke voorschriften (bepalingen van driekwart dwingend recht) slechts bij cao mag worden afgeweken (3.1.1).
Een vierde verschil betreft de interpretatiemethode die bij uitleg van cao-bepalingen moet worden toegepast. In het algemene contractenrecht komt het bij de uitleg van een overeenkomst aan op de zin die partijen in redelijkheid aan de gebruikte bewoordingen mochten toekennen; de tekst is niet doorslaggevend (art. 6:248 BW). In 1993 heeft de Hoge Raad echter vastgesteld dat bij uitleg van normatieve cao-bepalingen de bewoordingen van deze bepalingen, gelezen in het licht van de gehele tekst van de cao, in beginsel doorslaggevend zijn (grammaticale interpretatie), zulks omdat de individuele werknemers niet bij de totstandkoming van een cao zijn betrokken en de bedoeling van cao-partijen voor hen niet kenbaar is.[25]

uitleg cao

4.4.1.2 *Cao en arbeidsovereenkomsten. Normatieve cao-clausules*

Het belangrijkste rechtsgevolg van een cao is haar normatieve werking, dat wil zeggen haar doorwerking in de arbeidsovereenkomst. Voor het intreden van normatieve werking is het in de eerste plaats noodzakelijk dat werkgever en werknemer beiden door de cao 'gebonden' zijn (art. 9 en 12 WCAO), d.w.z. dat zij lid zijn of worden van een vereniging die de cao heeft aangegaan[26] (kortheidshalve: gebonden werkgever en gebonden werknemer, of georganiseerde werkgever en georganiseerde werknemer).[27] Voorts is het daarvoor noodzakelijk dat werkgever en werknemer bij de cao 'betrokken' zijn, dat wil zeggen dat de cao van toepassing is op de desbetreffende werkzaamheden; werkzaamheden

doorwerking cao

25 Voor het eerst bepaald in HR 17 september 1993, NJ 1994, 173, Arbeidsrechtspraak nr. 64, JAR 1993, 234; zie ook SMA 1994, 1, p. 39, m.n. M.M. Olbers. Deze leer is bevestigd in HR 19 december 1997, NJ 1998, 300, JAR 1998, 40, waarin ten aanzien van algemeen verbindende cao-bepalingen dezelfde uitleg wordt vereist. Zie ook Rb. Den Haag 6 april 1994, JAR 1994, 114, Rb. Den Haag 5 oktober 1994, JAR 1994, 245 en Rb. Zwolle 31 januari 1996, JAR 1996, 189. Zie voor literatuur P.F. van der Heijden, Een strikte rechter?, NJB 1996, nr. 4, p. 155; M.M.H. Kraamwinkel, Grammaticale uitleg van horizontale CAO-bepalingen, SMA 1997, nr. 7/8, p. 401 en S.F. Fagel, Grammaticale uitleg van CAO-bepalingen, een absoluut criterium? ArbeidsRecht 2000, nr. 1, p. 23.

26 In het navolgende wordt uitgegaan van een verenigings- of bedrijfstak-cao; zie over de ondernemingscao 4.4.4.

27 Geheel zuiver is deze laatste terminologie niet, aangezien deze werkgever of werknemer wel georganiseerd kunnen zijn, zij het bij een vereniging die geen cao-partij is.

van kleine deeltijders of hoger personeel vallen niet altijd onder de werkingssfeer van een cao (art. 9 lid 1 WCAO).[28]
De normatieve werking van een cao betekent, dat de arbeidsvoorwaardenbepalingen in de cao omtrent lonen, vakantie, overwerk, opzegtermijnen enz. automatisch, dus zonder nadere individuele afspraak, en dwingend, dus niet tegen te houden, doorwerken in de arbeidsovereenkomst tussen de gebonden werkgever en de gebonden werknemer. Elk beding in een arbeidsovereenkomst, in strijd met de cao, is nietig en wordt vervangen door de cao-bepaling (de dwingende, vervangende werking van de cao van art. 12 WCAO). Indien de arbeidsovereenkomst een bepaald onderwerp niet regelt, maar de cao terzake wel een bepaling bevat, dan gaat die automatisch over in de arbeidsovereenkomst (de dwingende, aanvullende werking van de cao van art. 13 WCAO).[29] Die vervangende en aanvullende dwingende doorwerking van de cao in de arbeidsovereenkomst onderscheidt de cao van soortgelijke collectieve contracten.[30]
Gezien het belang van deze doorwerking voor de betrokken werkgevers en werknemers – de beperking van hun individuele contractsvrijheid door de collectieve afspraak van de verenigingen die de cao afsluiten – is het begrijpelijk dat de wet de cao-partijen verplicht de tekst van de cao aan hun leden bekend te maken (art. 4 WCAO).[31] Het achterwege laten van deze verplichting leidt echter niet tot nietigheid van de cao. Veel cao's leggen overigens op de georganiseerde werkgevers de verplichting om een exemplaar van de cao aan al hun werknemers te geven.

afwijking van cao

Niet iedere afwijking van een cao bij arbeidsovereenkomst is in strijd met die cao. Een cao kan door de contracterende vakorganisaties be-

28 Zie over de werkingssfeer van een (algemeen verbindend verklaarde) cao HR 6 januari 1995, NJ 1995, 549, m.n. PAS, JAR 1995, 34, TVVS 1995, 3, p. 75, m.n. MGR; HR 27 oktober 1995, JAR 1995, 253. Zie ook M.M. Olbers, De toepasselijke cao in de samengestelde en geparalleliseerde onderneming, SMA 1985, 10, p. 651.

29 In HR 13 maart 1981, NJ 1981, 505, Arbeidsrechtspraak nr. 63 (Punt/De Haan), werd ook een vormvoorschrift in een cao, inhoudende dat een proeftijdbeding ex art. 1639n BW slechts schriftelijk mocht worden aangegaan, als een normatieve bepaling beschouwd. Dienovereenkomstig werd een mondeling overeengekomen proeftijd ex art. 12 WCAO nietig geacht.

30 Een contract betreffende leveringsvoorwaarden, afgesloten tussen een fabrikantenvereniging en een grossiersvereniging, bindt de leden niet op vergelijkbare wijze. Dit contract kan een lid-fabrikant en een lid-grossier binden ex art. 46 Boek 2 BW, maar indien de leden individueel van dit contract afwijken, is hun afspraak geldig.

31 De macht van de vakorganisatie over de inhoud van de tussen hun leden gesloten arbeidsovereenkomsten voert tot het vraagstuk van de interne democratie van die organisaties. Het gezag van de werkgevers- en werknemersvakverenigingen berust immers in de laatste instantie op de veronderstelde instemming van de vele leden die zij vertegenwoordigen en is daarom slechts onbetwistbaar legitiem indien vaststaat dat de inspraak van die leden is gewaarborgd. Zie nader H.L. Bakels, Recht en loonvorming, SMA, april 1967, 4, p. 220, ook opgenomen in de bundel Sociaal-rechtelijk en sociaal-politiek denken sedert de Tweede Wereldoorlog, Alphen aan den Rijn, 1986, p. 259; W.J.P.M. Fase, Het cao-recht en onderhandelende partijen, vrijheid of gebondenheid?, bijdrage aan Bakels-bundel, p. 47.

doeld zijn als een minimumregeling. In dat geval is een afwijking ten nadele van de gebonden werknemer nietig, doch zijn afwijkende bedingen ten gunste van de werknemer volkomen geldig. Wanneer de cao echter bedoeld is als standaard-cao treedt een verdergaande beperking van de individuele contractsvrijheid op, want dan zijn ook deze laatste bedingen nietig. Wanneer een cao een standaardregeling is, zal dus een georganiseerde werknemer die minder krijgt dan zijn cao-loon het tekort kunnen bijvorderen, maar evenzo zal een werkgever die meer betaald heeft dan het cao-loon, dit teveel kunnen terugvorderen.[32]
Voor de tweede wereldoorlog waren de meeste collectieve contracten minimumregelingen, hetgeen overigens niet wegnam dat in de praktijk afwijkingen van de cao-normen ten gunste van de werknemers weinig voorkwamen.[33] De situatie na de tweede wereldoorlog ligt wat gecompliceerder (4.6). Met de invoering van het BBA 1945 werden alle collectieve regelingen tot standaardnormen verklaard. Dit veranderde weer met de komst van de Wet op de loonvorming 1970, waarbij de contracterende organisaties de vrijheid herkregen om een cao als minimumregeling vast te stellen. Thans is de cao gewoonlijk een minimumregeling.[34]

handhaving cao-arbeidsvoorwaarden

Normatieve cao-bepalingen maken krachtens art. 12, 13 WCAO deel uit van door gebonden werkgevers met gebonden werknemers gesloten arbeidsovereenkomsten en het zijn dan ook deze personen die door middel van een beroep op de kantonrechter de handhaving van de in deze arbeidsovereenkomsten doorwerkende bepalingen kunnen afdwingen; er wordt hier in rechte dus nakoming van de arbeidsovereenkomst gevorderd, niet een nakoming van de cao.
Daarnaast kunnen normatieve bepalingen echter ook worden gehandhaafd door de contracterende organisaties zelf. Zo kan bijvoorbeeld een vakbond ex art. 9 lid 2 WCAO in rechte nakoming van de cao vorderen van een werkgever, lid van een cao-partij, die normatieve bepalingen overtreedt. Art. 9 lid 2 WCAO geeft met andere woorden aan normatieve clausules een diagonale werking (4.4.1.3). Ook kan de vakbond in zo'n geval van de werkgever wegens wanprestatie vergoeding claimen van de materiële en immateriële schade die hij lijdt (art. 15, 16 WCAO). Dergelijke procedures komen in de praktijk echter zelden voor; gewoon-

32 Door Rb. Assen 2 juni 1987, NJ 1988, 572, werd een dergelijke vordering van de werkgever overigens afgewezen wegens strijd met de billijkheid.
33 B. Bölger, SMA 1964, p. 18.
34 Volgens Variabele beloning in cao's, Ministerie van SZW, DCA, januari 1991, Den Haag, bevat het overgrote deel van bedrijftak-cao's bepalingen waarvan ten gunste van de werknemer kan worden afgeweken. Uit HR 14 januari 2000, JAR 2000, 43 blijkt ieder beding van de arbeidsovereenkomst vergeleken moet worden met de relevante cao-bepaling. Dus een eindresultaat aan beloning dat gunstiger is dan de cao is niet een rechtvaardiging om van de cao af te wijken.

lijk prefereren de betrokkenen een informele benadering boven juridische stappen.[35]

De cao beïnvloedt rechtstreeks de arbeidsovereenkomst tussen de gebonden werkgever en gebonden werknemer. Als de werking van de cao beperkt zou blijven tot de gebonden werknemers, dan ontstaat het gevaar, dat zij zich de markt uitprijzen, dan wel zo snel mogelijk worden vervangen door werknemers, die niet aan de cao gebonden zijn. Daarom is een slot op de cao nodig. Daartoe bepaalt art. 14 WCAO, dat de gebonden werkgever verplicht is de normatieve cao-bepalingen ook na te komen ten aanzien van niet of anders georganiseerde werknemers, tenzij de cao anders bepaalt. Het gaat dus om regelend recht. Maar in de praktijk wordt van art. 14 vrijwel nooit afgeweken.

de niet gebonden werknemer

Wat houdt deze bepaling in? Zij houdt in ieder geval niet in, dat de cao dwingend doorwerkt in de arbeidsovereenkomst, zoals bij gebonden werknemers. Het was niet de bedoeling van de wetgever dat de cao zonder meer doorwerkt in de arbeidsovereenkomst van de niet of anders georganiseerde werknemer.[36] De niet gebonden werknemer kan dus geen rechten aan de cao ontlenen. De bepaling houdt daarom niets anders in dan dat de gebonden werkgever tegenover cao-partijen verplicht is om aan een niet gebonden werknemer een aanbod te doen overeenkomstig de cao. Dat aanbod kan door de werknemer worden aanvaard, waardoor een wijziging van zijn arbeidsovereenkomst tot stand komt. Het aanbod kan echter ook worden geweigerd, zodat de arbeidsovereenkomst, ondanks de cao, ongewijzigd blijft. Met andere woorden, de arbeidsovereenkomst van de niet gebonden werknemer kan slechts in overeenstemming met de cao worden gebracht door een daarop gerichte afspraak tussen werkgever en werknemer.

contractsvrijheid

Het bestaan van een cao laat onverlet, dat de gebonden werkgever met de niet gebonden werknemer afspraken kan maken in strijd met de cao. Die afspraken zijn rechtsgeldig. De contractsvrijheid van de werknemer wordt immers niet door de cao geraakt. Bij zulk met de cao strijdig gedrag van de gebonden werkgever kunnen uitsluitend cao-partijen tegen de werkgever ageren, zoals ook alleen cao-partijen de werkgever kunnen dwingen aan de niet gebonden werknemer een aanbod overeenkomst de cao te doen. De werknemer is voor de aanpassing van zijn arbeidsovereenkomst immers van de werkgever afhankelijk. Hij kan de

35 M.M. Olbers, Handhaving van de cao, SMA 1988, 3, p. 215; dezelfde, Collectieven als procespartij in het arbeidsrecht, bijdrage aan Collectieve actie in het recht, AA libri, Nijmegen 1990. Zie voorts HR 2 november 1979, NJ 1980, 227, Arbeidsrechtspraak nr. 70 (Bonden/De Bruin); Hof Amsterdam 16 maart 1989, NJ 1990, 13. Over het eigen vorderingsrecht van vakbonden zie men HR 19 december 1997, NJ 1998, 403 en HR 5 februari 1999, NJ 1999, 307, JAR 1999, 62. Zie over de (nieuwe) bevoegdheden van vakbonden om ex art. 3:305 BW collectieve acties in te stellen ten behoeve van werknemers N. Frenk, Rechtshandhaving in het arbeidsrecht, ArbeidsRecht 1995, 16.

36 HR 7 juni 1957, NJ 1957, 527, Arbeidsrechtspraak nr. 69 (Suk/Brittania).

werkgever niet dwingen een dergelijk aanbod te doen. Wel kan hij door lid te worden van een vakbond, die cao-partij is, langs eenzijdige weg de cao-voorwaarden op hem van toepassing doen zijn.

Het bovenstaande neemt niet weg, dat in de praktijk de soep niet zo heet wordt gegeten, als die wordt opgediend. Werkgevers behandelen alle werknemers gewoonlijk gelijk, of zij georganiseerd zijn of niet.[37] Meestal weet de werkgever niet eens of een werknemer georganiseerd is. Wanneer ongeorganiseerde werknemers er geen bezwaar tegen maken dat de arbeidsvoorwaarden uit de cao jegens hen worden toegepast en waarom zouden zij dat doen, als zij erop vooruitgaan, mag men aannemen dat deze arbeidsvoorwaarden daardoor stilzwijgend deel gaan uitmaken van de arbeidsovereenkomst die zij met de werkgever hebben gesloten (art. 6:248 BW), zodat zij dan op basis van deze arbeidsovereenkomst – evenzo als een georganiseerde werknemer – de nakoming ervan kunnen vorderen.[38] Maar een cao behoeft niet altijd een verbetering van arbeidsvoorwaarden te betekenen. Daarom is het verstandig in de arbeidsovereenkomst een bepaling op te nemen, dat op de arbeidsovereenkomst de cao van toepassing is, zoals die luidt of in de toekomst zal gaan luiden. Dit is een zogenaamd eenzijdig wijzigingsbeding. Dit beding valt onder de werkingssfeer van art. 7:613 BW. Er is dus geen sprake van doorwerking onder alle omstandigheden. Maar rechtspraak zal, zo mag worden aangenomen, aan de cao een zodanige betekenis hechten, dat de wijziging van de arbeidsovereenkomst primair als redelijk en billijk moet worden beschouwd. Dat betekent, dat weliswaar de werknemer de doorwerking van de cao in zijn arbeidsovereenkomst via de rechter kan trachten tegen te houden, maar dat de bewijslast op de werknemer rust om aan te tonen, dat het belang van de werkgever bij de wijziging van de arbeidsovereenkomst niet opweegt tegen zijn belang bij handhaving van de arbeidsovereenkomst.[39]

eenzijdig wijzigingsbeding

Overigens laat een dergelijk eenzijdig wijzigingsbeding onverlet, dat de

37 Zie over het vraagstuk van de bevoordeling van vakbondsleden W.J.P.M. Fase, Alleen voor leden? SMA 1987, 5, p. 291; B.S. Frenkel, Begunstiging van georganiseerden, Bakels-bundel, p. 61. Zie ook M.M. Olbers, Tegendraadse effecten van het collectieve arbeidsvoorwaardenrecht, SMA 1996, 5, p. 316.

38 Vgl. het vonnis van de Rb. Amsterdam van 1 juli 1981, ro. 6, te vinden in HR 10 juni 1983, NJ 1984, 60; Rb. 's-Gravenhage 12 april 1989, PRG 1989, 13, p. 365. Anders Ktr. Leiden 21 januari 1987, PRG 1989, 1, p. 36. Zie ook G. Hekkelman, De positie van de arbeiders, bedoeld in artikel 14 van de Wet op de CAO, SMA 1979, 4, p. 215; W.J.P.M. Fase, Arbeidsduurverkorting, SMA 1983, 6, 341; J. Mannoury, Enkele opmerkingen over de Wet op de collectieve arbeidsovereenkomst in de praktijk, PRG 1985, 22, p. 297; M.M. Olbers, Het regelingsbereik van de cao, SMA 1992, 11, p. 658; G.C. Boot, De zieke werknemer in het Sociaal Plan, De gebondenheid van de ongebonden werknemers aan CAO-bepalingen, SR 1996, 8, p. 218; W.J.M. van Tongeren, Gebondenheid van de ongebonden werknemer, SR 1997, 2, p. 48; M.M.H. Kraamwinkel, De ongebonden werknemer en de cao, SR 1997, 9, p. 262.

39 Zie W.J.P.M. Fase, De afschaffing van het arbeidsreglement en de normering van het eenzijdig wijzigingsbeding, SMA 1997, p. 517 en F. Koning, De CAO, de ongebonden werknemer en het wijzigingsbeding, SMA 1998, nr. 11/12, p. 472 e.v.

werkgever en werknemer ad hoc afwijken van een cao. Vanuit individueel opzicht bezien is en blijft de contractsvrijheid van een niet gebonden werknemer dus groter dan van een gebonden werknemer.

nawerking cao

Wanneer een cao eindigt door tijdsverloop of opzegging (art. 18 t/m 21 WCAO), eindigt daarmede de gebondenheid van de cao-partijen en hun leden. Denkbaar zou zijn, dat dan de arbeidsvoorwaarden van voor de cao herleven. De arbeidsovereenkomst neemt dan weer zijn oorspronkelijke vorm aan. Maar de rechtspraak heeft anders beslist. De rechtspraak stelt dat de tussen de georganiseerde werkgever en georganiseerde werknemers bestaande, ex art. 9 lid 1, 12, 13 WCAO genormeerde arbeidsvoorwaardenbepalingen op dezelfde voet blijven voortbestaan totdat zij door een nadere individuele afspraak (of een nieuwe cao) worden gewijzigd;[40] men noemt dit de nawerking van de cao.[41] De afloop van de cao brengt slechts mede dat de individuele contractsvrijheid tussen de georganiseerde werkgevers en werknemers herleeft, zodat zij rechtsgeldig een wijziging van de arbeidsovereenkomst kunnen overeenkomen. De nawerking brengt mee, dat ongeorganiseerde werknemers niet beter af zijn, nu hun arbeidsvoorwaarden niet op de cao, maar op individuele afspraken berusten en het vervallen van de cao daarop geen invloed heeft. Door de nawerking verkeren dus georganiseerden en ongeorganiseerden in een gelijke positie.

ongeorganiseerde werkgever

De niet door een cao gebonden werkgevers en de werknemers in hun dienst – georganiseerd of niet – worden door een cao niet geraakt. Vanuit juridisch gezichtspunt behouden zij volledig hun vrijheid van handelen. Dit verandert eerst indien normatieve bepalingen van de cao algemeen verbindend worden verklaard (4.5). Wel kan een werkgever door lid te worden van een werkgeversvereniging, die cao-partij is, de arbeidsvoorwaarden van die cao van toepassing laten worden op zijn werknemers, althans op de werknemers die lid zijn van een vakvereniging die cao-partij is.

4.4.1.3 *Cao en collectieve betrekkingen. Obligatoire en diagonale cao-clausules*

soorten cao-bepalingen

Zoals hierboven reeds is aangeduid, bevat een cao meestal niet alleen clausules die bestemd zijn om (individuele) arbeidsovereenkomsten te normeren, doch eveneens bepalingen die gericht zijn op regulering van

40 Hof van Justitie Nederlandse Antillen 5 juli 1977, NJ 1978, 134. Volgens HR 9 juni 1987, NJ 1988, 70 kunnen ook cao-partijen ex art. 9 lid 2 WCAO nakoming van de nawerkende normatieve bepalingen vorderen.

41 B.S. Frenkel, De nawerking van de collectieve arbeidsovereenkomst, SMA 1979, 5, p. 293; M.M. Olbers, De nawerking van bepalingen der cao, SMA 1979, 7/8, p. 485; W.J.P.M. Fase, Cao-recht, p. 75; C.E.M. Schutte, Overzicht van het cao-recht, p. 48 en R. van der Water, Nawerking van cao-bepalingen, Sociaal Recht 1999, 12, p. 308 e.v.

collectieve betrekkingen. Zo kunnen de cao-partijen bijvoorbeeld afspreken tijdens de looptijd van de cao geen pressiemiddelen jegens elkaar aan te wenden (vredesplichtclausule). Evenzo kan een cao-clausule een werkgever verplichten financiële steun te geven aan de werknemersorganisaties, of om faciliteiten te verschaffen voor het bondswerk in het bedrijf (4.2.1.2), of om uitsluitend georganiseerde werknemers in dienst te nemen (4.3.1). Op een aantal van deze voorbeelden wordt nog ingegaan.

Dergelijke cao-bepalingen plegen te worden onderscheiden in obligatoire en diagonale bepalingen. Obligatoire bepalingen regelen de onderlinge rechtsverhouding van de cao-partijen; zij scheppen rechten en verplichtingen tussen cao-partijen (obligatoire werking). Diagonale bepalingen scheppen rechten en verplichtingen tussen leden van een caopartij tegenover cao-partijen of een derde (diagonale werking); gewoonlijk leggen zij verplichtingen op leden van een werkgeversorganisatie ten behoeve van werknemersorganisaties die partij zijn bij de cao, of ten behoeve van derden (bijvoorbeeld een fonds of de ondernemingsraad).

cao als overeenkomst

De obligatoire werking van een cao is op zichzelf niets bijzonders. Het spreekt immers vanzelf dat partijen die een cao sluiten daarbij jegens elkaar rechten bedingen en verplichtingen op zich kunnen nemen. En evenzeer ligt het voor de hand dat partijen in beginsel zo nodig nakoming van deze verplichtingen in rechte kunnen vorderen, alsmede, in geval van wanprestatie, schadevergoeding. Datzelfde geldt ook voor de diagonale werking; dat een vereniging die een cao sluit, haar leden krachtens statutaire volmacht (art. 2 WCAO) verbindt jegens de wederpartij of een derde, vloeit reeds voort uit art. 46 Boek 2 BW.
Het verschil tussen obligatoire en diagonale bepalingen is overigens maar betrekkelijk. Of een clausule in een cao een obligatoire of (tevens) een diagonale bepaling is, hangt er namelijk dikwijls vanaf of we te doen hebben met een verenigings-cao of een ondernemings-cao. Wanneer bijvoorbeeld een werkgeversorganisatie een cao afsluit met een vredesplichtclausule, verbindt deze vereniging zich hierdoor tegenover de vakbonden om gedurende de looptijd van de cao niet te trachten door pressie wijziging in de cao aan te brengen. Door deze bepaling worden echter meestal óók de bij de vereniging aangesloten individuele werkgevers tegenover de vakbonden gebonden, waardoor deze vredesplichtclausule tevens diagonale werking heeft. Een vredesplichtclausule in een ondernemings-cao is echter per definitie slechts obligatoir, aangezien dan de werkgever uitsluitend zichzelf tegenover de bonden verbindt.

karakter cao-bepaling

Obligatoire en diagonale bepalingen maken in de hier gehanteerde definitie geen deel uit van de arbeidsovereenkomsten die door de betrokken werkgevers en werknemers zijn gesloten en kunnen dus niet leiden

tot op basis van die arbeidsovereenkomsten gebaseerde rechtsvorderingen. Dit laatste is slechts mogelijk bij normatieve bepalingen.
Of een cao-clausule uitsluitend moet worden beschouwd als een obligatoire of diagonale bepaling, danwel als een bepaling die tevens normatieve werking heeft, hangt af van de (soms niet eenvoudige) interpretatie van de cao-teksten. Zo zal bijvoorbeeld een vredesplichtclausule gewoonlijk als obligatoire of diagonale bepaling moeten worden aangemerkt, doch indien de cao-partijen afspreken dat de vredesplicht tevens als een onderdeel van de arbeidsovereenkomsten van hun leden moeten worden beschouwd, dan werkt deze bepaling ook normatief.[42]

Bovenstaande, wat abstracte beschouwingen, kunnen het beste worden verduidelijkt door enkele concrete voorbeelden van obligatoire en diagonale bepalingen te geven. Bij deze voorbeelden wordt ervan uitgegaan dat de cao is afgesloten door een werkgeversvereniging met een werknemersvereniging (verenigings-cao).

Voorbeelden van obligatoire clausules:

vredesplicht

–*Vredesplichtclausules*. Zoals hierboven reeds is opgemerkt, is hiervan sprake indien de cao-partijen (werkgevers- en werknemersvereniging) zich verbinden gedurende de looptijd van de cao geen pressiemiddelen gericht op wijziging van de cao jegens elkaar aan te wenden.
Vredesplichtclausules treft men aan in vele cao's. Een vredesplichtclausule kan absoluut geformuleerd zijn (iedere collectieve actie tijdens de looptijd van de cao is ongeoorloofd) of relatief (slechts actie die ten doel heeft wijziging aan te brengen in bepalingen van de cao is ongeoorloofd). De praktijk kent echter vele tussenvormen, waardoor het verschil tussen beide soorten bepalingen vervaagt.[43] Of, en onder welke voorwaarden, een collectieve actie in geval van een conflict mogelijk is ondanks het bestaan van een vredesplichtclausule, is een vraag van uitleg van deze clausule; rechtspraak over dergelijke vragen is zeldzaam.[44]
In talloze cao's ontbreekt een vredesplicht. Dat wil overigens niet zeggen dat staking en uitsluiting dan zonder meer geoorloofd zijn, want gewoonlijk sluiten partijen een cao tevens met de bedoeling om gedurende de looptijd 'rust op het loonfront' te scheppen en deze impliciete bedoeling bepaalt mede de verplichtingen die uit de cao ontstaan (art. 6:248 BW); ook hier is sprake van een interpretatievraag.
In dit verband is art. 8 lid 1 WCAO relevant: Een vereniging welke een

42 Pres. Rb. Rotterdam 27 augustus 1979, NJ 1979, 517.
43 M.M. Olbers, Vredesplicht en openbreekclausules, SMA 1982, 1, p. 7; Vredesplicht, Reeks: Studies van cao's, Loonbureau januari 1982.
44 Zie Pres. Rb. Amsterdam 15 september 1970, NJ 448, Pres. Rb. Amsterdam 10 maart 1980, NJ 165 en HR 19 april 1996, JAR 1996, 115, NJ 1996, 500, TVVS 1996, 8, p. 231, m.n. L.A.J. Schut.

collectieve arbeidsovereenkomst heeft aangegaan, is gehouden te bevorderen in de mate als de goede trouw meebrengt, dat hare leden de daarbij te hunnen aanzien gestelde bepalingen nakomen. In hoeverre cao-partijen op grond van dit artikel tegenover de wederpartij verplicht zijn op te treden tegen leden die zich niet aan de cao houden – berisping? royement? – is niet duidelijk.

inspanningsplicht

– *Onderhandelingsclausules.* Cao-partijen (werkgevers- en werknemersvereniging) verplichten zich een bepaalde periode voor de afloop van de cao met elkaar in onderhandeling te treden over een nieuwe cao.

Voorbeelden van diagonale bepalingen:

– *Vredesplichtclausules.* Bovengenoemde obligatoire vredesplichtclausules worden gewoonlijk uitgewerkt in diagonale bepalingen waarin de werkgevers en de vakbonden zich jegens elkaar verplichten geen uitsluiting of staking (4.7) toe te passen.

diagonale bepalingen

– *Clausules betreffende vakbondsfaciliteiten.* In verschillende cao's worden de werkgevers tegenover de vakbonden verplicht faciliteiten te verschaffen voor het bondswerk in het bedrijf (4.2.1.2).

– *Clausules betreffende fusiebepalingen.*[45] Deze clausules verplichten de werkgevers jegens de werknemersorganisaties de uit de Fusiecode voortvloeiende verplichtingen (4.8.1), al dan niet in nader uitgewerkte vorm, in acht te nemen. De handhavingsmogelijkheden van deze, door de Fusiecode slechts zwak gesanctioneerde verplichtingen, worden aldus uitgebreid.

– *Fonds- en bijdrageregelingen.* Zeer talrijk zijn clausules die werkgevers verplichten een bepaald bedrag, meestal een bepaald percentage van de loonsom, af te dragen aan een fonds (stichting). Gewoonlijk is het bestuur van het fonds paritair samengesteld uit vertegenwoordigers van werkgevers en werknemers. Het fonds kan met deze bijdragen verschillende activiteiten financieren, zoals activiteiten ten behoeve van de gehele bedrijfstak (kosten van het sociaal overleg, voorlichting over de cao, scholing en vorming en vervroegde uittredingsregelingen).

– *Clausules betreffende uitbreiding bevoegdheden OR.* Krachtens art. 32, eerste lid, WOR kunnen de wettelijke bevoegdheden van de OR naast via ondernemingsovereenkomsten ook worden uitgebreid bij cao (5.3.4.5). In de praktijk is hiervan onder meer gebruik gemaakt door de instemmingsbevoegdheden ex art. 27 WOR te verruimen (vaststellen of wijzi-

ondernemingsraad en cao

45 M.M. Olbers, Fusie en collectief ontslag, SMA 1983, 3, p. 150.

gen van een reiskostenvergoeding), door informatieverschaffing frequenter voor te schrijven dan uit art. 31b WOR voortvloeit en de adviesverplichtingen uit te breiden. De verplichtingen ter zake van de ondernemer kunnen door de OR worden gehandhaafd via de door de WOR geboden mogelijkheden (art. 32, vierde lid, WOR), maar mijns inziens kunnen ook cao-partijen ageren krachtens het cao-recht nu van regeling bij mandaat sprake kan zijn.[46]

Ter verduidelijking van het voorgaande volgt hieronder nog een grafische voorstelling van de normatieve, obligatoire en diagonale bepalingen. Hoewel diagonale verplichtingen ook op door de cao gebonden werknemers kunnen worden gelegd (bijvoorbeeld de plicht om uitsluitend bij georganiseerde werkgevers in dienst te treden), komt dit in de praktijk vrijwel niet voor: dergelijke verplichtingen zijn daarom niet in het schema opgenomen.

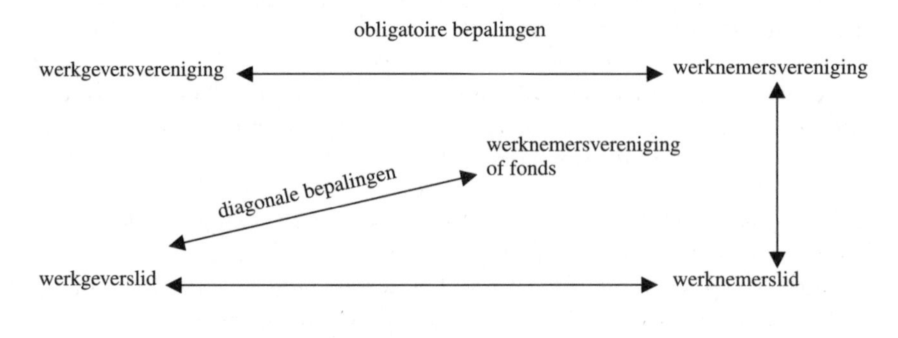

Ontleend aan P.W. Kamphuisen, De collectieve en de individuele arbeidsovereenkomst, Leiden 1956, p. 17.

betekenis onderscheid cao-bepalingen

De onderverdeling in obligatoire, diagonale en normatieve bepalingen maakt het mogelijk een zekere ordening in de cao-clausules aan te brengen. De betekenis ervan mag echter niet worden overschat. Niet alleen wordt deze onderverdeling niet door alle schrijvers op dezelfde manier gehanteerd, maar bovendien geeft zij maar een betrekkelijk inzicht in de rechtsgevolgen van de verschillende clausules (welke personen tegen wie kunnen ageren bij schending van een cao-clausule).[47]

46 Zie over deze problematiek A. Stege, De ondernemingsovereenkomst, de cao en de individuele arbeidsovereenkomst, Sociaal Recht 1999, 10, p. 250 e.v.; A. van Bon, De lading kan worden omgevlagd, Sociaal Recht 1999, 10, p. 244 e.v. en W.J.P.M. Fase, Heeft collectieve arbeidsvoorwaardenvorming nog toekomst? in: C.J. Loonstra (red.), De onderneming en het arbeidsrecht in de 21e eeuw, Liber Amicorum voor prof. mr. F. Koning, Den Haag 2000, p. 189 e.v.

47 F. Koning, De obligatoire, diagonale en normatieve bepalingen van de cao, SMA 1988, 3, p. 175.

4.4.2 *Maatschappelijke functies van de collectieve onderhandelingen*

Een enigszins ontwikkeld vakverenigingswezen is voorwaarde voor het ontstaan van het collectief overleg, doch geeft op zichzelf nog geen voldoende verklaring voor het feit dat de individuele vaststelling der arbeidsvoorwaarden in zo grote mate door een collectief-privaatrechtelijk systeem van loonvorming werd verdrongen. Om dit te verklaren moeten de maatschappelijke behoeften waarin het collectief overleg voorziet, nader worden aangegeven.

collectieve kracht als compensatie

Het collectief overleg betekent voor de werknemers een mogelijkheid om de zwakke onderhandelingspositie, die zij individueel tegenover de werkgever innemen, te compenseren. De vakbond beschikt ter zake immers over meer deskundigheid, is onafhankelijker en kan meer pressie uitoefenen. De cao bevordert met andere woorden het ontstaan van een machtsevenwicht in de loononderhandelingen en daardoor het verkrijgen van acceptabele arbeidsvoorwaarden.

normatieve bepalingen

De normatieve bepalingen van cao's, waarin deze arbeidsvoorwaarden periodiek worden neergelegd, bepalen direct of indirect de inhoud van miljoenen arbeidsovereenkomsten. Zij zijn echter niet alleen om deze reden van betekenis, maar ook om hun inhoud. Behalve de basislonen voor de verschillende functies treft men aan: toeslagen voor overwerk en ploegendienst, regeling van de arbeidsduur, speciale vakantiedagen voor jeugdigen en oudere werknemers en werknemers met langdurig dienstverband, uitkeringen bij overlijden, spaarregelingen, ontslagbepalingen enz., enz. Behalve op deze primaire arbeidsvoorwaarden richten cao's zich in toenemende mate ook op andere gebieden. Daartoe behoren afspraken die op basis van het akkoord in de Stichting van de Arbeid van 1982 (4.6.3) zijn tot stand gebracht tot herverdeling van de arbeid.[48] Daarnaast kan worden gewezen op afspraken betreffende de invoering van nieuwe technologieën, beeldschermarbeid, telewerken, e.d. (technologie-overeenkomsten).[49]

cao als voorloper

De meeste belangrijke verbeteringen van de arbeidsvoorwaarden hebben voor het eerst beslag gekregen in een cao. Sterke bedrijfstakken fungeren daarbij als koplopers. Naarmate anderen volgen en de vernieuwingen meer en meer als normaal worden beschouwd, neemt de kans toe dat zij

48 Een belangwekkend overzicht van de lonen en andere arbeidsvoorwaarden is te vinden in de (sedert 1990 losbladige) publicatie 'Cao's in Nederland'. Daarnaast publiceert het ministerie van Sociale Zaken en Werkgelegenheid regelmatig vergelijkende onderzoeken over afzonderlijke aspecten uit cao's in de reeks 'Studies van cao's'. Zie voorts W. van Voorden, De cao als spiegel der arbeidsverhoudingen, SMA 1987, 11, p. 673; H.J. Brouwer, De cao nog niet met de VUT, SMA 1987, 11, p. 662; R. van Wijk, De toekomst van de cao in een veranderende onderneming, SMA 1987, 11, p. 690; J. Stekelenburg, Nieuwe uitdagingen in het cao- en avv-beleid, SMA 1987, 11, p. 698; J. Pen, Effecten van de cao, bijdrage aan Bakels-bundel, p. 213; W.H.J. Reynaerts, De cao en de collectieve arbeidsverhoudingen, bijdrage aan Frenkel-bundel, p. 237.

49 E.J.H.M. Lousberg, Bescherming van de arbeid in het licht van nieuwe technologieën. Een vergelijkend onderzoek naar de juridische bescherming van de arbeid in Nederland, België en Duitsland, diss. RUU, Lelystad 1997.

worden vastgelegd in een voor alle werknemers geldende wettelijke regeling. De wetgeving op het gebied van het minimumloon, vakantie en het ontslagrecht zijn hiervan voorbeelden. Op deze wijze heeft de cao een belangrijk aandeel gehad in de algemene rechtsontwikkeling.[50]

Ook voor de werkgevers(organisaties) heeft het onderhandelen met terzake kundige bondsfunctionarissen voordelen. Individuele onderhandelingen met werknemers zijn bij de wat grotere ondernemingen trouwens praktisch onuitvoerbaar. Voorts schakelt het tot stand komen van een cao tot op zekere hoogte loonconcurrentie tussen de aan de cao gebonden werkgevers uit; dit geldt uiteraard in het bijzonder als de cao een standaardregeling is. Bovenal is het voor de werkgever echter van belang dat gedurende de looptijd van de cao de kans op collectieve conflicten wordt geminimaliseerd (vredesplicht). Gedurende die periode stabiliseert de cao de loonverhoudingen en vormt zij aldus een belangrijk steunpunt voor de ondernemer bij zijn streven naar kostenstabiliteit en productieplanning zonder risico's.

loonconcurrentie

Tot slot kan door middel van het collectief overleg een rechtsregime totstandkomen, dat aangepast is aan de specifieke behoeften en mogelijkheden van de bedrijfstak of onderneming. Dat geldt zowel voor de relaties tussen de desbetreffende werkgevers (organisaties) en bonden (obligatoire en diagonale bepalingen), als voor de relaties tussen de betrokken individuele werkgevers en hun werknemers (normatieve bepalingen). De cao is wat dit betreft veel flexibeler dan een wettelijke regeling ooit kan zijn.[51] Daarbij kan het collectief overleg een kader scheppen voor uitwisseling van informatie, gezamenlijke activiteiten en het oplossen van conflicten.

bedrijfstaksorganisatie

4.4.3 *Omvang van de collectieve onderhandelingen*

De omvang van het collectief overleg was aanvankelijk zeer beperkt. De eerste cao's kwamen omstreeks de eeuwwisseling tot stand. In 1911 waren er nog geen honderd collectieve arbeidsovereenkomsten van kracht, betrekking hebbende op ongeveer 1100 ondernemingen en 23 000 werknemers. De omslag kwam in 1913 toen er na een maanden durende staking en uitsluiting een collectief contract werd afgedwongen in de sigarenindustrie.[52] Nadien gaven vele werkgevers hun verzet tegen deze wijze van arbeidsvoorwaardenvaststelling op en nam het collectief overleg in omvang en belangrijkheid toe.[53] Thans valt

aantal cao's

50 C.J.H. Jansen en C.J. Loonstra, De inhoud van collectieve arbeidsovereenkomsten in het interbellum, SMA 1994, 3, p. 148; J.P. van den Toorn, Achter gesloten deuren, diss. RUL, Amsterdam 1996.

51 M.M. Olbers, Arbeidsvoorwaardenregeling bij wet of cao?, bijdrage aan Bakels-bundel, p. 185.

52 Windmuller-De Galan-Van Zweeden, p. 49.

53 DCA, De betekenis van cao's in kwantitatieve zin, SMA 1987, 11, p. 710.

driekwart van de werknemers, inclusief de werknemers voor wie art. 14 WCAO geldt, onder een cao.[54]

4.4.4 *Niveau van de collectieve onderhandelingen*

bedrijfstak of onderneming

Collectieve arbeidsovereenkomsten kunnen zowel met een werkgeversvereniging voor een (onderdeel van) een bedrijfstak, als met een enkele werkgever worden afgesloten. Aanvankelijk domineerde de laatste vorm – de ondernemingscao – maar met de opkomst van de werkgeversverenigingen heeft de bedrijfstak-cao (of verenigings-cao) aan betekenis gewonnen.
Het cao-veld ziet er als volgt uit. Ongeveer viervijfde van de werknemers valt onder een bedrijfstakcao, eenvijfde onder ondernemingscao's. Door het beperkter bereik van de ondernemingscao is het aantal cao's aanzienlijk groter dan de bedrijfscao's, zelfs een vijfvoud ervan. Er zijn tegen de duizend cao's in Nederland.[55] Het aantal ondernemingscao's vertoont de laatste jaren een duidelijke toename, hetgeen samenhangt met de toenemende decentralisatie binnen de collectieve arbeidsvoorwaardenvorming (4.6.4).

Bij de kwantitatief beperkte betekenis van de ondernemingscao kunnen nog twee relativerende kanttekeningen worden gemaakt.
In de eerste plaats is de bemoeienis van de vakbonden met het beleid op ondernemingsniveau toegenomen – ook al resulteert deze bemoeienis niet altijd in een cao (4.2.1.2).
In de tweede plaats wordt de rol van de vakbonden bij het collectief onderhandelen op ondernemingsniveau in toenemende mate versluierd door het optreden van ondernemingsraden. In veel gevallen wordt dit optreden echter door vakbonden gesteund en gestimuleerd (5.5).

4.4.5 *Contractsvrijheid versus recht op collectief onderhandelen*

recht op onderhandelen

Het collectief overleg heeft zich in Nederland ontwikkeld op privaatrechtelijke basis. Het stoelt op het beginsel van de contractsvrijheid, hetgeen enerzijds impliceert dat het de contracterende vakorganisaties vrijstaat – binnen het kader van het dwingend recht – de inhoud van de cao naar eigen inzicht vast te stellen, anderzijds dat iedere organisatie vrij is om te bepalen of en met wie zij een cao wil afsluiten.
Indien een werkgever weigert met een vakbond te onderhandelen, kan deze door overreding, pressie of een erkenningsstaking trachten het collectief overleg ingang te doen vinden. Een groot probleem levert dit

54 K. Schilstra en E. Smit, Drie scenario's voor de belangenbehartiging van werknemers, SMA 1996, 2, p. 118.
55 SMA 1996, 2, p. 118.

echter niet op. Daarvoor is het systeem van collectief onderhandelen in Nederland te zeer algemeen geaccepteerd.[56]
Wel doet zich de situatie voor dat niet alle daarvoor in aanmerking komende vakverenigingen tot een bestaand collectief overleg worden toegelaten. Dit klemt vooral wanneer de rechtspositie van leden van deze organisaties, hetzij door de werking van art. 14 WCAO, hetzij door de werking van een algemeen verbindend verklaring, door de uitkomsten van het collectief overleg wordt bepaald.[57]
Zowel door uitgesloten werkgevers- als werknemersorganisaties is getracht – onder meer met een beroep op het beginsel van de vakverenigingsvrijheid dat een recht op deelname aan het collectief overleg zou impliceren – via een rechterlijke uitspraak toegang tot de onderhandelingstafel te verkrijgen, maar aanvankelijk werd deze aanspraak gewoonlijk door de rechter met een verwijzing naar de contractsvrijheid ter zijde gesteld.[58] In de jaren tachtig is hierin echter verandering gekomen. In een aantal gevallen is uitsluiting van deelname aan het collectief overleg van een door de rechter representatief geachte vakorganisatie onrechtmatig geacht.[59] Hierbij moet overigens worden aangetekend dat de verplichting van een werkgever om met een vakbond te onderhandelen geenszins de verplichting impliceert om met die vakbond een collectief contract af te sluiten.[60]

toelating tot overleg

4.5 Algemeen verbindendverklaring van bepalingen in cao's[61]

Volgens art. 2, eerste lid, WAVV kan de minister van SZW bepalingen van een collectieve arbeidsovereenkomst, die in het

56 Zie voor een uitzondering waar een erkenningsstaking noodzakelijk bleek: Pres. Rb. Utrecht 6 juni 1969, NJ 1969, 301. Zie ook Pres. Rb. Almelo 30 augustus 1991, NJ 1993, 240.
57 W.J.P.M. Fase, De botsing tussen contracts- en vakverenigingsvrijheid, Deventer 1981; van dezelfde schrijver, Het cao-recht, vrijheid of gebondenheid?, bijdrage aan Bakels-bundel, p. 47; van dezelfde schrijver, De contractsvrijheid van sociale partners, in de bundel Economische orde en beleid, afscheidsbundel De Pous, Deventer/Den Haag 1985, p. 85; A.Ph.C.M. Jaspers, Collectieve onderhandelingen, oratie RUU, Deventer 1987, p. 20.
58 Uitgesloten werkgeversorganisatie: Rb. 's-Gravenhage 29 maart 1967, SMA 1967, p. 280; uitgesloten werknemersorganisatie: Pres. Rb. 's-Gravenhage 8 december 1964, NJ 1965, 7. Zie G. Hekkelman, Representativiteit en cao, SMA 1979, 4, p. 209; J. van de Hel, Cao en representativiteit, SMA 1979, 12, p. 838 en van dezelfde schrijver Recht op cao-oveleg, ArbeidsRecht 1999, 10, p. 19 e.v.
59 Een uitvoerig overzicht van de relevante rechtspraak en literatuur wordt gegeven door M. Brink, Een 'recht' op collectief onderhandelen?, SMA 1988, 3, p. 184. Zie voor enige recente uitspraken Pres. Rb. Rotterdam 13 mei 1993, JAR 1993, 239; Pres. Rb. Zutphen 9 mei 1994, JAR 1994, 116, Hof Arnhem 14 maart 1995, JAR 1995, 96, Arbeidsrechtspraak nr. 62 (RCC). Een duidelijke lijn kan uit deze rechtspraak nog niet worden afgeleid. Zie L.M. van der Sluis, Toelating tot cao-onderhandelingen, ArbeidsRecht 1995, 33 en C.E.M. Schutte, Overzicht van het cao-recht, p. 18–26. Zie ook het in de vorige noot laatst genoemde artikel van Van de Hel.
60 HR 11 december 1992, NJ 1993, 229, m.n. EAA, JAR 1993, 14.
61 S. Mok, Het algemeen verbindend en onverbindend verklaren van bepalingen van →

gehele land of in een gedeelte van het land gelden voor een – naar zijn oordeel – belangrijke meerderheid van de in een bedrijfstak werkzame personen, voor het gehele land of in dat gedeelte van het land algemeen verbindendverklaren.

verbindendverklaring

Zoals hiervoor (4.4.1.2) reeds werd aangegeven, betekent avv dat de normatieve cao-clausules na verbindendverklaring gelden voor alle betrokken werkgevers en werknemers in de desbetreffende bedrijfstak; na verbindendverklaring worden dus ook de arbeidsovereenkomsten van ongeorganiseerde werkgevers en hun werknemers in de bedrijfstak – voor zover deze arbeidsovereenkomsten vallen onder de werkingssfeer van de cao – automatisch en dwingend door die cao-bepalingen beheerst (art. 3 WAVV).[62]

Behalve normatieve bepalingen kunnen ook diagonale bepalingen van een bedrijfstak-cao, bijvoorbeeld een op een door de cao gebonden werkgevers gelegde verplichting om bij te dragen aan een bepaald fonds ten behoeve van scholingsactiviteiten in de bedrijfstak, worden algemeen verbindend verklaard. Hierdoor komt deze verplichting ook te rusten op de ongeorganiseerde werkgevers in de bedrijfstak.[63]
Obligatoire bepalingen van een bedrijfstak-cao, die per definitie niet gelden voor 'in een bedrijf werkzame personen' (art. 2, eerste lid, WAVV), kunnen niet verbindend worden verklaard.

doelen verbindendverklaring

Doel van de WAVV, die van 1937 dateert, is het beschermen en stimuleren van het collectief overleg op het bedrijfstak-niveau, waarbij de cao wordt gezien als het middel bij uitstek om de samenwerking tussen

→ collectieve arbeidsovereenkomsten, diss. Amsterdam, Haarlem 1939; M.M. Olbers, bijdrage Wet AVV, Arbeidsovereenkomst (losbladig); van dezelfde auteur, Algemeen verbindendverklaring van bepalingen van de c.a.o., SMA 1980, 4, p. 310; W.J.P.M. Fase, De juridische ondersteuning van het cao-overleg, SMA 1987, 11, p. 682; W.J. Schmale en P. Siebesma, De praktijk van het algemeen verbindend verklaren, SMA 1988, 3, p. 223; SER-advies Algemeen verbindendverklaring (92/14) en M.M. Olbers, De avv-cao: een hybride rechtsfiguur, SMA 1998, nr. 7/8, p. 805 e.v.

62 Omstreden is of dit artikel van dwingend danwel van driekwart dwingend recht is; in het laatste geval kan een ongeorganiseerde werkgever zich aan de werking van de verbindend verklaring onttrekken door een eigen ondernemingscao af te sluiten. Zie hierover W.J.P.M. Fase, SMA 1986, 11, p. 689; M.M. Olbers, SMA 1987, 2, p. 120; dezelfde, SMA 1989, 3, p. 148. In de praktijk speelt deze vraag geen grote rol, omdat de minister van SZW bij verbindendverklaring van bepalingen van een bedrijfstak-cao ondernemingen met een eigen cao ex art. 2 WAVV pleegt uit te zonderen. Een dergelijke uitzondering kan soms tot vreemde gevolgen leiden; zie Pres. Rb. Rotterdam 14 december 1988, KG 1989, 31; Arbeidsrechtspraak nr. 74 (FNV/Kooren) en de commentaren van M.M. Olbers, Sleept de sleepboot-cao de ondernemings-cao, SMA 1989, 3, p. 143 en C.J. Hagen, De ondernemingsvakbond, de ondernemings-CAO en ontheffing van de AVV, bijdrage aan de Maris-bundel, Deventer 1989. Zie ook Ktr. Utrecht 3 november 1995, JAR 1996, 39.

63 Zie over de samenloop van algemeen verbindend verklaarde cao-bepalingen M.M. Olbers, De toepasselijke cao in de samengestelde en geparallelliseerde onderneming, SMA 1985, 10, p. 651; dezelfde, noot bij Rb. Leeuwarden 7 februari 1991, SMA 1991, 4, p. 241.

werkgevers en werknemers en het tot stand komen van redelijke arbeidsvoorwaarden te bevorderen (4.4.2).[64]
Door verbindendverklaring worden de arbeidsvoorwaarden binnen de bedrijfstak gelijk getrokken, zodat de in de cao neergelegde arbeidsvoorwaarden worden beschermd tegen onderbieden door buitenstaanders, met name tegen werkgevers die geen lid zijn van een werkgeversorganisatie die de cao heeft ondertekend. Anders gezegd: door deze beperking van de loonconcurrentie wordt ondermijning van de cao voorkomen en de rust op de arbeidsmarkt bevorderd.
In de tweede plaats bevordert verbindendverklaring het tot stand brengen van geordende arbeidsverhoudingen op bedrijfstakniveau door de betrokken werkgevers- en werknemersorganisaties. Men moet daarbij niet alleen denken aan primaire arbeidsvoorwaarden (lonen, vakanties, e.d.), maar evenzeer aan cao-bepalingen die op de georganiseerde werkgevers (financiële) verplichtingen leggen met betrekking tot verbetering van de arbeidsomstandigheden in het bedrijf, het deelnemen aan bedrijftaksgewijs opgezette scholingsprogramma's en wervingscampagnes en andere bedrijfstakprojecten. Door avv van dergelijke bepalingen kunnen ook op dit gebied de concurrentieverhoudingen tussen de werkgevers in de bedrijfstak worden gelijk getrokken. Het is de vraag of een dergelijke, aan de behoeften van de bedrijfstak aangepaste ordening, zonder de steun in de rug van de avv mogelijk zou zijn. In de derde plaats kan door het feit, dat de algemeen verbindendverklaring van cao-bepalingen bestaat, leiden tot vermindering van regelgeving door de centrale overheid. Cao-partijen zijn in staat om bepaalde regels in hun sector effectief door te voeren en te handhaven via de verbindendverklaring. Wel dient daarbij te worden opgemerkt, dat een gedeelte van de werkgevers en werkgevers niet onder het bereik van al dan niet verbindend verklaarde CAO-bepalingen valt en dus niet onder de gewenste regeling kan worden gebracht.

rechtskarakter

Het besluit van de minister van SZW om bepalingen van een cao verbindend te verklaren is een daad van materiële wetgeving, een ministeriële verordening. Deze vorm van wetgeving is zowel voor wat betreft de wijze van totstandkoming, als voor wat betreft de reikwijdte van de bevoegdheid van de minister, genormeerd door een aantal specifieke voorschriften in de WAVV. De minister heeft zijn beleid neergelegd in het Toetsingskader Algemeen Verbindendverklaring cao-bepalingen, hierna te noemen het toetsingskader.[65]
Verbindendverklaring kan slechts tot stand komen op verzoek van één of meer cao-partijen. Tegen een verzoek tot algemeen verbindendver-

64 De verplichting om het collectief overleg te ondersteunen is neergelegd in internationale afspraken (vgl. art. 6 lid 1 en 2 ESH).
65 Besluit van 2 december 1998, Scrt. 1998, nr. 240, p. 14.

klaring kunnen binnen drie weken na de bekendmaking van het verzoek in de Staatscourant bedenkingen worden ingebracht (art. 4 WAVV). Belanghebbenden kunnen zich tegen de verbindendverklaring verzetten. Meestal valt te denken aan werkgevers- of werknemersorganisaties, die niet tot het cao-overleg zijn toegelaten, maar wier leden wel gebonden zijn aan de verbindendverklaring, dan wel aan werkgevers- of werkgeversorganisaties en vakbonden die een cao binnen de sector van de verbindendverklaring hebben gesloten ofwel wanneer er sprake is van overlapping van de werkingssferen van verschillende verbindendverklaringen. Bedenkingen, ingediend voor de tervisielegging van het verzoek worden volgens het toetsingskader niet in behandeling genomen, terwijl dat in beginsel ook geldt voor bedenkingen, die na het verstrijken van de drieweekstermijn worden ingediend.

bedenkingen

Zijn er bedenkingen ingediend, dan worden die eerst aan cao-partijen voorgelegd met het verzoek daarop te reageren. Vervolgens worden het verzoek, de bedenkingen en de reactie daarop voorgelegd aan de Stichting van de Arbeid. Dat gebeurt overigens niet, als het gaat om een al eerder ingediend bezwaar, waar afwijzend op is beslist of die krachtens het aav-beleid evident kansloos is. Ook als het bezwaar betreft, dat men een eigen subsector-cao of ondernemings-cao van de verbindendverklaring uitgezonderd wil zien, wordt een dergelijk bezwaar zonder tussenkomst van de Stichting van de Arbeid door de minister gehonoreerd. De Stichting van de Arbeid wordt in ieder geval ingeschakeld, als er sprake is van overlap van bedrijfstakscao's, met name om te bezien of daarvoor een oplossing te vinden is. Staand beleid is, dat de minister thans niet meer cao-bepalingen verbindend verklaart, als daardoor een overlap met andere verbindendverklaarde bepalingen veroorzaakt wordt. Dat betekent een indirecte dwang op cao-partijen om de werkingssferen van hun cao's nauwkeurig op elkaar af te stemmen.

In de tweede plaats komen voor verbindendverklaring slechts in aanmerking bepalingen van een cao, die voor het gehele land of een regio is afgesloten (art. 2 WAVV). Bepalingen in ondernemingscao's vallen hier dus buiten.

meerderheidseis

In de derde plaats dienen de desbetreffende cao-bepalingen reeds te gelden voor een – naar het oordeel van de minister belangrijke – meerderheid van de in de bedrijfstak werkzame personen. Voor het bepalen van deze meerderheid worden de door de cao gebonden werkgevers en de werknemers die bij hen in dienst zijn (dus ook art. 14 WCAO-werknemers) tezamen gerekend.[66] De meerderheidstoets kan als het belangrijkste voorschrift worden beschouwd, aangezien het als het ware de legitimatie vormt voor de minister om door avv cao-bepalingen dwingend op te leggen aan niet bij de cao-onderhandelingen betrokken ondernemingen. Aandacht verdient dat de WAVV geen representativiteits-

66 HR 10 juni 1983, NJ 1984, 147.

eisen stelt aan cao-partijen, maar slechts een meerderheidstoets aanlegt. Hieraan is te danken, dat ondanks de lage organisatiegraad aan werknemerskant verbindendverklaring veelal mogelijk is. De organisatiegraad aan werkgeverskant is in feite bepalend. Om te bepalen of voldaan is aan het vereiste van een belangrijke meerderheid hanteert het toetsingskader de volgende uitgangspunten. Indien een meerderheid van 60% van de werknemers of meer al onder de cao valt, is de meerderheid in ieder geval belangrijk. Een meerderheid tussen de 55 en 60% wordt nog als belangrijk gekwalificeerd, als er voldoende draagvlak is voor de cao (dus alle in aanmerking komende vakorganisaties partij erbij zijn) en er geen sprake is van een zeer scheve verdeling van de meerderheid binnen het cao-gebied (dus een redelijke spreiding over grote en kleine ondernemingen). Indien een meerderheid van minder dan 55% van de werknemers aan de cao gebonden is, vindt geen algemeen verbindendverklaring plaats, tenzij sprake is van bijzondere omstandigheden.

toetsing

Ten slotte kan ten aanzien van de belangrijke meerderheidseis worden opgemerkt, dat de rechter kan toetsen of aan de meerderheidseis is voldaan, maar dat de belangrijkheid daarvan ter discretie staat van de minister. Mede in verband met een mogelijke rechterlijke toets, kan de minister van cao-partijen een accountantsverklaring verlangen over het door cao-partijen opgegeven aantal onder de cao vallende werknemers ten opzichte van alle werknemers in de bedrijfstak of sector. Een dergelijke verklaring wordt altijd gevraagd, als er bedenkingen zijn ingebracht ten aanzien van het voldoen aan de meerderheidseis of wanneer niet zeker is, dat 60% of meer van de werknemers onder de cao valt.

Indien aan bovengenoemde vereisten is voldaan kan de minister tot algemeen verbindendverklaring besluiten.

Weigering van een verzoek om avv zal plaatsvinden indien de minister van mening is dat hij daartoe niet bevoegd is volgens art. 2, eerste lid, WAVV. Slechts bepalingen van een cao kunnen worden verbindendverklaard. Indien een collectieve afspraak niet kan worden getypeerd als 'een overeenkomst, waarbij ... voornamelijk of uitsluitend worden geregeld arbeidsvoorwaarden, bij arbeidsovereenkomsten in acht te nemen' (art 1 WCAO), dan is die afspraak geen cao en kan er van verbindendverklaring geen sprake zijn. De Hoge Raad heeft echter een ruime uitleg gegeven aan art 1 WCAO. Ook bepalingen die verband houden met arbeidsvoorwaarden zonder het zelf te zijn (het ging in de casus om verplichte bijdragen van werkgevers aan een scholingsfonds), kunnen naar het oordeel van de Hoge Raad worden verbindend verklaard.[67] Mede op basis van deze rechtspraak heeft de minister een beleid terzake ontwikkeld.

ruime uitleg

67 HR 30 januari 1987, NJ 1987, 936, Arbeidsrechtspraak nr. 73 (OLC/Van Velden); R.A.A. Duk, De Hoge Raad en de fondsenbepalingen, SMA 1988, 3, p. 198. Zie ook W.J. Schmale en P. Siebesma, De praktijk van het algemeen verbindend verklaren, SMA 1988, 3, p. 230.

Volgens het toetsingskader komen krachtens dit artikellid slechts cao-bepalingen voor verbindendverklaring in aanmerking, die primair verband houden met arbeid. Het behoeft niet per se om arbeidsvoorwaarden te gaan. Ook cao-bepalingen, die verband houden met arbeidsvoorziening, werkgelegenheid, arbeidsmarkt, arbeidsverhoudingen, arbeidsomstandigheden, scholing en toepassing van de cao komen voor avv in aanmerking. Houden bepalingen geen primair verband met de arbeid, zoals kwaliteitsprojecten, bevordering van technologische innovatie of opwaardering van de bedrijfstak, dan kunnen die bepalingen niet verbindend worden verklaard. Vroeger werd er op dit punt overigens een strenger beleid gevoerd dan thans, mede op instigatie van een SER-advies uit 1992, waarin de wenselijkheid van een ruimhartig avv-beleid werd uitgesproken.[68]
In de tweede plaats zal de minister een verzoek om avv moeten afwijzen indien hij dit verzoek in strijd acht met bestaande wetgeving (zie hieronder).

beleidsvrijheid

Tot slot blijkt uit de tekst van art. 2, tweede lid, WAVV dat de minister bevoegd, maar niet verplicht is om tot avv over te gaan; hij heeft in deze beleidsvrijheid. Ook uit de wetsgeschiedenis blijkt dat de minister bevoegd is avv te weigeren indien verbindendverklaring in strijd zou zijn met het algemeen belang, of zou leiden tot te grote benadeling van de rechtmatige belangen van derden in de betrokken bedrijfstak of daarbuiten. Van deze bevoegdheid is tot dusver in de praktijk echter nauwelijks gebruik gemaakt.[69]
Indien de minister weigert een cao-afspraak verbindend te verklaren, is hij verplicht zijn afwijzende beschikking te motiveren (art. 5 WAVV). Tegen een dergelijke beschikking is echter geen beroep mogelijk.[70]

geen verbindendverklaring

Een verbindendverklaring mag niet in strijd met de wet komen, als regeling van hogere orde. Strijd met de wet doet zich onder meer voor indien de verbindend verklaarde cao-clausule behoort tot de in art. 2, vijfde lid, WAVV genoemde bepalingen. Daartoe behoren bepalingen in

68 W.J. Schmale en P. Siebesma, Enkele actuele aspecten rond het instrument algemeen verbindend verklaring, SMA 1991, 2, p. 63. In het SER-advies Algemeen verbindendverklaring (92/14) wordt unaniem voorgesteld de mogelijkheden tot avv te verruimen.

69 G. Zalm, Mythen, paradoxen en taboes in de economische politiek, oratie VU Amsterdam, Amsterdam 1990, p. 28, heeft ervoor gepleit avv van primaire arbeidsvoorwaarden achterwege te laten, indien de betrokken cao's een loonkostenstijging vertonen die volgens het kabinet bovenmatig of onverantwoord en daardoor in strijd met het algemeen belang is. Hiertegen terecht W. van Voorden, Algemeen verbindendverklaring onterecht mikpunt, ESB 9 januari 1991, p. 53; P.F. van der Heijden, Verbindend verklaren van cao's: geen speelbal van de politiek, NJB 1992, 11, p. 345; E.H. Broekema, Het niet algemeen-verbindend verklaren van cao-bepalingen als nieuwe beleidsoptie, SMA 1992, 5, p. 286. In bovengenoemd SER-advies wordt hierover een verdeeld standpunt ingenomen. Zie over dit advies W.J.P.M. Fase, SMA 1992, 12, p.706; M.G. Rood, TVVS 1992, 11, p. 293. Zie ook M.M. Olbers, Vrieskou in de arbeidsverhoudingen, SR 1994, 1, p. 3; P.F. van der Heijden, Rotterdamse lessen, NJB 1994, 10, p. 337. Deze discussie is thans zo goed als weggeëbd.

70 Wel valt een weigering om verbindend te verklaren onder de politieke ministeriële verantwoordelijkheid en kan dientengevolge leiden tot reacties in het parlement.

een cao, inhoudende dat geschillen tussen werkgevers en werknemers zullen worden beslist door arbitrage of bindend advies; avv van dergelijke bepalingen zou leiden tot een uitschakeling van de burgerlijke rechter en daardoor in strijd komen met art. 17 Gr.w.(3.8.2).[71] Voorts behoren daartoe cao-clausules die dwang uitoefenen op werkgevers of werknemers om lid te worden van een vakorganisatie, of die een ongelijke behandeling van georganiseerden en ongeorganiseerden ten doel hebben; avv van deze bepalingen werd blijkens de parlementaire geschiedenis in strijd geacht met het algemeen belang. Op grond van dit laatste voorschrift zal bijvoorbeeld een fonds- en bijdrageregeling (4.4.1.3) waarvan slechts georganiseerde werkgevers en werknemers kunnen profiteren, niet mogen worden verbindend verklaard.

strijd met de wet

De opsomming van het vijfde lid van art. 2 WAVV is niet uitputtend. Uiteraard moeten de cao-bepalingen ook de minimumloonwetgeving, de Arbeidsomstandighedenwet, de Wet op de medische keuringen enz. respecteren.

Behalve bij strijdigheid met de wet, wordt ook avv geweigerd van bepalingen uit de cao, die inbreuk maken op grondrechten, zoals de vrijheid van arbeidskeus (bijvoorbeeld een absoluut verbod op nevenarbeid), eerbiediging van de persoonlijke levenssfeer (bijvoorbeeld een verbod een bepaalde sport te beoefenen) of het beginsel van gelijke behandeling.[72] Ook mag de avv geen inbreuk maken op het recht van organisatie en collectieve actie, zoals in internationale verdragen vastgelegd. Zo kan een werkgever niet via avv worden verplicht tot overleg met vakorganisaties over bepaalde onderwerpen, kan verplicht overleg met werknemersorganisaties zich niet beperken tot de werknemersorganisaties, die cao-partij zijn en kunnen vredesplichtclausules niet worden verbindendverklaard.

Ook moeten de voor avv voorgedragen cao-bepalingen de algemene rechtsbeginselen eerbiedigen. Bij de mogelijkheid van disciplinaire maatregelen behoort derhalve ook een behoorlijke procedure met rechtswaarborgen in de cao zijn opgenomen.

Ten slotte zal de minister de verbindendverklaring weigeren bij strijd met het algemeen belang of te grote benadeling van de rechtmatige belangen van derden. Wat het laatste betreft, cao-bepalingen die een exclusieve positie geven aan een bepaalde verzekeringsmaatschappij, uitzendbureau, arbodienst of scholingsinstituut voor ondernemingsraadsleden zullen niet voor avv in aanmerking komen.

belangen van derden

Fondsbepalingen komen volgens het toetsingskader uitsluitend voor verbindendverklaring in aanmerking als het fonds aan bepaalde eisen voldoet.

Een algemeen verbindend verklaring kan niet met terugwerkende kracht

71 HR 8 juni 1951, NJ 1952, 144.

geschieden (art. 2, derde lid, WAVV).[73] In verband met de beperkte werkingsduur van de verbindendverklaring en het verbod van terugwerkende kracht bepaalt het toetsingskader, dat cao-bepalingen, die uitdrukkelijk tot een bepaald tijdstip van kracht zijn niet voor avv in aanmerking komen, indien dat tijdstip is gelegen voor de inwerkingtreding van het avv-besluit. Evenmin komt voor avv in aanmerking een cao-bepaling, dat een eenmalig recht toekent te verkrijgen op een tijdstip dat voor of na de werkingsduur van de verbindendverklaring ligt. Hetzelfde geldt ten aanzien van bepaling van de cao, die een eenmalige verplichting oplegt, te voldoen op een tijdstip, dat voor of na de duur van de avv ligt. Voorts geldt een avv – behoudens enkele uitzonderingen – voor maximaal twee jaren; het tijdstip waarop de verbindendverklaring eindigt, kan daarbij niet later worden gesteld dan het tijdstip waarop de cao eindigt (art. 2 lid 2 WAVV).

duur avv

geen nawerking

Indien een avv is geëindigd kan de vraag rijzen of werkgevers die slechts door de avv worden gebonden, in het avv-loze tijdperk de avv moeten blijven toepassen (tenzij een afwijkende individuele afspraak wordt gemaakt), danwel of de arbeidsvoorwaarden van toepassing zijn die vóór de avv golden. Anders gezegd, heeft een avv-bepaling nawerking, zoals dat ten aanzien van een cao het geval is (4.4.1.2), of niet?
In 1980 werd deze vraag door de Hoge Raad ontkennend beantwoord.[74] In een later arrest werd echter door de Hoge Raad aanvaard dat een werknemer, die op het tijdstip waarop hij arbeidsongeschikt werd krachtens een algemeen verbindend verklaarde cao-bepaling recht had op doorbetaling van loon over een in die cao-bepaling omschreven tijdvak, dit verkregen recht niet verliest op het moment dat de avv eindigt. Of deze toepassing van de avv-bepaling ook zou hebben gegolden ten aanzien van een werknemer die *tijdens* het avv-loze tijdvak arbeidsongeschikt was geworden (hetgeen bij nawerking van een cao het geval zou zijn), is onzeker.[75] Uit de rechtspraak kan niet worden afgeleid, dat de

72 Zie ook B.S. Frenkel, Algemeen verbindendverklaring van boetebepalingen in cao's, NJB 1988, 4, p. 118.

73 HR 12 juni 1987, NJ 1988, 59. Zie ook Rb. Rotterdam 9 april 1998, JAR 1998, 106, waarin geen geldig proeftijdbeding werd aangenomen, nu deze berustte op een avv, twee dagen na indiensttreding van kracht geworden.

74 HR 18 januari 1980, NJ 1980, 348, Arbeidsrechtspraak nr. 67 (Hop/Hom). Zo reeds voordien CRvB 27 juni 1978, RSV 1978, 338 en W.J.P.M. Fase, Vijfendertig jaar loonbeleid in Nederland, terugblik en perspectief, Alphen aan den Rijn 1980, p. 32. Anders B.S. Frenkel, SMA 1979, 5, p. 293.

75 HR 28 januari 1994, NJ 1994, 420, m.n. PAS, JAR 1994, 47, TVVS 1994, 5, p. 132, m.n. MGR, Arbeidsrechtspraak 68 (Beenen/Vanduho); C.G. Boot, Hoge Raad Beenen/Vanduho: nawerking toegekend aan de algemeen verbindend verklaring?, SR 1994, 7/8, p. 199; S.F. Sagel, Nawerking van verbindend verklaarde cao-bepalingen; een evenwichtige oplossing, SMA 1996, 11/12, p. 663. In een eerdere uitspraak (HR 2 april 1993, NJ 1993, 612) had de Hoge Raad ten aanzien van overwerkvergoedingen beslist, dat ook na de duur van de avv, die dat regelde, de werknemer recht op deze vergoeding kan hebben, maar dat hangt (kort gezegd) ervan af, of de verklaringen en gedragingen van werkgever en werknemer zodanig waren, dat daaruit terecht mocht worden afgeleid, dat men op dezelfde voet wenste door te gaan.

Hoge Raad is omgegaan en nawerking van de verbindverklaring heeft aanvaard. De uitspraak kan immers ook zo worden uitgelegd, dat nu tijdens de avv het moment viel, waarop het recht op doorbetaling ontstond en tevens door de avv de omvang van het recht was bepaald, de werknemer het volledige recht verwierf voor de gehele duur. Nadere rechtspraak zal moeten leren, welke betekenis aan de uitspraak van de Hoge Raad moet worden gehecht. Als de voorgaande redenering juist is, zou een werknemer, voor wie krachtens avv een proeftijdbeding geldt, aan dat beding gebonden blijven, ook al eindigt de avv tijdens de loop ervan.

4.6 Overheid en collectieve onderhandelingen

4.6.1 *Algemeen*

De meeste westerse landen die in de tweede wereldoorlog betrokken raakten, voelden zich genoodzaakt erna een loon- en prijscontrole in te voeren teneinde de invloed van de oorlog op de prijzen en de inkomensverdeling enigszins te kunnen mitigeren. Na de oorlog werd veelal de een of andere vorm van loonbeïnvloeding gehandhaafd, vooral ter bestrijding van de inflatoire krachten die van opvoering van het loonpeil konden uitgaan.

geleide loonpolitiek

De na-oorlogse situatie dwong ook Nederland tot invoering van een loonbeheersing. 'De materiële toestand, waarin Nederland onmiddellijk na de nederlaag van de Duitsers verkeerde, was allerellendigst. Ons land was door de vijand leeggeplunderd, vooral in de laatste jaren van de bezetting. Een belangrijk deel van onze bedrijfsuitrusting was naar Duitsland weggevoerd; talloze fabrieken waren niet meer dan ruïnes. De totale en de gemiddelde voortbrengingsmogelijkheid van het land was tot de helft geslonken maar de toestand was verschillend in de onderscheiden bedrijfstakken en er waren delen van het bedrijfsleven waar de productie vrijwel tot nihil teruggevallen was. Tien procent van ons landbouwgebied was onder water gezet en de rest had aanzienlijke schade geleden, zodat de productiviteit tot een derde teruggelopen was. Negen tienden van ons transportwezen was vernield; motorvoertuigen en locomotieven naar Duitsland verdwenen en treinrails als schroot weggehaald sinds de spoorwegstaking, bruggen gebombardeerd en in de lucht gevlogen of ingestort. Alle verbindingen waren na de bevrijding uiterst moeilijk. De bevolking had de hongerwinter ondergaan en was ondervoed; brandstoffen, gas en elektriciteit waren niet voorradig. Een kwart van de mannen in de productieve leeftijd was naar het buitenland gevoerd. De arbeidsmarkt was een volkomen chaos: de beroeps- en sociale organisaties waren kapotgeslagen. Voedingsmiddelen en consumptie-artikelen waren uiterst schaars; slechts papieren geld was in overvloed aanwezig en de nationale schuld had een ongekende hoogte. Onder deze omstandigheden was een controle van prijzen en lonen niet alleen wenselijk, doch een levensnoodzakelijkheid.'[76]

het BBA als basis

In Nederland heeft de na-oorlogse situatie geleid tot invoering van een stelsel van loonvorming waarbij een overheersende rol werd toegekend aan de overheid. De juridische basis voor de te voeren loonpolitiek was gelegen in een aantal bepalingen in het BBA 1945. Par. 4.6.2 beschrijft de wijze waarop de overheid in de periode van 1945–1970 van haar wettelijke bevoegdheden gebruik heeft gemaakt.
In 1970 werden de desbetreffende artikelen in het BBA vervangen door de Wet op de loonvorming 1970. De overheidsbevoegdheden werden daarbij verminderd. Dat neemt niet weg dat de overheid in de periode 1970–1982 op basis van deze wet – die verschillende keren tussentijds werd gewijzigd – herhaaldelijk heeft ingegrepen in de arbeidsvoorwaardenvorming; par. 4.6.3 geeft daarvan een beschrijving.[77]
De slotparagraaf (4.6.4) geeft een kenschets van de collectieve arbeidsvoorwaardenvorming zoals deze zich na 1982 heeft ontwikkeld.

4.6.2 *Het BBA 1945. Het arbeidsvoorwaardenbeleid van 1945–1970*

De invoering van het Buitengewoon Besluit Arbeidsverhoudingen 1945 per 15 oktober 1945 verving het vooroorlogse collectief-privaatrechtelijke systeem van loonvorming door een collectief-publiekrechtelijk systeem. Dit systeem was uniek omdat geen ander land in West-Europa zo lang aan de overheid een zo grote invloed op de loonvorming heeft toegekend.

College van Rijksbemiddelaars

Krachtens het BBA 1945 moesten alle cao's ter goedkeuring worden voorgelegd aan een college van onafhankelijke deskundigen: het College van Rijksbemiddelaars. De cao's mochten eerst na het verkrijgen van deze goedkeuring worden toegepast. Het College verrichtte de toetsing aan de hand van door de minister van SZW uitgevaardigde 'algemene aanwijzigingen'. Voorts was het College bevoegd krachtens de WAVV van 1937 bepalingen van cao's algemeen verbindend te verklaren en geheel zelfstandig bindende loonregelingen op te leggen, met name als in een sector geen cao gold. De arbeidsvoorwaardenvorming werd daardoor gecollectiveerd.

76 M.G. Levenbach, De Nederlandse loonpolitiek, Alphen aan den Rijn 1955, p. 10.
77 N. van Veen, Overheidsingrijpen in collectieve arbeidsovereenkomsten, Deventer 1976; W.J.P.M. Fase, Vijfendertig jaar loonbeleid in Nederland, diss. Tilburg, Alphen aan den Rijn 1980; W. van Drimmelen en N. van der Hulst, Loonvorming en loonpolitiek in Nederland, Groningen 1981; N. van der Hulst, De effectiviteit van geleide loonpolitiek in theorie en praktijk, diss. VU, Groningen 1984; T. van Peijpe, De ontwikkeling van het loonvormingsrecht, diss. UvA, Ars Aequi Libri 1985; B.S. Frenkel, bijdrage aan Sociaal bestuursrecht, deel 1, Arbeidsrecht, Alphen aan den Rijn 1986, p. 169; dezelfde, De cao en het loonbeheersingsrecht, SMA 1988, 3, p. 234.

In het kader van de beoogde loonbeheersing placht het College cao's slechts goed te keuren wanneer de partijen met zoveel woorden aan het contract een standaardkarakter hadden gegeven. Het standaardkarakter bracht mede dat iedere afwijking van de cao, zowel naar boven als naar beneden, nietig was. Bovendien werd het de werkgever strafrechtelijk verboden af te wijken van een voor hem geldende cao, avv-cao of bindende loonregeling. Het rechtskarakter van de cao – die voordien gewoonlijk slechts minimumregeling was zodat afwijking naar boven geoorloofd bleef en waaruit uitsluitend civielrechtelijke sancties voortvloeiden – werd hierdoor ingrijpend veranderd.

rol minister

Maar al waren de overheidsbevoegdheden groot, zij waren niet absoluut. Want de minister placht bij het opstellen van zijn algemene aanwijzigingen het advies van de Stichting van de Arbeid in te winnen.[78] Ook hoorde het College de Stichting en de betrokken bonden uit de bedrijfstak alvorens een beslissing over het al of niet goedkeuren van een cao te nemen, hetgeen een soepele vertaling van de algemene aanwijzingen placht te waarborgen. Dit nam echter niet weg dat de loonpolitiek toch hoofdzakelijk op centraal niveau door de regering, Stichting en het College werd bepaald en dat met name de vakorganisaties op bedrijfstakniveau en hun leden verregaand in hun onderhandelingsvrijheid werden beperkt; in feite waren de vakcentrales dikwijls niet veel meer dan een doorgeefluik van het regeringsbeleid.
Onder dit stelsel zijn van 1945–1954 een zevental ministeriële algemene aanwijzingen tot stand gekomen, die grotendeel hebben geleid tot verplichte, uniforme loonronden. Deze algemene loonsverhogingen waren gebaseerd op de nationale, macro-economische mogelijkheden en dienden voornamelijk ter aanpassing aan de stijging van het prijspeil.

acceptatie geleide loonpolitiek

Het is duidelijk dat dit stelsel van loonvorming slechts zonder frictie kon functioneren voor zover de doelstelling en resultaten ervan door alle betrokkenen werden geaccepteerd. Tot omstreeks 1954 was die bereidheid ook wel aanwezig. Met name de vakbeweging heeft aan de stringente loonbeheersing in het algemeen loyale medewerking gegeven. Enerzijds omdat men inzag dat de opbouw van ons productieapparaat en een ruime werkgelegenheid goeddeels afhankelijk waren van onze exportpositie en men deze exportpositie niet door te hoge looneisen in gevaar wilde brengen. Anderzijds omdat door het goedkeuringsbeleid van het College de mogelijkheid werd geschapen – welke ook werd benut – om bestaande loonverschillen, die in het verleden door min of meer toevallige arbeidsmarktomstandigheden wa-

78 Maarten van Bottenburg, 'Aan den Arbeid!', In de wandelgangen van de Stichting van de Arbeid, 1945–1995, Amsterdam 1995.

ren ontstaan, glad te strijken[79] en rechtvaardiger verhoudingen tussen de arbeidsvoorwaarden in de verschillende bedrijfstakken te creëren.[80]

differentiatie

Na 1954 verminderde de harmonie. Met het stijgen van de welvaart, toen de algemeen verplichte loonronden die voornamelijk waren gericht op het compenseren van prijsstijgingen, werden verlaten voor de zogenaamde welvaartsloonronden die enige differentiatie tussen bedrijfstakken mogelijk maakten, steeg de roep om beperking van de overheidsinvloed en een grotere vrijheid van het bedrijfsleven met betrekking tot de loonvaststelling.

In 1959 leek dit verlangen naar grotere onderhandelingsvrijheid te worden vervuld. Bij de in 1959 tot stand gekomen ministeriële algemene aanwijzing werden de uniforme loonronden namelijk ingeruild voor loonsverhogingen, die gekoppeld waren aan de stijging van de productiviteit in de desbetreffende bedrijfstak of onderneming; de 'geleide loonpolitiek' werd ingeruild voor de 'gedifferentieerde loonpolitiek'. In de praktijk bleek de toetsing van cao's aan de productiviteitsstijging van de onderneming of bedrijfstak echter dikwijls moeilijk uitvoerbaar.[81] De voor de berekening van een productiviteitsstijging noodzakelijke gegevens ontbraken dikwijls en moesten dan ook met veel kunst en vliegwerk worden 'versierd'. De minister van SZ trachtte dit proces te keren door het opstellen van steeds gedetailleerdere aanwijzingen, hetgeen tot de nodige wrijvingen leidde.[82]

Begrijpelijk is dat het bedrijfsleven voortging met het zoeken naar wegen om te komen tot de zo vurig verlangde grotere onderhandelingsvrijheid. Dit verlangen leek in 1963 gerealiseerd door een wetswijziging

79 Zo vermeldt Levenbach, De Nederlandse loonpolitiek, p. 5, dat de lonen van ongeschoolden in de bierbrouwerij, een kapitaalintensieve en ook in de crisisperiode nog bloeiende bedrijfstak, hoger waren dan die van geschoolde metaalbewerkers in de scheepsbouw.

80 Het College was niet alleen gebonden aan een loonplafond, maar nam als uitgangspunt voor zijn beleid ook een sociaal minimumloon, dat wil zeggen het loon dat een gehuwde arbeider met twee kinderen moest verdienen om de noodzakelijke levensbehoeften te kunnen kopen en om de vaste lasten (huur e.d.) te kunnen voldoen. Op dit sociale minimum werd een verdergaande loondifferentiatie gebouwd, welke onder meer steunde op de aard van de verrichte arbeid en de geleverde prestaties. Zie nader Levenbach, Loonpolitiek, p. 16 e.v.

81 Aangezien het produktievolume van de overheid niet meetbaar werd geacht, werd besloten dat de ambtenarensalarissen de gemiddelde loon- en productiviteitsstijging van het bedrijfsleven zouden volgen; de ambtenaren werden daardoor 'trendvolgers'. Sommige bedrijven die voor dezelfde moeilijkheden stonden, kozen vrijwillig voor het trendvolgerschap (Nederlandse Spoorwegen, particuliere ziekenhuizen e.d.). B.S. Frenkel, De trendvolgers, SMA 1983, 11, p. 646. Zie ook 4.6.3.

82 Over de destijds voor de loonpolitiek verantwoordelijke staatssecretaris Roolvink schreef John P. Windmuller: Roolvink, an officer of the Protestant Trade Union Federation before joining the government, decided that the transition proces to more freedom required the closest supervision (Labor Relations in the Netherlands, New York 1969, p. 281).

van het BBA 1945, waarbij preventieve toetsing van cao's door het College op basis van ministeriële aanwijzingen, vervangen werd door een preventieve toetsing door de Stichting welke gebaseerd was op – doch niet gebonden aan! – gesprekken met de regering over de mogelijk geachte loonkostenontwikkeling.

de Stichting van de Arbeid

Door deze stelselwijziging werd de vraag acuut in hoeverre de in de Stichting verenigde centrale werkgevers- en werknemersorganisaties in staat waren om de door hun leden gesloten cao's door een weigering van goedkeuring te blokkeren. Hoe ver strekte het gezag van de centrale organisaties over de aangesloten ondernemers en bonden?
Reeds spoedig bleek dat dit gezag maar heel beperkt was. Het optreden van de Stichting ging in ieder geval gepaard met een 'loonexplosie', waardoor in 1964 de loonsom per werknemer met ongeveer 17% steeg (bij de overheid zelfs met 21%).

terug naar geleide loonpolitiek

Ook in de navolgende jaren bleek de Stichting niet bereid of in staat een volgens de overheid ongewenste loonontwikkeling te keren. De regering voelde zich hierdoor genoodzaakt in te grijpen. Uiteindelijk, in 1966, leidde dit ertoe dat de goedkeuringsbevoegdheid aan de Stichting werd ontnomen en weer werd overgedragen aan het College van Rijksbemiddelaars. Toen was men weer even ver als vóór de wetswijziging van 1963. Deze situatie duurde voort tot eind 1967.
De impasse werd op 23 november 1967 doorbroken door een vrijwel unaniem Stichtingsadvies. In dit advies werd een stelsel van loonvorming voorgesteld, dat de overheidsinvloed drastisch beperkte en daardoor waarborgen bevatte voor een vrijere loonpolitiek. Het is dit stelsel dat zijn neerslag heeft gevonden in de Wet op de loonvorming van 12 februari 1970.[83]

4.6.3 *De Wet op de loonvorming 1970. Het arbeidsvoorwaardenbeleid in de marktsector van 1970–1982*

vrije arbeidsvoorwaardenvorming

De wet herstelde in principe de vooroorlogse collectieve contractsvrijheid: de cao was niet meer onderworpen aan enig preventief overheidstoezicht; de werkgevers(organisaties) en de vakbonden waren weer vrij in het bepalen van de inhoud van de cao en het werd aan hen overgelaten om te bepalen of de cao uitsluitend minimumregeling of tegelijk ook standaardregeling zou zijn.
Met de komst van deze wet was de strijd tussen collectieve onderhandelingsvrijheid versus overheidsingrijpen echter nog geenszins geëindigd. Het preventief overheidstoezicht was weliswaar van de baan, maar de Wet op de loonvorming (die tijdens zijn bestaan verschillende malen werd gewijzigd) gaf nog wel aan de minister van SZW de bevoegdheid

83 Met de invoering van de Wet op de loonvorming per 20 april 1970 verviel de derde titel van het BBA 1945; zie over het resterende deel van het BBA (ontslagrecht) 3.7.3.2.

om onder bepaalde omstandigheden in de loonvorming in te grijpen. Van deze bevoegdheid heeft de minister na 1970 verschillende malen gebruik gemaakt; het heeft tot eind 1982 geduurd voordat de collectieve onderhandelingsvrijheid duidelijk de overhand verkreeg. Teneinde een indruk te krijgen van hetgeen zich op dit gebied in het verleden heeft afgespeeld, volgt hieronder een korte beschrijving van deze ontwikkeling.

loonmaatregelen

In 1970 kende art. 10 Wet op de loonvorming aan de minister van SZW de bevoegdheid toe de geldende arbeidsvoorwaarden gedurende een periode van zes maanden te bevriezen, 'indien naar zijn oordeel het belang van de nationale economie het nemen van maatregelen ten aanzien van het peil der loonkosten is samenhang met andere maatregelen vereist.' Overtreding van dit verbod door een werkgever was een strafbaar feit.
Van deze bevoegdheid heeft de minister, in een poging om een dreigende forse loonkostenstijging af te wenden, reeds eind 1970 gebruik gemaakt. Op 11 december 1970 werd op basis van dit artikel een Loonmatigingsbesluit uitgevaardigd voor de eerste helft van 1971. Het besluit bond de geoorloofde loonstijging aan een maximumpercentrage.[84]
De uitvaardiging van het Loonmatigingsbesluit stuitte op weerstand van de vakbeweging. De werknemersvakcentrales organiseerden op 15 december 1970 – de dag waarop het besluit in de Tweede Kamer zou worden besproken – een proteststaking van één uur, waaraan op grote schaal werd deelgenomen.[85] Het besluit bleef echter in enigszins afgezwakte vorm gehandhaafd.[86] Al met al waren de eerste ervaringen met het nieuwe loonregime weinig bemoedigend, temeer daar de opgelegde loonmatiging na afloop van het besluit spoedig door een 'inhaalronde' ongedaan werd gemaakt.

herhaalde ingrepen

Na afloop van het Loonmatigingsbesluit volgde in 1972 en 1973 een periode van vrije collectieve onderhandelingen, maar in 1974 was het daarmee weer afgelopen. Teneinde aan de gevreesde gevolgen van de eerste olieprijsschok het hoofd te kunnen bieden, diende de regering

84 Het besluit was mede een reactie op de loonexplosie die volgde na de wilde stakingen in de Rotterdamse en Amsterdamse haven gedurende augustus/september 1970. Hierover G.B.H. Nieustadt, Het ter beschikking stellen van arbeidskrachten met winstoogmerk, SMA 1972, p. 459.

85 De protestactie vond geen doorgang bij het spoorwegpersoneel. De NV Nederlandse Spoorwegen spande een kort geding aan tegen de drie betrokken vervoersbonden waarbij de vakbondsactie door de President werd verboden, Pres. Rb. Utrecht 14 december 1970, NJ 1971, 72; zie ook HR 25 november 1977, NJ 1978, 178.

86 Tijdens de looptijd van het loonmatigingsbesluit brak nog een slepersstaking uit, gesteund door de drie vervoersbonden, waarbij eisen werden gesteld in strijd met dit besluit. Dit conflict werd opgelost nadat de President in kort geding een afkoelingsperiode van een maand had opgelegd; Pres. Rb. Rotterdam 4 februari 1971, NJ 1971, 77.

op 8 december 1973 bij de Tweede Kamer een ontwerp van wet in: Machtigingswet inkomensvorming en bescherming werkgelegenheid 1974. Het wetsontwerp werd snel aangenomen en trad op 11 januari 1974 in werking.[87]

Machtigingswet

De Machtigingswet verschafte de minister van Sociale Zaken – voor het jaar 1974 – de mogelijkheid om op eigen initiatief regelend op te treden ten aanzien van arbeidsvoorwaarden in het bedrijfsleven en de overheidssector, dividenden, huren en pachten, het beëindigen van arbeidsverhoudingen, de bezetting van arbeidsplaatsen door buitenlandse werknemers en de werktijd. Overtreding van de voorschriften was een strafbaar feit.

Op basis van de Machtigingswet zijn verschillende ministeriële beschikkingen tot stand gekomen, waarbij voor een ieder geldende gelijke loonsverhogingen werden opgelegd.

De Machtigingswet droeg slechts een tijdelijk karakter en toen de gevreesde gevolgen van de 'oliecrisis' uitbleven, liep zij per 1 januari 1975 af zonder te worden vernieuwd.

hernieuwd overheidsingrijpen

Nadat in 1975 de collectieve onderhandelingen over het algemeen zonder veel conflicten waren afgewikkeld, ging het in 1976 andermaal mis. In dat jaar werd er tweemaal een loonmatigingsbesluit afgekondigd.[88]

Ook voor de tweede helft van 1976 werd door de regering een loonmaatregel noodzakelijk geacht. Deze schreef voor een algemene loonsverbetering van bruto *f* 30 per maand.[89] Al met al was er door deze geleide loonpolitiek in 1976 niet of nauwelijks enige ruimte voor collectieve onderhandelingen.

Na 1976 onthield de regering zich een aantal jaren van looningrepen, maar in de periode 1980–1982 werd de collectieve contractsvrijheid opnieuw beperkt en wel op zeer ingrijpende wijze. Deze beperking werd noodzakelijk geacht omdat Nederland in een zware recessie terecht was gekomen (tweede oliecrisis), welke gepaard ging met bedrijfssluitingen en een snel oplopende werkloosheid.

wetswijziging

Om te beginnen werden art. 10 en 11 Wet op de loonvorming zodanig gewijzigd dat de minister van SZW de bevoegdheid kreeg zelfstandig arbeidsvoorwaarden vast te stellen (model Machtigingswet 1974).

Van deze nieuwe bevoegdheid maakte de minister gebruik door uitvaardiging van het Algemeen loonmatigingsbesluit 1980, dat onder meer een verplichte loonsverhoging van *f* 26 per maand voor iedere werk-

87 Crisis op de korrel, onder redactie van H.J. van Braak, Rotterdam 1974; W.J.P.M. Fase, De machtigingswet en de loonvorming, SMA 1975, p. 6.

88 Zie N. van Veen, de Loonmaatregel, een onvermijdelijke stap terug, SMA 1976, p. 176.

89 De vergaande bevoegdheid om een loonsverbetering bindend te kunnen opleggen, werd aan de minister van Sociale Zaken gegeven via een tijdelijke wijziging van de Wet op de loonvorming.

nemer voorschreef.[90] Ook in 1981 en 1982 werd de collectieve onderhandelingsvrijheid door loonmaatregelen beperkt.[91]

Het zag er aanvankelijk naar uit dat de sociale partners in 1983 opnieuw door een loonmaatregel tot matiging zouden worden gedwongen. Het overheidsingrijpen werd ditmaal echter voorkomen door het akkoord dat op 24 november 1982 in de Stichting van de Arbeid tot stand kwam (het Akkoord van Wassenaar). De totstandkoming van het akkoord werd niet alleen bevorderd door de wens om overheidsingrijpen te voorkomen, maar ook door de dreiging van de explosief oplopende werkloosheid. Doel van het akkoord was op vrijwillige basis te komen tot een rendementsherstel van de bedrijven en tot een herverdeling van de beschikbare arbeid.[92]

Akkoord van Wassenaar

In dit akkoord riepen de centrale werkgevers- en werknemersorganisaties de cao-partijen in de bedrijfstakken en ondernemingen op om te bezien of bestaande loonaanspraken zouden kunnen worden aangewend ter verbetering van de rendementspositie van ondernemingen enerzijds (het ging hier dus om een vrijwillige loonmatiging) en een herverdeling van de werkgelegenheid anderzijds. Herverdeling van werkgelegenheid zou in verschillende vormen kunnen geschieden, zoals via arbeidsduurverkorting, deeltijdarbeid, enz. Het beleid ter herverdeling van werkgelegenheid zou zich voorts over meerdere jaren moeten uitstrekken en het zou niet tot een verhoging van de bedrijfskosten mogen leiden.

4.6.4 *De collectieve arbeidsvoorwaardenvorming na 1982*

Het akkoord van 1982 kan worden beschouwd als een keerpunt in ons stelsel van loononderhandelingen, in de eerste plaats omdat overheidsingrepen sedertdien achterwege zijn gebleven en in de tweede plaats omdat het een decentralisatie van het arbeidsvoorwaardenoverleg (nadere invulling van de cao geschiedt meer en meer per onderneming) heeft ingeluid.[93]

wijziging loonwet

De nieuwe maatschappelijke realiteit werd bevestigd door een wijziging van de Wet op de loonvorming in 1987. Volgens art. 10 WL is de minister thans weliswaar bevoegd algemene regelen vast te stellen betreffende lonen en andere arbeidsvoorwaarden, maar deze bevoegdheid komt de

90 Zowel de wijziging van de Wet op de loonvorming als de uitvaardiging van het Algemeen loonmatigingsbesluit 1980 werden voorafgegaan door proteststakingen, vgl. pres. Rb. Amsterdam 10 maart 1980, NJ 1980, 165; Pres. Rb. Rotterdam 20 maart 1980, NJ 1980, 186. Zie ook HR 7 november 1986, NJ 1987, 226, TVVS 1986, 12, p. 309. Over de inhoud van de loonmaatregel zie W.J.P.M. Fase, Ingrijpen in de loonvorming, ESB 1980, p. 240.

91 M.G. Rood, TVVS 1981, p. 16; W.H.J. Reynaerts, SMA 1981, p. 3; H. ter Heide en M.M. Sanderse, Mogelijkheden en onmogelijkheden van de centrale loonvorming, SMA 1981, 2, p. 108.

92 W.J.P.M. Fase, De adem in, SMA 1983, 1, p. 3.

93 A.G. Nagelkerke, Institutioneel balanceren, Decentralisatie in de Nederlandse arbeidsverhoudingen in de jaren tachtig, SMA 1994, 1, p. 20.

minister slechts toe: 'indien naar zijn oordeel een zich plotseling voordoende noodsituatie van de nationale economie, veroorzaakt door een of meer schoksgewijs optredende externe factoren, het nemen van maatregelen ten aanzien van het peil van de loonkosten vereist'.[94] Deze bepaling dringt de bevoegdheid tot ingrijpen in de arbeidsvoorwaardenvorming tot exceptionele situaties terug.

De terughoudendheid van de overheid in de jaren na 1982, alsmede de beperking in de wet van de ministeriële bevoegdheid slechts te mogen ingrijpen bij een door externe factoren veroorzaakte noodsituatie, zijn mede ingegeven door kritiek van de Internationale arbeidsorganisatie te Genève (9.2).

optreden IAO

Reeds in 1976 had de FNV bij de IAO bezwaar gemaakt tegen het feit, dat de Nederlandse regering bij haar periodiek verslag betreffende naleving van de door haar bekrachtigde IAO-Conventie nr. 87 inzake de vakverenigingsvrijheid, geen melding had gemaakt van de door haar in de jaren 1974 en 1976 genomen loonmaatregelen. De FNV achtte deze ingrepen in strijd met de collectieve onderhandelingsvrijheid die door art. 3 van conventie nr. 87 zou zijn gewaarborgd.
Volgens de Commissie van Deskundigen, die dit bezwaar moest onderzoeken (zie 8.2), zijn beperkingen van de collectieve onderhandelingsvrijheid toegestaan, indien de genomen maatregelen:
- uitzonderlijk zijn;
- niet verder gaan dan noodzakelijk zijn;
- een redelijke termijn niet overschrijden en
- gepaard gaan met bescherming van de levensstandaard van de werknemers.

einde overheidsinvloed

In het licht van de oliecrisis van 1973 en het exceptionele karakter van de Nederlandse looningrepen in die periode, meende de Commissie dat aan de vier voorwaarden was voldaan, zodat de klacht van de FNV werd afgewezen. Na de loonmaatregelen van 1980, 1981 en 1982, toen opnieuw klachten van werkgevers- en werknemersorganisaties te Genève werden gedeponeerd, werd de Commissie kritischer. Begin 1984 werd er zelfs een 'direct contact mission' naar Nederland gestuurd om de feiten nader te onderzoeken.[95]
Op basis van dit onderzoek en van de inmiddels door de regering toegezegde wijziging van de Wet op de loonvorming, concludeerde de Commissie dat de situatie voor wat de marktsector betrof thans in overeenstemming leek te zijn met conventie nr. 87.

94 Dit criterium geeft de minister minder mogelijkheden tot ingrijpen dan de oude tekst van art. 10 lid 1.

95 L. Betten, Regering gaat overstag na ILO missie, SMA 1984, 7/8, p. 489. Zie ook A.T.M. Jacobs, Grenzen aan de regelingsmacht der cao-partijen, Praeadvies Nederlandse Vereniging voor Rechtsvergelijking, Deventer 1982, p. 41.

Terzijde kan in dit verband nog worden opgemerkt, dat de Commissie van mening was dat het loonbeleid van de overheid in de gepremieerde en gesubsidieerde sector (1.3.5) wel in strijd was met conventie nr. 87. Voor de g en g sector gold specifieke wetgeving die de minister van SZW een rechtstreekse bevoegdheid gaf ten aanzien van de arbeidsvoorwaarden in deze sector. Deze internationale kritiek heeft ertoe geleid dat deze wetgeving per 1 januari 1995 werd ingetrokken.[96] Daarmee verdween het laatste restje van de geleide loonpolitiek.

overlegeconomie

De loonpolitiek oude stijl is dood, maar de overlegeconomie leeft. Onder overlegeconomie verstaat men het samenspel tussen maatschappelijke organisaties en de overheid dat ten doel heeft gezamelijk richting geven aan het sociaal-economisch beleid. De overlegeconomie wordt met betrekking tot het sociaal-economisch beleid benut als derde coördinatiemiddel, naast de werking van de markt en de autonome regelgeving door de overheid.[97]
De overlegeconomie speelt een belangrijke rol op uiteenlopende gebieden, zoals het onderwijs, de landbouw, zij het thans fors stroever, en de arbeidsverhoudingen. Voor wat dit laatste onderdeel betreft kunnen weer drie kernterreinen worden onderscheiden: arbeidsvoorwaarden, arbeidsmarkt en sociale zekerheid.[98]
Voor wat de arbeidsvoorwaarden betreft voltrekt het overleg op centraal niveau tussen overheid en de sociale partners, alsmede het overleg tussen de sociale partners onderling, zich voornamelijk in het kader van de Stichting van de Arbeid.

akkoorden Stichting van de Arbeid

Na 1982 zijn er binnen de Stichting een aantal akkoorden tot stand gekomen die beogen richting te geven aan de ontwikkeling van het arbeidsvoorwaardenoverleg in de bedrijfstakken. De Sociaal-economische beleidsorientaties 1993 en het akkoord van 4 november 1993, Een Nieuwe Koers, Agenda voor het cao-overleg 1994 zijn daarvan voorbeelden. Beide akkoorden bevatten aanbevelingen van de STAR aan de cao-partijen in de bedrijfstakken en ondernemingen. In beide gevallen ging het voor een belangrijk deel om een herhaling van de boodschap van het Akkoord van Wassenaar: de noodzaak om de concurrentiepositie van het bedrijfsleven te versterken (onder meer door matiging van looneisen) en de noodzaak om de arbeidsparticipatie te bevorderen, in het bijzonder voor wat betreft langdurig werklozen, gedeeltelijk arbeidsongeschikten, allochtonen, vrouwen en ouderen.

96 W.G.M. Plessen, Collectief onderhandelen in de zorgsector, diss. KUB, Deventer 1996, p. 221; dezelfde, Collectief onderhandelen in de zorgsector; geen normale arbeidsverhoudingen, SMA 1997, 3, p. 148 en dezelfde, Post post WAGGS; de G&G sector weer gewoon trendvolger, SMA 1999, 11/12, p. 509 e.v.
97 SER-advies Convergentie en overlegeconomie (92/15), p. 99.
98 Zie over de pogingen van de overheid om de invloed van de sociale partners in het kader van de overlegeconomie te beperken par. 6.2.1 (SER).

Geconstateerd kan worden dat de beide akkoorden tot stand kwamen op initiatief en na voortdurende bemoeienis van de overheid. De overheid heeft weliswaar haar leidende rol in de loonpolitiek moeten opgeven, maar tracht nog dikwijls het bereiken van haar sociaal-economische doeleinden te bevorderen door een zo intensief mogelijke begeleiding van het proces van arbeidsvoorwaardenvorming door de sociale partners. Eind 1993 dreigde de minister van SZW zelfs met een wetsvoorstel dat de lonen voor het jaar 1994 bevroor op het peil van 31 december 1993.[99] Na het tot stand komen van het akkoord in de Stichting van 4 november werd dit plan echter niet meer doorgezet.
In andere Westeuropese landen ontbreekt een dergelijke prominente rol van de overheid bij de collectieve arbeidsvoorwaardenvorming. De Nederlandse uitzonderingssituatie is slechts te begrijpen vanuit de, in de vorige paragrafen beschreven, na-oorlogse traditie van overheidsbemoeienis met de loonvorming. Thans past Nederland beter in het internationale beeld.[100]

decentralisatie

Het Akkoord van Wassenaar heeft niet alleen repercussies gehad ten aanzien van de rol van de overheid, maar heeft ook een stoot gegeven tot een vermindering van de invloed van de centrale organisaties van werkgevers en werknemersorganisaties op de arbeidsvoorwaardenvorming. Uit het akkoord vloeide namelijk voort dat het realiseren van de doelstellingen ervan – loonmatiging en terugdringing van de werkloosheid – werd overgelaten aan het decentrale niveau (bedrijfstakken en ondernemingen).
Het Stichtingsakkoord liet voorts cao-partijen grote vrijheid om het akkoord in concrete afspraken te vertalen. Na 1982 is het akkoord door cao-partijen dan ook op zeer uiteenlopende manieren uitgewerkt. Dikwijls werd de bestaande vorm van prijscompensatie door de werknemers ingeleverd in ruil voor verschillende vormen van arbeidstijdverkorting, zoals verlaging van de vut-leeftijd, de invoering van extra roostervrije dagen, flexibele werktijden, e.d., zulks met het doel voor de vrijgekomen uren nieuwe werknemers aan te trekken.[101]
De uitkomsten van het cao-overleg in deze periode waren voorts zeer gedifferentieerd omdat de bedrijfstak-cao dikwijls veel ruimte liet voor nadere differentiatie per onderneming. Dit laatste was ook begrijpelijk, want de gekozen vorm van arbeidstijdverkorting moet enigermate aan-

99 P.F. van der Heijden, Loonwet 1994: collectieve contractsvrijheid ingevroren, NJB 1993, 32, p. 1133.

100 T. van Peijpe, Het nieuwe gezicht van de loonpolitiek, bijdrage aan Arbeidsrecht en Mensbeeld 1946–1996, Deventer 1996, p. 169. Zie voorts A.H. van Heertum-Lemmen en A.C.J.M. Wilthagen, De doorwerking van aanbevelingen van de Stichting van de Arbeid, Den Haag 1996. Zie ook J.P. van der Tooren, Achter gesloten deuren? Cao-overleg in de jaren negentig, Amsterdam 1996.

101 W.J.P.M. Fase, Arbeidsherverdeling, SMA 1983, 12, p. 719; C. de Galan, Doelstellingen en consequenties van arbeidstijdverkorting, SMA 1984, 1, p. 7.

sluiten bij de ondernemingsorganisatie, zodat de nadere invulling daarvan veelal ook het beste op ondernemingsniveau kan geschieden.[102] De trend van decentralisatie en differentiatie in de arbeidsvoorwaardenvorming heeft zich tot op heden doorgezet.

rol ondernemingsraad

Aangezien de vakbonden, reeds wegens gebrek aan mensen en middelen, de onderhandelingen op ondernemingsniveau onmogelijk allemaal kunnen voeren, heeft deze ontwikkeling onontkoombaar geleid tot een versterking van de positie van de ondernemingsraden. Deze versterking bestaat niet alleen de facto, maar komt ook tot uiting in recente wetgeving die de bevoegdheden van de OR met betrekking tot arbeidsvoorwaarden heeft uitgebreid door het sluiten van ondernemingsovereenkomsten te erkennen (2.2.1 en 5.2).[103]

4.7 Collectieve conflicten

4.7.1 *Algemeen*

soorten conflicten

Collectieve actie kan in verschillende vormen tot uiting komen, zoals een werkstaking, een stiptheidsactie, een bedrijfsbezetting of een uitsluiting. In het navolgende valt het accent op de werkstaking.[104]

Onder een staking wordt verstaan: het collectief neerleggen van het werk door werknemers als drukmiddel om hun werkgever of derden tot een bepaald handelen of nalaten te bewegen en met de bedoeling de werkzaamheden te hervatten zodra de beoogde doeleinden zijn bereikt.
Er zijn verschillende variëteiten van werkstakingen.
In de eerste plaats kan een staking er op gericht zijn de bedrijfsvoering gedurende geruime tijd onmogelijk te maken (klassieke werkstaking). Soms echter wordt zo'n klassieke staking bij wijze van waarschuwing vooraf gegaan door een of meer stakingen van korte duur (prikacties). Ook komt het voor dat nu eens in het ene, dan weer in het andere

102 H.G. de Gier en A.J.C.M. Geers, Arbeidsverhoudingen en kwaliteit in ondernemingen, Alphen aan den Rijn 1994; M.J. Huiskamp, Nieuwe uitdagingen voor de cao, SMA 1998, 11/12, p. 462 e.v.; L. Delsen en J. Visser, Flexibilisering van de arbeid via cao's, SMA 1999, 6, p. 296 e.v.

103 K. Schilstra en E. Smit, Drie scenario's voor de belangenbehartiging van werknemers, SMA 1996, 2, p. 116.

104 M.G. Rood, Naar een stakingswet?, diss. Leiden, Deventer 1978; dezelfde, Staken in Nederland, Schoonhoven 1991; W.J.P.M. Fase, Stakingsrecht in de particuliere sector in Nederland, preadvies voor de Nederlands/Belgische vereniging voor rechtsvergelijking, (Belgisch) Tijdschrift voor sociaal recht, 1982, p. 284; L. Betten, The right to strike in community law, diss. Utrecht, Amsterdam 1985; A.T.J.M. Jacobs, Het recht op collectief onderhandelen, diss. Tilburg, Alphen aan den Rijn 1986, p. 140; L. Tilstra, Grenzen aan het stakingsrecht, diss. RUG, Deventer 1994. L.A.J. Schut, Internationale normen in het Nederlandse stakingsrecht, diss. RUL, Deventer 1996; A.J.C.M. Geers, G.E. van Maanen, Arbeidsconflictenrecht, bijdrage aan Arbeidsovereenkomst (losbladig); Ruth Ben-Israel, International Labour Standards: the case of the freedom to strike, Deventer 1988; R. Blanpain (ed), Strikes and Lock-outs in Industrialized Market Economics, Bulletin of Comparative Labour Relations, Deventer 1994.

bedrijfsonderdeel wordt gestaakt (estafette stakingen). Daarnaast komen domino-(uitbreidende), dambord- (afwisselende) en repeteerstakingen voor.
In de tweede plaats kan een staking al dan niet door een vakbond worden geleid. In het eerste geval spreekt men van een georganiseerde staking, in het tweede geval van een wilde staking.
Tot slot kan de staking naar het beoogde doel worden onderscheiden in erkennings-, arbeidsvoorwaarden-, sympathie-, protest- en politieke staking. De grenzen kunnen echter niet altijd even scherp worden getrokken.

rechtsopvattingen

In de ontwikkeling van het recht van collectieve actie kan een drietal fasen worden onderscheiden.
In de eerste periode, die zich uitstrekt van het begin van de negentiende eeuw tot omstreeks 1969, wordt de staking aanvankelijk (tot 1872) benaderd als een strafrechtelijk fenomeen. Na het verdwijnen van het strafrechtelijk stigma wordt deze benadering vervangen door een civielrechtelijke beoordeling. Uitgangspunt daarbij is dat het deelnemen aan een staking in beginsel moet worden beschouwd als wanprestatie van de betrokken werknemers en het organiseren van een staking als een onrechtmatige daad van de vakbond (4.7.2.).
De tweede fase vangt aan in 1969 met de introductie van een wetsontwerp waarin een poging wordt gedaan de werkstaking wettelijk te regelen. Het is mede onder invloed van dit wetsontwerp dat zich in de rechtspraak een omslag in de beoordeling van de werkstaking aftekent (4.7.3).
De derde fase begint in 1986. Het is in dat jaar dat de Hoge Raad in het NS-arrest aangeeft, dat de beoordeling van een collectieve vakbondsactie moet worden gebaseerd op het Europees Sociaal Handvest. In de desbetreffende par. 4.7.4 wordt dit standaardarrest besproken, terwijl daarin tevens een overzicht wordt gegeven van de beoordeling door de rechter van de individuele aspecten van collectieve actie naar huidig recht.

4.7.2 *Het recht van collectieve actie tot 1969*

strafrechtelijk verbod

De Code Pénal, die in Nederland van 1811 tot de invoering van het Wetboek van Strafrecht in 1886 heeft gegolden, verbood in art. 414–416 een samenspanning van werkgevers om 'tegen regt en billijkheid eene vermindering van het werkloon door te drijven', alsmede iedere samenspanning van werklieden om 'tegelijkertijd het werk te doen ophouden'. Een boete of gevangenisstraf bedreigde de overtreders van deze verboden. Dit zogenaamde coalitieverbod is op werkgevers nooit toegepast. Strafrechtelijke vervolging van arbeiders vond in een twintigtal zaken plaats, meestal in gevallen waarin de staking met bedreigingen en geweld was gepaard gegaan. In 1872 werd

het coalitieverbod afgeschaft. Het strafrechtelijk stakingsverbod werd daardoor opgeheven.
Naar aanleiding van de spoorwegstaking van 1903 werd echter een strafrechtelijk stakingsverbod voor ambtenaren en spoorwegpersoneel ingevoerd (art. 358bis WvS). Het artikel is slechts één maal toegepast;[105] in 1979 is het afgeschaft. Voorts werd in 1903 getracht de bescherming van werkwilligen te waarborgen door de invoering van het huidige art. 426 WvS bis ('het verbod van hinderlijk volgen').[106]

individueel-rechtelijke benadering

Met het verdwijnen van een algemene strafbaarstelling van de werkstaking resteerde de vraag of en in hoeverre er tegen de stakende arbeiders en de betrokken bonden civielrechtelijke sancties konden worden aangewend. Aanvankelijk werd deze vraag niet gesteld, mede omdat vakorganisaties nauwelijks bestonden en stakingen zeldzaam waren. In de twintigste eeuw veranderde dit echter. Sommigen zagen in staking een beëindiging van de arbeidsovereenkomst. Daarom stemden de socialisten in 1907 tegen de Wet op de Arbeidsovereenkomst, omdat de opzegtermijnen de staking belemmerden. Maar al snel kwam als heersende leer de opvatting naar voren, dat het deelnemen aan een staking als wanprestatie van de werknemers, dus werkweigering, jegens hun werkgever moest worden beschouwd. Hun oogmerk was immers niet gericht op beëindiging maar op voortzetting daarvan op andere voorwaarden. Maar als staking wanprestatie is, kon vervolgens de opvatting worden verdedigd, dat een vakbond die de staking steunde, onrechtmatig handelde wegens het uitlokken tot wanprestatie.[107]

Maar hoe dit zij, in de praktijk van de industriële verhoudingen speelden deze juridische overwegingen en de consequenties die daaruit zouden kunnen worden getrokken nauwelijks een rol. Werknemers die aan een staking deelnamen kregen geen loon doorbetaald en liepen de kans op staande voet te worden ontslagen. Zelden werd de burgerlijke rechter in een stakingsconflict betrokken. Soms leidden de onderhandelingen tijdens de staking tot inwilliging van de eisen en werd het loon over de stakingsperiode alsnog uitbetaald; soms moesten de arbeiders het werk hervatten op de oude voorwaarden. In die gevallen waarin de rechter met de staking in aanraking kwam, betrof het gewoonlijk de vraag of een ontslag op staande voet wegens de staking gerechtvaardigd was. Soms was de rechter van oordeel dat deelnemen aan de staking een

sancties op staking

105 Rb. 's-Gravenhage 6 juni 1918, NJ 1918, 876.
106 Vgl. J.H. Monnik, Bescherming van Arbeidswilligen in de Artikelen 284 en 426 bis Wetboek van Strafrecht, diss. V.U. Amsterdam 1907.
107 Sedert het bekende arrest van de HR 31 januari 1919, NJ 1919, 161 kan uitlokken tot wanprestatie onrechtmatig worden geacht, wegens strijd met de 'zorgvuldigheid, welke in het maatschappelijk verkeer betaamt ten aanzien van eens anders persoon of goed'. Zie ook HR 11 november 1937, NJ 1937, 1096 (Kolynos-arrest) voor de onrechtmatigheid van uitlokking van wanprestatie.

dringende reden opleverde, soms ontkende hij dit.[108] Evenmin was het gebruikelijk bonden in kort geding aan te spreken, omdat het organiseren van een staking onrechtmatig zou zijn. Dat laatste had trouwens pas zin na de invoering van de dwangsom in 1932.[109]
Kortom, er werd in de praktijk een zekere stakingsvrijheid van de vakbonden en de betrokken werknemers geaccepteerd. De werkstaking werd ook niet allereerst als een juridisch fenomeen benaderd. Veeleer werd gezocht naar informele oplossingen. De krachtens de Arbeidsgeschillenwet 1923 door de Kroon benoemde onafhankelijke deskundigen, de rijksbemiddelaars, wisten op verzoek van partijen daartoe dikwijls bij te dragen.[110]

In de eerste jaren na de tweede wereldoorlog veranderde er weinig, mede door de vrijwillige medewerking van de vakbeweging aan de geleide loonpolitiek.[111] In het jaar 1958 wijzigde het beeld zich echter. In dat jaar werden door werkgevers(organisaties) nieuwe wegen ingeslagen. Zij hebben toen getracht stakingen te bestrijden door het aanspannen van gerechtelijke procedures en hebben daarbij de steun van de rechter verkregen.

verbod van staking

Het eerste belangrijke vonnis dateert van 27 maart 1958. Op die datum veroordeelde de Amsterdamse President in kort geding, op vordering van een werkgever, een schilder die deelnam aan een wilde staking tot hervatting van zijn werkzaamheden op straffe van verbeurte van een dwangsom van *f* 25 per dag. De President motiveerde zijn vonnis door te stellen dat de arbeidsovereenkomst, zoals iedere overeenkomst, moest worden nagekomen. Het beroep van de arbeider op het stakingsrecht, verwierp de President met de woorden, dat 'een zodanig recht Ons onbekend is'.[112]

Panhonlibco-doctrine

Uit datzelfde jaar dateren de Panhonlibco-procedures, die resulteerden in het arrest van de Hoge Raad van 15 januari 1960.[113] Ditmaal ging het

108 Vgl. Ktg. Rotterdam 21 december 1960, SMA 1961, p. 373.

109 Zie voor een uitzondering Pres. Rb. Amsterdam 4 maart 1935, RBA 1 mei 1935, p. 13: staking niet onrechtmatig geacht.

110 Hoewel deze wet nog niet formeel is afgeschaft, heeft zij sedert 1940 niet meer gefunctioneerd. Zie nader Molenaar, Arbeidsrecht II A, p. 1146.

111 Een van de uitzonderingen betrof de staking georganiseerd door de Algemene Nederlandse Metaalbedrijfsbond bij de machinefabriek Hensen om de instelling van een ondernemingsraad af te dwingen. Dit werd onrechtmatig geacht. Pres. Rb. Rotterdam 24 januari 1955, NJ 1955, 100. Ook in de diamantindustrie was er toen een groot, slepend conflict, dat tot het einde van de diamantbewerkersbond heeft geleid.

112 NJ 1958, 245.

113 NJ 1960, 84. In eerste instantie was de vakbondsactie toelaatbaar geacht door pres. Rb. Rotterdam 28 november 1958, NJ 593, doch verboden door Pres. Rb. Amsterdam 29 november 1958, NJ 1959, 8; het was het eerste vonnis dat uiteindelijk tot de uitspraak in cassatie leidde. Zie ook D. Knijff, Varen onder vreemde vlag, TVVS 1973, p. 302; A. Korthals Altes, bijdrage aan College-cyclus Zeerecht 1984–1985, Uitgave Vakgroep handelsrecht, Rijksuniversiteit Groningen 1985, p. 161; H. Jakhelln, Working conditions and social security on ships under 'flags of convenience', bijdrage aan Veldkamp-bundel.

niet om de rechtspositie van de individuele stakers, maar om de rechtspositie van de bonden, die hun leden hadden opgeroepen om in de periode van 1–4 december 1958 geen laad- en lossingswerkzaamheden te verrichten aan schepen die voeren onder de vlag van Panama, Honduras, Liberia of Costa Rica, zulks omdat de rechtspositie van de schepelingen die onder dergelijke 'goedkope vlaggen' voeren te wensen zou overlaten.
De Hoge Raad achtte de activiteiten van de vakbonden in casu onrechtmatig. Daarbij bevestigde de Hoge Raad de heersende leer door vast te stellen, dat arbeiders die deelnemen aan een staking zich in beginsel schuldig maken aan wanprestatie en dat de vakbond in dat geval onrechtmatig handelt wegens het uitlokken van wanprestatie.
De Hoge Raad liet echter een ontsnappingsmogelijkheid open door te overwegen: 'dat nochtans mogelijk is dat de omstandigheden waaronder zulk een werkweigering plaatsvindt, van dien aard zijn dat naar de heersende rechtsovertuiging in redelijkheid van de werknemers niet kan worden gevergd den arbeid voort te zetten of bepaalde werkzaamheden te verrichten, en in zodanig geval van wanprestatie van de zijde van de werknemers niet kan worden gesproken;...'. Daarmee zou de grond om vakbonden van een onrechtmatige daad te betichten wegens uitlokking van wanprestatie onder omstandigheden kunnen komen te vervallen.

reacties op Panhonlibco

Het arrest van de Hoge Raad is met gemengde gevoelens ontvangen. Van werkgeverszijde werd betoogd, dat de uitspraak voldoende stakingsvrijheid liet en dat het de taak van de rechter was om de richtlijn van de Hoge Raad in geval van toekomstige conflicten te concretiseren.
Van de zijde van de vakbeweging werd daarentegen gesteld dat het arrest principieel onjuist was. De mogelijkheid van een staking werd een noodzakelijke en normale consequentie geacht van een systeem, waarin de arbeidsvoorwaarden voor het overgrote merendeel van de werknemers via vrije collectieve onderhandelingen tot stand plegen te komen. De vakbeweging pleitte met andere woorden voor een collectiefrechtelijke beoordeling van de werkstaking in plaats van een beoordeling vanuit de individuele arbeidsovereenkomst.
Ook de nakomingsactie tegen individuele stakers, versterkt door gijzeling en/of dwangsommen, achtte de vakbeweging onaanvaardbaar. Om al deze redenen werd door de vakbeweging op een wettelijke regeling van de werkstaking aangedrongen.
Na vele discussies en na adviezen van de diverse groeperingen en partijen kwam op 15 maart 1968 een advies van de SER tot stand, dat de grondslag vormde voor een wetsontwerp, houdende Wettelijke bepalingen met betrekking tot de werkstaking (Kamerstuk 10111), dat op 29 april 1969 bij de Tweede Kamer werd ingediend. Het wetsontwerp be-

rustte in hoofdzaak op de door de vakbeweging bepleite collectieve benadering.[114]

4.7.3 *Het recht van collectieve actie van 1969–1986*

poging tot wetgeving

Vooropgesteld moet worden dat het wetsontwerp een beperkte strekking had. Het beoogde niet de werkstaking in zijn algemeenheid te regelen. Het doel was voornamelijk meer ruimte te creëren voor de arbeidsvoorwaardenstaking als pressiemiddel van vakbonden in de collectieve onderhandelingen, teneinde aldus het machtsevenwicht tussen werkgevers(organisaties) en werknemersorganisaties – dat in 1958 verbroken werd – te herstellen. In verband hiermede viel de nadruk op de georganiseerde staking. Hiertot beperkt zich het volgende.

Het wetsontwerp stelde (globaal gezegd), dat een vakvereniging die een staking organiseert niet onrechtmatig handelt, tenzij:

a. de vakvereniging in strijd handelt met de wet of een haar bindende cao;
b. de vakvereniging in strijd handelt met tussen werkgevers(organisaties) en werknemersorganisaties geldende verkeersnormen;
c. een kennelijke onevenredigheid bestaat tussen het doel en de gevolgen van de actie dan wel er kennelijk in strijd met de zorgvuldigheid wordt gehandeld, die bij de toepassing van het stakingsmiddel betaamt.

onrechtmatigheidsgronden

Beperking sub a spreekt voor zichzelf (4.4.1.3). Bepaling sub b wil bevorderen dat de staking slechts als uiterste middel, dat wil zeggen na serieuze onderhandelingen en in het algemeen met inachtneming van een aanzeggingstermijn, zal worden aangewend (formele, procedurele of spelregeltoetsing). Bepaling sub c beoogt door invoeging van het woord 'kennelijk' de toetsing door de rechter te beperken tot gevallen van duidelijk onzorgvuldig handelen (marginale toetsing), teneinde het subjectief element in de rechterlijke beoordeling van het geschil zoveel mogelijk te verkleinen (materiële- of doeltoetsing).[115]

Hoewel het voor het overgrote deel berustte op het SER-advies van 15

114 Tegelijkertijd werd ingediend een wetsontwerp houdende Regelen met betrekking tot commissies van onderzoek inzake werkstaking (Kamerstuk 10110). Dit wetsontwerp diende tot vervanging van de tot dat moment nooit formeel ingetrokken Arbeidsgeschillenwet 1923. Na het advies van de Stichting van de Arbeid van 12 juni 1985 is dit wetsontwerp door de minister ingetrokken. Door de STAR werd een lijst opgesteld met wijze mannen, die op afroep bereid zijn te bemiddelen in arbeidsconflicten. Van deze faciliteit werd soms gebruik gemaakt. Thans is dit relict van nooit gekomen wetgeving vervallen.

115 De voorstellen van het wetsontwerp met betrekking tot de rechtspositie van aan een staking deelnemende arbeiders blijven hier buiten beschouwing.

maart 1968, rees bij het georganiseerde bedrijfsleven na enkele jaren in toenemende mate verzet tegen het wetsontwerp.
Op een hoorzitting op 4 mei 1972 van de Tweede Kamer verklaarde de vakbeweging onder meer dat het wetsontwerp te weinig vrijheid liet voor het organiseren van politieke en proteststakingen, terwijl de rechtspraak inmiddels het stakingsrecht al behoorlijk erkende[116], zodat wettelijke regeling als verstarrend werd ervaren.
Van werkgeverskant werd onder meer gepleit voor: het opnemen van het recht tot uitsluiting; het bevorderen van procedures om een dreigend conflict te bezweren, zoals bemiddeling en arbitrage; het scheppen van de mogelijkheid van een door de rechter op te leggen afkoelingsperiode.
Gezien het gebrek aan draagvlak aan beide zijden is het wetsontwerp op 18 juni 1980 ingetrokken.

rechtspraak en rechtsvorming

Hoewel het wetsontwerp is ingetrokken, is het hier niettemin kort weergegeven. Dit is geschied, omdat in de rechtspraak met betrekking tot de werkstaking na 1969 herhaaldelijk naar het wetsontwerp wordt verwezen en zelfs de inhoud ervan door de rechter werd toegepast bij het beoordelen van de vraag of een door een vakbond georganiseerde staking als onrechtmatig moest worden beschouwd. Tot dat laatste was de rechter in staat, omdat volgens het Panhonlibco-arrest 'de heersende rechtsovertuiging' kan meebrengen, dat het deelnemen aan een staking geen wanprestatie van de arbeider is, c.q. het organiseren van een staking geen onrechtmatige daad van de vakbond. Door nu de lege huls van de ontsnappingsclausule op te vullen met de normen van het wetsontwerp, incorporeerde de rechter deze in het geldend recht. In feite werd zo het uitgangspunt van het Panhonlibco-arrest verlaten en werd het organiseren van een staking in principe door de rechter toegelaten en slechts op grond van bepaalde omstandigheden als onrechtmatige handeling verboden. In de praktijk vond een verbod van een staking overigens zelden plaats op grond van een materiële toetsing; meestal werd een (tijdelijk) verbod gebaseerd op een schending van procedurele regels (spelregeltoetsing).

Van de rechtspraak in de periode 1969–1986 worden hierna enige illustraties gegeven. Enerzijds omdat zij een beeld geven van de wijze waarop de rechter in de loop van ruim vijftien jaren de stakingsvrijheid gestalte heeft gegeven.[117] Anderzijds omdat deze uitspraken zichtbaar

116 Deze verklaring hing samen met de uitspraak Pres. Rb. Utrecht 14 december 1970, NJ 1971, 72, waarbij een protestactie werd verboden en Hof Amsterdam 13 april 1972, NJ 1972, 192, dat tot de eerste uitspraak van de Hoge Raad in 1986 als fundering van het stakingsrecht heeft gediend.
117 R. Hansma, Collectieve actie onder de rechter, Geschrift 60, prof. mr. B.M. Teldersstichting, Den Haag 1986; dezelfde, Advocatenblad 21 november 1986, p. 499.

maken dat de verruimde stakingsvrijheid die zij hebben gebracht door de rechtspraak van de Hoge Raad is gesanctioneerd en op een enkel punt is uitgebreid (4.7.4).

doorbreking cao met staking

Twee zeer duidelijke voorbeelden van de invloed van het wetsontwerp leveren de uitspraken van de Utrechtse President in 1969[118] en het Amsterdamse Hof in 1972.[119] Het eerste geval betrof een erkenningsstaking. Het tweede geval betrof door de Industriebond NVV georganiseerde stakingen, nadat over een nieuwe cao voor de metaalindustrie door de FME en de confessionele bonden overeenstemming was bereikt. In beide gevallen werd – met verwijzing naar het wetsontwerp – een werkstaking in beginsel niet onrechtmatig geacht. In beide gevallen ook, werd aangenomen dat bijkomende omstandigheden een staking onrechtmatig konden maken, doch dat in casu van dergelijke omstandigheden geen sprake was.

nivelleringsacties

Afzonderlijke vermelding verdienen de begin 1973 uitgebroken grote stakingsconflicten bij de Hoogovens en in de metaalindustrie. Deze conflicten[120] ontstonden vooral door de interpretatie die de Industriebonden bij de collectieve onderhandelingen gaven aan de zinsnede in het Centraal Akkoord 1973: 'Het wordt van belang geacht, dat de hoogst gesalarieerden relatief meer tot de matiging bijdragen dan de lagere inkomensgroepen' (4.2.1.3).
De bonden eisten:

a. een loonsverhoging bestaande uit een voor iedereen gelijk bruto bedrag;
b. prijscompensatie met een maximum van *f* 250 per procent prijsstijging (hetgeen impliceerde dat bij voortdurende inflatie een vermindering van de koopkracht dreigde bij jaarinkomens van *f* 25 000 bruto of meer);
c. uitbreiding van de cao tot alle werknemers.

De in verband met deze eisen bij Hoogovens Ijmuiden BV uitgebroken staking werd in kort geding door de rechter verboden. In eerste instantie omdat de groep beter gesalarieerde werknemers waarvan een offer werd verlangd daarover niet was geraadpleegd;[121] in hoger beroep omdat naar de mening van het Hof de mogelijkheden van het overleg nog onvoldoende waren uitgebuit.[122]
Het bovengenoemde arrest van het Amsterdamse Hof van 1973 verbood de staking op grond van procedurele overwegingen; de mogelijkheden

118 Pres. Rb. Utrecht 6 juni 1969, NJ 1969, 301.
119 Hof Amsterdam 13 april 1972, NJ 1972, 192.
120 Een duidelijk overzicht van het verloop van deze conflicten geeft de uitgave van het Verbond van Nederlandse Ondernemingen: Het cao-conflict 1973.
121 Pres. Rb. Haarlem 5 maart 1973, NJ 1973, 120, SMA april 1973, p. 278.
122 Hof Amsterdam 3 mei 1973, NJ 1973, 251.

van overleg waren volgens het Hof nog onvoldoende uitgeput (formele toetsing). Deze overweging sluit aan bij de door het wetsontwerp gestelde eis van zorgvuldig overleg.[123]

De tot dusver gegeven voorbeelden betroffen klassieke arbeidsvoorwaardenstakingen, die gebruikt werden als pressiemiddel bij het collectief overleg en die door het wetsontwerp waren gelegitimeerd als een noodzakelijk voorwaarde voor een wenselijk geacht machtsevenwicht bij collectieve onderhandelingen.

andere dan arbeidsvoorwaardenstakingen

In een enkele uitspraak heeft de rechter echter ook werkstakingen geoorloofd geacht, die zich richtten op doeleinden buiten het collectief overleg; deze vielen niet onder de strekking van het wetsontwerp van 1969. Het ging hier om een nieuwe toepassing van het stakingswapen. Met name betrof het hier korte proteststakingen in 1980 tegen de voorgenomen wijziging van de Wet op de loonvorming 1970, alsmede tegen de voorgenomen invoering van het Algemeen loonmatigingsbesluit 1980 (4.6.4). Beide regeringsmaatregelen raakten de inkomenspositie van de betrokken werknemers. Anderzijds was het voor de werkgevers niet mogelijk aan de bondseisen tegemoet te komen. 'Niet hier maar in Den Haag', konden zij met enig recht aan de bonden tegenwerpen. Dit verweer mocht de werkgevers echter niet baten. In casu werd de actie door de Amsterdamse President niet ongeoorloofd geacht.[124]

blokkade

Zowel een arbeidsvoorwaardenstaking als een proteststaking kan gepaard gaan met 'begeleidende verschijnselen', zoals een poortblokkade of een bedrijfsbezetting. Deze begeleidende verschijnselen behoeven de geoorloofdheid van de werkstaking niet te beïnvloeden. Wel rijst de vraag of de pressiemiddelen op zichzelf toegestaan zijn. Zowel in de hier beschreven periode als daarna lijkt de rechter niet spoedig geneigd te zijn deze vraag bevestigend te beantwoorden.[125]

123 De spelregeltoetsing speelde eveneens een rol in een ander groot na-oorlogs conflict, namelijk het conflict in 1977 over het al dan niet handhaven van cao-clausules, die een volledige automatische prijscompensatie voorschreven; zie J.A.J. Peeters, Hof Amsterdam zet stakingsrecht op dood spoor, SMA 1978, p. 21 en SMA 1979, p. 84.

124 Pres. Rb. Amsterdam 10 maart 1980, NJ 1980, 165; M.G. Rood, Akties en loonpolitiek, SMA 1980, p. 343. Ook deze uitspraak, waarbij het gaat om protestacties tegen voorgenomen overheidsmaatregelen die de arbeidsvoorwaarden van werknemers nadelig (kunnen) beïnvloeden, is in beginsel door de Hoge Raad in het NS-arrest gesanctioneerd.

125 Poortblokkade: Hof 's-Gravenhage 14 november 1980 (TVVS 1980, p. 298); Hof 's-Gravenhage 15 januari 1988, NJ 1989, 672. Zie ook Rb. Amsterdam 5 januari 1983, NJ 1983, 749; Pres. Rb. Den Haag 27 april 1994, JAR 1994, 106; HR 7 november 1986, NJ 1987, 226 in verband met de aansprakelijkheid van de bond voor de door de poortblokkade, c.q. belemmering, veroorzaakte schade; TVVS 1986, p. 309.
Bedrijfsbezetting: HR 19 april 1991, NJ 1991, 690, Arbeidsrechtspraak nr. 67 (Elka-zaak). Zie hierover A.G. Maris, Een vèrgaande bedrijfsbezetting, SMA 1991, 10, p. 565; A.M. Luttmer-Kat, De Hoge Raad en de bedrijfsbezetting: Het Elka-arrest, NJB 1991, 41, p. 1649; L. Betten, Hoge Raad worstelt verder met Europees Sociaal Handvest, SR 1991, 7/8, p. 200. Zie ook Rb Utrecht 28 april 1992, JAR 1992, 49.

4.7.4 *Het recht van collectieve actie en het Europees Sociaal Handvest*[126]

4.7.4.1 *De rechtspositie van een vakorganisatie die een collectieve actie organiseert*

Nu pogingen om het stakingsrecht wettelijk te regelen door het ontbreken van voldoende maatschappelijk draagvlak sneuvelden, bleef voor de verankering ervan in de Nederlandse rechtsorde nog één weg over: het Europees Sociaal Handvest (ESH). Het ESH werd door Nederland op 22 april 1980 bekrachtigd en is een maand later in werking getreden (9.3). In het kader van het arbeidsconflictenrecht is met name art. 6 van belang. Dit artikel luidt:

ratificatie ESH

Recht op collectief onderhandelen

Teneinde de onbelemmerde uitoefening van het recht op collectief onderhandelen te waarborgen verbinden de Overeenkomstsluitende Partijen zich:

1. paritair overleg tussen werknemers en werkgevers te bevorderen;
2. indien nodig en nuttig de totstandkoming van een procedure te bevorderen voor vrijwillige onderhandelingen tussen werkgevers of organisaties van werkgevers en organisaties van werknemers, met het oog op de bepaling van beloning en arbeidsvoorwaarden door middel van collectieve arbeidsovereenkomsten;
3. de instelling en toepassing van een doelmatige procedure voor bemiddeling en vrijwillige arbitrage inzake de beslechting van arbeidsgeschillen te bevorderen;
   en erkennen:
4. het recht van werknemers en werkgevers op collectief optreden in gevallen van belangengeschillen, met inbegrip van het stakingsrecht, behoudens verplichtingen uit hoofde van reeds eerder gesloten collectieve arbeidsovereenkomsten.[127]

beperkingen ESH

Voorts dient in dit verband art. 31 ESH te worden genoemd. Uit dit artikel blijkt dat art. 6 lid 4 ESH generlei beperkingen kan ondergaan,

126 L. Tilstra, Grenzen aan het stakingsrecht, Het Nederlandse rechtsoordeel over collectieve actie van werknemers getoetst aan het Europees Sociaal Handvest, diss. RUG, Deventer 1994; L.A.J. Schut, Internationale normen in het Nederlandse stakingsrecht, diss. RUL, Deventer 1996; dezelfde, Is het collectief conflictenrecht klaar voor de volgende eeuw?, bijdrage aan Arbeidsrecht en Mensbeeld 1946–1996, Deventer 1996, p. 209.

127 Bij de bekrachtiging van het ESH heeft de Nederlandse regering voor wat art. 6 betreft een voorbehoud gemaakt t.a.v. de 'in overheidsdienst zijnde werknemers'. Dat heeft niet veel geholpen, want de Nederlandse rechter kent de ambtenaren een ruime stakingsvrijheid toe. T. van Peijpe en J. Riphagen, Schets van het Nederlands ambtenarenrecht, Deventer 1994, p. 186.

'met uitzondering van die welke bij de wet[128] zijn voorgeschreven en in een democratische samenleving noodzakelijk zijn voor de bescherming van de rechten en vrijheden van anderen en voor de bescherming van de openbare orde, de nationale veiligheid, de volksgezondheid of de goede zeden'.

Het grote belang van art. 6 lid 4 ESH (en art. 31 ESH), voor wat betreft de beoordeling van collectieve arbeidsconflicten kwam duidelijk naar voren in het in 1986 door de Hoge Raad gewezen NS-arrest.[129]

NS-arrest

De uitspraak betrof collectieve acties van personeel van de NV Nederlandse Spoorwegen in de periode van 17 oktober 1983–5 december 1983. De acties werden georganiseerd door drie Vervoersbonden gezamenlijk. De acties werden in verschillende vormen gevoerd: stiptheidsacties en/of langzaam aan acties en korte werkonderbrekingen in deelgebieden (zogenaamde estafettestakingen).

De acties waren bedoeld als een protest tegen het voornemen van de minister van SZW om in te grijpen in de arbeidsvoorwaarden van het NS-personeel (welke arbeidsvoorwaarden in een cao plegen te worden vastgelegd) door met ingang van 1 januari 1984 onder meer een loonkorting op te leggen van 3%. Het NS-personeel viel destijds onder de Tijdelijke wet arbeidsvoorwaarden collectieve sector en krachtens deze wet was de minister bevoegd de gewraakte maatregelen te nemen.

Tegen deze bondsacties spande de NS een kort geding aan met als inzet de vraag of deze collectieve acties van de bonden jegens NS onrechtmatig waren. Deze vraag werd door de President en het Hof ontkennend beantwoord. Aldus kwam de zaak voor de Hoge Raad, die daardoor – voor het eerst na het Panhonlibco-arrest (4.7.1) – de gelegenheid kreeg om zich uit te spreken over de rechtspositie van een vakbond die een collectieve actie organiseert.

standaard-arrest

De Hoge Raad verwierp het beroep van NS. Voorts heeft de Hoge Raad een uitvoerig gebruik gemaakt van de mogelijkheid om de rechtspositie

128 Volgens HR 22 november 1991, NJ 1992, 508, m.n. PAS (Verpleegkundigen-arrest) mogen beperkingen ex art. 31 ESH niet alleen door de wetgever worden vastgesteld, maar ook door de rechtspraak, mits deze beperkingen met voldoende scherpte kunnen worden afgeleid uit de eisen van de zorgvuldigheid die gelden krachtens art. 6:162 BW (art. 1401 BW oud). Zie voor een recent voorbeeld HR 21 maart 1997, NJ 1997, 437, JAR 1997, 70, Arbeidsrechtspraak, nr. 77.

129 HR 30 mei 1986, NJ 1986, 688, NJCM-bulletin, nr. 7, 1986, p. 621, Arbeidsrechtspraak nr. 75. R.A.A. Duk, Stakingsdoeleinden, bijdrage aan Maris-bundel, Deventer 1989; A.M. Luttmer-Kat, Zijn collectieve acties tegen ontslagmaatregelen rechtens toegestaan?, SMA 1989, 6, p. 333; dezelfde, Misbruiktoetsing van collectieve werknemersacties in de civiele sector, SMA 1989, 11, p. 647; dezelfde, Ondernemersbesluiten onder actievuur, oratie RUG, Deventer 1990; L.A.J. Schut, Collectief actierecht tegenover rechten van derden, NJB 1988, 41, p. 1473; dezelfde, Het recht van werknemers op collectief optreden, met inbegrip van het stakingsrecht, SMA 1990, 10, p. 577; R. Hansma, NJB 1989, 16, p. 528; dezelfde, Het Europese systeem van het Nederlands actierecht, bijdrage aan De Bankier als jurist tegen wil en dank, Deventer 1991; J.J.M. de Laat en A.C.M. van Lierop, Spelregels en spelbrekers in het collectieve actierecht, SR 1990, 3, p. 76.

van vakbonden bij collectieve conflicten opnieuw te omlijnen; het arrest is breed opgezet en uitvoerig gemotiveerd. Hieronder volgt een korte samenvatting van de belangrijkste door de Hoge Raad besliste geschilpunten. Gezien de complexiteit van de uitspraak is een zekere stilering van de weergave onvermijdelijk.

rechtstreekse werking ESH

De Hoge Raad stelde in de eerste plaats vast dat art. 6 lid 4 ESH rechtstreekse werking heeft. Dat wil zeggen dat art. 6 lid 4 behoort tot de voorschriften die ex art. 93 Grondwet een ieder binden, zulks in tegenstelling tot de meeste andere bepalingen van het ESH, die slechts een verplichting op de lid-staten leggen om deze bepalingen te realiseren (9.3); dergelijke verdragsbepalingen hebben voorrang boven in Nederland geldende wettelijke voorschriften (art. 94 Gr.w.). De rechtstreekse werking van art. 6 lid 4 ESH was totdan omstreden. Deze beslissing betekent dat de vraag of vakbonden door het organiseren van een collectieve actie al dan niet onrechtmatig handelen in de zin van art. 6:162 BW (art. 1401 BW oud), thans rechtstreeks wordt getoetst aan de norm van art. 6 lid 4 ESH en de daarop door art. 31 ESH mogelijk gemaakte uitzonderingen.

gelijkstelling met normale staking

In de tweede plaats is het volgens de Hoge Raad aannemelijk dat men bij het redigeren van art. 6 lid 4 ESH (en art. 31 ESH) is uitgegaan van de algehele zich tegen de werkgever richtende werkstaking. Het uitroepen van een dergelijke klassieke werkstaking is volgens de Hoge Raad niet onrechtmatig, tenzij – misbruik van het stakingswapen daargelaten – de vakbond zwaarwichtige procedureregels heeft veronachtzaamd, of heeft gehandeld in strijd met art. 31 ESH.
De acties bij de NS verschilden echter van deze normale staking omdat zij zich niet tegen de werkgever richtten, maar tegen voorgenomen maatregelen van de overheid. Daardoor rees de vraag of dergelijke acties eveneens onder de werking van art. 6 lid 4 ESH vielen, danwel daarvan waren uitgesloten omdat zij wegens hun doelstelling als 'politieke stakingen' moesten worden beschouwd.
De Hoge Raad was van mening dat de onderhavige acties door art. 6 lid 4 ESH werden gedekt en wel omdat zij zich richtten 'tegen overheidsbeleid op het stuk van de arbeidsvoorwaarden die het onderwerp plegen of behoren te zijn van collectief onderhandelen'. Uit de aanhef van art. 6 ESH blijkt immers dat art. 6 lid 4 strekt tot waarborg van de onbelemmerde uitoefening van het 'recht op collectief onderhandelen.[130]

De Hoge Raad merkte voorts op dat de collectieve acties zich *richtten* tegen de overheid, doch zich tevens *keerden* tegen de werkgever. Zij richtten zich tegen de overheid in de zin dat zij ten doel hadden regering en

130 Wellicht behoudt het Panholibco-arrest voor 'echte' politieke stakingen zijn betekenis.

parlement onder druk te zetten teneinde de voorgenomen loonkorting te verhinderen. Zij keerden zich tegen de werkgever in de zin dat hem een niet onaanzienlijke schade werd toegebracht.
In verband met dit onderscheid constateert de Hoge Raad dat de werkgever hier – anders dan in geval van een werkstaking van het normale type – niet bij machte is (verdere) schade te voorkomen door de eisen van de werknemers in te willigen, terwijl de ander (de overheid) die dat wel kan die schade niet lijdt.
In zo'n geval brengt volgens de Hoge Raad een redelijke uitleg mede de werkgever te beschouwen als 'derde' in de zin van art. 31 ESH. Dit betekent dat de rechten van de werkgever – onder omstandigheden – een beperking in de uitoefening van het stakingsrecht kunnen rechtvaardigen; dergelijke acties kunnen dus eerder door de rechter worden verboden dan een normale, tegen de werkgever zelf gerichte staking.[131]

derde in de zin van art. 31 ESH

De Hoge Raad werkte dit laatste punt niet uit en behoefde dit ook niet te doen omdat hij vervolgens de NS-acties volledig met de normale werkstaking gelijk stelde. Dat gebeurde omdat de salarissen van het spoorwegpersoneel geheel of in belangrijke mate ten laste kwamen van de overheid. Formeel was de NS de werkgever, materieel was dat de overheid. In feite ging het hier volgens de Hoge Raad dus om een arbeidsvoorwaardenstaking gericht tegen de wezenlijke (materiële) werkgever, vandaar de gelijkstelling.

geen klassieke staking

De collectieve acties bij NS verschilden van de klassieke werkstaking niet alleen qua doelwit, maar ook qua vorm. Hier was immers geen sprake van een algehele neerlegging van het werk, maar van stiptheidsacties en estafette-stakingen.
Bij stiptheidsacties worden de geldende voorschriften strikt nageleefd. Bij het NS-conflict werd bijvoorbeeld geweigerd het vertreksein te geven

131 Met betrekking tot protestacties tegen kabinetsplannen betreffende verslechteringen van de Ziektewet en de Wet op de arbeidsongeschiktheidsverzekering werd door HR 11 november 1994, NJ 1995, 152, m.n. PAS, JAR 1994, 268, TVVS 1995, 1, p. 20, m.n. MGR, Arbeidsrechtspraak nr. 76 (Rotterdamse Haven) vastgesteld, dat het enkele feit dat door werkgevers, die in casu beschouwd moeten worden als derden in de zin van art. 31 ESH, substantiële schade wordt geleden, geen beperkingen van het stakingsrecht rechtvaardigt. Dit is slechts anders indien, de schade een zodanige omvang bereikt, dat hetzij sommige ondernemingen onevenredig zwaar worden getroffen, hetzij de gehele haven of de gehele Nederlandse economie treft. In dat geval moeten werkgevers een onmiddellijk en concreet gevaar voor een specifieke aanzienlijke schade kunnen aantonen om een beperking ex. art. 31 ESH te kunnen rechtvaardigen. Vgl. A.G. Maris, Stakingen tegen de overheid, Deventer 1996. De belangen van derden kwamen voorts aan de orde in HR 22 november 1991, NJ 1992, 508, m.n. PAS (Verpleegkundigen-arrest). In casu werden de door de rechter ex art. 31 ESH in verband met de belangen van patiënten aangebrachte beperkingen op de acties in de gezondheidszorg door de Hoge Raad geoorloofd geacht. Zie ook HR 21 maart 1997, NJ 1997, 437 (verbod staking streekvervoer tijdens spitsuren). Hier overwoog de Hoge Raad, dat als staking tegenover derden op grond van art. 31 ESH onrechtmatig is, zij dat tevens tegenover de werkgever is. Schade, die aan anderen toegebracht wordt kan dus eveneens de staking tegenover de werkgever onrechtmatig maken. Zie over collectieve actie in de g en g sector W.G.M. Plessen, Collectief onderhandelen in de zorgsector, diss. KUB, Deventer 1996, p. 50.

omdat de voorgeschreven verbandkisten onvolledig waren, de voorgeschreven keuringsdatum van brandblussers was verlopen, of de watervoorraad van de wc's onvoldoende zou zijn. Bij de estafettestakingen ging het om onverwachte werkonderbrekingen van korte duur op wisselende plaatsen. Stiptheidsactie en estafette-stakingen tezamen leidden tot een totale ontwrichting van het NS-bedrijf.

Volgens de NS maakte dit aspect de vakbondsactie onrechtmatig. Bij stiptheidsacties moet het loon gewoon worden doorbetaald, want er wordt niet gestaakt, aldus de NS, terwijl voorts slechts de deelnemers aan de estafette-staking loon verbeuren voor de korte tijd dat zij niet werken. Hierdoor kon de actie van werknemerszijde, anders dan bij de klassieke staking, met geringe kosten worden gevoerd, terwijl het bedrijf grote schade leed. Het machtsevenwicht bij collectieve onderhandelingen zou aldus op onaanvaardbare wijze worden verstoord.

ruim bereik art. 6 ESH

Het NS-standpunt vond steun in de literatuur.[132] Het werd niettemin door de Hoge Raad verworpen. Volgens de Hoge Raad vallen in beginsel ook stiptheidsacties en estafette-stakingen onder de bescherming van art. 6 lid 4 ESH. Dit behoeft echter niet tot een onaanvaardbare verstoring van het machtsevenwicht te leiden, zoals de NS had gesteld, want volgens de Hoge Raad kan een 'redelijke wetstoepassing' ertoe leiden dat de werkgever in die gevallen tegenover het *gehele* personeel (dus actievoerders *en* werkwilligen) wordt ontheven van zijn verplichting om het loon volledig door te betalen.[133]

loonbetaling bij staking

Deze laatste beslissing vormt binnen het arrest een onduidelijk moment. Niet duidelijk is hoe deze beslissing juridisch is gefundeerd, wat de consequenties ervan zullen zijn en op welke wijze zij in de praktijk kan worden toegepast.[134] Afgewacht moet worden hoe de rechtspraak hieraan nader inhoud zal geven.[135]

132 In het verleden werden dergelijke acties door de schaarse rechtspraak gewoonlijk als onrechtmatig beschouwd (Hof Amsterdam 9 februari 1967, NJ 1967, 437). Zie voorts W.J. Slagter, De recente stakings- en stiptheidsacties, TVVS 1984, 2, p. 33; K. Groen; Deelneming aan stiptheidsacties en doorbetaling van loon, bijdrage aan de Frenkel-bundel, Deventer 1986, p. 289. Anders W.J.P.M. Fase, Vijfendertig jaar loonbeleid, Alphen aan den Rijn, 1980, p. 213 en ook Kr. Rotterdam 29 juni 1978, NJ 1978, 683.

133 De Hoge Raad voegt hieraan nog toe, dat indien een werkgever, 'reeds om netelige procedures te voorkomen betreffende de vraag naar welke maatstaf het loon moet worden gekort', er de voorkeur aan geeft het loon normaal door te betalen, dit een reden zal zijn dergelijke acties eerder onrechtmatig te achten dan een normale werkstaking.

134 M.G. Rood, NJB 1987, 10, p. 305.

135 Voor wat betreft de lagere rechtspraak na het NS-arrest wordt verwezen naar Pres. Rb. Utrecht 5 april 1992, JAR 1992, 20; Pres. Rb. Amsterdam 27 juli 1992, JAR 1992, 84; Pres. Rb. Leeuwarden 19 juni 1993, JAR 1993, 155; Pres. Rb. Zwolle 18 januari 1995, JAR 1995, 32; Pres. Rb. Utrecht 24 januari 1995, JAR 1995, 33; In deze laatste uitspraak achtte het Hof een gedeeltelijk verbod van de staking in het streekvervoer op grond van art. 31 ESH geoorloofd. Het arrest is bevestigd door HR 21 maart 1997, NJ 1997, 437, JAR 1997, 70, Arbeidsrechtspraak, nr. 77. Hierover K. Boonstra, Staken, de Bond tegen de rest van Nederland, ArbeidsRecht 1997, 36.

Bij art. 6 ESH kunnen nog drie kanttekeningen worden gemaakt. Allereerst stelt de Hoge Raad in het NS-arrest dat de collectieve actie onrechtmatig is, indien door de vakbond 'zwaarwegende procedurenormen' zijn veronachtzaamd. Kennelijk refereert de Hoge Raad hiermede aan de hiervoor beschreven spelregeltoetsing (4.7.3). De opbouw van art. 6 ESH – overleg, onderhandelen, bemiddeling, collectieve actie – is echter zodanig dat hieruit kan worden afgeleid, dat een vakbond in ieder geval een serieuze poging tot collectief onderhandelen moet hebben gedaan alvorens een staking uit te roepen.[136] Staking moet uiterste middel zijn. In dat voorstadium komt de bond geen beroep op art. 6 ESH toe om haar recht op collectieve actie te funderen. Daarnaast kan worden opgemerkt dat het Comité van deskundigen (zie 8.3) het opleggen van een afkoelingsperiode niet in strijd met art. 6 lid 4 heeft geacht.[137]

procedurenormen

In de tweede plaats moet worden benadrukt dat het Handvest de stakingsvrijheid van *werknemers* erkent. Het Handvest maakt dus geen onderscheid tussen georganiseerde en ongeorganiseerde (wilde) stakingen. Ook in Nederland bestaat ten aanzien van wilde stakingen echter een ruime stakingsvrijheid. De rechtsmiddelen die tegen deelnemers aan een wilde staking kunnen worden aangevoerd zijn uiterst beperkt: de stakers krijgen geen loon of een werkloosheidsuitkering, maar een nakomingsactie met dwangsom en gijzeling is niet mogelijk en het is dubieus in hoeverre disciplinaire maatregelen mogelijk zijn.

geen exclusief vakbondsrecht

Tot slot als derde kanttekening: art. 6 lid 4 erkent ook het recht van *werkgevers* op collectief optreden in gevallen van belangengeschillen. Hierbij valt met name te denken aan de uitsluiting..
Uitsluiting is het opzettelijk niet verschaffen van wel aanwezig werk en het onthouden van loon aan werknemers teneinde hen tot een bepaald

uitsluiting

136 Hiertoe zie men HR 28 januari 2000, JAR, 2000, 63, Arbeidsrechtspraak nr. 78 (Douwe Egberts/Bondgenoten FNV-CNV bedrijvenbond). In dit arrest oordeelt de Hoge Raad, dat een staking onrechtmatig is, indien zwaarwegende procedureregels (spelregels) zijn veronachtzaamd dan wel met inachtneming van de door art. 31 ESH gestelde beperkingen de bonden in redelijkheid niet de actie hadden kunnen komen. De beperkingen van art. 31 spelen in het geval van een door art. 6 lid 4 gedekte staking dus pas een rol, indien vorenbedoelde procedureregels zijn in acht genomen. Tot die procedureregels behoort ook, dat niet op andere wijze het recht op collectief onderhandelen tot gelding kan worden gebracht. Anders gezegd, een staking kan slechts rechtmatig zijn als zij als uiterste middel is toegepast. De vraag of in een concreet geval de staking anders dan als uiterste middel is gehanteerd dient door de rechter met terughoudendheid te worden beantwoord, aldus de Hoge Raad. In dit geval werd door de lagere rechters de staking als volstrekt voorbarig en prematuur geoordeeld (zie Pres. Rb. Utrecht 10 november 1997, JAR 1997, 258 en Hof Amsterdam 26 februari 1998, JAR 1998, 69).

137 A.G. Maris, Quid Juris, Deventer 1977, p. 45; dezelfde, Stakingsrecht en belangengeschillen in het ESH, SMA 1983, 5, p. 288; De spelregeltoetsing wordt verworpen door C.J.H. Brunner, Het rechterlijk verbod van stakingen, bijdrage aan Bakels-bundel, p. 33; voor een marginale toetsing opteert A.M. Luttmer-Kat, De toetsing van collectieve acties aan procedureregels, SMA 1990, 2, p. 77.

handelen of nalaten te bewegen en met het doel deze werknemers weer te werk te stellen en het loon uit te betalen zodra de beoogde doeleinden zijn bereikt.
Men pleegt te onderscheiden tussen een offensieve en een defensieve uitsluiting. Van offensieve uitsluiting wordt gesproken, indien de uitsluiting wordt toegepast zonder dat van werknemerszijde collectieve actie is ondernomen. Defensieve uitsluiting is een antwoord op een door werknemers gevoerde collectieve actie, bijvoorbeeld een beperkte staking waardoor niettemin grote delen van de onderneming worden stil gelegd (speerpuntactie); uitsluiting treft in dit geval werknemers die niet aan de staking deelnemen (werkwilligen) maar wel zouden kunnen werken.
Een juridische erkenning van de uitsluiting maakt deze het spiegelbeeld van de werkstaking: een uitsluiting ontheft de werkgever van zijn verplichting het loon te betalen, zoals een staking werknemers ontheft van hun verplichting om te werken. Een uitsluiting treft niet alleen de betrokken werknemers maar ook hun bonden, daar de uitgesloten werknemers veelal ten laste van de stakingskassen zullen komen waardoor deze eerder uitgeput zullen raken.
De uitsluiting is, evenals de werkstaking, in Nederland niet wettelijk geregeld. Wel treft men hierover soms bepalingen aan in een collectieve arbeidsovereenkomst.[138] Ook wettelijke bepalingen, die het recht op uitkering aan werknemers ontzeggen (o.a. de WW) noemen uitsluiting als grond.
De uitsluiting pleegt in de Nederlandse arbeidsverhoudingen geen toepassing te vinden, zulks in tegenstelling tot sommige andere West-Europese landen.[139] Of hierin verandering komt, moet worden afgewacht; een dergelijke verandering lijkt echter weinig waarschijnlijk.[140]

4.7.4.2 *De rechtspositie van werknemers die aan een collectieve actie deelnemen*

de staker zonder loon

Een werknemer die deelneemt aan een staking heeft geen recht op doorbetaling van loon (art. 7:627 BW).[141] Evenmin heeft hij aanspraak op een werkloosheidsuitkering.[142] Voor het overige lijken de sanctiemogelijkheden beperkt.
Werkhervatting onder bepaling van dwangsom of gijzeling kan niet worden gevorderd (art. 7:659 lid 2).
Uit een arrest van de Hoge Raad uit 1988 blijkt voorts dat ook voor het

138 M.M. Olbers, Vredesplicht- en openbreekclausules, SMA 1982, 1, p. 9.
139 R. Blanpain (ed.), Strikes and Lock-outs in Industrialized Market Economies, Bulletin of Comparative Labour Relations, Deventer 1994.
140 H.L. Bakels, De uitsluiting en het collectief overleg over arbeidsvoorwaarden, bijdrage aan Samenleven en Samenwerken, Deventer 1983, p. 23; A.G. Maris, Offensieve uitsluiting, SMA 1983, 12, p. 726; L.A.J. Schut, diss. RUL 1996, t.a.p., p. 125.
141 HR 16 november 1992, NJ 1993, 24, JAR 1992, 11, 132.
142 F.M. Noordam, Inleiding Sociale-zekerheidsrecht, Deventer 1996, p. 178.

disciplinaire bestraffing

opleggen van disciplinaire maatregelen nauwelijks ruimte blijft.[143] Het geval betrof een in december 1985 door de Vervoersbond FNV georganiseerde staking in het beroepsgoederenvervoer; de staking ging op bepaalde knooppunten gepaard met blokkades op de rijbaan voor vrachtauto's. Twee vrachtautochauffeurs die aan een blokkade hadden deelgenomen, werden daarvoor door hun werkgever disciplinair gestraft. Zij werden onder meer gedegradeerd tot 'reservechauffeur', hetgeen tot inkomensverlies leidde.
De beide chauffeurs vorderden daarop in kort geding opheffing van de disciplinaire maatregelen. Deze vordering werd door de president afgewezen, maar door het Hof toegewezen. De Hoge Raad volgde het Hof. Uit het arrest blijkt dat werknemers die deelnemen aan een collectieve actie op gezag van een vakbond, niet disciplinair gestraft mogen worden voor hun binnen het actieparool gebleven gedragingen. Dit is slechts anders indien de actie door de (kort geding)rechter is verboden, of indien het de deelnemers zonder meer duidelijk moet zijn geweest dat de actie de grenzen van het geoorloofde overschreed (hetgeen slechts bij hoge uitzondering mag worden aangenomen).

4.7.4.3 *De rechtspositie van werkwilligen tijdens een collectieve actie*

werkwillige

Tot slot verdient aandacht de vraag in hoeverre een werkgever verplicht is het loon door te betalen aan een werknemer die bereid is de bedongen arbeid te verrichten, doch die hiertoe niet in staat is wegens een in de onderneming uitgebroken staking.
In het verleden werd aangenomen dat deze verhindering van de arbeidsprestatie voor risico van de werknemer kwam, zodat hij krachtens art. 7:627 en 7:628 BW geen recht had op doorbetaling van zijn loon.[144]
In 1972 heeft de Hoge Raad echter aanvaard dat in de aldaar gegeven omstandigheden – het betrof een wilde staking van korte duur – het niet kunnen werken van de werknemer meer in de risicosfeer van de werkgever lag, dan in die van de werknemer.[145] Dienovereenkomstig was de werkgever ex art. 7:628 BW verplicht aan de werkwilligen het loon over de niet gewerkte dagen door te betalen.
In een derde zeer uitvoerig gemotiveerd arrest,[146] heeft de Hoge Raad

143 HR 22 april 1988, NJ 1989, 952. Hierover R.A.A. Duk, Wie staakt wordt niet gestraft, SMA 1988, 7/8, p. 535; A.T.J.M. Jacobs, De rechtspositie van de stakende werknemers, WPNR 1989, p. 21.
144 Hof Amsterdam 23 januari 1947, NJ 1947, 725.
145 HR 10 november 1972, NJ 1973, 60; HR 21 december 1973, NJ 1974, 142.
146 HR 7 mei 1976, NJ 1977, 55, Arbeidsrechtspraak nr. 11 (Wielemaker/De Schelde). Zie over dit en de beide voorgaande arresten de annotatie van W.C.L. van der Grinten in AA 1977, p. 123, alsmede het vervolg op dit arrest HR 25 januari 1980, NJ 1980, 282, AA 1980, 9, p. 578, m.n. Van der Grinten, SMA 1980, 5, p. 397, m.n. MGR. Zie ook HR 28 oktober 1983, NJ 1984, 168; R.A.A. Duk, bijdrage aan Het collectief arbeidsrecht nader beschouwd, Deventer 1984, p. 95; A.Ph. Jaspers en T. van Peijpe, Werkwilligen en stakingsrecht, SMA 1983, 1, p. 18; J.A. Bijker, Groepsaansprakelijkheid en staking, SMA 1989, 2, p. 71.

de beide voorgaande arresten echter aanzienlijk genuanceerd. Globaal gezegd stelt de Hoge Raad tegenover elkaar: georganiseerde arbeidsvoorwaardenacties en wilde protestacties van korte duur waaraan slechts door een klein aantal werknemers wordt deelgenomen.
De eerste soort ligt in het algemeen meer in de risicosfeer van de werknemers, zodat werkwilligen die door de actie niet kunnen werken geen recht hebben op doorbetaling van loon.[147]

buitenstaander

Bij de tweede soort ligt het juist andersom. In dat geval hebben de werkwilligen in beginsel wel recht op doorbetaling van loon, tenminste voor zover zij kunnen aantonen dat zij niet alleen werkwillig zijn, maar ook dat zij ten aanzien van de groep waarvan de actie uitgaat als 'buitenstaanders' zijn te beschouwen.
Deze uitspraak van de Hoge Raad betekent een breuk met het verleden toen werkgevers nimmer geacht werden het loon door te betalen aan werkwilligen die door een staking verhinderd waren om te werken. Gezien de beperkte omstandigheden waaronder de Hoge Raad thans een doorbetalingsverplichting aanneemt – het moet gaan om een wilde protestactie van korte duur waaraan slechts door een beperkt aantal werknemers wordt deelgenomen – lijkt deze verschuiving van het risico naar de zijde van de werkgever echter betrekkelijk gering. Wel is het zo dat de uitspraak onzekerheid schept, aangezien het niet altijd even duidelijk is of een staking onder het ene danwel het andere prototype valt; allerlei overgangsvormen zijn denkbaar die van geval tot geval moeten worden beoordeeld.[148]

4.7.5 *Slotopmerkingen*

De wijze waarop de rechtspraak aan het stakingsrecht vorm heeft gegeven, maakt dat er op dit punt geen behoefte (meer) bestaat aan een min of meer uitvoerige wettelijke regeling. Dat blijkt ook uit een advies dat de STAR op 12 juni 1985 heeft uitgebracht aan de minister van SZW.

stakingscode

Over de vraag of er een stakingscode moest worden opgesteld over gedrags- en procedureregels en wat daar in zou moeten staan, kon de Stichting het niet eens worden. Alles te samen genomen achtte de Stichting een stakingscode niet noodzakelijk.[149]

147 Wanneer een werknemer in verband met een staking geen recht heeft op doorbetaling van loon, heeft hij in beginsel evenmin een aanspraak op een werkloosheidsuitkering (zie art. 19, lid 1, onder l, WW).

148 HR 17 december 1978, NJ 1979, 184.

149 Zie nader M.G. Rood, TVVS 1985, 8, p. 201; R.A.A. Duk, SMA 1985, 9, p. 567. Zie voorts over mogelijke toekomstige ontwikkelingen A.T.J.M. Jacobs, Onderzoek, verzoening, bemiddeling en arbitrage in arbeidsconflicten, bijdrage aan Frenkel-bundel, Deventer 1986, p. 268; dezelfde, Post-industrieel stakingsrecht, SMA 1991, 11, p. 665; C.J. Loonstra, Final-offer arbitrage bij collectieve arbeidsconflicten: een redelijk alternatief?, SMA 1986, 10, p. 650; dezelfde. Derden-interventie bij cao conflicten, diss. RUU, Groningen 1987, dezelfde, Teurgkeer naar de Arbeidsgeschillenwet?, SMA 1988, 12, p. 833; W. van Voorden, verplichte bemiddeling →

Hierbij kan worden aangetekend dat het aantal door staking verloren arbeidsdagen in Nederland in vergelijking met andere landen uitzonderlijk laag is. Nederland staat bekend om zijn hoge mate van arbeidsrust, een niet te onderschatten overweging voor buitenlandse ondernemingen om zich in Nederland te vestigen.

4.8 Maatregelen ter bevordering van collectieve onderhandelingen op ondernemingsniveau

4.8.1 *Algemeen*

verplicht overleg

In de jaren zeventig van de vorige eeuw is een aantal maatregelen getroffen, die op de werkgever in bepaalde gevallen de verplichting leggen om op ondernemingsniveau met vakbonden te onderhandelen. Invoering van dergelijke maatregelen leidt automatisch tot de noodzaak deze verplichting nader te concretiseren. Daarbij zal onder meer moeten worden omschreven:

- In welke gevallen de verplichting tot collectief overleg ontstaat;
- over welke onderwerpen het collectief overleg zich moet uitstrekken;
- welke vakbonden bij het collectief overleg moeten worden betrokken en
- welke sancties op schending van bovengenoemde verplichtingen worden gesteld.

Een verplichting tot collectief overleg op ondernemingsniveau vloeit voort uit het SER-besluit Fusiegedragsregels 1975 (4.8.2) en de Wet melding collectief ontslag 1976 (4.8.3). De vier bovengenoemde aspecten komen in beide maatregelen duidelijk naar voren. Voorts kan in dit verband worden gewezen op het enquêterecht. Weliswaar bevat de regeling van het enquêterecht geen verplichting tot collectief onderhandelen, doch indirect kan van deze regeling ongetwijfeld een daartoe stimulerende werking uitgaan (4.8.4).[150]

→ als ei van Columbus, SMA 1997, 2, p. 83; M.G. Rood, Overpeinzingen over een ei van Columbus, SMA 1997, 5, p. 271.

150 Sommige auteurs behandelen deze drie regelingen als vormen van het medezeggenschapsrecht (bijvoorbeeld M.G. Rood, Introductie in het sociaal recht, Gouda 1996, p. 220) omdat het hier gaat om inspraak over zaken binnen de onderneming. Aangezien het bij deze regelingen primair gaat om bevoegdheden van vakbonden is er in dit boek echter voor gekozen om deze materie bij het collectief arbeidsrecht te behandelen; het medezeggenschapsrecht blijft dan beperkt tot de bevoegdheden van ondernemingsraden.

4.8.2 *SER-besluit Fusiegedragsregels 1975*

fusies

In oktober 1968 vroeg de minister van Sociale Zaken de SER aandacht te schenken aan 'de fusieverschijnselen, die zich in het bedrijfsleven in de laatste tijd in toenemende mate voordoen en in het bijzonder aan de wijze waarop fusies tot stand komen'. In antwoord op deze vraag bracht de SER op 30 januari 1970 het 'Eerste advies inzake gedragsregels in acht te nemen bij het tot stand komen van fusies' uit. In dit advies bepleitte de raad de invoering van een aantal gedragsregels voor fusies en instelling van een Commissie voor Fusieaangelegenheden, die met een zekere controle op de naleving ervan zou zijn belast. Daar op dit terrein in ons land geen ervaring bestond, zou een en ander in de vorm van een besluit van de SER zijn beslag moeten krijgen. Een dergelijk besluit is immers sneller tot stand te brengen dan een wettelijke regeling en kan bij gebleken behoefte sneller worden gewijzigd. Na positieve reactie van de regering werd dienovereenkomstig het SER-besluit Fusiegedragsregels 1970 vastgesteld, waarvan de inhoud overeenkwam met het SER-advies. Dit besluit is na een jaar vervangen door een nieuwe meer uitgebreide fusiecode: het SER-besluit Fusiegedragsregels 1971; enige jaren later werden deze vervangen door het thans geldende SER-besluit Fusiegedragsregels 1975 (laatstelijk gewijzigd bij besluit van 21 december 1990).[151]

aandeelhouders
werknemers

Het SER-besluit schept geen (juridisch afdwingbare) rechtsregels. Het bevat slechts een serie procedurele gedragsregels en tracht de nakoming ervan door informele of indirecte sancties (zie hieronder) te waarborgen. Het eerste hoofdstuk van de fusiecode is gewijd aan gedragsregels ter bescherming van de belangen van de aandeelhouders, het tweede aan de gedragsregels ter bescherming van de belangen van de werknemers, het derde aan de inlichtingen over de fusies aan de overheid en het vierde aan de Commissie voor Fusieaangelegenheden. In het kader van dit boek is vooral het tweede en vierde hoofdstuk (art. 14–21 en 23–33 Fusiecode) relevant. Dit zijn in de praktijk ook de belangrijkste hoofdstukken. In de periode 1970–1990 waren bij ruim 97% van de bij de Commissie voor Fusieaangelegenheden aangemelde zaken uitsluitend werknemersbelangen betrokken, terwijl in minder dan 7% beide belangen of uitsluitend aandeelhoudersbelangen meespeelden.[152]

De gedragsregels ter bescherming van werknemers moeten in acht worden genomen indien bij een fusie een of meer in Nederland gevestigde ondernemingen met 100 of meer werknemers zijn betrokken, danwel deel uitmaken van een samenstel van ondernemingen die aan hetzelfde getalscriterium voldoen (art. 15).

151 P. van Schilfgaarde, Van de BV en de NV, Arnhem 1995, p. 350; J.B.A. Hoyinck, bijdrage Fusie en werknemersbelangen, Arbeidsovereenkomst (losbladig). Zie ook F. Koning, Fusies en (centrale) ondernemingsraden, oratie EUR, Deventer 1988.

152 Gelet op art. 2, Cijfers over fusies 1970–1990, SER-uitgave, Den Haag 1990.

Onder onderneming wordt verstaan elk als zelfstandige eenheid optredend organisatorisch verband (ongeacht de rechtsvorm), waarin krachtens arbeidsovereenkomst in het kader van de uitoefening van een bedrijf arbeid wordt verricht (art. 14).[153]

onderneming

Het begrip fusie is ruim omschreven: in beginsel vallen hieronder alle transacties, waardoor de zeggenschap over de activiteiten van een onderneming of een deel daarvan direct of indirect in andere handen komt (art. 14).
De verplichting om de fusiegedragsregels na te leven, rust op de besturen van alle bij een fusie betrokken ondernemingen (art. 16).

tijdstip van overleg

Art. 18 verplicht de besturen van ondernemingen die fusiebesprekingen voeren, zodra het oriënterend overleg de verwachting wettigt dat overeenstemming over een fusie kan worden bereikt – dus vóórdat het besluit tot fusie is genomen – de vakorganisaties daarvan onverwijld in kennis te stellen (art. 18 lid 1). Een overeenkomstige mededeling moet tegelijkertijd worden gedaan aan de Commissie voor Fusieaangelegenheden (art. 21 lid 1).[154] Door deze kennisgeving wordt voorkomen dat de bonden door de fusie worden overvallen, dat zij 'het nieuws uit de kranten moeten vernemen'. De bonden zijn verplicht de kennisgeving geheim te houden (art. 18 lid 2).
Na ontvangst van de kennisgeving hebben de bonden er nog recht op te vernemen, welke motieven aan de voorgenomen fusie ten grondslag liggen, welke de voornemens zijn inzake het in verband daarmee te voeren ondernemingsbeleid, alsmede de in dat kader te verwachten sociale, economische en juridische gevolgen van de fusie (art. 18 lid 3).

aard overleg

Nadat bovengenoemde gegevens zijn verstrekt, zijn de besturen voorts ex art. 18 lid 4 verplicht de vakorganisaties de gelegenheid te geven in een gezamenlijke bespreking hun oordeel te geven over de voorgenomen fusie 'vanuit het gezichtspunt van het werknemersbelang'. Daarbij kan aandacht worden besteed aan: de grondslagen van het in verband met de fusie te voeren ondernemingsbeleid, maatregelen tot het voorkomen, wegnemen of verminderen van eventuele nadelige gevolgen voor de werknemers (sociaal plan), het tijdstip waarop met de ondernemingsraad het krachtens de Wet op de ondernemingsraden vereiste

153 Door de beperking 'in het kader van de uitoefening van een bedrijf' verschilt de definitie van het begrip onderneming in art. 1 lid 1 sub c WOR. Deze beperking was noodzakelijk omdat in de SER alleen het bedrijfsleven is vertegenwoordigd. Zie over de uitbreiding van de werkingssfeer van de fusiecode tot delen van de non profit sector door middel van cao's, M.M. Olbers, fusie en collectief ontslag, SMA 1983, 3, p. 150.

154 Art. 20 legt soortgelijke verplichtingen op degeen die ter verwezenlijking van een fusie overweegt een openbaar of onderhands bod op aandelen te doen ('onvriendelijke overname'). Zie ook J.C.M.G. Bloemarts, Onvriendelijke overnemingen; de positie van vakbeweging en ondernemingsraad, de NV, maart/april 1988, p. 54.

overleg zal worden gevoerd (art. 25 WOR) en het tijdstip en de wijze waarop het personeel zal worden ingelicht.

geheimhouding

De vakorganisaties hebben slechts het recht om over de motieven voor en de gevolgen van de fusie te worden ingelicht, indien zij vooraf toezeggen hierover geheimhouding te bewaren (art. 18 lid 2). De duur van de verplichting tot geheimhouding wordt in onderling overleg beslist. Wanneer dit overleg niet tot overeenstemming leidt, beslist de Commissie voor Fusieaangelegenheden over het tijdstip van het eindigen van de geheimhoudingsplicht (art. 19).

De kring van vakorganisaties met wie de werkgever bovenbedoeld collectief overleg moet voeren is ruim getrokken; de kring is niet beperkt tot bonden die partij zijn bij een eventueel bestaande cao (zie nader art. 14 lid 1).[155]

de naleving

In art. 23–33 wordt aan een tripartiete uit twaalf leden bestaande afzonderlijke SER-commissie, de Commissie voor Fusieaangelegenheden genaamd, de taak opgedragen de nakoming van de fusiegedragsregels te bevorderen. Eens per kwartaal brengt de commissie van haar werkzaamheden verslag uit aan de SER; deze verslagen worden gepubliceerd.
Wanneer besturen van ondernemingen hun verplichtingen krachtens de fusiecode jegens de vakorganisaties niet nakomen, kan de commissie een openbare berisping uitspreken of – bij wijze van zwakkere sanctie – daarvan openbare kennisgeving doen.[156]
Voor geval een openbare berisping wordt uitgesproken en voor zover het een fusie betreft welke tot stand komt door een openbaar aanbod op aandelen is er nog een sanctie mogelijk welke echter uit de fusiecode zelf niet blijkt. De Vereniging voor den Effectenhandel heeft namelijk toegezegd haar leden in dat geval te zullen instrueren om geen medewerking te geven aan het realiseren van het openbaar aanbod. Daar het openbaar aanbod zonder medewerking van commissionairs niet gerealiseerd kan worden, is dit een krachtige sanctie.

nieuwe code

Op 17 maart 2000 heeft de SER een nieuwe tekst van de fusiecode vastgesteld. Hieruit is de bescherming van de belangen van de aandeelhouders verdwenen. Die moet bij wet geregeld worden. Zolang dat niet gebeurd is, zal de huidige fusiecode blijven gelden. Over een nieuwe fusiecode had de SER al in 1996 advies uitgebracht[157], maar

155 Deze verruiming van het collectief overleg treft men ook aan bij de hierna te behandelen Wet melding collectief ontslag en het recht van enquête. In de praktijk leidt deze uitbreiding soms tot problemen, zie Pres. Rb. Utrecht 5 februari 1983, KG 1983, 90; SMA 1984, 3, p. 190.

156 Ongeveer 400 zaken per jaar worden ter kennis gebracht van de Commissie. Overtredingen betreffen meestal het niet tijdig inlichten van de vakbonden. Tot dusver is in enkele tientallen gevallen een openbare berisping uitgesproken of een openbare kennisgeving gedaan (P. van Schilfgaarde, t.a.p., p. 353). Zie voor een voorbeeld van een toepassing van deze sancties TVVS 1989, 5, p. 125 en TVVS 1989, 2, p. 42.

157 Zie S.S.M. Peters, Deze Maand, SER-Besluit Fusiegedragsregels ter bescherming van de belangen van werknemers, SMA 2000, 4, p. 139 e.v.

het kabinet had een standpunt erover opgeschort, totdat er een nieuwe tekst lag, die er nu dan is en SER-Besluit Fusiegedragsregels ter bescherming van de belangen van werknemers heet.
De SER wil dat de nieuwe fusiecode een wettelijke basis krijgt, waardoor zij niet tot het bedrijfsleven beperkt blijft, maar ook gaat gelden voor de overheid, de non profit sector en de vrije beroepen. Wel wil de SER zijn toezichtstaak op naleving behouden. De Commissie Fusieaangelegenheden wordt vervangen door de Geschillencommissie Fusiegedragsregels, bestaand uit drie door de SER benoemde onafhankelijke juristen, aangevuld met twee leden, op voordracht van ondernemers en werknemers door de SER benoemd. Deze commissie kan niet zelfstandig optreden, maar eerst als een overtreding bij haar aanhangig is gemaakt. De sanctie op overtreding is openbaarmaking van de uitspraak, in ernstige gevallen met vermelding van de namen van de overtreders.
De nieuwe fusiecode gaat gelden, als een van de betrokken ondernemingen vijftig of meer werknemers telt en de andere onderneming in de regel meer dan tien. Kleine ondernemingen blijven dus dan buiten de gedragsregels. Het criterium, dat vakorganisaties onverwijld in kennis moeten worden gesteld bij een zodanige stand van de fusiebesprekingen, dat de verwachting gewettigd is, dat in die besprekingen overeenstemming kan worden bereikt wordt vervangen. De bonden moeten straks in de gelegenheid worden gesteld wezenlijke invloed uit te oefenen op het al dan niet tot stand komen van de fusie en de modaliteiten ervan. Dat zal betekenen, dat de fusie-afspraken niet dicht getimmerd kunnen worden zonder overleg vooraf met de vakorganisaties en dus verschilt dit nieuwe criterium waarschijnlijk in de praktijk niet veel van het oude.
Op dit moment valt niet te voorzien, wanneer de nieuwe code in werking treedt.

4.8.3 *Wet melding collectief ontslag* 1976

Aan de individuele en arbeidsmarktpolitieke aspecten van deze wet is reeds aandacht besteed in par. 3.7.3.6. Hier zijn de repercussies van de wet voor het collectief overleg aan de orde.

raadpleging vakbonden

De wet verplicht een werkgever die 'voornemens' is werknemers collectief, te ontslaan, dit 'ter raadpleging' schriftelijk te melden aan 'de belanghebbende verenigingen van werknemers' (art. 3 lid 1). De melding dient gemotiveerd en gedocumenteerd te zijn (art. 4). De raadpleging moet ten minste betrekking hebben op de mogelijkheid om de collectieve ontslagen te voorkomen of in aantal te verminderen, alsook om de gevolgen ervan te verzachten (art. 3 lid 3).

Onder de 'belanghebbende verenigingen van werknemers' die recht hebben op een melding van het collectief ontslag verstaat art. 3: 'een vereniging van werknemers, die in de onderneming werkzame personen onder haar leden telt, krachtens de statuten ten doel heeft de belangen van haar leden als werknemers te behartigen, als zodanig in de betrokken onderneming of bedrijfstak werkzaam is, voorts ten minste twee jaar in het bezit is van rechtspersoonlijkheid en als zodanig aan de werkgever bekend is. Deze bekendheid wordt verondersteld, indien de vereniging aan de werkgever schriftelijk heeft te kennen gegeven dat zij prijs stelt op meldingen van voornemens als bedoeld in art. 3 lid 1.

De meldings- en informatieplicht, alsmede de verplichte raadpleging, betekenen een stimulans van het collectief overleg. Teneinde het realiseren van deze doelstelling te bevorderen, is voorts bepaald dat de directeur van het RBA ontslagaanvragen van de werkgever eerst na de voorgeschreven termijn van een maand in behandeling mag nemen indien de raadpleging van de vakbonden heeft plaats gevonden (art. 6 lid 1 en 2) – een indirect pressiemiddel. Dit voorschrift vervalt overigens indien de herplaatsing van de met ontslag bedreigde werknemers of de werkgelegenheid van de overige werknemers in de betrokken onderneming in gevaar zou komen door dit voorschrift (art. 6 lid 3 en 4). Ook als de melding wordt ondersteund door een verklaring van de belanghebbende bonden dat zij zijn geraadpleegd, worden de ontslagaanvragen direct in behandeling genomen (art. 6a).

uitstel ontslagvergunningen

4.8.4 *Recht van enquête*

Op grondslag van de aanbevelingen gedaan in het Rapport-Verdam 1964 (5.2) werden de mogelijkheden om te komen tot een enquête (onderzoek) betreffende het beleid en de gang van zaken in de onderneming verruimd. Dit geschiedde in eerste instantie door wijziging van art. 53–54c WvK (waarin destijds het enquêterecht was geregeld) door de Wet van 10 september 1970. In 1976 werd het recht van enquête vrijwel ongewijzigd overgebracht naar titel 7, Boek 2 BW (art. 344–359).

Voor de wetswijziging van 1970 diende het enquêterecht uitsluitend om minderheidsaandeelhouders een wapen te verschaffen tegen verondersteld wanbeleid van het bestuur van een NV. Na 1970 werd de kring van gerechtigden echter verruimd. Een principiële verandering daarbij was de erkenning van het belang van de factor arbeid in de onderneming naast dat van kapitaalverschaffers door ook vakbonden bevoegd te verklaren om een bevel tot het houden van een enquête uit te lokken. In het navolgende zal de bespreking van het enquêterecht hiertoe beperkt blijven.[158]

wanbeleid

Alvorens de regeling van het recht van enquête in grote trekken weer te geven, dient echter te worden vooropgesteld dat dit recht niet bestaat ten aanzien van iedere onderneming, doch slechts ten aanzien van een onderneming die wordt gedreven in de rechtsvorm van een NV, BV,

beperkt enquêterecht

158 C.A. Boukema en A.F.M. Dorresteijn, Het enquêterecht in ontwikkeling, TVVS 1994, 7, p. 169.

coöperatieve vereniging, onderlinge waarborgmaatschappij, danwel in de rechtsvorm van een stichting of vereniging met volledige rechtsbevoegdheid waarvoor krachtens de WOR een ondernemingsraad moet worden ingesteld. (art. 344 Boek 2 BW).

Bevoegd om een verzoekschrift in te dienen tot het houden van een enquête betreffende het beleid en de gang van zaken in een onderneming is iedere: 'vereniging van werknemers, die in de onderneming werkzame personen onder haar leden telt en ten minste twee jaren volledige rechtsbevoegdheid bezit, mits zij krachtens haar statuten ten doel heeft de belangen van haar leden als werknemers te behartigen en als zodanig in de bedrijfstak of onderneming werkzaam is' (art. 347, Boek 2 BW).[159]

eerst ondernemingsoverleg

Het indienen van een verzoekschrift is nooit een goede reclame voor een onderneming en kan haar zelfs nodeloos grote schade berokkenen. Teneinde dit zoveel mogelijk te voorkomen, bepaalt de wet dat een verzoeker niet-ontvankelijk is indien hij niet tevoren zijn bezwaren tegen het beleid of de gang van zaken schriftelijk heeft kenbaar gemaakt aan het bestuur en aan de raad van commissarissen en er sindsdien een zodanige termijn is verstreken dat de rechtspersoon redelijkerwijs de gelegenheid heeft gehad de bezwaren te onderzoeken en naar aanleiding daarvan maatregelen te nemen. Een stimulans voor (collectief) overleg ligt hierin ongetwijfeld mede besloten. Om lichtvaardig gebruik van het enquêterecht te voorkomen, is eveneens voorgeschreven dat een vakbond niet ontvankelijk is indien zij niet te voren de ondernemingsraad in de gelegenheid heeft gesteld schriftelijk van zijn gevoelens te doen blijken (art. 349 lid 2 Boek 2 BW).[160]

ondernemingskamer

Het verzoek tot houden van een enquête wordt ingediend bij de ondernemingskamer van het Gerechtshof te Amsterdam.
De ondernemingskamer kan het verzoek tot het houden van een enquête slechts toewijzen 'wanneer blijkt van gegronde redenen om aan een juist beleid te twijfelen' (art. 350 lid 1 Boek 2 BW). Bij toewijzing van het verzoek benoemt de ondernemingskamer enquêteurs (rapporteurs) die bevoegd zijn een onderzoek in te stellen.[161] Van hun bevindingen maken zij een verslag op dat gedeponeerd wordt bij de griffie van de ondernemingskamer. De kosten van een en ander komen ten laste van de onderneming.

159 Op deze verzoekschriftprocedure zijn art. 429a e.v. Rv van toepassing.

160 Zie over de vraag of de wet ook aan de ondernemingsraad de bevoegdheid zou moeten toekennen om als verzoeker van een enquête op te treden M.G. Rood, Wijziging van enquête- en/of struktuurregeling?, bijdrage aan Arbeidsrecht en Mensbeeld 1946–1996, Deventer 1996, p. 219.

161 Indien de ondernemingskamer het verzoek afwijst en daarbij beslist dat het verzoek 'niet op redelijke grond' is gedaan, kan de onderneming tegen de verzoeker een eis tot schadevergoeding instellen.

voorzieningen

De verzoeker/vakbond zal vervolgens, wanneer hij meent dat het enquêteverslag hem daartoe aanleiding geeft, binnen twee maanden aan de ondernemingskamer kunnen verzoeken om nadere 'voorzieningen' te treffen. De ondernemingskamer zal hiertoe slechts kunnen overgaan wanneer hij van oordeel is dat uit het verslag blijkt van 'wanbeleid'. In spoedgevallen kan volgens art. 2:349a lid 2 BW een tijdelijke voorziening, hoogstens voor de duur van het geding, worden getroffen.[162]
De voorzieningen die de ondernemingskamer bevoegd is te treffen, kunnen zeer ingrijpend zijn: vernietiging van genomen besluiten, ontslag van bestuurders of commissarissen, tijdelijke vervanging van de leiding, enz. (art. 356 Boek 2 BW). Dergelijke voorzieningen worden door de ondernemingskamer herhaaldelijk getroffen.[163] Van de beschikkingen is geen hoger beroep mogelijk, doch wel beroep in cassatie bij de Hoge Raad (art. 359 Boek 2 BW).

wanbeleid

Van wanbeleid is volgens de Hoge Raad sprake indien gehandeld is 'in strijd met elementaire beginselen van verantwoord ondernemerschap' (OGEM-arrest).[164] De vraag is wanneer dat het geval is.
Wanbeleid is tot dusver in de rechtspraak voornamelijk op procedurele gronden, zoals onzorgvuldige besluitvorming, gebaseerd; voor het overige wordt de ondernemer echter een ruime beleidsvrijheid gelaten.[165] Wat dit betreft bestaat er een parallel met de wijze waarop de ondernemingskamer ex art. 26 WOR nagaat of een ondernemer in redelijkheid tot een van het advies van de OR afwijkend besluit had kunnen komen (5.3.6.4).
Tot slot wordt erop gewezen dat ook een onzorgvuldig sociaal beleid als wanbeleid kan worden beschouwd. Dat bleek in de zogenaamde Batco-affaire. Op verzoek van een vakbond werd een besluit van Batco-Nederland (een volle dochter van een multinationale onderneming BAT Industries te Londen) om haar fabriek te Amsterdam te sluiten door de ondernemingskamer vernietigd wegens wanbeleid.[166] Wanbeleid werd niet op bedrijfseconomische doch op sociale gronden aanwezig geacht.

162 Onmiddellijke voorzieningen ex art. 2:349a lid 2 kunnen ook in kort geding worden gevorderd, P. van Schilfgaarde, t.a.p., p. 308.

163 Hof Amsterdam OK 17 maart 1994, SR 1994, 5, p. 154. De OK is niet verplicht voorzieningen te treffen; hij kan ook volstaan met de constatering dat van wanbeleid is gebleken. Zie over de betekenis van een dergelijke declaratoire uitspraak voor de eventuele persoonlijke aansprakelijkheid van bestuurders en commissarissen P. van Schilfgaarde, t.a.p., p. 312.

164 HR 10 januari 1990, NJ 1990, 466 (OGEM).

165 B.H.A. van Leeuwen, Beginselen van behoorlijk ondernemingsbestuur, diss. RU Limburg, Deventer 1990; P. van Schilfgaarde, t.a.p., p. 314.

166 Hof Amsterdam OK 21 juni 1978, NJ 1980, 71. Hierover B. Geersing, Batco- De betekenis van het enquêterecht van werknemersorganisaties, TVVS 1980, p. 249. De Batco-uitspraak en andere belangrijke uitspraken betreffende het enquêterecht zijn opgenomen in de bundel Jurisprudentie concernrecht met annotaties, F.J.P. van den Ingh en L. Timmerman, Zwolle 1991. Zie ook de aan de procedure voorafgaande uitspraken in kort geding Pres. Rb. Amsterdam 9 maart 1978 en Hof Amsterdam 26 oktober 1978, NJ 1980, 70.

Dit (sociaal) wanbeleid werd aangenomen omdat Batco-Nederland het overleg over een eventuele sluiting van de fabriek, dat zij krachtens de WOR met de ondernemingsraad en krachtens de geldende cao met de bonden diende te voeren, te vroeg had afgebroken. In deze context kan het recht van enquête worden beschouwd als een additioneel middel om een (bestaand) recht op collectief overleg te effectueren en, daardoor als stimulans van collectieve onderhandelingen in het algemeen.

5 Medezeggenschaps-recht

The balance between trade unions and works councils has never been a perfectly stable one, but until quite recently the existing statutory and de facto division of labour appeared to be the optimum solution to the problem of what in effect amounted to dual representation of employee interests. In the past few years, however, a number of developments have occurred that call into question the continuation of this long maintained equilibrium.

Collective bargaining in industrialised market economies.
International Labour Office, Geneva, 1974, p. 35.

5.1 Inleiding

vertegenwoordigende medezeggenschap

Onder medezeggenschap worden verstaan de verschillende wijzen waarop werknemers invloed uitoefenen op beleidsbeslissingen die genomen worden in de onderneming of de instelling waarin zij werkzaam zijn. De medezeggenschap kan uitgeoefend worden door vertegenwoordigers van werknemers of rechtstreeks. Medezeggenschap door middel van vertegenwoordiging van werknemers vindt plaats door vakorganisaties, bij onderhandelingen over een collectieve arbeidsovereenkomst (4.4), en door een orgaan als een ondernemingsraad bij beleidsbeslissingen binnen de onderneming.[1]

directe medezeggenschap

Ook kan medezeggenschap plaats vinden langs directe weg, doordat belanghebbende werknemers worden geraadpleegd. Een voorbeeld van dit laatste vindt men in art. 35b WOR (personeelsvergadering) of in 4a, vierde lid Arbowet. In die laatste bepaling is overleg voorgeschreven over het beleid met betrekking tot het ziekteverzuim met de Ondernemingsraad of, bij het ontbreken daarvan, met de belanghebbende werknemers (2.3.3).

Medezeggenschap van werknemers is in tal van wetten, en ook in cao's en afspraken tussen ondernemer en ondernemingsraad geregeld. Daarbij wordt ten aanzien van bepaalde onderwerpen geregeld dat de werknemers of de werknemersvertegenwoordigers recht op medezeggenschap toekomt. De ondernemingsraad bijvoorbeeld krijgt in verscheidene wetten rechten en bevoegdheden. Naast de Wet op de onderne-

1 P.F. van der Heijden, (red.) Schets van het Medezeggenschapsrecht, Deventer 1992. P.F. van der Heijden, WOR 1998, SMA 1998, 5, p. 207–214, i.h.b. p. 214.

mingsraden zijn bijvoorbeeld te noemen de Arbeidsomstandighedenwet (2.3.3) en de Wet Minimumloon en minimumvakantiebijslag (art. 18a, 3.3.6).

De Wet op de ondernemingsraden en de Wet op de Europese ondernemingsraden regelen taken en bevoegdheden van de ondernemingsraad. Bovendien regelen zij de organisatie van de medezeggenschap in ondernemingsraden.

Dat medezeggenschap van het ondernemingspersoneel gerechtvaardigd is, is reeds lang betoogd, maar de laatste decennia heeft deze gedachte in Nederland en in de meeste andere West-Europese landen nieuwe wettelijke impulsen gekregen. Over de wijze waarop de medezeggenschap georganiseerd moet worden, en met name over de vraag over welke onderwerpen de vakorganisatie, en over welke onderwerpen de ondernemingsraad de aangewezen onderhandelingspartner is, is nog steeds discussie mogelijk. In Nederland heeft die discussie voorlopig een conclusie bereikt, onder meer in art. 27 lid 1 sub 3 WOR.[2]

vakbond of OR?

Dit hoofdstuk is gewijd aan het ontstaan van ondernemingsraden in Nederland en aan de wijze waarop hun bevoegdheden in de loop der jaren zijn uitgebreid (5.2), aan de huidige regeling van medezeggenschap in ondernemingen zoals geregeld in de WOR (5.3) en in ondernemingen met een communautaire dimensie zoals geregeld in de Wet op de Europese ondernemingsraden (5.4). Vervolgens wordt stilgestaan bij de tussen ondernemingsraden en vakbonden bestaande taakverdeling; zoals zal blijken, is deze taakverdeling niet zonder problemen (5.5). In de slotparagraaf wordt ingegaan op de invloed van de OR op de samenstelling van de raad van commissarissen van structuurvennootschappen (5.6).

5.2 Ontstaan en ontwikkeling van ondernemingsraden. Wettelijke regelingen 1950–1998

Met de opkomst van de grote ondernemingen aan het einde van de negentiende en in het begin van de twintigste eeuw ontstond bij verschillende werkgevers de behoefte aan een personeelsvertegenwoordiging. Door overleg met een dergelijk orgaan zou de werkgever enerzijds zijn bedrijfsbeleid, voor zover het de werknemers

2 Bulletin of Comparative Labour Relations, R. Blanpain (ed), Deventer 1992, Workers' Participation, Special Issue; R. Blanpain, Managerial Initiatives and Rights to Information, Consultation and Worker's Participation in EC Countries, bijdrage aan Bulletin of Comparative Labour Relations, Deventer 1993, Special Issue.

in het bijzonder raakte, gemakkelijker kunnen kenbaar maken en doorvoeren, anderzijds zou hij op deze wijze kunnen kennis nemen van bij de werknemers levende wensen. Uit deze behoefte werden de personeelskernen, ook wel fabriekscommissies genoemd, geboren. De eerste personeelskern werd in 1878 ingesteld door de industrieel J.C. van Marken. Verschillende werkgevers volgden zijn voorbeeld.

personeelskern

Het oprichten van kernen door werkgevers werd gestimuleerd door de opkomst van de vakbeweging in het begin van deze eeuw. Het bestaan van een kern bood de werkgever namelijk een mogelijkheid om met zijn eigen personeel te overleggen over de gang van zaken binnen de onderneming en over arbeidsvoorwaarden en aldus de bonden buiten de deur te houden. Begrijpelijkerwijs had deze handelswijze niet de sympathie van de bonden en leidde zij van die kant tot een verzet tegen uitbreiding van het kernwezen.

Naarmate echter de bonden door de werkgevers bij de collectieve onderhandelingen over arbeidsvoorwaarden als onderhandelingspartner werden erkend, naarmate ook de ondernemingscao's werden vervangen door bedrijfstak-cao's (4.4.4), verminderde de rivaliteit tussen bonden en kernen en vond er een zekere competentieverdeling plaats. Collectieve onderhandelingen over arbeidsvoorwaarden waren voorbehouden aan de bonden. De kernen kregen ten aanzien van de overeengekomen arbeidsvoorwaarden een toezichthoudende en aanvullende taak. Voorts verkregen de kernen veelal een beperkte mate van medezeggenschap binnen de onderneming in de vorm van adviserende bevoegdheden in de sociale sfeer. De verbeterde verhouding tussen kernen en bonden leidde er voorts toe, dat de laatsten het recht opeisten om bij de verkiezingen van een kern kandidaten te stellen en dit recht veelal ook verwierven.

De hier geschetste ontwikkeling van de arbeidsverhoudingen tussen werkgevers, vakbonden en kernen voltrok zich in de twintiger jaren van deze eeuw.[3]

WOR 1950

Onder de druk van de na-oorlogse veranderingen en de daaruit resulterende geest van samenwerking tussen werkgevers en werknemers ontstond een nieuwe conceptie met betrekking tot de medezeggenschap in de onderneming, welke tot uiting kwam in de Wet op de ondernemingsraden van 4 mei 1950.

De wet legde het hoofd van een onderneming met 25 of meer kiesgerechtigde werknemers de verplichting op om een ondernemingsraad in te stellen. Voorts regelde de wet de bevoegdheden, de samenstelling en werkwijze van de ondernemingsraden en het toezicht op deze organen. Een principieel verschil met de vroegere personeelskernen was dat de

3 Zie nader over de ontwikkeling van kernen – ondernemingsraden het goed gedocumenteerde artikel van F. Koning, Omtrent de ondernemingsraad, SMA 1975, 2, p. 85.

samenwerking

ondernemingsraad niet als een personeelsvertegenwoordiging, maar als een orgaan van samenwerking in de onderneming werd gezien; niet als een vertegenwoordiging van het personeel tegenover de ondernemer, doch als een orgaan van gezamenlijk overleg. Vandaar dat het hoofd van de onderneming werd aangewezen als lid en als voorzitter van de raad. Vandaar ook dat hij niet door sancties tot nakoming van de wettelijke bepalingen kon worden gedwongen.

adviserende bevoegdheden

De ondernemingsraden kregen de taak 'onder erkenning van de zelfstandige functie van de ondernemer, naar vermogen bij te dragen tot een zo goed mogelijk functioneren der onderneming' (art. 6 WOR oud). Om deze taak te kunnen vervullen, kreeg de ondernemingsraad een aantal bevoegdheden in de sociale sfeer toegedeeld, die echter in alle gevallen slechts een adviserend karakter droegen. Teneinde de raad gelegenheid te geven zijn bevoegdheden naar behoren uit te oefenen, legde de wet voorts het hoofd van de onderneming een verplichting op tot het verstrekken van informatie.
Bij de omschrijving van de bevoegdheden heeft de wetgever er nauwkeurig voor gewaakt, dat de ondernemingsraad zich niet kon uitspreken over onderwerpen die tot het klassieke jachtterrein van de vakbeweging behoorden, zoals de primaire arbeidsvoorwaarden. Dit beleid was niet van een zeker realisme ontbloot: de ondernemingsraden waren tere kasplantjes, die het aanvankelijk zonder steun van de vakbeweging niet zouden kunnen bolwerken en dus geen conflicten met de vakbeweging konden riskeren. In dezelfde lijn was ook de samenstelling van de raden geregeld: in beginsel was het recht van kandidaat-stelling uitsluitend toegekend aan organisaties van werknemers.

Onder de vigeur van de Wet van 1950 werd bij het overgrote deel van de ondernemingen met 100 of meer werknemers een ondernemingsraad ingesteld; bij de kleinere ondernemingen bleek de behoefte veel geringer.

kritiek

Over de betekenis van de ondernemingsraden in de praktijk liepen de meningen uiteen. Naast positieve geluiden werd ook in toenemende mate kritiek vernomen, onder andere betreffende de geringe bevoegdheden van de ondernemingsraden, het ontbreken van sancties en het ontbreken van een bescherming van ondernemingsraadsleden tegen ontslag. In de loop der jaren werden talloze studies verricht en vele voorstellen tot verbetering van het functioneren van de ondernemingsraden gedaan. Tot de belangrijkste studies behoort het rapport van de Staatscommissie Verdam.[4] In dit rapport zijn voorstellen gedaan met be-

4 Herziening van het ondernemingsrecht, Staatsuitgeverij, Den Haag 1964. Zie voorts F. Koning, De ontwikkeling van de medezeggenschap, bijdrage aan Veertig jaar SMA, Alphen aan den Rijn 1986, p. 345.

trekking tot de structuur van de vennootschap (5.6), het jaarrekeningrecht, het enquêterecht en het medezeggenschapsrecht. Voor wat betreft de ondernemingsraden resulteerde een en ander in het tot stand komen van een geheel nieuwe wet op 28 januari 1971.

WOR 1971

In 1971 ging de wet niet meer uit van een vertrouwen in een ondernemingsraad waarin gemeenschappelijke belangen gezamenlijk worden behartigd, zoals de Wet van 1950. De samenwerkingsgedachte werd in 1971 echter niet geheel en al losgelaten. Gekozen werd voor een 'dualisme': de ondernemingsraad werd enerzijds ingesteld 'in het belang van het goed functioneren van de onderneming in al haar doelstellingen', anderzijds 'ten behoeve van het overleg met en de vertegenwoordiging van de in de onderneming werkzame personen' (art. 2 lid 1 WOR). Een wat tweeslachtige, ambivalente taakstelling, want de belangen van de onderneming in al haar doelstellingen en de belangen van de specifieke werknemersbelangen lopen lang niet altijd parallel (1.5.2, 1.5.4).[5]

dualisme

De erkenning van de ondernemingsraad mede als vertegenwoordiger van het personeel kwam onder meer tot uiting in de introductie van een medebeslissingsrecht ten aanzien van een aantal regelingen op het gebied van het sociaal beleid. Voorts kreeg de OR een adviesrecht met betrekking tot een aantal economische en organisatorische besluiten. De bestuurder bleef echter lid en voorzitter van de ondernemingsraad.

wijzigingen WOR 1979

Wie gemeend mocht hebben dat in 1971 de rust in ondernemingsradenland voorlopig was teruggekeerd, vergiste zich. In 1979 werd de WOR opnieuw gewijzigd. De dualistische taakstelling van de OR bleef gehandhaafd, maar de zelfstandigheid van de OR werd versterkt door de bepaling dat dit orgaan uitsluitend kon bestaan uit door de werknemers gekozen leden; de bestuurder is dus geen lid meer van de OR. De zelfstandigheid van de OR werd voorts bevorderd door een verdere uitbreiding van zijn advies- en instemmingsbevoegdheden en de introductie van een beroepsrecht bij de ondernemingskamer van het Hof te Amsterdam.

zelfstandigheid

Na 1979 zijn wijzigingen in de Wet op de ondernemingsraden aangebracht in 1981, 1990, 1995 en 1998.
Bij de wijziging van 1990 ging het voornamelijk om een vereenvoudiging van bestaande geschillenregelingen (5.3.6). De wetswijzigingen van 1981 en 1995 betroffen echter een belangrijke uitbreiding van de werkingssfeer van de WOR. De wijziging van 1998 was onder meer gericht op modernisering en actualisering van de WOR.
Door de wijziging van 1981 werden behalve bij grote ondernemingen

5 F. Koning, Interface Heuga, Van ondernemingsraad naar ondernemersraad?, de NV 1994, p. 158; F. Koning, Wijziging van de WOR: Techniek of stille revolutie?, De NV 1996, p. 143.

kleine ondernemingen

met 100 of meer werknemers ook medezeggenschapsrechten toegekend aan middelgrote en kleine ondernemingen, dat wil zeggen aan ondernemingen met 35–100 en 10–35 werknemers.

WOR ook van toepassing op overheidspersoneel

In 1995 werd de WOR eveneens van toepassing verklaard op overheidspersoneel (ambtenaren), te weten op ondernemingen waarin krachtens publiekrechtelijke aanstelling arbeid wordt verricht in de sectoren rijk, politie, gemeenten, provincies en waterschappen; uitgezonderd zijn de sectoren onderwijs en wetenschappen, defensie, rechterlijke macht, leden van de Raad van State, de Algemene Rekenkamer en de Nationale Ombudsman (art. 53 e.v. WOR).[6] De overheidsondernemingsraden en de daarmee verbonden specifieke bepalingen in de WOR (art. 46d en 46e WOR) blijven in dit boek onbesproken.

wijziging 1998

De bij de wijziging van 1998[7] gerealiseerde actualisering heeft betrekking op de kring van 'in de onderneming werkzame personen'. Bovendien is de verplichting een ondernemingsraad in te stellen gelegd op 50 werknemers. Voor alle ondernemingsraden geldt hetzelfde wettelijk regime: het voorheen in de wet gemaakte onderscheid tussen ondernemingsraden in grote en in kleine ondernemingen is vervallen. Ten slotte zijn de lijsten van advies- cq instemmingsplichtige onderwerpen geactualiseerd en heeft de ondernemingsovereenkomst wettelijke regeling gevonden.

WOR

5.3 De Wet op de ondernemingsraden[8]

5.3.1 *Algemene bepalingen (art. 1 WOR). Definities*

Art. 1 van de WOR bevat definities van enkele centrale begrippen. Met name zijn van belang de omschrijving van de begrippen: onderneming, ondernemer, bestuurder en in de onderneming werkzame personen. Wanneer een onderneming valt onder de omschrij-

6 Met ingang van 1 november 1995 werden ook de Open Universiteit, de openbare academische ziekenhuizen, de Koninklijke Nederlandse Academie van Wetenschappen, de Koninklijke Bibliotheek en de Nederlandse organisatie voor wetenschappelijk onderzoek ex art. 53 lid 2 onder de werking van de WOR gebracht (Stb. 1996, 315).

7 Stb. 1998, 107 , J.C.M. van Horne, Wijziging van de Wet op de ondernemingsraden, PS Documenta, 1998 (2), p. 115–119, P.F. van der Heijden, WOR 1998, SMA 1998, 5, p. 207–214; H.J. de Bijll Nachenius, De WOR gewijzigd, TVVS 1998/7.

8 Van de algemene commentaren op de wet noem ik P.F. van der Heijden en A.J.C.M. Geers, Ondernemingsraad (losbladig), Deventer; zie ook de daarbij behorende losbladige uitgave Rechtspraak De ondernemingsraad (ROR), bewerkt door P.F. van der Heijden; M.G. Rood, Wet op de ondernemingsraden (losbladig), Deventer; P.F. van der Heijden (red), Schets van het medezeggenschapsrecht, Deventer 1992; F.W.H. Vink, Inzicht in de ondernemingsraad, Den Haag 1996; J.C.M.G. Bloemarts, Handboek ondernemingsraden. Gebruiksaanwijzing bij de Wet op de ondernemingsraden, Amsterdam, FNV 1998. Voorts verwijs ik naar het tijdschrift OR-informatie, Alpen aan den Rijn. Zie voor achtergrondinformatie over de medezeggenschap J.P. Windmuller/C. de Galan/A.F. van Zweeden, Arbeidsverhoudingen in Nederland, Aula Pocket, Utrecht 1983, p. 354 e.v.; W. Albeda en W. Dercksen, Arbeidsverhoudingen in Nederland, Alphen aan den Rijn 1994, p. 141; W. van Voorden e.a., Macht in banen, Leiden 1993, p. 170.

toepasselijkheid WOR

ving van art. 1 lid 3 is de WOR op die onderneming van toepassing. De Wet op de ondernemingsraden is ook van toepassing op de overheid. Wel gelden voor ondernemingsraden bijzondere voorschriften. Deze betreffen onder meer het primaat van de politiek: besluiten die door democratisch gecontroleerde organen worden genomen heeft de wetgever van medezeggenschap door de Ondernemingsraad willen uitsluiten.[9]

begrip onderneming

De onderneming wordt gedefinieerd als: elk in de maatschappij als zelfstandige eenheid optredend organisatorisch verband waarin krachtens arbeidsovereenkomst of krachtens publiekrechtelijke aanstelling[10] arbeid wordt verricht.
Het begrip onderneming in de WOR wijkt af van hetgeen daaronder gewoonlijk wordt verstaan. In het dagelijks spraakgebruik denkt men bij een onderneming meestal aan een commerciële rechtspersoon (BV of NV). Het begrip onderneming in de WOR heeft echter een geheel eigen betekenis. Met het begrip onderneming wordt in de WOR gedoeld op een arbeidsorganisatorische eenheid die zelfstandig naar buiten optreedt, met name door het aanbieden van haar producten en diensten aan derden (externe transacties); het is niet noodzakelijk dat deze eenheid rechtspersoonlijkheid bezit. Het begrip onderneming heeft primair ten doel aan te geven in welke arbeidsorganisatorische eenheden (met voldoende aantal werknemers) een OR moet worden ingesteld.
Het is voorts van belang om te onderkennen dat de WOR zowel betrekking heeft op de profit sector als op de non-profit-sector. Dit betekent dat niet alleen fabrieken en kantoren waarin met winstoogmerk wordt gewerkt onder het begrip onderneming vallen, maar ook organisatorische eenheden waarbij dit winststreven ontbreekt, zoals ziekenhuizen en bejaardencentra.[11]

begrip ondernemer

De ondernemer is: de natuurlijke persoon of de rechtspersoon die een onderneming in stand houdt. Het is duidelijk dat een ondernemer meer dan één onderneming in de zin van de WOR in stand kan houden. Dit kan bijvoorbeeld het geval zijn wanneer een BV of NV verschillende vestigingen exploiteert of een stichting verschillende ziekenhuizen in stand houdt.[12]

9 HR 26 jauari 2000, JAR 2000, 30, Arbeidsrechtspraak nr. 83.
10 Zoals hiervoor werd opgemerkt blijven de specifieke bepalingen ten aanzien van overheidsondernemingsraden onbesproken.
11 HR 21 oktober 1988, NJ 1989, 697, TVVS 1989, 41, p. 106, m.n. MGR.
12 Zie over het begrip ondernemer in concernverhoudingen HR 26 januari 1994, NJ 1994, 546 (Heuga-zaak), SMA 1994, 5, p. 297, m.n. C. de Groot; F. Koning, Interface Heuga, Van ondernemingsraad naar ondernemersraad?, de NV 1994, p. 155. Zie ook J.M.M. Maeijer, De benadering van het concernrecht in het medezeggenschapsrecht, bijdrage aan de Leede-bundel, p. 331; M.G. Rood, Over toerekenen en de WOR, TVVS 1995, 10, p. 261.

begrip bestuurder De bestuurder wordt gedefinieerd als: hij die alleen dan wel tezamen met anderen in een onderneming rechtstreeks de hoogste zeggenschap uitoefent bij de leiding van de arbeid. Een bestuurder van een BV (art. 2:239 BW e.v.) kan tevens bestuurder zijn in de zin van de WOR, namelijk indien hij naast het besturen van de vennootschap ook de hoogste zeggenschap uitoefent ten aanzien van de dagelijkse leiding van de arbeid in de onderneming. Doch indien hij voor deze leiding een bedrijfsleider heeft aangesteld, is deze laatste bestuurder in de zin van de WOR en niet de bestuurder van de BV.[13]

werkzame personen Tot de in de onderneming werkzame personen behoren alle personen die in een onderneming werkzaam zijn op grond van een met de betrokken ondernemer gesloten arbeidsovereenkomst of krachtens publiekrechtelijke aanstelling, met uitzondering van de bestuurder. Onder in de onderneming werkzame personen worden mede verstaan degenen die krachtens een publiekrechtelijke aanstelling bij dan wel krachtens een arbeidsovereenkomst met de ondernemer werkzaam zijn in een door een andere ondernemer in stand gehouden onderneming. Bovendien worden onder in de onderneming werkzame personen verstaan degenen die in het kader van werkzaamheden van de onderneming daarin ten minste 24 maanden werkzaam zijn krachtens een uitzendovereenkomst (art. 1, derde lid, WOR). Het is het aantal in de onderneming werkzame personen dat in beginsel bepaalt of een ondernemer ex art. 2 WOR verplicht is een OR in te stellen en het zijn deze personen die in beginsel gerechtigd zijn de leden van de OR te kiezen of als lid gekozen te worden (5.3.3).

uitzendkrachten gedetacheerden Opmerking verdient dat uitzendkrachten die ten minste 24 maanden in een onderneming (als uitzendkracht) werkzaam zijn geweest worden beschouwd als personen die zowel in die onderneming als in de onderneming van het uitzendbureau werkzaam zijn.

andere groepen Art. 6, vierde lid WOR stelt ondernemer en ondernemingsraad in staat gezamenlijk ook andere groepen van personen als in de onderneming werkzaam aan te merken. Hierdoor kunnen bijvoorbeeld aan free-lancers medezeggenschapsrechten krachtens de WOR worden toegekend. De bestuurder van de onderneming, hoewel werkzaam op arbeidsovereenkomst of krachtens publiekrechtelijke aanstelling, wordt krachtens uitdrukkelijke wetsbepaling (art. 1 lid 4 WOR) niet tot de 'in de onderneming werkzame personen' gerekend. Deze uitzondering is logisch. De bestuurder neemt immers binnen de onderneming een bijzondere

13 J. van Vliet, Het aanwijzen van de bestuurder in de zin van de Wet op de ondernemingsraden, TVVS 1984, 1, p. 149. Zie ook F. Koning, De bevoegdheden van de centrale ondernemingsraad, de NV 1993, p. 231; M.G. Rood, Over de verhouding WOR-vennootschapsrecht, TVVS 1993, 9, p. 222.

positie in; hij is in zekere zin de tegenspeler van de OR in zoverre hij de ondernemer vertegenwoordigt in het overleg met de OR (5.3.4.1).

5.3.2 *De instelling van ondernemingsraden (art. 2–5a WOR)*

Iedere ondernemer die een onderneming in stand houdt waarin in de regel 50 of meer personen werkzaam zijn, is verplicht een ondernemingsraad in te stellen (art. 2 WOR). De instellingsverplichting houdt in dat de ondernemer de verkiezing van de eerste OR moet organiseren.

GOR

Indien een ondernemer twee of meer ondernemingen in stand houdt, waarin 50 of meer werknemers werkzaam zijn dient een ondernemer, indien dit bevorderlijk is voor een goede toepassing van de wet, ook voor alle of een aantal van zijn ondernemingen een gemeenschappelijke OR in te stellen (art. 3 lid 1 WOR). Daaraan kan behoefte bestaan bij een sterk centraal geleid samenstel van ondernemingen die een zodanig nauwe samenhang vertonen in aard, structuur en management, dat de bijdragen van de afzonderlijke ondernemingsraden te gering zouden zijn. Ook kan instelling van een gemeenschappelijke OR bevorderen dat werknemers, die werkzaam zijn in een onderneming die te klein is voor instelling van een eigen OR, in de gemeenschappelijke OR vertegenwoordigd zijn. De WOR biedt veel ruimte voor de inrichting van een overlegstructuur die past bij de aard en omvang van een bedrijf.[14]

5.3.3 *Samenstelling en werkwijze van de ondernemingsraden (art. 6–22a WOR)*

verkiezing

De ondernemingsraad bestaat uit een aantal leden dat door de in de onderneming werkzame personen rechtstreeks uit hun midden wordt gekozen. De ondernemingsraad kiest uit zijn midden rechtstreeks een voorzitter en een of meer plaatsvervangende voorzitters; deze personen kunnen de OR in rechte vertegenwoordigen (art. 7 WOR).

Het aantal gekozen leden kan, afhankelijk van het aantal in de onderneming werkzame personen, variëren van 3–25. In beginsel worden zij voor drie jaren gekozen en zijn zij daarna terstond herkiesbaar. Om te kunnen worden gekozen, moet men een jaar in de onderneming werkzaam zijn geweest. Kiesgerechtigd (actief kiesrecht) zijn de personen die zes maanden in de onderneming werkzaam zijn geweest (art. 6 WOR).

De verkiezing geschiedt bij geheime schriftelijke stemming aan de hand van één of meer kandidatenlijsten. Een kandidatenlijst kan worden in-

14 De instelling van een gemeenschappelijke OR staat ook open voor 'in een groep verbonden ondernemers' (art. 3 lid 2 WOR); daarbij wordt gedacht aan een concern. Art. 4 WOR biedt bij ondernemingen vanaf 50 werknemers nog de mogelijkheid om voor een onderdeel van een onderneming een OR in te stellen.

gediend door een vereniging van werknemers die in de onderneming werkzame kiesgerechtigde personen onder haar leden telt of door een bepaald aantal personeelsleden die geen lid zijn van zo'n vereniging (art. 9 WOR).

reglement

Art. 8 WOR draagt de OR op een reglement te maken waarin de onderwerpen worden geregeld die krachtens de WOR aan de OR zijn opgedragen of overgelaten. Het reglement dient in ieder geval nadere regelingen te bevatten omtrent de verkiezingen (art. 10 WOR), alsmede omtrent de werkwijze van de OR, zoals het stemrecht in vergaderingen (meestal wordt besloten met gewone meerderheid, maar voor belangrijke besluiten kan een gekwalificeerde meerderheid worden voorgeschreven), de voorziening in het secretariaat, e.d. (art. 14 WOR). Alvorens het reglement vast te stellen, moet de OR de ondernemer in de gelegenheid stellen zijn standpunt over de inhoud ervan kenbaar te maken.[15]

achterban

Aparte vermelding verdient de bepaling in art. 14 WOR, dat het reglement moet aangeven op welke wijze de agenda en de verslagen van de vergaderingen van de OR moeten worden bekendgemaakt; eenzelfde verplichting geldt ten aanzien van het jaarverslag van de OR. Deze voorschriften hebben mede ten doel de betrokkenheid van het personeel bij het werk van de OR te vergroten. Ook het eerste lid van art. 17 WOR, waarin geregeld is dat de ondernemer de ondernemingsraad en de commissies van die raad in de gelegenheid stelt de in de onderneming werkzame personen te raadplegen en deze personen in de gelegenheid stelt hieraan hun medewerking te verlenen, een en ander voor zover dat redelijkerwijs noodzakelijk is voor de vervulling van de taak van de raad en de commissies, is bedoeld ter verbetering van de communicatie tussen OR en het overige personeel.[16]

commissies

Krachtens art. 15 WOR kan de OR commissies instellen die hij voor de vervulling van zijn taak redelijkerwijze nodig heeft. De wet onderscheidt vaste commissies, onderdeelcommissies en voorbereidingscommissies. Voor Arbo-zaken wordt bijvoorbeeld vaak een vaste commissie ingesteld. In een vaste commissie kunnen naast een meerderheid van leden van de ondernemingsraad ook andere in de onderneming werkzame personen zitting hebben. Aan een vaste commissie kan de ondernemingsraad zijn rechten en bevoegdheden ten aanzien van de betreffende onderwerpen, met uitzondering van de bevoegdheid tot het voeren van rechtsgedingen, overdragen (art. 15 lid 2 WOR). Het derde lid van art. 15 WOR regelt de onderdeelcommissie. Deze kan worden ingesteld voor

15 Zie nader Voorbeeldreglement ondernemingsraden, uitgave SER, Den Haag 1998.
16 Tweede Kamer 24 615, 3, p. 19.

de behandeling van de aangelegenheden van een bepaald onderdeel van de onderneming, bijvoorbeeld de kantine. Aan de onderdeelcommissie kan de ondernemingsraad rechten en bevoegdheden met betrekking tot dit onderdeel overdragen, met uitzondering van de bevoegdheid tot het voeren van rechtsgedingen. Van een onderdeelcommissie kunnen naast een of meer leden van de ondernemingsraad uitsluitend in het betrokken onderdeel werkzame personen zitting hebben. Het vierde lid van art. 15 WOR regelt de voorbereidingscommissie. Deze wordt tijdelijk ingesteld en kan geen rechten of bevoegdheden van de ondernemingsraad uitoefenen. Het lidmaatschap is ook mogelijk voor andere in de onderneming werkzame personen dan leden van de ondernemingsraad.

deskundigen

Art. 16 WOR geeft aan de OR en zijn commissies de bevoegdheid om deskundigen, van binnen of van buiten de onderneming (bij dit laatste kan men bijvoorbeeld denken aan een vertegenwoordiger van de Arbeidsinspectie), bestuurders of commissarissen uit te nodigen tot bijwoning van een vergadering met het oog op het behandelen van een bepaald onderwerp. Een deskundige kan ook worden uitgenodigd om een schriftelijk advies uit te brengen.

voorzieningen

De ondernemer is verplicht de OR en zijn commissies het gebruik toe te staan van voorzieningen waarover hij kan beschikken en die zij voor de vervulling van hun taak redelijkerwijs nodig hebben (vergaderruimte, kopieerapparaat, e.d.). Voorts dient hij de leden van de OR en zijn commissies zoveel mogelijk te laten vergaderen tijdens de normale werktijd en met behoud van hun loon (art. 17 WOR).[17]
Volgens art. 18 lid 1 WOR is de ondernemer voorts verplicht gezamenlijk met de OR een aantal uren per jaar vast te stellen (minimaal zestig) gedurende welke de leden van de OR en de commissies gelegenheid hebben met behoud van loon hun werk te onderbreken om onderling of met anderen (vakbondsbestuurder, advocaat, e.d.) te overleggen, of voor kennisneming van de arbeidsomstandigheden in de onderneming.

scholing

Evenzo dient ten behoeve van de leden van de OR en van de commissies een aantal dagen per jaar voor scholing en vorming te worden vastgesteld (art. 18 lid 2 WOR).[18]

geheimhouding

Leden van de OR of OR-commissies mogen geen gegevens openbaar maken betreffende zaken- en bedrijfsgeheimen, noch over aangelegen-

17 Een probleem kan zich voordoen wanneer een persoon met een deeltijd-aanstelling lid van de ondernemingsraad is. In vele gevallen zal niet gerealiseerd kunnen worden dat de vergaderingen, scholing enz. in de individuele werktijd van die werknemer plaats vinden. Op grond van een arrest van het Hof van Justitie van de Europese gemeenschappen kan het niet-belonen van een OR-lid dat in deeltijd werkt voor OR-activiteiten buiten de individuele arbeidstijd verricht verboden indirecte discriminatie van vrouwen opleveren. Arrest van 4 juni 1992, Jur. 1992, 3589 (Bötel).

18 De financiering van deze scholing is geregeld in art. 46a–46c WOR.

heden ten aanzien waarvan hen geheimhouding is opgelegd (meestal door de ondernemer, maar de OR kan ook zelf tot geheimhouding besluiten) of waarvan zij het vertrouwelijk karakter hebben moeten begrijpen (art. 20 WOR). Schending van de geheimhoudingsplicht kan strafbaar zijn ex art. 272, 273 WvS; bovendien zijn disciplinaire sancties mogelijk.[19]

kosten

De kosten die redelijkerwijs noodzakelijk zijn voor de vervulling van de taak van de OR en zijn commissies (secretariaatskosten e.d.) komen ten laste van de ondernemer (art. 22 WOR).
Op deze regel bestaan twee uitzonderingen: de kosten van een door de OR te raadplegen deskundige en de kosten van door de OR tegen de ondernemer te voeren rechtsgedingen, kunnen slechts ten laste van de ondernemer komen indien hij vooraf van de te maken kosten in kennis is gesteld.
Voor wat betreft de tussen OR en ondernemer gevoerde rechtsgedingen is het nog van belang te vermelden dat de OR niet in de proceskosten kan worden veroordeeld (art. 22a WOR).

bescherming

Art. 21 WOR tracht een goed functioneren van de OR te bevorderen door onder meer te bepalen, dat leden van de OR en zijn commissies en ook een door de ondernemer toegevoegde secretaris niet mogen worden benadeeld in hun positie in de onderneming wegens het zijn van OR-lid of commissielid.[20] Ontslagbescherming van leden van de ondernemingsraad en andere werknemers die bij de vertegenwoordiging van werknemers in medezeggenschapsorganen zijn betrokken is geregeld in art. 7:670, vierde lid BW en art. 7:670a BW (3.6.3.3).

conflicten

Bovengenoemde regels kunnen leiden tot conflicten tussen OR en ondernemer. Zo is het bijvoorbeeld mogelijk dat OR en ondernemer het niet eens kunnen worden over een gepast aantal dagen vrijaf voor scholing en vorming (art. 18 WOR), of dat de ondernemer bezwaar heeft tegen de kosten voor het raadplegen van een deskundige (art. 22 WOR). In al deze gevallen is dan de algemene geschillenregeling van art. 36 WOR van toepassing (5.3.6.2).

5.3.4 *Rechten van ondernemingsraden*

De belangenbehartiging van de ondernemingsraad betreft collectieve belangen. De behartiging van individuele belangen ligt in de handen van de individuele werknemer, eventueel met behulp

19 Zie HR 20 april 1990, NJ 1990, 702 voor een geval waarin een lid van de OR wegens schending van de geheimhoudingsplicht op staande voet werd ontslagen.

20 P.F. van der Heijden en J. van der Hulst, OR-lid en rechtspositie, Alphen aan den Rijn 1995; R.H. van het Kaar, R. Knegt, M. van Velzen, De rechtspositie van OR-leden en de effectiviteit van de SER-aanbevelingen terzake, Den Haag 1998.

van zijn raadsman of vakorganisatie. De rechten en bevoegdheden van de ondernemingsraad strekken ertoe de collectieve belangenbehartiging, in het belang van het goed functioneren van de onderneming in al haar doelstellingen, mogelijk te maken.

5.3.4.1 *Recht op overleg met de ondernemer (art. 23–24 WOR)*

overlegvergadering

De OR heeft het recht 'aangelegenheden de onderneming betreffende' aan de orde te stellen in de overlegvergadering.
De overlegvergadering is de bijeenkomst van de ondernemer, vertegenwoordigd door de bestuurder, en de OR. Op deze bijeenkomst worden de ondernemingsaangelegenheden besproken waarover overleg wettelijk verplicht is, dan wel door bestuurder of OR wenselijk wordt geacht.
De ondernemer doet in de overlegvergadering mededeling van advies- en instemmingsplichtige besluiten die hij in voorbereiding heeft. Daarbij worden afspraken gemaakt wanneer en op welke wijze de OR in de besluitvorming wordt betrokken (art. 24 lid 1 WOR).
Zowel de bestuurder als de OR hebben het recht tijdens de overlegvergadering voorstellen te doen en daarover besluiten te nemen.
De voorstellen in de overlegvergadering gaan dikwijls uit van de bestuurder, maar ook de OR mag het initiatief nemen tot een voorstel (art. 23 lid 2 WOR). Ook buiten de overlegvergadering kan de OR voorstellen doen aan de ondernemer (art. 23 lid 3 WOR). De bestuurder is niet verplicht een voorstel over te nemen, maar in de praktijk blijkt dat het merendeel van de initiatiefvoorstellen van de OR geheel of gedeeltelijk door de bestuurder wordt overgenomen.

Ondernemer en OR moeten binnen twee weken bijeen komen indien hetzij de een, hetzij de ander daarom heeft verzocht.

voorzitter

De overlegvergadering wordt, tenzij de ondernemer en de OR tezamen een andere regeling treffen, beurtelings geleid door de bestuurder van de onderneming en de voorzitter van de OR (c.q. hun respectievelijke plaatsvervangers). De bestuurder kan zich in de overlegvergadering steeds laten bijstaan door medebestuurders en/of door in de onderneming werkzame personen.

5.3.4.2 *Recht op informatie (art. 31–31c WOR)*

Het recht op informatie van de ondernemingsraad is in bovengenoemde (en enkele andere) artikelen uitvoerig en gedetailleerd geregeld. Het betreft hier een belangrijke materie aangezien de ondernemingsraad zijn hierna te beschrijven rechten slechts naar behoren kan uitoefenen indien hij over voldoende informatie beschikt.

In het begin van iedere zittingsperiode dient de ondernemer aan de

algemene informatie

ondernemingsraad een pakket algemene basisinformatie te verschaffen, inhoudende een aantal gegevens van juridische en organisatorische aard (art. 31 lid 2 WOR); tot die gegevens behoren bijvoorbeeld de rechtsvorm en de statuten van de ondernemer (art. 31 lid 2 sub a WOR) en bestaande zeggenschapsverhoudingen tussen ondernemers binnen een concern (art. 31 lid 2 sub d WOR).

financiële gegevens

In de tweede plaats dient de ondernemer ex art. 31a lid 1 WOR schriftelijk financiële gegevens te verschaffen 'ten behoeve van de bespreking van de algemene gang van zaken van de onderneming', een onderwerp dat ex art. 24 lid 1 WOR minstens tweemaal per jaar aan de orde moet worden gesteld in de overlegvergadering. Voorts moet de ondernemer

sociale informatie

minstens eenmaal per jaar schriftelijk sociale informatie verstrekken over het gevoerde en te voeren personeelsbeleid (art. 31b WOR).
Tot slot kan informatie incidenteel door de ondernemingsraad worden gevraagd ex art. 31 lid 1 WOR. Dit artikel legt op de ondernemer een antwoordplicht, dat wil zeggen de verplichting om – desgevraagd – aan de ondernemingsraad (en de commissies) alle gegevens te verstrekken 'die deze voor de vervulling van hun taak redelijkerwijs nodig hebben'.

5.3.4.3 *Adviesrecht ten aanzien van economische, organisatorische en financiële aangelegenheden (art. 25 WOR)*

Volgens art. 25 lid 1 WOR is de ondernemer verplicht de OR in de gelegenheid te stellen een advies uit te brengen over elk voorgenomen besluit betreffende de daar genoemde aangelegenheden.[21]

adviesplichtige onderwerpen

Tot de in art. 25 lid 1 WOR genoemde besluiten behoren onder meer besluiten tot:

- Overdracht van de zeggenschap over de onderneming of een onderdeel daarvan;
- belangrijke[22] inkrimping, uitbreiding of andere wijziging van de werkzaamheden van de onderneming;

21 Een beleidsplan dat nog onvoldoende geconcretiseerd is, is geen voorgenomen besluit en dus niet adviesplichtig. Vgl. TVVS 1991, 6, p. 162, MGR; F. Koning, SMA 1992, 3, p. 181. Een intentieverklaring is in het algemeen geen voorgenomen besluit, waarover de ondernemer op grond van art. 25 WOR advies moet vragen. OK Gerechtshof Amsterdam 25 april 1991, NJ 1992, 271, ROR 1991, 15. Op grond van bijzondere omstandigheden kan dit anders zijn. OK Gerechtshof Amsterdam 10 juli 1997, JAR 1997, 164. Een jurisprudentieoverzicht voor het jaar 1999 in L. G. Verburg, De OK, de medezeggenschap en het jaar 1999, ArbeidsRecht 2000, 4.

22 Een aantal van de in art. 25 lid 1 WOR genoemde voorgenomen besluiten behoeft slechts ter advisering aan de ondernemingsraad te worden voorgelegd indien zij 'belangrijk' zijn. Dit doet de vraag rijzen wanneer een besluit al dan niet belangrijk is. Of een voorgenomen besluit van de ondernemer belangrijk is in de zin van art. 25 eerste lid WOR hangt volgens vaste rechtspraak van de Ondernemingskamer af van: – het gewicht van het besluit, – de aard van de activiteiten van de onderneming, – het aantal werknemers voor wie het besluit niet-verwaarloosbare gevolgen heeft of zal hebben. In het algemeen begrijpt de Ondernemingskamer wijzigingen in de organisatie van de onderneming, inclusief verdeling van de bevoegdheden, al snel onder art. 25 eerste lid onder e WOR. Dat is ook het geval wanneer zo'n →

- belangrijke wijziging in de organisatie van de onderneming, danwel in de verdeling van de bevoegdheden binnen de onderneming;
- het doen van belangrijke investeringen of het aantrekken van belangrijke kredieten;[23]
- het verstrekken van een belangrijk krediet en het stellen van zekerheid voor belangrijke schulden van een andere ondernemer, tenzij dit geschiedt in de normale uitoefening van de werkzaamheden in de onderneming;
- het treffen van een belangrijke maatregel in verband met de zorg van de onderneming voor het milieu, waaronder begrepen het treffen of wijzigen van een beleidsmatige, organisatorische en administratieve voorziening in verband met het milieu; het verstrekken van een adviesopdracht aan een externe deskundige betreffende een in art. 25 lid 1 WOR genoemde aangelegenheid;
- vaststelling van een regeling met betrekking tot het zelf dragen van het risico, bedoeld in art. 75, derde lid, van de Wet op de arbeidsongeschiktheidsverzekering.

tijdstip adviesaanvraag

Het advies moet schriftelijk door de ondernemer gevraagd worden op een zodanig tijdstip dat het van wezenlijke invloed kan zijn op het te nemen besluit (art. 25 lid 2 WOR).[24] Voorts moet de ondernemer bij zijn adviesaanvraag de beweegredenen voor het voorgestelde besluit, de gevolgen die het kan hebben voor de werknemers en de naar aanleiding daarvan voorgenomen maatregelen (sociaal plan) vermelden (art. 25 lid 3 WOR).[25]
Het gevraagd advies mag eerst door de ondernemingsraad worden uit-

→ organisatieverandering niet direct gevolgen voor individuele personeelsleden heeft. M.G. Rood, noot onder OK 15 mei 1997, TVVS 1997, 9, pag 287. Wanneer tussen de ondernemingsraad en de ondernemer is afgesproken dat voor een bepaalde beslissing altijd advies gevraagd zal worden, is adviesvragen verplicht, ook al valt het onderwerp niet onder art. 25 WOR (bijvoorbeeld omdat het niet een belangrijke investering betreft) HR 17 maart 1993, NJ 1993, 366 m.nt. Ma.

23 J. Roest, Medezeggenschap van werknemers bij financieel-economische besluiten, diss. KUN, Deventer 1996.

24 Een intentieverklaring voorafgaand aan een met een potentiële partner in te stellen gemeenschappelijk onderzoek kan een (principe) besluit zijn tot het aangaan van duurzame samenwerking met die andere onderneming. Dat is het geval wanneer de ondernemer zich door bedoelde verklaring zozeer heeft vastgelegd dat medezeggenschap slechts marginaal zou zijn wanneer die eerst gevraagd zou zijn voor een nader besluit (in casu: een opgesteld businessplan): HR 7 oktober 1998, JAR 1998, 251. Zie F. Koning, Rechtspraakoverzicht medezeggenschapsrecht, SMA 1999, 1, p. 47 e.v. Over het onderscheid tussen beleidsvoornemen en (principe) besluit zie ook Asser/Maeijer, De Naamloze en de besloten vennootschap, 1994, nr. 478.

25 Gewoonlijk wordt een sociaal plan overeengekomen met vakbonden. Zie Hof Amsterdam OK 31 maart 1994, NJ 1995, 17, JAR 1994, 89; Hof Amsterdam (OK) 30 januari 1997, JAR 1997, 39, NJ 1997, 251. J. van der Hulst, Het sociaal plan, diss. Amsterdam 1999, p. 27 e.v.

gebracht nadat over de betrokken aangelegenheid minstens éénmaal overleg is gepleegd in de overlegvergadering.[26]

afwijking motiveren

Indien de ondernemer na het advies een besluit neemt, moet hij de OR daarvan zo spoedig mogelijk schriftelijk in kennis stellen. Een eventuele afwijking van het advies dient hij te motiveren. Indien hij afwijkt van het advies van de OR dient hij de uitvoering van zijn besluit een maand op te schorten (tenzij de ondernemingsraad zulks niet nodig acht). Gedurende die periode kan de ondernemingsraad ex art. 26 WOR in beroep gaan bij de ondernemingskamer van het Gerechtshof te Amsterdam (5.3.6.4).

Dikwijls zal de adviesaanvraag tevens betrekking hebben op de wijze waarop het voorgenomen besluit uitgevoerd zal worden. Indien een adviesaanvraag over dit aspect ontbreekt, dient de ondernemer volgens art. 25 lid 5 laatste volzin WOR alsnog aan de OR advies te vragen over de uitvoering van het besluit.[27]

5.3.4.4 *Instemmingsrecht (art. 27 WOR)*

Volgens art. 27 lid 1 WOR behoeft de ondernemer de instemming van de OR voor elk door hem voorgenomen besluit tot vaststelling, wijziging of intrekking van een van de in dat artikellid genoemde regelingen.

limitatieve opsomming

De opsomming van regelingen in art. 27 lid 1 WOR is limitatief. Voorts zijn met 'regelingen' slechts regelingen bedoeld met een min of meer duurzaam karakter, geldende voor alle of een groep van de in de onderneming werkzame personen.[28]

Tot de in art. 27 lid 1 WOR genoemde regelingen behoren:

- een regeling met betrekking tot een pensioenverzekering, een winstdelingsregeling of een spaarregeling;
- een werktijd- of een vakantieregeling;
- een belonings- of een functiewaarderingssysteem;
- een regeling op het gebied van de arbeidsomstandigheden en het beleid met betrekking tot ziekteverzuim;
- een regeling op het gebied van de personeelsopleiding of personeelsbeoordeling;
- een regeling op het gebied van bedrijfsmaatschappelijk werk,

26 Zie over verschillende problemen die in verband met het adviesrecht kunnen rijzen C. de Groot, Enkele aspecten van het adviesrecht, SMA 1991, 12, p. 734; R.A.A. Duk, Advocaat van de bazen, SMA 1991, 12, p. 778; HR 16 maart 1994, SMA 1994, 7/8, p. 432, m.n. J.J.M. de Laat.

27 Volgens OK 27 juli 1989, ROR 1989, 24 staat van een besluit dat louter uitvoering van een eerder genomen besluit betreft geen beroep open. Soms is het moeilijk te bepalen of er sprake is van een uitvoeringsbesluit, waartegen geen beroep van de OR mogelijk is, danwel van een (nieuw) besluit, waarbij dit beroepsrecht wel bestaat. Vgl. F. Koning, SMA 1992, 3, p. 182.

28 F. Koning, Het systeem van het collectieve arbeidsvoorwaardenrecht, diss. RUG, Kluwer, Deventer 1987, p. 41.

werkoverleg of op het gebied van de behandeling van klachten;
- een regeling omtrent de registratie van, de omgang met en de bescherming van de persoonsgegevens van de in de onderneming werkzame personen;
- een regeling inzake voorzieningen die gericht zijn op of geschikt zijn voor waarneming van of controle op aanwezigheid, gedrag of prestaties van de in de onderneming werkzame personen.

Art. 27 lid 1 WOR bevat dus uiteenlopende onderwerpen, zij betreffen besluiten met betrekking tot regelingen op het gebied van het sociaal beleid van de onderneming.[29] De reikwijdte van de verschillende onderdelen is niet altijd even duidelijk.

geen instemmingsbevoegdheid primaire arbeidsvoorwaarden

Voor wat dit laatste betreft is het van belang om vast te stellen, dat uit de wetsgeschiedenis blijkt dat de wetgever de OR geen wettelijke instemmingsbevoegdheden heeft willen geven met betrekking tot de zogeheten primaire arbeidsvoorwaarden; het onderhandelen over dergelijke onderwerpen werd in beginsel tot het domein van de werknemersorganisaties gerekend.[30] Nu is ook het begrip primaire arbeidsvoorwaarden niet scherp omlijnd, maar gewoonlijk neemt men aan dat hieronder in ieder geval het periodiek loon en de arbeidsduur vallen. In het licht daarvan dient onder het in art. 27 lid 1 WOR genoemde beloningsof functiewaarderingssysteem dan ook niet de loonhoogte, maar de indeling in beloningsgroepen te worden verstaan. Evenzo gaat het bij een werktijdregeling niet om een regeling betreffende het totaal te werken aantal uren per maand of per week, maar om een regeling die aangeeft op welke tijdstippen de werkzaamheden beginnen en eindigen. Anders gezegd: het gaat bij deze regelingen niet om het *niveau* van de arbeidsvoorwaarden, maar om de *organisatorische vormgeving* ervan; slechts in dit laatste geval is de instemming van de OR vereist. In de rechtspraktijk blijkt dit onderscheid echter niet altijd voldoende houvast te geven.[31]

ATW

Er zij hier bovendien op gewezen dat de ondernemingsraad over het aantal te werken uren enz. wel degelijk inspraak kan hebben, namelijk door toepassing van de Arbeidstijdenwet. De Arbeidstijdenwet regelt dat

29 Kamerstukken 24 615, 3, p. 1.

30 P.F. van der Heijden en A.J.C.M. Geers, Ondernemingsraad (losbladig), artikel 27, aant. 5.

31 De intrekking van een toekenning van extra-verlofdagen (jaarlijkse toekenning van extra vrije dagen, ook wel 'pretverlof' genoemd) is niet onderworpen aan het instemmingsvereiste van art. 27 WOR. Het betreft regeling van de arbeidsduur, dat wil zeggen het aantal uren op jaarbasis gedurende welke werknemers arbeid dienen te verrichten. Dat onderwerp moet gerekend worden tot de primaire arbeidsvoorwaarden. Het is niet de bedoeling van de wetgever geweest de ondernemingsraad een instemmingsrecht te geven met betrekking tot de vaststelling of wijziging van primaire arbeidsvoorwaarden. HR 11 februari 2000, JAR 2000, 86, Arbeidsrechtspraak nr. 84. D.M. Fernhout, Het begrip beloningssysteem in de zin van artikel 27 eerste lid sub c WOR, ArbeidsRecht 1995, 36; W.J.M. van Tongeren en C.H.J. van Leeuwen, De OR en arbeidsvoorwaarden, ArbeidsRecht 1995, 52.

in een aantal gevallen bij collectieve regeling van het wettelijk maximum kan worden afgeweken. Met een collectieve regeling in de zin van de ATW wordt in art. 1:4 een regeling waaromtrent de werkgever schriftelijk overeenstemming heeft bereikt met het medezeggenschapsorgaan gelijk gesteld (2.2).

geen primaire arbeidsvoorwaarden

Voorts kan worden aangetekend dat de wetgever weliswaar niet heeft bedoeld de OR instemmingsbevoegdheden te geven met betrekking tot primaire arbeidsvoorwaarden, maar dat de formulering van sommige onderdelen in art. 27 lid 1 WOR niettemin ruimte laat voor de opvatting, dat niet slechts de wijze van organisatorische vormgeving doch ook het niveau van de arbeidsvoorwaarden aan het instemmingsrecht is onderworpen. Dat doet zich bijvoorbeeld voor ten aanzien van een 'regeling met betrekking tot een pensioenverzekering'; verdedigd is dat de OR op dit punt een instemmingsbevoegdheid heeft die ook de materiële kant van een pensioenvoorziening kan betreffen. Al met al kunnen we constateren dat de vraag in hoeverre de OR aan art. 27 lid 1 WOR 'arbeidsvoorwaardelijke' bevoegdheden kan ontlenen, niet eenduidig wordt beantwoord.[32]

voorrang cao

Krachtens art. 27 lid 3 WOR is de in het eerste lid bedoelde instemming van de OR niet vereist, voor zover de betrokken aangelegenheid reeds inhoudelijk is geregeld in een cao.[33] Er is sprake van een 'inhoudelijke' regeling indien de cao die aangelegenheid in detail regelt, dat wil zeggen geen ruimte laat aan de ondernemer voor een verdere uitwerking per onderneming.[34] Regelt een cao een bepaalde aangelegenheid globaal, dan zal een ondernemer voor de uitwerking van een dergelijke regeling, mits het onderwerp valt onder de opsomming van art. 27 lid 1 WOR, instemming van de ondernemingsraad nodig hebben. Wanneer de cao bijvoorbeeld het aantal vakantiedagen per jaar vaststelt, maar de ondernemer in een bepaalde periode collectief een aantal vakantiedagen wil laten opnemen, heeft hij voor deze laatste regeling de instemming van de OR nodig. Dat is niet het geval wanneer hij gebruik maakt van een in een cao neergelegde regeling van collectieve vakantie.

schriftelijk en gemotiveerd

De ondernemer moet een voorgenomen besluit dat onder de reikwijdte van art. 27 lid 1 WOR valt schriftelijk en gemotiveerd aan de ondernemingsraad voorleggen en de gevolgen ervan aangeven. De ondernemingsraad besluit eerst nadat de betrokken aangelegenheid minstens

32 F. Koning, Artikel 27 WOR – een bron van mogelijke spanningen, Bijdrage aan Frenkel-bundel, p. 257.

33 Terecht wijst M.M. Olbers, Het regelingsbereik van de cao, SMA 1992, 11, p. 662 er op, dat krachtens het cao-recht dit resultaat ook zou gelden indien art. 27 lid 3 WOR niet bestond.

34 Ktr. Apeldoorn 6 februari 1990, ROR 1990, nr. 13; Rb. 's-Gravenhage 23 oktober 1991, ROR 1992, nr. 9.

éénmaal is behandeld in een overlegvergadering. Na het overleg moet de OR zijn beslissing zo spoedig mogelijk en met redenen omkleed aan de ondernemer mededelen. Na de beslissing van de OR deelt de ondernemer zo spoedig mogelijk schriftelijk aan de OR mede welk besluit hij heeft genomen en met ingang van welke datum hij het besluit zal uitvoeren (art. 27 lid 2 WOR).

5.3.4.5 *Andere wettelijke bevoegdheden (art. 28–30 WOR)*

overige onderwerpen

Art. 28 en 29 WOR geven de OR een zekere competentie op uiteenlopende gebieden, zoals het toezicht op voor de onderneming geldende voorschriften met betrekking tot de arbeidsvoorwaarden en arbeidsomstandigheden, het werkoverleg, de gelijke behandeling van mannen en vrouwen, discriminatie in het algemeen, de inschakeling van gehandicapte werknemers, zorg van de onderneming voor het milieu en minderheden en de benoeming van bestuursleden van door de ondernemer gefinancierde studiefondsen, sociale fondsen e.d. De artikelen stellen buiten twijfel dat de OR gelegitimeerd is desgewenst deze onderwerpen in een overlegvergadering aan de orde te stellen en hierover initiatiefvoorstellen te doen.

Tot slot verplicht art. 30 WOR de ondernemer de OR in de gelegenheid te stellen advies uit te brengen over een door hem voorgenomen benoeming of ontslag van een bestuurder als bedoeld in art. 1 lid 1 sub e WOR (5.3.1). Een van het advies afwijkende beslissing kan echter niet worden onderworpen aan toetsing door de ondernemingskamer ex art. 26 WOR.

5.3.4.6 *Uitbreiding bevoegdheden (art. 32 WOR)*

De wettelijke bevoegdheden van de OR kunnen allereerst worden uitgebreid bij cao (art. 32 lid 1 WOR). Van deze mogelijkheid wordt in de praktijk ook gebruik gemaakt. Zo is bijvoorbeeld in sommige cao's het instemmingsrecht ex art. 27 WOR uitgebreid tot onkostenregelingen en het adviesrecht ex art. 25 WOR tot voorgenomen besluiten om gebruik te maken van uitzendbureaus. Dit laatste betreft een verplichting die verder gaat dan die van art. 25 lid 1 sub g WOR: enerzijds niet beperkt tot het groepsgewijze inlenen, anderzijds betreft het niet advies- maar instemmingsrecht.[35]
In de tweede plaats kunnen volgens art. 32 lid 2 WOR de bevoegdheden van de OR worden verruimd bij schriftelijke overeenkomst tussen de

35 OR-bevoegdheden in cao's, Ministerie van SZW, DCA, Den Haag 1994.

ondernemer en de ondernemingsraad. Ook kunnen op die wijze aanvullende voorschriften voor de toepassing van het bij of krachtens de WOR bepaalde worden gegeven.[36]

convenant

Deze overeenkomsten, dikwijls ondernemingsovereenkomsten of convenanten genoemd, kunnen uiteenlopende onderwerpen betreffen. Zo kent men bijv. medezeggenschapsconvenanten die de informatierechten van de OR en de lijst van adviesplichtige en instemmingsplichtige besluiten nader preciseren of uitbreiden, alsmede interpretatieconvenanten, die aangeven wat onder het begrip 'belangrijk' in art. 25 lid 1 WOR zal worden verstaan.
Art. 32, vierde lid WOR regelt dat indien in de overeenkomst aan de ondernemingsraad een recht op advies of instemming wordt gegeven over andere voorgenomen besluiten dan genoemd in art. 25 of art. 27 WOR, de in art. 26 WOR en de in art. 27, vierde tot en met zesde lid WOR geregelde rechtsmiddelen ook aanwendbaar zijn. Deze bepaling is een reactie van de wetgever op het Barracuda-arrest van 1993[37], waarin de Hoge Raad had vastgesteld dat indien een ondernemer aan de OR bovenwettelijke adviesrechten heeft toegekend, een beroep van de OR ex art. 26 WOR op de ondernemingskamer tot naleving van deze afspraak mogelijk is.
Bovendien komen overeenkomsten tussen ondernemer en ondernemingsraad voor die betrekking hebben op de arbeidsvoorwaarden van de werknemers in de onderneming.[38]

doorwerking ondernemingsovereenkomst

Een punt dat in de literatuur een rol speelt betreft de vraag of aan een ondernemingsovereenkomst 'doorwerking' zou moeten worden toegekend. Het gaat hier om de vraag of de inhoud van ondernemingsovereenkomsten, voor zover betrekking hebbend op (primaire) arbeidsvoorwaarden automatisch en dwingend deel moet gaan uitmaken van de individuele arbeidsovereenkomsten, zoals bij de cao geschiedt op grond van art. 12 en 13 WCAO (4.4.1.2).[39] Dit is niet het geval. Een besluit van de ondernemer kan geen inbreuk maken op eventuele rechten en verplichtingen die voortvloeien uit tussen hem en zijn werknemers bestaande arbeidsovereenkomsten en dit wordt niet anders indien met het ondernemersbesluit door de OR is inge-

36 J.C.M.G Bloemarts, Enige beschouwingen over de contracterende ondernemingsraad, SR 1996 4, p. 89. Dezelfde, TVVS 1997, 12, p. 355 e.v. Ik teken hierbij aan dat volgens art. 32 lid 3 WOR een uitbreiding van het adviesrecht of instemmingsrecht bij cao of overeenkomst met de ondernemer vervalt, indien deze aangelegenheid inhoudelijk is geregeld in een cao (art. 27 lid 3 WOR).

37 HR 17 maart 1993, JAR 1993, 77.

38 P.F. van der Heijden en J. van der Hulst, De ondernemingsovereenkomst, Den Haag 1995. Pres. Rb. Den Haag 19 mei 1992, NJ 1993, 343 (Grabowski), Arbeidsrechtspraak nr. 85.

39 A.M. Luttmer-Kat, Automatische doorwerking van met de ondernemingsraad overeengekomen (arbeidsvoorwaarden)-regelingen, SR 1996, 3, p. 63; F. Koning, Ongelijkheidscompensatie en doorwerking, bijdrage aan de Rood-bundel, p. 95.

stemd. Dergelijke besluiten hebben geen automatisch en dwingende doorwerking in de arbeidsovereenkomsten van de in de onderneming werkzame personen, zulks in tegenstelling tot de collectieve arbeidsovereenkomst ten aanzien van georganiseerde werknemers (art. 9 lid 1, 12, 13 WCAO, zie ook 4.4.1.2). Dergelijke afspraken binden individuele werknemers slechts indien zij daarin toestemmen.[40] Voorts zullen werknemers daaraan gebonden zijn indien de werkgever een beroep doet op een bij de arbeidsovereenkomst schriftelijk overeen gekomen eenzijdig wijzigingsbeding. Op dit beding kan de werkgever echter alleen een beroep doen wanneer hij daar een zodanig zwaarwegend belang bij heeft dat het belang van de werknemer daarvoor naar maatstaven van redelijkheid en billijkheid moet wijken (art. 7:613 BW).
Doorwerking ontbreekt ten aanzien van besluiten die door de ondernemer ex art. 27 WOR met instemming van de OR worden genomen (5.3.4.5). Ook een overeenkomst als bedoeld in art. 32 WOR mist een dergelijke doorwerking.[41]

5.3.5 *Centrale ondernemingsraden en groepsondernemingsraden (art. 33–35 WOR)*

Een ondernemer die voor meer dan één onderneming een ondernemingsraad heeft ingesteld is verplicht een centrale ondernemingsraad in te stellen indien dit bevorderlijk is voor een goede toepassing van de WOR ten aanzien van deze ondernemingen (art. 33, eerste lid WOR).

COR

Een centrale ondernemingsraad bestaat uit een aantal leden, gekozen door de betrokken ondernemingsraden uit de leden van elk van die raden.
Voorts bestaat de verplichting om indien dit bevorderlijk is voor een goede toepassing van de WOR ten aanzien van deze ondernemingen tussen de ondernemingsraden en de centrale ondernemingsraad zogenaamde groepsondernemingsraden in te stellen; het gaat hier om ondernemingen die binnen een concern een zekere samenhang vertonen (divisie). Met name bij grote concerns bestaat aan beide soorten van overlegorganen soms behoefte.

GOR

De centrale ondernemingsraad en de groepsondernemingsraad behandelen uitsluitend aangelegenheden van gemeenschappelijk belang voor alle of de meerderheid van de betrokken ondernemingen. Indien deze bevoegdheden aan de afzonderlijke ondernemingsraden toekwamen, gaan deze over op deze beide lichamen. Een groepsondernemingsraad

40 Rb. Amsterdam 8 februari 1984, NJ 1985, 19.
41 Tweede Kamer 24 615, 3, p. 27.

mag voorts geen aangelegenheden behandelen die door de centrale ondernemingsraad worden behandeld.[42]

5.3.6 *Geschillenregelingen (art. 36, 27, 26 WOR)*

5.3.6.1 *Algemeen*

De toepassing van de WOR kan aanleiding geven tot uiteenlopende geschillen, bijvoorbeeld over niet-nakoming van verplichtingen door de ondernemer of OR, over het adviesrecht of over het instemmingsrecht. In al deze gevallen kan er behoefte ontstaan aan instanties die bemiddelend of beslissend optreden. In deze behoefte heeft de wet voorzien.

civielrechtelijk

De WOR kent twee civielrechtelijke beroepsgangen: de geschillenregelingen bij de kantonrechter (art. 36, 27 WOR) en de geschillenregeling bij de ondernemingskamer (art. 26 WOR).
In beide gevallen gaat het om een verzoekschriftprocedure ex art. 429a e.v. Rv. Dit houdt in dat de vordering moet worden ingeleid met een verzoekschrift. De wederpartij krijgt daarna de gelegenheid een verweerschrift in te dienen, waarna een mondelinge behandeling plaatsvindt.[43]

In het navolgende wordt eerst aandacht geschonken aan de toepassing van de kantongerechtprocedure bij geschillen in het algemeen (art. 36 WOR) (5.3.6.2). De specifieke beslechting door de kantonrechter van conflicten betreffende art. 27 WOR (art. 27 lid 4, 5 en 6 WOR) wordt daarna apart behandeld (5.3.6.3). De procedure bij de ondernemingskamer betreffende geschillen ex art. 25 WOR (art. 26 WOR) komt als slot aan de orde (5.3.6.4).

5.3.6.2 *Geschillen in het algemeen*

kantonrechter

Zoals we in het voorgaande hebben gezien, legt de WOR een aantal verplichtingen op de ondernemer en de OR. Art. 36 WOR geeft aan wie nakoming van deze verplichtingen kunnen vorderen en op welke wijze. Art. 36 lid 1 WOR noemt vier van deze verplichtingen expliciet, waaronder de verplichting van de ondernemer om een OR in te stellen en de verplichting van de OR om agenda's en verslagen van zijn vergaderingen bekend te maken. Volgens dit artikellid kan 'iedere belanghebbende' (dat wil zeggen ondernemer, OR, de in de onderneming werk-

42 C. de Groot, Het adviesrecht van de in een concern ingestelde centrale ondernemingsraad, SMA 1988, 9, p. 614; C. de Groot, SMA 1991, 11, p. 520; F. Koning, Fusies en (centrale) ondernemingsraden, oratie EUR, Deventer 1988, p. 12; F. Koning, SMA 1990, 11, p. 682; F. Koning, De bevoegdheden van de centrale ondernemingsraad, de NV 1993, p. 231.

43 A.L. Asscher, C.G. Scholtens, A. Beker, A.S. Rueb, Vademecum burgerlijk procesrecht, Arbeidszaken, Huurzaken, Deventer (losbl.) Hoofdstuk VII, Medezeggenschap door O. Albers.

zame personen, vakbond die in de onderneming werkzame personen heeft georganiseerd) nakoming van de aldaar genoemde verplichtingen vorderen.[44]
Krachtens art. 36 lid 2 WOR kunnen slechts de OR of de ondernemer de kantonrechter verzoeken te bepalen dat de ondernemer, onderscheidenlijk de OR, gevolg dienen te geven aan hetgeen overigens bij of krachtens de WOR is bepaald; de kring van degenen die bevoegd zijn nakoming te vorderen, is hier beperkter dan in het geval van art. 36 lid 1 WOR. Het gaat hier bijvoorbeeld om de regels neergelegd in art. 17 WOR (faciliteiten), art. 18 WOR (vrijaf voor overleg en scholing), art. 22 WOR (kosten deskundige en rechtsgeschillen) en art. 31 WOR (informatie), alsmede om de verplichting van de ondernemer om aan de OR advies (art. 25 WOR), danwel instemming (art. 27 WOR) te vragen. Bij spoedgevallen is een beroep van de OR op de president in kort geding mogelijk.[45]

bedrijfscommissie

Indien een verzoeker zich tot de kantonrechter wendt, zal deze de verzoeker niet ontvankelijk verklaren indien deze niet eerst schriftelijk de bemiddeling van de bedrijfscommissie heeft ingeroepen (art. 36 lid 3 WOR). Door deze bemiddeling verplicht te stellen heeft de wetgever beoogd het beroep op de kantonrechter te beperken.
Bedrijfscommissies[46] zijn geregeld in art. 37 e.v. van de WOR. Zij hebben de taak te bemiddelen bij een geschil waarover op grond van de WOR een verzoek aan de kantonrechter wordt gericht (art. 36 lid 3 WOR). Een bedrijfscommissie wordt ingesteld door de SER voor groepen van min of meer gelijksoortige ondernemingen. Bedrijfscommissies bestaan uit ondernemers- en werknemersleden, samen minstens zes (art. 37 lid 2 WOR). In 1998 is het besluit genomen het aantal bedrijfscommissies terug te brengen van 68 tot achtentwintig.[47]

schikking

De bedrijfscommissie tracht na een verzoek om bemiddeling een minnelijke schikking tussen partijen tot stand te brengen. Indien geen minnelijke schikking kan worden bereikt, brengt de bedrijfs- commissie aan partijen schriftelijk verslag uit van haar bevindingen met een advies omtrent de oplossing van het geschil. De bedrijfscommissie dient haar

advies

advies twee maanden nadat haar bemiddeling is gevraagd uit te brengen; deze termijn kan slechts met instemming van beide partijen met ten

44 Een (zeldzaam) voorbeeld van een vordering tot instelling van een OR door een vakbond geeft Ktr. Steenwijk 27 februari 1991, PRG 1991, 11, p. 311.
45 L.C.J. Sprengers en W. Zeijlstra, Het kort geding in het medezeggenschapsrecht, SR 1987, 7/8, p. 245.
46 J.C.M. van Horne, In het voorportaal van de rechter: een onderzoek naar de bemiddelende en adviserende rol van bedrijfscommissies bij geschillen tussen ondernemer en ondernemingsraad, Proefschrift Amsterdam, Den Haag, Sdu 1997.
47 Besluit SER tot wijziging van SER-verordening op de bedrijfscommissies van 17 november 1998; A. van Horne, P. Rop, van 68 naar 28 bedrijfscommissies: SER gaat niet ver genoeg. OR-informatie, 25 (1999), 2, p. 26-28.

hoogste twee maanden worden verlengd. Maar ook taken als advisering over OR-aangelegenheden en stimulering van het oprichten van ondernemingsraden worden als taken van de bedrijfscommissies beschouwd.

Indien het advies van de bedrijfscommissie niet leidt tot een oplossing in der minne, kan de meest gerede partij zich tot de kantonrechter wenden.

verzoekschrift

Het verzoekschrift aan de kantonrechter moet in beginsel binnen dertig dagen na het uitbrengen van het advies van de bedrijfscommissie worden ingediend. Het verslag van de bedrijfscommissie moet bij het verzoekschrift worden overgelegd (art. 36 lid 4 WOR). Een verzoek aan de kantonrechter op grond van art. 27, vierde en zesde lid WOR is niet ontvankelijk als met betrekking tot dezelfde aangelegenheid een aanwijzing is gegeven of een eis is gesteld als bedoeld in de Arbeidsomstandighedenwet (art. 36 lid 6 WOR).

sanctie

De kantonrechter kan in zijn beschikking aan de ondernemer of de OR de verplichting opleggen bepaalde handelingen te verrichten of na te laten. Indien de ondernemer deze verplichting niet nakomt, kan hij daartoe desgevraagd door een dwangsom worden gedwongen. Indien de OR de verplichting niet nakomt, kan de kantonrechter de OR ontbinden met de verplichting een nieuwe OR te doen verkiezen (art. 36 lid 7 WOR).

Van een beschikking van de kantonrechter is hoger beroep mogelijk bij de rechtbank en cassatie bij de Hoge Raad.

5.3.6.3 *Geschillen betreffende art. 27 WOR*

De hiervoor in 5.3.7.2 beschreven algemene procedure ex art. 36 lid 2 juncto lid 7 WOR is eveneens van toepassing indien het gaat om geschillen betreffende het instemmingsrecht ex art. 27 lid 1 WOR. Deze procedure zal bijvoorbeeld door de OR in gang kunnen worden gezet indien de ondernemer uitvoering geeft aan een besluit zonder de daarvoor noodzakelijke instemming van de OR te hebben gevraagd. In art. 27 lid 4 WOR, alsmede in art. 27 lid 5 en 6 WOR, is echter nog een tweetal specifieke voorzieningen getroffen voor de beslechting van conflicten betreffende art. 27 lid 1 WOR. Deze beide procedures worden hieronder besproken.

specifieke voorzieningen

Een conflict betreffende art. 27 lid 1 WOR kan zich voordoen indien de door de ondernemer gevraagde instemming door de OR wordt geweigerd.

Indien de OR weigert met het voorgenomen besluit in te stemmen, kan de ondernemer zich (na bemiddeling/advies van de bedrijfscommissie)

wenden tot de kantonrechter met het verzoek toestemming te verlenen om het voorgenomen besluit te nemen.
Volgens art. 27 lid 4 WOR zal de kantonrechter deze toestemming slechts mogen geven 'indien de beslissing van de OR om geen instemming te geven onredelijk is, of het voorgenomen besluit van de ondernemer gevergd wordt door zwaarwegende bedrijfsorganisatorische, bedrijfseconomische of bedrijfssociale redenen.'

In de tweede plaats kan er tussen de ondernemer en de OR een verschil van mening bestaan over de vraag of een regeling die de ondernemer wil invoeren wel valt onder de in art. 27 lid 1 WOR opgenomen limitatieve opsomming van onderwerpen, of het voorgenomen besluit wel instemmingsplichtig is. Een dergelijk interpretatiegeschil doet zich in de praktijk herhaaldelijk voor.[48]
Een besluit van de ondernemer genomen zonder de op grond van art. 27 lid 1 WOR vereiste instemming van de ondernemingsraad, en zonder de toestemming van de kantonrechter op grond van art. 27 lid 4 WOR is nietig, mits de OR op die nietigheid een beroep doet. Dit beroep dient schriftelijk te worden gedaan binnen een maand nadat, hetzij de ondernemer zijn besluit schriftelijk aan de OR heeft medegedeeld, hetzij de OR is gebleken dat de ondernemer uitvoering geeft aan zijn besluit (art. 27 lid 5 WOR).

nietig besluit

Vervolgens kan de OR (na bemiddeling/advies van de bedrijfscommissie) de kantonrechter verzoeken de ondernemer te verplichten zich te onthouden van handelingen die strekken tot uitvoering van het besluit waarvan de nietigheid is ingeroepen. Op zijn beurt kan de ondernemer de kantonrechter verzoeken te verklaren dat de OR ten onrechte een beroep op de nietigheid heeft gedaan, omdat het besluit niet instemmingsplichtig is (art. 27 lid 6 WOR).[49]

sanctie

Van een beschikking van de kantonrechter op grond van art. 27 lid 4 WOR, of op grond van art. 27 lid 5 en 6 WOR, is hoger beroep mogelijk bij de rechtbank en cassatie bij de Hoge Raad.

5.3.6.4 *Geschillen betreffende art. 25 WOR*

Volgens art. 26 WOR heeft de OR een beroepsrecht tegen een door de ondernemer genomen besluit als bedoeld in art. 25 lid 5 WOR indien het besluit van de ondernemer afwijkt van het advies dat de OR terzake heeft uitgebracht, of indien na het uitbrengen van een advies feiten of

48 Bijvoorbeeld: Ktr. Arnhem 5 maart 1996, ROR 1996/17: Een besluit inzake overwerk op zaterdag betreft een werktijdenregeling, en behoeft daarom de instemming van de ondernemingsraad.
49 Ook met betrekking tot bij overeenkomst toegekende advies- of instemmingsrechten is het beroepsrecht van art. 26 resp. 27, lid 4 tot en met 6 van toepassing (art. 32 lid 4 WOR).

omstandigheden zijn bekend geworden die het advies anders hadden kunnen doen luiden (art. 26 lid 1 WOR). Ook wanneer niet advies is gevraagd ter zake van een besluit waarover advies (hetzij op grond van art. 25 lid 1 WOR, hetzij op grond van een afspraak) vereist is, is de OR ontvankelijk in zijn beroep bij de Ondernemingskamer. Voorafgaande bemiddeling van de bedrijfscommissie is bij een beroep op grond van art. 26 WOR niet voorgeschreven. Instellen van beroep bij de Ondernemingskamer tot naleving van art. 25 WOR leidt tot niet-ontvankelijkheid van een eventueel verzoekschrift aan de kantonrechter met betrekking tot dat besluit (art. 36 lid 5 WOR).

Ondernemingskamer

Indien het besluit van de ondernemer afwijkt van het advies dient de ondernemer de uitvoering van dit besluit op te schorten tot een maand na de dag waarop de OR door hem schriftelijk[50] van het besluit in kennis is gesteld; deze verplichting vervalt indien de OR zulks te kennen geeft (art. 25 lid 6 WOR).

Gedurende de maand na de schriftelijke kennisgeving kan de OR bij verzoekschrift tegen het besluit in beroep gaan bij de ondernemingskamer van het Hof te Amsterdam.[51] De ondernemingskamer bestaat uit drie leden van het Hof en twee door de Kroon te benoemen deskundigen – niet leden van de rechtelijke macht (art. 72 RO).[52]

Het beroep van de ondernemingsraad kan alleen slagen indien de ondernemer 'bij afweging van de betrokken belangen niet in redelijkheid tot zijn besluit had kunnen komen' (art. 26 lid 4 WOR). Via dit criterium beoogde de wetgever de beleidsvrijheid van de ondernemer aan een marginale toetsing door de rechter te onderwerpen.[53]

kennelijk onredelijk

Uit de tot dusver gepubliceerde jurisprudentie blijkt dat de ondernemingskamer, voor de beantwoording van de vraag of een besluit kennelijk onredelijk is of niet, in het bijzonder nagaat of de ondernemer aan de in art. 25 WOR neergelegde voorschriften heeft voldaan.[54] De OK legt daarbij sterk het accent op de personele gevolgen van besluiten.

50 Dat de kennisgeving schriftelijk moet geschieden, blijkt uit HR 7 oktober 1987, NJ 1988, 854. Zie ook Hof Amsterdam OK 15 oktober 1992, NJ 1993, 210.

51 Zie over de achtergrond en rechtspraak van de ondernemingskamer H.F.J. Joosten, De rechtspraak van de ondernemingskamer, SMO-boek 1989, Den Haag. R.A.A. Duk, Is de OK nog (de) OK?, SMA 1998, 1, p. 3–4.

52 Zie over de positie van de ondernemingskamer in het systeem van de rechtspleging, de bijdrage van W.C.L. van der Grinten aan Geschillen in de onderneming, Deventer 1984, p. 93; H.F.J. Joosten, De ondernemingskamer en het ondernemingsrecht, TVVS 1983, 6, p. 186; J. van Slooten, bijdrage aan Met recht verenigd, Deventer 1986, p. 241; R.H. van den Kaar (red.), 25 jaar ondernemingskamer, Den Haag 1996.

53 J.B. Huizink, Toetsing van ondernemingsbesluiten aan artikel 26 lid 4 WOR, TVVS 1983, 7, p. 209; P.F. van der Heijden, Algemene beginselen van behoorlijk ondernemerschap, NJB 1984, 44, p. 1385; S.M. Bartman en A.F.M. Dorresteijn, Marginale toetsing en de vrijheid van de ondernemer, NJB 1985, 21, p. 669; B.H.A. van Leeuwen, Beginselen van behoorlijk ondernemingsbestuur, diss. RU Limburg, Deventer 1991.

54 Zie de rechtspraakoverzichten van F. Koning in SMA, laatstelijk in SMA 1994, 11/12, p. 630. R.A.A. Duk, Is de OK nog (de) OK? SMA 1998, 1, p. 3–4.

Deze voorschriften dragen een procedureel karakter, zij betreffen de wijze van besluitvorming:

procedureregels

- de OR moet behoorlijk in de gelegenheid worden gesteld advies uit te brengen;[55]
- de ondernemer moet bij het vragen van advies een overzicht verstrekken van de beweegredenen voor het besluit en de daarvan te verwachten gevolgen (art. 25 lid 3 WOR);[56]
- een afwijking van het advies moet behoorlijk zijn gemotiveerd (art. 25 lid 5 WOR).[57]

Indien een besluit op formele gronden kennelijk onredelijk wordt geacht, betekent dit meestal slechts een uitstel van executie. Door opnieuw advies te vragen en daarbij de gemaakte procedurele fouten te herstellen, kan de ondernemer immers gewoonlijk alsnog zijn besluit doorvoeren. Inhoudelijk wordt door de ondernemingskamer aan de ondernemer een ruime beleidsvrijheid gelaten.[58] Van de besliste zaken hadden vele betrekking op art. 25 lid 1 sub e WOR (wijziging organisatie, c.q. verdeling bevoegdheden in de onderneming) en op art. 25 lid 1 sub d WOR (inkrimping, wijziging, uitbreiding activiteiten).

sanctie

voorzieningen

Indien de ondernemingskamer een besluit van de ondernemer kennelijk onredelijk acht, kan hij voorts – doch alleen indien de ondernemingsraad daarom heeft verzocht – een of meer van de volgende voorzieningen treffen, desgevraagd versterkt door een dwangsom (art. 26 lid 5 WOR):[59]

a. het opleggen van de verplichting aan de ondernemer om het besluit geheel of ten dele in te trekken, alsmede om bepaalde gevolgen van dat besluit ongedaan te maken;
b. het opleggen van een verbod aan de ondernemer om handelingen te (doen) verrichten ter uitvoering van het besluit of van onderdelen daarvan.

55 Hof Amsterdam OK 1 mei 1980, NJ 1981, 271; Arbeidsrechtspraak nr. 80 (Linge-uitspraak); Hof Amsterdam 7 juli 1988, NJ 1989, 845 (Fluke), Arbeidsrechtspraak nr. 81.
56 Hof Amsterdam (OK) 15 mei 1997, JAR 1997, 140.
57 F. Koning, SMA 1989, 10, p. 600. Hof Amsterdam (OK) 7 juli 1988, NJ 1989, 845, m.n. MA, Arbeidsrechtspraak nr. 81 (Fluke).
58 Hof Amsterdam (OK) 28 november 1991 (Bat-uitspraak), NJ 1992, 201, OR-informatie 1992, 3, p. 22, TVVS 1992, 2, p. 50; F. Koning, SMA 1992, 3, p. 183. De vraag in hoeverre een inhoudelijke toetsing scherp van een procedurele toetsing kan worden onderscheiden is omstreden. Door de zware eisen die soms aan de motiveringsplicht worden gesteld, kan de toetsing een inhoudelijk karakter krijgen. Zie noot Ma bij Hof Amsterdam OK 7 juli 1988, NJ 1989, 845; M.G. Rood, TVVS 1989, 10, p. 282; R.A.A. Duk, Het afwegen van appels en peren, SMA 1990, 3, p. 129; P.F. van der Heijden, De ondernemingskamer en de verboden stoel van de ondernemer, SR 1990, 3, p. 81; Hof Amsterdam (OK) 5 december 1996, NJ1997, 237, JAR 1997, 12, SR 1997, 2, p. 59.
59 Zie over deze discretionaire bevoegdheid van de rechter Hof Amsterdam (OK) 16 december 1993, NJ 1995, 49, JAR 1994, 14.

Verworven rechten van derden kunnen door dergelijke voorzieningen niet worden aangetast.

voorlopige voorzieningen

Volgens art. 26 lid 8 WOR kan de ondernemingskamer, nadat het verzoekschrift door de ondernemingsraad is ingediend, 'zo nodig onverwijld, voorlopige voorzieningen treffen'. De ondernemingskamer zal de hierboven onder *a* of *b* genoemde voorzieningen onverwijld opleggen, indien daarvoor zwaarwichtige gronden bestaan en indien er een goede kans is dat in het geschil ten gronde geoordeeld zal worden dat de ondernemer bij afweging van de betrokken belangen niet in redelijkheid tot het aangevochten besluit had kunnen komen.[60]

Tegen de beschikking van de ondernemingskamer staat geen hoger beroep open, wèl kan men in cassatie gaan bij de Hoge Raad (art. 26 lid 9 WOR). Cassatieberoep heeft tot dusver slechts enkele keren plaatsgevonden.[61]

5.3.7 *De personeelsvertegenwoordiging en de personeelsvergadering*

vrijwillige OR

Voor ondernemingen met minder dan 50 werknemers verplicht de wet niet tot instelling van ondernemingsraden. Een ondernemingsraad is hier echter mogelijk op vrijwillige basis of op basis van een cao (art. 5a WOR). Het bij of krachtens de wet bepaalde is in die gevallen van toepassing. Ook op een ondernemingsraad waarvan instelling niet op grond van de wet verplicht is, zijn dus de organisatorische voorschriften en de voorschriften met betrekking tot rechten en plichten van ondernemingsraad en ondernemer van toepassing.
De ondernemer heeft ook de mogelijkheid – onder omstandigheden de verplichting – een personeelsvertegenwoordiging in het leven te roepen. Voorschriften met betrekking tot de organisatie van dat orgaan en de rechten en bevoegdheden zijn in de Wet op de ondernemingsraden opgenomen (art. 35c WOR). Is geen ondernemingsraad of personeelsvertegenwoordiging ingesteld, dan legt de WOR niettemin zekere medezeggenschapsverplichtingen op de ondernemer, die een onderneming waarin in de regelt ten minste 10 maar minder dan 50 personen werkzaam zijn (art. 35d WOR) .

1. *De personeelsvertegenwoordiging (art. 35c WOR)*

In een onderneming waarin minder dan 50 personen werkzaam zijn, en waarvoor geen ondernemingsraad (vrijwillig of verplicht op grond

60 De ondernemingsraad kan zich in spoedgevallen tevens tot de president in kort geding wenden. Bij een kort geding geldt niet de regel van art. 26 lid 8 WOR dat (eerst) een verzoekschrift ingediend moet zijn. P.F. van der Heijden, De WOR-herbezocht, SMA 1984, 9, p. 584, ook opgenomen in Sociaal-rechtelijk en sociaal-politiek denken sedert de Tweede Wereldoorlog, Alphen aan den Rijn 1986, p. 395.

61 Een voorbeeld is HR 17 maart 1993, NJ 1993, 355 (Barracuda-arrest). Zie ook HR 7 juli 1982, NJ 1993, 35 (Enka-zaak) en HR 26 januari 1994, JAR 1994, 32.

instelling PVT

van bijvoorbeeld de cao) is ingesteld, kan een personeelsvertegenwoordiging worden ingesteld. In een onderneming van ten minste 10 werknemers en minder dan 50 werknemers waarin de meerderheid van de onderneming werkzame personen zulks verzoekt is de instelling van een personeelsvertegenwoordiging verplicht (art. 35c lid 2 WOR).
Is een personeelsvertegenwoordiging ingesteld dan regelt de wet dwingend een aantal rechten en bevoegdheden van dat orgaan. Bovendien kunnen aan de personeelsvertegenwoordiging bij cao of bij schriftelijke overeenkomst tussen de ondernemer en de personeelsvertegenwoordiging meer of verdere bevoegdheden worden toegekend dan in art. 35c WOR geregeld. De bevoegdheden van de personeelsvertegenwoordiging in ondernemingen met 10-50 werknemers zijn in het vierde tot en met 6ᵉ lid van art. 35c WOR geregeld. Het betreft onder meer instemmingsrecht over een werktijdenregeling, het arbobeleid en het beleid met betrekking tot ziekteverzuim. De personeelsvertegenwoordiging heeft niet de adviesbevoegdheid die de Ondernemingsraad op grond van art. 25 WOR heeft. Wel wordt in een personeelsvergadering aan de in de onderneming werkzame personen in de gelegenheid gesteld over bepaalde onderwerpen (onder meer: beslissingen die kunnen leiden tot verlies van de arbeidsplaats) door de ondernemer aan de PVT de gelegenheid gegeven advies uit te brengen (art. 35c lid 3 jo. 35b lid 5 WOR).

bevoegdheden

De personeelsvertegenwoordiging in ondernemingen waarin minder dan 10 personen werkzaam zijn is geregeld in art. 35d lid 2 WOR. Haar bevoegdheden komen in grote lijnen overeen met die van de personeelsvertegenwoordiging in de grotere onderneming. Daarop zijn enige uitzonderingen. De PVT in de 10-min onderneming heeft niet de in art. 35b lid 4 en 5 WOR geregelde bevoegdheden in de personeelsvergadering geïnformeerd te worden en advies te kunnen uitbrengen. Evenmin heeft de PVT in de 10-min onderneming de in art. 27d WOR geregelde bevoegdheid instemming te verlenen (of te onthouden) aan het arbeidsomstandighedenbeleid van de onderneming.

bescherming

Leden van een personeelsvertegenwoordiging genieten bescherming tegen victimisatieontslag (art. 7:670 lid 4 BW).

rechten PVT

De personeelsvertegenwoordiging heeft recht op de (algemene) inlichtingen, zoals in art. 31, eerste lid WOR geregeld, zij het dat die inlichtingen ook mondeling kunnen worden gegeven.
Ook in andere wetten, bijvoorbeeld de Arbeidstijdenwet worden aan de personeelsvertegenwoordiging rechten toegekend (art.6:2 ATW).

2. *De personeelsvergadering (art. 35b WOR)*

bijeenroepen PV

In een onderneming waarin geen ondernemingsraad of personeelsvertegenwoordiging is ingesteld wordt onder bepaalde omstandigheden een directe vorm van medezeggenschap beoefend. In ondernemingen waarin ten minste 10 maar minder dan 50 personen werkzaam zijn is

de ondernemer verplicht minstens tweemaal per kalenderjaar de in de onderneming werkzame personen in de gelegenheid te stellen gezamenlijk met hem bijeen te komen: de personeelsvergadering. Hij is voorts tot dit overleg verplicht indien een vierde van het personeel hem daartoe een gemotiveerd verzoek doet.
In deze personeelsvergaderingen wordt minstens eenmaal per jaar de algemene gang van zaken in de onderneming besproken. Voorts kunnen alle aangelegenheden de onderneming betreffende, ter sprake worden gebracht. De ondernemer moet de nodige inlichtingen verschaffen. De ondernemer is verplicht inlichtingen te verstrekken over de resultaten van de onderneming en de verwachtingen. Ook over de in de onderneming werkzame personen en het sociale beleid heeft de ondernemer een informatieplicht.

adviesbevoegdheid

De werknemers moeten door de ondernemer in bovenbedoelde vergadering in de gelegenheid worden gesteld advies uit te brengen over elk door hem voorgenomen besluit dat kan leiden tot verlies van de arbeidsplaats of tot een belangrijke verandering van de arbeid, de arbeidsvoorwaarden of de arbeidsomstandigheden van minstens een vierde van het personeel.[62] Deze verplichting van de ondernemer vervalt indien de betrokken aangelegenheid reeds inhoudelijk is geregeld in een cao.

5.4 De Wet op de Europese ondernemingsraden[63]

EG-Richtlijn

Op 5 februari 1997 is de Wet op de Europese ondernemingsraden (WEOR) in werking getreden. De WEOR strekt tot implementatie van de EG-richtlijn inzake de Europese ondernemingsraad van 22 september 1994. De richtlijn is uitgevaardigd op grond van art. 2 lid 2 van de Overeenkomst betreffende de Sociale Politiek (9.4.3).

toepasselijkheid WEOR

De wet is van toepassing op een communautaire groep van ondernemingen (concern) waarvan de moederonderneming in Nederland is gevestigd (art. 6 WEOR).[64] Onder een communautair concern wordt

62 Zie art. 36a WOR voor wat betreft de handhaving van art. 35b WOR.

63 Wet van 23 januari 1997, Stb. 32; R. Blanpain en Paul Windey, De Europese ondernemingsraad, Leuven 1994; R. van der Woude, De Euro-OR en de artikel 13-overeenkomst, ArbeidsRecht 1996, 1; J.J.M. Lamers, Geest van samenwerking? Over de Wet op de Europese ondernemingsraden, SR 1996, 4, p. 83; J.F. Breek en M.M. Slotboom, De Europese ondernemingsraad: implementatie in Nederland, TVVS 1996, 6, p. 162; T. van Peijpe, Het subsidiair regelingsmodel van de Europese OR, SMA 1996, 6, p. 369; F. Koning, De Europese ondernemingsraad; wet en praktijk, TVVS 1997, 3, p. 70; dezelfde, De EURO-OR en de WOR; waarheen met de medezeggenschap in de polder?, SR 1997, 4, p. 100; H.J. de Bijll Nachenius, Wet op de Europese ondernemingsraden, de NV 1996, 5, p. 131; R. van der Woude, De Euro-OR eindelijk wettelijk geregeld, ArbeidsRecht 1997, 22; J.A. van Gijzen en P.M. Hopstaken, De Europese ondernemingsraad, Deventer 1997; R. Blanpain, D.C. Buijs, J.J.M. Lamers, Medezeggenschap op Europees niveau; de EU-richtlijn van 22 september 1994 Geschriften van de Vereniging voor Arbeidsrecht, Alphen aan den Rijn 1997.

64 De in art. 1 WEOR genoemde communautaire ondernemingen blijven buiten beschouwing.

verstaan de hoogste moederonderneming in een concern en de ondernemingen waarover zij zeggenschap uitoefent, met tezamen minstens 1000 werknemers en minimaal twee ondernemingen met elk minstens 150 werknemers in verschillende lid-staten (art. 1 en 2 WEOR).
De wet heeft ten doel te waarborgen dat werknemers van concerns met ondernemingen in verschillende lid-staten behoorlijk worden geïnformeerd en geraadpleegd over grensoverschrijdende aangelegenheden die voor hen van belang zijn.

uitwerking

De wet laat grote vrijheid in de wijze waarop deze doelstelling moet worden verwezenlijkt. Op het bestuur van de moederonderneming (hoofdbestuur) wordt de verplichting gelegd om met een op te richten bijzondere onderhandelingsgroep (BOG) van de werknemers in onderhandeling te treden over een overeenkomst tot instelling van een Europese ondernemingsraad (EOR), dan wel tot een regeling waarbij op een andere wijze wordt voorzien in het verstrekken van inlichtingen aan en het raadplegen van werknemers of hun vertegenwoordigers over grensoverschrijdende aangelegenheden. Het vaststellen van de inhoud van een dergelijke overeenkomst wordt overgelaten aan het hoofdbestuur en het BOG (art. 8 t/m 14 WEOR).
Indien hoofdbestuur en BOG het niet eens kunnen worden of wanneer het hoofdbestuur weigert onderhandelingen aan te gaan gelden een aantal subsidiaire bepalingen die voorzien in een verplichte oprichting van een EOR met in de wet geregelde bevoegdheden (art. 15 t/m 22 WEOR).
Zo worden bijvoorbeeld op het hoofdbestuur een aantal in art. 19 WEOR omschreven informatie-en consultatie-verplichtingen gelegd; de consultatierechten van de EOR doen echter geen afbreuk aan de bevoegdheden van het hoofdbestuur (art. 19 lid 4 WEOR); anders dan bij de WOR(art. 25 en 26) mag de rechter niet beoordelen of het hoofdbestuur voldoende rekening heeft gehouden met door de EOR aangevoerde argumenten.

informatie en consultatie

Geschillen over toepassing van de WEOR worden behandeld door de ondernemingskamer van het gerechtshof te Amsterdam (art. 5 WEOR).
Geconstateerd kan worden dat met deze introductie van een verplicht grensoverschrijdend overleg een aanvulling op het tot dusver overwegend nationaal georiënteerde medezeggenschapsrecht wordt gerealiseerd.

5.5 Ondernemingsraden en vakbeweging

Vakbonden hebben altijd wat ambivalent gestaan tegenover ondernemingsraden. Aan de ene kant kon een toename van medezeggenschap van werknemers slechts worden toegejuicht. Aan de andere kant wordt de OR ook wel gezien als een concurrent van de vakbeweging op ondernemingsniveau, een niveau waarop de invloed van vakbonden gewoonlijk gering is (4.2.1.2).

Dit laatste aspect werd belangrijker naarmate de wettelijke bevoegdheden van de OR werden verruimd, hetgeen vanaf 1950 in toenemende mate het geval is geweest (5.2). Van de wettelijke uitbreiding van zijn bevoegdheden is de OR ook in toenemende mate gebruik gaan maken, al bestaan er op dit punt grote onderlinge verschillen.[65]
Voorts is in dit verband van belang dat binnen het Nederlandse systeem van arbeidsverhoudingen het centraal- en bedrijfstak-niveau sedert 1982 aan belang heeft ingeboet, terwijl het ondernemingsniveau aan betekenis heeft gewonnen (4.6.3). Ook dit heeft de positie van de OR tegenover de vakbonden versterkt.

OR/CAO

De wetgever heeft geen poging gedaan om op het terrein van de arbeidsvoorwaardenvorming te komen tot een principiële competentieverdeling tussen vakbond en OR. In de loop der jaren zijn aan de OR in toenemende mate wettelijke instemmingsbevoegdheden gegeven die een arbeidsvoorwaardelijk karakter dragen, zonder dat daarin een duidelijke lijn valt te ontdekken (5.3.4.4). Daarnaast heeft de OR in 1995 wettelijke bevoegdheden gekregen met betrekking tot de arbeids- en rusttijden (2.2.1). In al deze gevallen wijken de bevoegdheden van de OR indien de materie inhoudelijk is geregeld in een cao. Uit dit laatste zou men kunnen afleiden dat het primaat van de cao in het arbeidsvoorwaardenoverleg is veilig gesteld. Maar men kan evenzeer verdedigen dat hierin een rivaliserend element besloten ligt.[66] Dit rivaliserend element zou sterker worden indien de ondernemer de OR bij overeenkomst zeggenschap zou toekennen over de totstandkoming van primaire arbeidsvoorwaarden. Denkbaar is bijvoorbeeld dat langs deze weg aan de OR een instemmingsrecht zou worden toegekend ten aanzien van de hoogte van toekomstige lonen, al komt een dergelijke afspraak thans nog weinig voor. Dit zou kunnen betekenen dat als partijen het niet eens worden de kantonrechter uiteindelijk dit belangengeschil zou moeten beslechten via het al dan niet afgeven van een vervangende toestemming ex art. 27 lid 4 WOR (5.3.6.3). Men kan zich afvragen of de rechter daartoe geëquipeerd is. Bij onderhandelingen met een vakbond over arbeidsvoorwaarden blijft de rechter bij een geschil buiten beeld; daar kan het geschil in laatste instantie door een staking(sdreiging) worden opgelost.[67]
Al met al kunnen we constateren dat zich in Nederland een systeem van duale vertegenwoordiging van werknemers heeft ontwikkeld dat niet

65 J.C. Looise, Werknemersvertegenwoordiging op de tweesprong, Vakbeweging en vertegenwoordigend overleg in veranderende arbeidsverhoudingen, Alphen aan den Rijn 1989, p. 111. Zie voorts P.F. van der Heijden, De volwassen ondernemingsraad, SMA 1991, 12, p. 692. E. Smit, J. Miltenburg, Competitie of coalitie, samenwerkingsrelaties tussen OR en vakbeweging in de arbeidsvoorwaardenvorming.

66 F. Koning, Artikel 27 WOR: Een bron van mogelijke spanningen, bijdrage aan de Frenkel-bundel, p. 258.

67 Zie voorts de kritiek van J.C.M.G. Bloemarts, Enige beschouwingen over de contracterende ondernemingsraad, SR 1996, 4, p. 91.

grondig doordacht is. Hoe de situatie zich in de toekomst zal ontwikkelen, of, en in hoeverre het zwaartepunt bij de vormgeving van de arbeidsverhoudingen verder zal verschuiven van vakbond naar OR, moet worden afgewacht.[68]

5.6 De ondernemingsraad en de samenstelling van de raad van commissarissen

In art. 2:152 e.v. en 2:262 e.v. BW is een aantal specifieke bepalingen opgenomen met betrekking tot de structuur van de grote NV's en BV's (structuurvennootschappen).[69] Deze bepalingen dateren in oorsprong uit 1971 toen de zogeheten Structuurwet werd ingevoerd. Zij geven onder meer aan werknemers van de onderneming, via de ondernemingsraad, invloed op de benoeming en het ontslag van commissarissen (en daarmede, zij het indirect, op het economisch en sociaal beleid van de ondernemer); voordien berustten deze bevoegdheden in beginsel bij de kapitaalverschaffers.

structuurvennootschap
Structuurwet

De structuurregeling concentreert zich op de grote NV's en BV's.[70] Globaal gesteld gaat het hier om vennootschappen waarbij aan drie vereisten is voldaan: het geplaatste kapitaal plus reserves bedraagt minstens 25 miljoen gulden; er is krachtens de WOR een ondernemingsraad ingesteld; er zijn bij de vennootschap en haar afhankelijke maatschappijen tezamen in de regel ten minste honderd werknemers in Nederland werkzaam (art. 2:263 BW).

toepasselijkheid

Met betrekking tot deze grote NV's en BV's geeft de Structuurwet een aantal voorschriften inzake de instelling, bevoegdheden en samenstelling van de raad van commissarissen. Daarbij wordt afgeweken van de wettelijke bepalingen betreffende de raad van commissarissen in de overige vennootschappen, verder te noemen kleine vennootschappen (art. 2:250 e.v. BW).
In de eerste plaats zijn de structuurvennootschappen verplicht om een

68 M.G. Rood, Over de toekomst van de medezeggenschap, bijdrage aan de Bakels-bundel, p. 229; F. Koning, Heroriëntatie met betrekking tot het collectieve arbeidsvoorwaardenoverleg, bijdrage aan de Leede-bundel, p. 235. Zie ook A.J.C.M. Geers, Ondernemingsraad, vakbond en arbeidsvoorwaarden, Opnieuw een verdeeld SER-advies, SR 1994, 6, p. 167; J.A. van Gijzen, Het SER-advies en de rol van de OR bij collectieve arbeidsvoorwaardenvorming, TVVS 1994, 11, p. 290; A.T.J.M. Jacobs, Het juridisch tekort in het arbeidsrecht, NJB 1996, 24, p. 917; G.J.J. Heerma van Voss en P.F. van der Heijden, De staat van het recht, NJB 1998, 1, p. 499-504.

69 De NV en de BV zijn beide rechtspersonen met een in aandelen verdeeld maatschappelijk kapitaal, waarin ieder der vennoten voor een of meer aandelen deelneemt. De BV verschilt echter van de NV doordat aandeelbewijzen niet worden uitgegeven en haar aandelen niet vrij overdraagbaar zijn (art. 175 Boek 2 BW).

70 Een (verzwakt) structuurregime geldt ook voor grote coöperaties en grote onderlinge waarborgmaatschappijen (art. 63a Boek 2 BW); deze lichamen blijven hier buiten beschouwing. Zie C. de Groot, Invoering van de structuurregeling voor grote coöperaties en grote onderlinge waarborgmaatschappijen, TVVS 1989, 1, p. 11.

verplichte instelling RvC

raad van commissarissen in te stellen (art. 2:268 en 2:269 BW). Bij kleine vennootschappen ontbreekt deze verplichting (art. 2:250 lid 1 BW), hetgeen overigens niet wegneemt dat ook vele kleine vennootschappen een raad van commissarissen kennen.
Met de invoering van deze verplichting heeft Nederland, voor wat betreft de structuurvennootschappen, gekozen voor het zogenaamde dualistisch stelsel van ondernemingsbestuur. Dat wil zeggen dat het bestuur van de onderneming is verdeeld over twee aparte organen: het bestuur (directie), belast met de eigenlijke bedrijfsvoering en een raad van commissarissen, belast met toezicht op en advies aan het bestuur.[71]

samenstelling RvC

De Raad van Commissarissen bestaat uit minstens drie leden. De Raad wordt in het algemeen bij coöptatie samengesteld (art. 2:268 lid 2 BW). Personen in dienst van de vennootschap of in dienst van een werknemersorganisatie die betrokken pleegt te zijn bij de vaststelling van een voor de vennootschap geldende arbeidsvoorwaardenregeling, kunnen ingevolge art. 2:270 BW niet tot commissaris worden benoemd. Er is een aanbevelingsrecht van de Algemene vergadering van aandeelhouders, het bestuur en de Ondernemingsraad;[72] deze aanbevelingen zijn niet bindend. Tegen een voorgenomen benoeming kan de algemene vergadering van aandeelhouders of de ondernemingsraad bezwaar maken op de grond dat bepaalde voorschriften ten aanzien van de benoemingsprocedure niet behoorlijk zijn nageleefd, of op grond van de verwachting dat de voorgedragen persoon ongeschikt zal zijn voor de vervulling van zijn taak van commissaris of dat de raad van commissarissen bij benoeming overeenkomst het voornemen niet naar behoren zal zijn samengesteld (art. 2:268 lid 6 BW). Het recht van bezwaar komt niet toe aan het bestuur van de vennootschap. Is bezwaar gemaakt, dan kan benoeming alleen geschieden wanneer dat bezwaar door de ondernemingskamer van het gerechtshof Amsterdam ongegrond is verklaard.[73]

bezwaar

Een commissaris wordt voor maximaal vier jaar benoemd. De wettelijke leeftijdsgrens bij benoemingen is 72 jaar (art. 2:252 BW). De commissaris kan tussentijds worden ontslagen door de ondernemingskamer bij het gerechtshof Amsterdam op verzoek van de raad van commissarissen, de algemene vergadering van aandeelhouders, of de ondernemingsraad (art. 2:271 BW).

71 Verschillende Westeuropese landen, zoals Engeland, kennen een monistisch stelsel, waarbij bestuur en toezicht in één orgaan zijn verenigd.

72 Art. 2: 268 lid 13 BW geeft aan welke ondernemingsraad of ondernemingsraden de betreffende bevoegdheid hebben. De ondernemingsraad neemt geen besluit als bedoeld in dit artikel dan nadat tenminste en maar over de aangelegenheid overleg is gepleegd tussen de vennootschap en de ondernemingsraad.

73 Art. 2: 268 lid 6 BW. Hof Amsterdam OK 2 februari 1989, NJ 1990, 86; Arbeidsrechtspraak nr. 86 (Kodak); Hof Amsterdam OK 11 april 1991, NJ 1991, 533. Zie over deze uitspraken F. Koning, Corporate governance en het recht van bezwaar in de structuurregeling, De NV, januari 1997, p. 12.

bevoegdheden RvC

Men kan de wettelijke bevoegdheden van de raad van commissarissen in een structuurvennootschap groeperen tot een drietal categorieën:

1. Benoeming en ontslag van de bestuurders (art. 2:272 BW).
2. Bevoegdheden ten aanzien van het financieel-economisch en strategisch beleid. Zo stelt de raad van commissarissen de jaarrekening vast (art. 2:273 BW) en zijn een aantal belangrijke besluiten, zoals het aangaan of verbreken van samenwerking met andere ondernemingen en belangrijke deelnemingen (fusies, overnames, e.d.) onderworpen aan de voorafgaande goedkeuring van dit college (art. 2:274 sub a-i en 1 BW).
3. Bevoegdheden ten aanzien van besluiten die van belangrijke invloed kunnen zijn op de positie van de werknemers. Met name is de voorafgaande goedkeuring van de raad van commissarissen vereist ten aanzien van besluiten tot 'beëindiging van de dienstbetrekking van een aanmerkelijk aantal arbeiders tegelijkertijd of binnen een kort tijdsbestek' en besluiten tot ingrijpende wijziging in de arbeidsomstandigheden van een aanmerkelijk aantal arbeiders' (art. 2:274 sub j en k BW).

kleine ondernemingen
instelling RvC

In kleine ondernemingen (ondernemingen die niet voldoen aan de bovengenoemde definitie van een structuurvennootschap) is de instelling van een Raad van Commissarissen niet verplicht. Dat neemt niet weg dat vele ondernemingen (onverplicht) een Raad van Commissarissen hebben. Een Raad van Commissarissen bestaat uit een of meer personen (art. 2:250 BW) De benoeming van Commissarissen, voorzover zij niet reeds bij akte van oprichting zijn aangewezen, geschiedt door de algemene vergadering van aandeelhouders, tenzij het hierboven beschreven systeem van art. 2:268 BW wordt toegepast (art. 2: 252 BW)

gemengd stelsel

Het bovenomschreven stelsel verenigt op vernuftige wijze de gedachte dat de raad van commissarissen een eenheid moet zijn (geen conglomeraat van belangenrepresentanten) met een gelijke invloed van kapitaalverschaffers en werknemers. Enerzijds vult de raad van commissarissen zichzelf door coöptatie aan, anderzijds vindt deze coöptatie een begrenzing in het recht van aanbeveling en het recht van bezwaar van de algemene vergadering van aandeelhouders en de ondernemingsraad gelijkelijk. Daarom wordt wel gesproken van een stelsel van gecontroleerde coöptatie.
Een aantal grote NV's en BV's is geheel of gedeeltelijk vrijgesteld van het structuurregime. De algemene vrijstelling wordt geregeld in art. 263 lid 3 Boek 2 BW, de gedeeltelijke vrijstelling in art. 265 Boek 2 BW. In het laatste geval spreekt men van een verzwakt, of gematigd structuurregime. Deze materie is bijzonder ingewikkeld; ik verwijs hiervoor naar de

literatuur op het gebied van het vennootschaps- en ondernemingsrecht.[74]

Met de komst van de Structuurwet was de discussie over de meest wenselijke wijze van benoeming van de raad van commissarissen niet geëindigd, integendeel. Dit feit was voor de betrokken ministers aanleiding om deze vraag in 1978 voor de tweede maal aan de SER voor advies voor te leggen. Het advies werd uitgebracht in 1984.[75]
In meerderheid heeft de SER in dit advies gekozen voor handhaving van het stelsel van gecontroleerde coöptatie. Het belangrijkste minderheidsstandpunt wilde het huidige stelsel vervangen door een benoemingsstelsel, en wel een 2 x y stelsel. Hiermede wordt bedoeld een stelsel waarbij de factor arbeid en de factor kapitaal ieder een gelijk aantal (x) commissarissen benoemen (samen 2x) en de raad van commissarissen zelf een of meer commissarissen benoemt (y), met dien verstande dat y kleiner of hoogstens gelijk is aan x.
De regering heeft zich in 1984 bij het meerderheidsstandpunt aangesloten.[76] Begin 2000 is een adviesaanvraag gericht aan de SER betreffende de vraag of wijzigingen aangebracht moeten worden in de regeling van de wijze waarop de Raad van Commissiarissen is samengesteld.

74 Zie nader P. van Schilfgaarde, Van de BV en de NV, Arnhem 1995, p. 381 e.v.

75 SER-advies 84/06, Adviesraden van commissarissen van structuurvennootschappen. Zie de commentaren op dit advies van F. Koning, SMA 1984, 6, p. 389 en P. van Schilfgaarde, TVVS 1984, 10, p. 255. Zie ook S.M. Bartman, Enkele concernrechtelijke aspecten van SER-advies 84/06, NJB 1985, 4, p. 105.

76 P.C. van den Hoek, De toekomst van de structuurregeling, TVVS 1992, 11, p. 275; W.C.L. van der Grinten, De structuurvennootschap in discussie, NJB 1994, 3, p. 85; M.G. Rood, Wijziging van enquête- en/of struktuurregeling?, bijdrage aan Arbeidsrecht en Mensbeeld 1946–1996, Deventer 1996, p. 219.

6 Publiekrechtelijke bedrijfsorganisatie; Sociaal-Economische Raad

Onze dromen zullen wijken
voor de feiten,
nooit andersom, nooit andersom.

Rutger Kopland, Een lege plek om te blijven, IX.

6.1 Inleiding

bedrijfslichamen

Onder publiekrechtelijke bedrijfsorganisatie wordt verstaan de ordening van de verschillende sectoren van het bedrijfsleven in publiekrechtelijk verband, waarbij aan de bedrijfslichamen, waarvan sociale partners het bestuur vormen, verordenende bevoegdheid gegeven wordt. Aan deze bedrijfslichamen (hoofdproduktschappen, produktschappen, hoofdbedrijfschappen en bedrijfschappen) worden door de overheid ook taken in medebewind opgedragen. Daarnaast behartigen zij het collectieve belang van hun sector tegenover de nationale overheid en de Europese Unie. Ten slotte ondernemen zij promotionele en innoverende activiteiten ten gunste van hun sector.[1]

ontstaan pbo

Het ontstaan van de pbo is gestimuleerd door een tweetal maatschappelijke veranderingen: de toegenomen bemoeienis van de centrale over-

1. Een overzicht van de historische ontwikkeling van de pbo is te vinden bij W.J. van Eijkern en G.J. Balkenstein, De Wet op de bedrijfsorganisatie, Alphen aan den Rijn, 1955. D.P. Rigter, E.A.M. van den Bosch, R.J. van der Veen en A.C. Hemerijck, Tussen sociale wil en werkelijkheid, Een geschiedenis van het beleid van het ministerie van Sociale Zaken, 's-Gravenhage 1995 bevat op p. 67 e.v. eveneens een uitvoerige beschouwing over de voorgeschiedenis van de pbo. Over het functioneren van de pbo wordt verwezen naar H. Verhallen, R. Fernhout en P. Visser, red., Corporatisme in Nederland, Alphen aan den Rijn 1980. Voor de jaren negentig zie men K. ten Have, V. Bekkers, A. Nagelkerke en P. Stoppelenberg, Het schap de maat genomen, Den Haag 1995 en G.S.A. Dijkstra, F.M. van der Meer en J.W. van der Meer (red.), Productschappen en bedrijfschappen Onderzocht, Het functioneren van bedrijfslichamen als intermediair bestuur, Alphen aan den Rijn 1995. Ten slotte vermeld ik H.H. van Steijn, Rechtshandhaving en pbo, Antwerpen 1999.

heid met het sociaal-economisch leven en de in hoofdstuk 4 beschreven groepsvorming in het bedrijfsleven.
Het toenemen van de overheidsbemoeienis was toe te schrijven aan de gebreken die het klassiek-liberale organisatiepatroon vanaf de tweede helft van de negentiende eeuw vertoonde. Staatsonthouding op sociaal-economisch terrein, beperking van de overheidsactiviteiten tot buitenlandse betrekkingen en binnenlandse justitie bleek niet vol te houden tegenover de eisen die op sociaal gebied werden gesteld en verloor definitief terrein in de crisis van de dertiger jaren en in de hiernavolgende oorlogsperiode in de vorige eeuw.
De taakuitbreiding op sociaal en economisch terrein plaatste de centrale overheidsorganen – regering en parlement – voor grote moeilijkheden. De ministers konden door uitbreiding van het departementspersoneel nog enigermate aan de nieuwe eisen het hoofd bieden. Het parlement daarentegen kon de toenemende vloed van gecompliceerde wetgeving onmogelijk op dezelfde deskundige wijze behandelen als eertijds en was steeds minder in staat om als klankbord voor en corrector van het regeringsbeleid te dienen. Het was derhalve noodzakelijk om de centrale overheidsorganen te ontlasten van een deel van hun legislatieve en administratieve taak. Onder die omstandigheden lag het voor de hand dat gezocht werd naar mogelijkheden om deskundige en representatieve organen voor het bedrijfsleven in te stellen en bij het overheidsbeleid te betrekken, hetzij als adviesinstanties, hetzij via delegatie van bevoegdheden. Het realiseren van dit streven werd bovendien vergemakkelijkt door de opkomst van de werkgevers- en werknemersvakorganisaties, die in staat waren dergelijke organen te bemensen en te doen functioneren.

ontlasting centrale overheid

ideologie achter pbo

De pbo kende ook zijn ideologische voorvechters. De eerste verdedigers waren enige progressieve katholieken. De bekendste ervan, prof. mr. J.A. Veraart, heeft de gedachte van de pbo zijn gehele leven (1886–1955) in woord en geschrift verdedigd.[2] Veraart zag de pbo als een alternatief voor de bestaande kapitalistische samenleving met zijn meedogenloze concurrentie en klassenstrijd enerzijds en de door de socialisten gepropageerde genationaliseerde productiehuishouding anderzijds. Hij vond een aanknopingspunt voor zijn visie bij de opkomende werkgevers- en werknemersorganisaties en de bedrijfstakcao, welke laatste als het ware een eigen rechtsordening van de bedrijfsgenoten bevatte. Hij wilde deze privaatrechtelijke vorm van bedrijfsorganisatie vervangen door een publiekrechtelijke en bepleitte daarom de instelling door de overheid van paritair samengestelde bedrijfstaksorganen die – binnen door de wetgever getrokken grenzen – zouden worden belast met het behartigen van de sociale

2. Van zijn geschriften kunnen worden genoemd Beginselen der economische bedrijfsorganisatie, Bussum, 1921, en Beginselen der publiekrechtelijke bedrijfsorganisatie, Bussum, 1947. Deze boeken hebben thans slechts historische betekenis.

en economische aangelegenheden van hun sector, zoals het vaststellen van lonen en andere arbeidsvoorwaarden, het uitvoeren van sociale verzekeringswetgeving en het vaststellen van prijzen en mededingingsregelingen. De gedachten van Veraart sloten aan bij het in katholieke kring aanvaarde 'subsidiariteitsbeginsel', hetwelk inhoudt dat werkzaamheden die door een kleinere en hiërarchisch lager staande gemeenschap verricht kunnen worden, niet door een grotere en hoger staande gemeenschap ter hand genomen mogen worden. Ook bij het protestantse volksdeel vond de pbo verdediging en wel op grond van het beginsel van de 'soevereiniteit in eigen kring'. Dit beginsel houdt in dat bepaalde, als zodanig in de maatschappij erkende, gemeenschappen – waartoe ook de bedrijfstak werd gerekend – zelf de rechtsregels moeten vaststellen die in hun midden zullen gelden. In deze opvatting dient de staat slechts op te treden bij conflicten tussen de gemeenschappen en ter bescherming van het algemeen belang.[3] Uiteindelijk vond de pbo ook steun bij de socialisten, mede omdat deze hierin een middel zagen om de arbeiders bij de economische besluitvorming in de bedrijfstak te betrekken. Slechts de liberalen stonden afwijzend tegenover de pbo omdat zij hierin een bedreiging zagen van de vrije markt.

breed draagvlak

grondwettelijke basis

De grondwettelijke basis voor de pbo werd gelegd in 1922 door het toenmalige art. 194, hetwelk bepaalde: 'De wet kan aan andere dan in de Grondwet genoemde lichamen verordenende bevoegdheid geven'. In 1938 werd deze bepaling geconcretiseerd, welke bij de algehele grondwetsherziening van 1983 grotendeels gehandhaafd bleef. Het huidige art. 134 luidt: 'Bij of krachtens de wet kunnen openbare lichamen voor beroep of bedrijf en andere openbare lichamen worden ingesteld en opgeheven. De wet regelt de taken en inrichting van deze openbare lichamen, de samenstelling en bevoegdheid van hun besturen, alsmede de openbaarheid van hun vergaderingen. Bij of krachtens de wet kan aan hun besturen verordenende bevoegdheid worden verleend.'
Vermeldenswaard is nog dat bij de grondwetsherziening van 1922 ook opgenomen werd art. 78, inhoudende: 'De instelling van vaste colleges van advies en bijstand aan de Regering geschiedt krachtens de wet, die tevens regelen inhoudt omtrent hun benoeming, samenstelling, werkwijze en bevoegdheid'. Dit artikel onderstreept het belang van deze vaste adviescommissies. Hun adviezen bleken in feite dikwijls in belangrijke mate bindend voor het parlement en dientengevolge is het begrijpelijk dat het parlement ten aanzien van de instelling en werkwijze van dergelijke commissies een medebeslissende stem wilde hebben (zie thans art. 79).

De bovenomschreven ontwikkeling heeft voor de Tweede Wereldoorlog

3. Uitgebreid hierover P.A.J.M. Steenkamp, De gedachte der bedrijfsorganisatie in protestants-christelijke kring, Kampen 1951.

voorgangers pbo

geleid tot de instelling van een aantal centrale adviescolleges. In het kader van dit boek dient met name de Hooge Raad van Arbeid (1919) te worden gememoreerd. Deze raad fungeerde namens het gehele bedrijfsleven als adviescollege van de regering voor sociale vraagstukken. De Raad bestond uit door de Kroon benoemde werkgevers- en werknemersvertegenwoordigers, alsmede onafhankelijke deskundigen en ambtenaren. Hij heeft vele adviezen uitgebracht die grotendeels werden opgevolgd.[4] Bij het tot stand komen van de Sociaal-Economische Raad in 1950 werd de raad opgeheven.
Verder maakte op bedrijfstaksniveau de Bedrijfsradenwet van 7 april 1933 de instelling bij KB mogelijk van bedrijfsraden, waarin door de Kroon benoemde werkgevers- en werknemersvertegenwoordigers op voet van gelijkheid, paritair, samenwerkten. Deze organen waren vooral bedoeld als organen van overleg en advies; zij hadden geen verordenende bevoegdheid. Er werden in de loop der jaren ruim twintig bedrijfsraden ingesteld die echter voor het merendeel een vrij bloedeloos bestaan leidden.[5] Met het tot stand komen van de Wet op de bedrijfsorganisatie 1950 werd de Bedrijfsradenwet ingetrokken.

wettelijke regeling

Na de tweede wereldoorlog werd met hernieuwd idealisme getracht de pbo te realiseren. Dit resulteerde in de Wet op de bedrijfsorganisatie van 27 januari 1950 (Stb. K22). De wet bracht ons de SER en maakte op meso-niveau de instelling van bedrijfslichamen mogelijk. Per 1 juli 1999 werd de wet ingrijpend gewijzigd (Wet van 3 april 1999, Stb. 253). In het navolgende wordt eerst de SER (6.2.1) en worden vervolgens de bedrijfslichamen (6.2.2 e.v.) volgens de huidige wetgeving behandeld. Dit zal summier moeten geschieden, al was het reeds omdat deze wet talloze normen bevat die eerder op het terrein van het economisch recht of het staatsrecht dan op dat van het arbeidsrecht liggen.[6]

6.2 Wet op de bedrijfsorganisatie

6.2.1 *Sociaal-Economische Raad*

samenstelling SER

De SER is ingesteld door de Wet op de bedrijfsorganisatie zelf; de Raad is rechtspersoon en heeft zijn zetel te 's-Gravenhage (art. 1 Wbo).[7] De Raad bestaat uit ten minste dertig en ten hoogste

4. Zie A.C. Josephus Jitta, De Hoge Raad van Arbeid 1919–1950, Sociaal Maandblad, juli 1950, p. 194.
5. Molenaar, Arbeidsrecht I, p. 784.
6. Zie over de Wet op de bedrijfsorganisatie 1950, behalve het reeds genoemde boek van Eijkern en Balkenstein, ook P. VerLoren van Themaat en J.A. Muilwijk, Handleiding bij de Wet op de bedrijfsorganisatie 1950, IJmuiden 1956, dat de belangrijkste passages uit de kamerstukken bevat en van een inleiding is voorzien.
7. Belangwekkende gegevens over de SER zijn te vinden in de Sociaal-Economische Raad, Taak, samenstelling en werkwijze, SER-uitgave 1980; Taak, samenstelling en werkwijze van de Raad herbeschouwd, SER-uitgave 1993; en in het maandelijks verschijnende SER-bulletin.

vijfenveertig leden. De facto bestaat hij uit 33 leden. Daarvan wordt een derde benoemd door de Kroon[8], een derde door ondernemersorganisaties en een derde door werknemersorganisaties. De Kroon bepaalt – na advies van de SER – welke 'algemeen erkende centrale en andere representatieve organisaties van ondernemers' en welke 'algemeen erkende centrale organisaties van werknemers' leden mogen benoemen, alsmede het aantal leden dat iedere organisatie mag benoemen. Aan ondernemerskant benoemt de Vereniging VNO-NCW zeven leden, MKB Nederland drie leden en LTO-Nederland een lid. Aan de werknemerszijde worden door de FNV acht leden, door het CNV twee leden en door de Unie MHP, Vakcentrale voor middengroepen en hoger personeel, een lid benoemd. De overige elf leden worden door de Kroon zelf aangewezen.[9] Voor ieder lid kan tevens een plaatsvervanger worden benoemd, hetgeen in de praktijk ook pleegt te geschieden (art. 4 Wbo).
De leden van de SER en hun plaatsvervangers treden om de twee jaar tegelijk af en kunnen terstond opnieuw worden benoemd (art. 8 Wbo). De voorzitter wordt door de Kroon uit de leden van de Raad – in de praktijk uit de kroonleden – benoemd en kan door de Kroon worden ontslagen. (art. 11 Wbo). Over de benoeming en het ontslag van de voorzitter wordt de SER gehoord. Daarnaast kent de SER een tweetal plaatsvervangende voorzitters. Deze worden door de SER benoemd uit de twee andere geledingen dan waaruit de voorzitter afkomstig is, in de praktijk dus uit de werkgevers- en werknemersgeleding.

representativiteit

Wat het begrip 'representatieve organisatie' betreft: de SER moet dit begrip niet alleen interpreteren in verband met het advies over zijn eigen samenstelling (art. 4 lid 7 Wbo), maar ook bij de instelling en bestuurssamenstelling van bedrijfslichamen (6.6.2). Bovendien verklaart art. 38 WOR de SER bevoegd de representatieve organisaties van ondernemers en werknemers aan te wijzen die de leden van de bedrijfscommissies mogen benoemen (5.3.6.1).
Teneinde bij de interpretatie van dit begrip een zekere eenheid te verkrijgen heeft de SER in zijn vergadering van 19 augustus 1977 'Richtlijnen voor de beoordeling van de representativiteit van organisaties in verband met de uitvoering van de Wet op de bedrijfsorganisatie en de

8. De kroonleden zijn geen vertegenwoordigers van de centrale overheid doch onafhankelijke deskundigen. Voor een deel bestaan zij uit hoogleraren in de staatshuishoudkunde, het administratief en het arbeidsrecht. Kwaliteitszetels zijn er voor de President van de Nederlandse Bank en de Directeur van het Centraal Planbureau. Bij de benoeming wordt gestreefd naar een zekere mate van evenwicht tussen de verschillende politieke stromingen. De laatste jaren worden ook ex-politici als kroonlid benoemd. Deze tendens bergt het gevaar in zich dat er een vermenging optreedt tussen de politieke en maatschappelijke opvattingen, waardoor de kroonleden hun rol als bruggenbouwers naar overeenstemming in mindere mate kunnen vervullen. Dat kan ertoe leiden, dat sociale partners zich terugtrekken naar hun Stichting van de Arbeid, waardoor de SER als centraal overlegforum aan belang inboet.
9. Zie samenstelling Sociaal-Economische Raad 1 april 2000-1 april 2002, advies SER van 17 december 1999, SER-publicaties 1999, nr. 19.

Wet op de ondernemingsraden' vastgesteld. Art. 74 Wbo verlangt echter vastlegging in een verordening.

taken SER

De SER is door de wet een aantal taken toegekend. De voornaamste is zijn adviestaak over aangelegenheden van sociale of economische aard. De SER geeft die adviezen op verzoek van een of meer ministers of van de Tweede of Eerste Kamer, maar hij kan ook uit eigen beweging een advies uitbrengen (art. 41 Wbo). Er is geen wettelijke verplichting om de SER advies te vragen. Voor 1995 was dat wel het geval. Niettemin plegen de ministers over belangrijke onderwerpen het advies van de SER te vragen. Daarvoor zijn goede redenen. Het versterkt het draagvlak voor het te voeren overheidsbeleid, komt de inhoudelijke kwaliteit ervan ten goede en bevordert een soepele invoering van de beoogde maatregelen.

advisering SER

Ter voorbereiding van zijn adviezen kan de Raad commissies instellen (art. 42 en 43 Wbo). In deze commissies kunnen ook personen worden benoemd die geen lid van de SER zijn, hetgeen in de praktijk veelvuldig gebeurt. Voor een aantal gebieden heeft de SER vaste commissies ingesteld; daarnaast wordt voor de voorbereiding van een bepaald onderwerp ook wel eens een ad hoc commissie ingesteld. Tot de belangrijke vaste commissies op arbeidsrechtelijk terrein behoren de Commissie Sociale Zekerheid, de Commissie Arbeidsmarktvraagstukken, de Commissie Arbeidsomstandigheden, de Pensioencommissie, de Commissie Fusieaangelegenheden en de Commissie Arbeid, Onderneming en Medezeggenschap.

Bij de voorbereiding van adviezen plegen de vergaderingen te worden bijgewoond door ambtenaren van de betrokken departementen. Deze ministeriële vertegenwoordigers hebben een raadgevende stem (art. 28 Wbo). Soms wordt ter voorbereiding van een advies een hearing van belanghebbenden georganiseerd. De vergaderingen van de commissies die de adviezen voorbereiden zijn besloten.
De voorbereidingscommissie stelt gewoonlijk, nadat de werkgevers- en werknemersvertegenwoordigers hun achterban hebben geraadpleegd, een concept-advies op. Dit concept-advies wordt vervolgens, al dan niet geamendeerd, in een openbare Raadsvergadering vastgesteld. Indien binnen de SER verdeeldheid bestaat, worden de verschillende meningen in het advies weergegeven, telkens onder vermelding van de raadsleden die de bedoelde meningen onderschrijven.[10] De SER-adviezen worden via een eigen SER-reeks gepubliceerd.

10. De SER kan een voorbereidingscommissie machtigen namens hem van advies te dienen, tenzij de minister uitdrukkelijk heeft verzocht dat het advies door de Raad zelf wordt uitgebracht (art. 44 WBO). Een dergelijke machtiging wordt dikwijls gegeven voor zover het advies van de commissie eenstemmig is.

invloed adviezen

Ministers hebben een eigen verantwoordelijkheid en dienovereenkomstig zijn zij niet aan adviezen van de SER gebonden. Dit neemt niet weg dat deze adviezen in de praktijk een grote invloed uitoefenen op het regeringsbeleid, vooral wanneer zij unaniem zijn. Ook bij de behandeling van wetsontwerpen wordt door ministers en kamerleden dikwijls een beroep gedaan op een voorafgaand advies van de SER.[11] Die invloed berust enerzijds op de deskundigheid van de leden van de voorbereidingscommissies en de raadsleden en zeker ook van het SER-secretariaat, anderzijds op het feit dat de SER moet worden beschouwd als representatief toporgaan van het georganiseerde bedrijfsleven.
De honderden adviezen die de SER sedert 1950 heeft uitgebracht beslaan een breed terrein.[12] Zij betreffen zowel economische als sociale aangelegenheden. Met name de adviezen op sociaal terrein zijn van grote invloed op de ontwikkeling van het arbeidsrecht vanwege het draagvlak, dat deze adviezen vaak hebben.[13]

De overige, bestuurlijke, bevoegdheden van de SER zijn voor ons onderwerp van minder belang. Als toporgaan van de pbo heeft de SER bemoeienis met en toezicht op de bedrijfslichamen. Enkele facetten daarvan zullen nog ter sprake komen (6.2.2). Voorts heeft de SER enkele uitvoerende taken in medebewind (art. 36 Wbo); deze blijven hier onbesproken.[14]

financiering SER

Om de hierboven aangeduide taken te financieren wordt door de SER jaarlijks een begroting vastgesteld, die de goedkeuring behoeft van de Minister van Sociale Zaken en Werkgelegenheid (art. 46 e.v. Wbo). De middelen tot dekking van de bij de begroting toegestane uitgaven worden grotendeels verkregen via de Kamers van Koophandel, die opcenten heffen op de bedragen welke ondernemers jaarlijks ter zake van hun inschrijving bij het Handelsregister verschuldigd zijn. Het aantal opcenten dat geheven moet worden, wordt jaarlijks door de SER bij verordening vastgesteld. Deze verordening behoeft eveneens de goedkeuring van de Minister van Sociale Zaken en Werkgelegenheid (art. 54 e.v. Wbo).

11. Een indrukwekkende poging om de werking van de SER-adviezen te meten, is gedaan door G.H. Scholten in zijn proefschrift De Sociaal-Economische Raad en de ministeriële verantwoordelijkheid, Meppel, 1968.
12. W. Dercksen, W.S.P. Fortuyn en A.Ph.C.M. Jaspers, Vijfendertig jaar SER-adviezen, deel 1, 1930–1964, Deventer 1984. Zie ook Economische orde en beleid, Bundel ter gelegenheid van het aftreden van dr. J.W. de Pous als voorzitter van de Sociaal-Economische Raad (1964–1984), Den Haag 1985.
13. Zie echter over de verminderende invloed van de SER, W. van Voorden, SMA 1989, 5, p. 279; Arjo Klamer, Verzuilde dromen, 40 jaar SER, Amsterdam 1990.
14. De website http://www.ser.nl bevat actuele informatie over het werk van de SER

6.2.2 *Bedrijfslichamen*

Krachtens art. 66 Wbo kunnen voor (groepen van) ondernemingen in het bedrijfsleven bedrijfslichamen ('schappen') worden ingesteld, en wel hoofdproduktschappen, produktschappen, hoofdbedrijfschappen en bedrijfschappen. Ingevolge art. 109 e.v. kunnen ook gemeenschappelijke organen worden ingesteld.

produktschappen

(Hoofd)produktschappen kunnen worden ingesteld voor twee of meer groepen van ondernemingen die in opeenvolgende stadia van het productieproces een verschillende functie vervullen (bijvoorbeeld het Produktschap Vee en Vlees: veehouderij, slachterij, slagerij). Het zijn dus verticale ofwel productiekolomorganen. In de gedachtengang van de wetgever waren zij bestemd om vooral op economisch terrein (marktordening) belangrijke taken te vervullen. Voorbeelden zijn onder meer het Hoofdproduktschap Akkerbouw, het Produktschap Vee en Vlees en het Produktschap Zuivel.

bedrijfschappen

(Hoofd)bedrijfschappen kunnen worden ingesteld voor ondernemingen die in het bedrijfsleven een gelijke of aanverwante functie vervullen zoals bijvoorbeeld ondernemingen, waarin het slagersbedrijf wordt uitgeoefend. Het zijn dus horizontale organisaties. Bedrijfschappen functioneren onder meer in de detailhandel, ambachtelijke sectoren en de bosbouw. Voorbeelden zijn het Bedrijfschap Horeca en Catering, het Bedrijfschap Afbouw- en afwerkbedrijven (schilders, stucadoors, enz.) en de Hoofdbedrijfschappen Ambachten en Detailhandel.

instelling bedrijfslichaam

De instelling van een bedrijfslichaam geschiedt bij algemene maatregel van bestuur, nadat de SER is gehoord. De SER hoort op zijn beurt de representatieve organisaties van ondernemers en werknemers in de betrokken productiekolom of bedrijfstak(ken). Op dezelfde wijze kunnen bedrijfslichamen worden opgeheven (art. 66 e.v. Wbo). Aan het bedrijfslichaam kan slechts op beperkte schaal regelgevende bevoegdheid worden gegeven.

bevoegdheden

Art. 93 Wbo noemt in het tweede lid de onderwerpen, waarop bedrijfslichamen actief kunnen zijn, namelijk de registratie van ondernemingen en het daarin werkzame personeel; de voortbrenging, de afzet, de verdeling en de aanwending van goederen, waaronder begrepen de opslag, bewerking en verwerking van goederen en het verlenen van diensten (ketenbeheer); de bevordering van professionele bedrijfsvoering (bijvoorbeeld door voorlichting en scholing); de lonen en andere arbeidsvoorwaarden[15]; onderzoek op sociaal, economisch en technisch terrein; arbeidsmarktvoorzieningen (zoals vakopleidingen) en fondsen en andere

15. Dergelijke verordeningen zijn echter uitzonderlijk. Zo'n uitzondering is de verordening van het Hoofdbedrijfschap voor de Detailhandel, die de arbeidsvoorwaarden regelt van werknemers die niet onder een cao vallen. Zie hierover W.J.P.M. Fase, Publiekrechtelijke bedrijfsorganisatie en privaatrechtelijke organisaties; geschiedenis van een onontwarbare knoop in de bundel Gratia Commercii, opstellen aangeboden aan prof.mr A. van Oven, Zwolle 1981, p. 41–56.

instellingen ten behoeve van de bedrijfsgenoten (lees werkgevers en werknemers in de bedrijfstak of sector).
Niet ieder bedrijfslichaam krijgt alle hier genoemde bevoegdheden. De precieze bevoegdheden bepaalt de algemene maatregel van bestuur, waarbij het bedrijfslichaam is ingesteld. Ook geldt ten aanzien van de wel verleende bevoegdheden de wettelijke restrictie, dat geen verordening een gezonde mededinging in de weg mag staan, noch dat ten aanzien van vestiging, stillegging of uitbreiding van ondernemingen regels mogen worden gesteld.
Als aan een bedrijfslichaam andere en verder strekkende bevoegdheden moeten worden toegekend, is instelling bij algemene maatregel van bestuur niet mogelijk en is wetgeving, die afwijkt van de Wet op de bedrijfsorganisatie, noodzakelijk.

benoeming bestuur

De SER wijst de organisaties van ondernemers en werknemers aan, die bevoegd zijn tot het benoemen van bestuursleden van het bedrijfslichaam en geeft tevens aan hoeveel bestuursleden elk van die organisaties mag benoemen (art. 74 Wbo). Slechts representatieve organisaties komen in aanmerking. Ondernemers en werknemers zijn in beginsel gelijkelijk in het bestuur vertegenwoordigd (art. 73 Wbo). Het totale aantal bestuursleden, dat door de SER over de organisaties moet worden verdeeld, wordt echter niet door hem bepaald, maar door de algemene maatregel van bestuur, waarbij het bedrijfslichaam wordt ingesteld. Iedere twee jaar wordt opnieuw de bestuurssamenstelling bezien (art. 76 Wbo). De voorzitter van een bedrijfslichaam wordt bij koninklijk besluit, al dan niet uit het bestuur, benoemd en ontslagen. Is de voorzitter geen bestuurslid, dan heeft hij in de besluitvorming tijdens de vergaderingen van het bedrijfslichaam slechts een raadgevende stem.

taakstelling bedrijfslichamen

De bedrijfslichamen hebben ingevolge art. 71 Wbo tot taak een het algemeen belang dienende bedrijfsuitoefening door de ondernemingen, waarvoor zij zijn ingesteld, te bevorderen, alsmede het gemeenschappelijk belang van die ondernemingen en van de daarbij betrokken personen te behartigen. Het gaat dus om een hybride taak: behartiging van het gemeenschappelijk ondernemers- en werknemersbelang in het perspectief van het algemeen belang. In ieder geval is duidelijk, dat bedrijfslichamen niet alleen in het belang van de georganiseerde ondernemers en werknemers mogen opereren. Hoewel slechts representatieve organisaties benoemingsrecht van bestuursleden hebben, moeten de benoemde bestuursleden de belangen van alle ondernemers en werknemers behartigen, ongeacht of zij georganiseerd zijn, terwijl met die belangenbehartiging tevens het algemeen belang moet zijn gediend. Hiermee wordt van bestuursleden in feite veel gevraagd. Niet alleen kan het bedrijfslichaam niet worden gebruikt als verlengstuk van de eigen organisaties, maar ook stelt het algemeen belang grenzen aan de activiteiten van het bedrijfslichaam. Dat dit spanningen kan geven, spreekt voor zich.

medebewind

Het bedrijfslichaam vervult uiteraard niet alleen zijn taak door het maken van verordeningen. In de praktijk zijn die bepaald niet talrijk. Wel neemt het veelal de centrale overheid werk uit handen door in medebewind bepaalde taken uit te voeren. Zo heeft het bedrijfschap Horeca en Catering tot taak om de in Benelux-verband overeengekomen hotelclassificatie door te voeren. Door het aantal sterren, dat elk hotel op grond van de regels toekomt, is voor de consument inzichtelijk welk niveau van inrichting en dienstverlening hem bij een bepaald hotel te wachten staat. De medebewindstaken van bedrijfslichamen in de landbouw zijn veel omvangrijker. Het EU-beleid wordt door hen grotendeels in feite uitgevoerd.
De meeste bedrijfslichamen ontlenen hun belang grotendeels aan niet-wettelijke taken, zoals het fungeren als vraagbaak voor bedrijfsgenoten, het voeren van collectieve promotiecampagnes[16], het doen van onderzoek op velerlei terrein, het samenstellen van marktverkenningen en kostenanalyses en het lobbyen bij centrale en decentrale overheden (waarbij al snel de spanning tussen het algemeen belang en groepsbelang duidelijk wordt).

financiering door heffingen

Om hun activiteiten te financieren hebben de bedrijfslichamen de bevoegdheid om bij verordening heffingen op te leggen aan ondernemingen, voor wie het bedrijfslichaam is ingesteld (art. 126 Wbo). Die verordening moet door de SER worden goedgekeurd. Soms moet ook de minister zijn goedkeuring geven, als het om doelheffingen gaat, bijvoorbeeld voor een collectieve reclamecampagne. Iedere onderneming, die onder de werkingssfeer van het bedrijfslichaam valt moet betalen, ongeacht of die is aangesloten bij een ondernemersorganisatie. Het gaat immers om algemene belangen van de betrokken bedrijfstak of sector. Omdat georganiseerde ondernemers echter al contributies aan hun ondernemersorganisaties betalen en daarnaast nog eens aangeslagen worden door het bedrijfslichaam, dus in zekere zin dubbel betalen voor de belangenbehartiging in de relevante sector, staat de wet toe, dat aan hen een korting op de heffing wordt verleend, met dien verstande dat die niet verder kan strekken dan de helft van de normale heffing.[17]

kaderwet

De Wet op de bedrijfsorganisatie wordt een raamwet of kaderwet genoemd. De wet stelt immers niet de bedrijfslichamen in, maar maakt de

16. Denk aan de acties 'Kijk eens vaker in de spiegel bij de kapper' en 'Uit, dat moeten we vaker doen' van respectievelijk het Hoofdproduktschap Ambachten en het Bedrijfschap Horeca en catering.
17. Dit is de zgn. Schilthuiskorting, genoemd naar het Tweede Kamerlid, die deze mogelijkheid bij amendement op art. 126 van de Wet op de bedrijfsorganisatie voorstelde.

instelling mogelijk. Slechts met betrekking tot de SER ligt dat anders. Zijn instelling is in deze wet wel vastgelegd. Aangezien wettelijk de instelling en opheffing van bedrijfslichamen bij algemene maatregel van bestuur geschiedt (vroeger konden (hoofd)produktschappen alleen bij wet worden ingesteld), is de publiekrechtelijke bedrijfsorganisatie dus niet stevig in onze rechtsorde verankerd. Enerzijds kan buiten parlementaire besluitvorming om een waaier van bedrijfslichamen worden gevormd, anderzijds kan het tegengestelde gebeuren. Dat laatste is actueel. Het aantal bedrijfslichamen, dat tot voor kort 38 in aantal was, wordt in snel tempo tot 18 teruggebracht.[18]

6.2.3 *De pbo in de praktijk*

Hoewel in de jaren vijftig de verwachtingen hooggepannen waren, is de pbo slechts gedeeltelijk een succes geworden. De eerste jaren na de totstandkoming van de Wet op de bedrijfsorganisaties is er een tiental produktschappen en een veertigtal bedrijfschappen tot stand gekomen. De pbo sloeg vooral in de landbouw en het midden- en kleinbedrijf aan. In de industrie, het bank- en verzekeringswezen, het transport en de logistiek en het grafisch bedrijf kwamen echter geen bedrijfslichamen tot stand. Al spoedig stagneerde de groei van de pbo. Een aantal lichamen leidde een kwijnend bestaan.

stagnatie en sanering

De oorzaken van een en ander zijn complex. In theorie zijn de voordelen van bedrijfslichamen evident. Zij kunnen taken van de rijksoverheid overnemen, dan wel voorkomen dat de rijksoverheid bepaalde taken aan zich trekt. Zij kunnen ordenend in hun bedrijfstak of sector optreden. Zij bepalen autonoom welke taken zullen worden vervuld en in welke mate. Zij kunnen projecten entameren, waaraan alle ondernemers in de bedrijfstak of sector via heffingen moeten meebetalen. Zij bieden een platform, waarop ondernemers en werknemersorganisaties samenwerken en een invloed hebben, die zij als privaatrechtelijke organisaties niet kunnen uitoefenen. Het samenwerken in publiekrechtelijk kader heeft een meerwaarde, zoals openbaarheid van bestuur, rechterlijke toetsing van het handelen, effectiviteit van het beleid en een grotere democratische legitimering. Dat laatste zal betrokkenen uiteraard minder aanspreken dan de objectieve buitenstaander, maar geeft de publieke samenwerkingsvorm een beduidende meerwaarde boven privaatrechtelijke arrangementen.

Niettemin bleek de pbo slechts een voedingsbodem te vinden in die sectoren, waar de organisatiegraad aan ondernemerskant laag, het aantal kleinschalige bedrijven groot en de invloed van de afzonderlijke onderneming op de markt klein is, maar daarnaast de overheidsinvloed juist

18. Voor een overzicht zie men Toekomst van het PBO-stelsel, SER-advies van 17 januari 1997, SER-publicaties 97/01, p. 81.

groot. Kennelijk was dat samenstel van factoren een goede voedingsbodem voor de pbo.

oorzaken stagnatie Wat waren de voornaamste oorzaken van het deels mislukken van de pbo? Eerst kan worden gewezen op het vrijwillige karakter. De pbo-structuur bleek geen blauwdruk voor het gehele bedrijfsleven te zijn. In vele bedrijfstakken en sectoren was er onvoldoende draagvlak om tot de oprichting van een bedrijfslichaam te komen. Maar als dat draagvlak er wel was en een bedrijfslichaam werd gevormd, werd de daardoor geboden regelingsruimte maar beperkt ingevuld. Werkgevers voelden er vaak weinig voor om op economisch terrein hun bewegingsvrijheid door bedrijfslichamen te laten inperken, hun zeggenschap met vakorganisaties van werknemers te delen en af te zien van samenwerking in privaatrechtelijk verband. Van de weeromstuit wilden werknemersorganisaties sociale onderwerpen niet in pbo-verband inbrengen en prefereerden zij de cao-onderhandelingen. Uiteraard speelde sterk mee, dat de regeling bij verordening een tweederde meerderheid van het bestuur eist, terwijl gebondenheid aan een cao slechts ontstaat, als de betrokken organisatie de cao ondertekent. Met andere woorden, in privaatrechtelijk verband heeft een vakbond meer autonomie en zeggenschap en kan zij niet worden overruled.

spanningsveld Een tweede reden van mislukken is de latente spanning, die tussen een bedrijfslichaam en privaatrechtelijke organisaties bestaat. Als een bedrijfslichaam goed functioneert, gaat dat ten koste van de aantrekkingskracht van de privaatrechtelijke organisaties. De functie van ondernemers- en werknemersorganisaties in de bedrijfstak of sector dreigt te worden uitgehold. Dat kan slechts worden voorkomen, als er een heldere taakafbakening is en eerbiediging van elkaars werkterrein. Hieraan ontbreekt het vaak, zodat het bedrijfslichaam meer als opponent dan als medestander wordt ervaren. Een bedrijfslichaam moet daarom een laag profiel hebben.

terugtredprincipe Een volgende reden was, dat van het zogenaamde terugtredprincipe niet veel is terecht gekomen. De overheid zou aan bedrijfslichamen steeds meer zaken overlaten, maar greep in de praktijk toch vaak naar wetgeving of andere middelen om eigen doeleinden te bereiken. Daarmee heeft de overheid de kans voorbij laten gaan om de bedrijfslichamen voldoende inhoud te geven.

Ook vervagen steeds meer de bedrijfstaksgrenzen en worden steeds meer zaken op nationaal niveau of vanuit Brussel aangestuurd. Daarmee kalfde de bedrijfstak als machtscentrum af en verloren bedrijfslichamen navenant aan betekenis, al moet hun tegenspelende rol op nationaal en internationaal vlak toch niet worden onderschat.[19]

19. Zie P.B. Gaasbeek e.a., De publiekrechtelijke bedrijfsorganisatie in het Europeesrechtelijk kader; een onderzoek naar de randvoorwaarden die het primaire gemeenschapsrecht stelt aan het handelen van de publiekrechtelijke bedrijfsorganisatie, PBO-rapport, SER-uitgave 1994.

dwangorganisatie

Ten slotte heeft het dwangkarakter van de pbo, met name gevoeld door de niet georganiseerde ondernemers in de bedrijfstak, de bedrijfslichamen parten gespeeld. Wel moesten heffingen worden betaald, maar de daartegenover staande prestaties van de bedrijfslichamen waren voor hen te weinig tastbaar. Vanuit organisatiebelang moesten de organisaties van de ondernemers daarom wel enige afstand houden van de bedrijfslichamen, hoewel zij als dragende organisaties de bedrijfslichamen moesten doen functioneren.
Psychologisch liggen de bedrijfslichamen, kort gezegd, dus verkeerd.

instrumenteel gebruik

Met name de verstrengeling van het bedrijfslichaam met de private organisaties, die de bestuursleden benoemen, heeft ertoe geleid, dat de pbo slechts een succes kon worden als sociale partners dat wilden. Zij gebruikten de pbo echter heel vaak instrumenteel, als dat hun doeleinden diende, maar passeerden even makkelijk hun publiekrechtelijk samenwerkingsorgaan, als dat zo uitkwam. Soms werd zelfs het bedrijfslichaam speelbal van andere belangen. Zo is het Landbouwschap in 1995 ten onder gegaan, omdat haar voortbestaan aan de totstandkoming van een tuinbouw-cao werd verbonden.[20]
De geesten waren – eigenlijk al in de jaren zestig – rijp voor een herbezinning op de pbo.[21] Pas recentelijk is van een daadwerkelijke koerswijziging sprake.

6.2.4 *Recente ontwikkelingen*

heroriëntatie

Bij de behandeling van het rapport Raad op maat, dat in de adviesstructuur in ons land stevig het mes zette, werd in juni 1993 een motie-Wiebenga aanvaard, die de regering verzocht een onderzoek te doen naar het functioneren van de pbo en daarover voor Prinsjesdag 1995 te rapporteren.[22] Het leek erop, dat ingezet werd op een ontmanteling van de pbo. Maar het rapport, dat in opdracht van het kabinet werd opgesteld en in 1995 verscheen[23] was nogal onverwacht positief over de pbo. Weliswaar was er alle reden voor vernieuwing, maar het bestaansrecht van de pbo was buiten twijfel. De discussie verplaatste zich nadien naar vergroting van de overheidsinvloed op bedrijfslichamen en de terugbrenging van het aantal door clustering. De schaalver-

20. Zie hierover E.M.H. Hirsch Ballin, Gronden voor publiekrechtelijke bedrijfsorganisatie in de agrarische sector, preadvies voor de Vereniging voor agrarisch recht, Agrarisch recht, 56e jaargang, nr. 4, april 1996, p. 164 e.v.
21. Zie P.A.J.M. Steenkamp, Het einde van een droom, in de bundel Sociale politiek opnieuw bedacht, opstellen aangeboden aan Prof. dr. F.J.H.M. van der Ven, Deventer 1972, p. 165 e.v. Zie ook W.J.P.M. Fase, Publiekrechtelijke bedrijfsorganisatie en privaatrechtelijke organisaties, geschiedenis van een onontwarbare knoop in Gratia commercii, Zwolle 1981, p. 41 e.v.
22. Zie kamerstuk 21 427, nr. 45.
23. Zie het in noot 2 eerstgenoemde rapport Het schap de maat genomen. Het onderzoek werd verricht door het IVA Tilburg. Zie over de pbo-discussie ook W. van Voorden, PBO-organen, wankelend onder stormen, SMA 1995, p. 613 e.v.

groting zou tot grotere doelmatigheid leiden, de bestuurskracht versterken, de structuur doorzichtiger maken en de betekenis van de bedrijfslichamen vergroten.[24] De SER onderschreef deze doelstelling in zijn advies over de toekomst van het pbo-stelsel.[25] Hij nam daartoe het voortouw door vergaande voorstellen te doen.[26]

Op 22 oktober 1997 is bij de Tweede kamer een wetsvoorstel tot wijziging van de Wet op de bedrijfsorganisatie ingediend.[27] Dat heeft geleid tot de Wet van 2 april 1999, Stb. 253, die per 1 juli 1999 in werking is getreden.[28] Onderdeel van de wetgevingsoperatie is de versterking van het overheidstoezicht, reductie van de regelzucht van bedrijfslichamen en de clustering van bedrijfslichamen. Deze wetgevingsoperatie heeft tot een groot aantal veranderingen geleid, die in het voorgaande zijn verwerkt. Hierover kan het volgende ten slotte worden opgemerkt.

aarzelingen over nut

Door de politiek werden en worden vraagtekens geplaatst bij de nuttige functie van bedrijfslichamen, met name in hoeverre zij een gezonde marktwerking bevorderen, dan wel die in de weg staan en of de kosten van bedrijfslichamen wel tegen de baten opwegen. Ook ideologische bezwaren speelden uiteraard een rol. Bedrijfslichamen worden gezien als uitvloeisel van de overleefde corporatistische organisatie van het bedrijfsleven. Publiekrechtelijk zou niet moeten geschieden, wat ook langs privaatrechtelijke weg geregeld kan worden.

opschoning

Niettemin is met een opschoningoperatie volstaan. Elf (hoofd)produktschappen en zeven (hoofd)bedrijfschappen blijven over. Wel wordt scherp op het functioneren gelet. Zo moet het maken van verordeningen worden gemotiveerd. Iedere vier jaar moet het voortbestaan van een verordening worden bezien. Elke vier jaar wordt het functioneren van bedrijfslichamen door de meest betrokken ministers geëvalueerd. Het toezicht is versterkt. Ook moeten de bedrijfslichamen jaarverslagen maken, die aan het parlement worden toegezonden. Ten slotte zijn bedrijfslichamen verplicht om aan de betrokken ministers alle inlichtingen te verstrekken, waarom zij vragen.

De naleving van verordeningen wordt thans grotendeels strafrechtelijk gehandhaafd, waarbij er een taak ligt voor Algemene Inspectiedienst, de Economische controledienst en het Openbaar Ministerie. In de praktijk is dat niet erg effectief gebleken. Daarom is bij de Tweede Kamer een

tuchtrecht

wetsvoorstel ingediend, dat een uniform tuchtrecht voor alle bedrijfsli-

24. Zie Aan de slag, Naar een gezamenlijke agenda voor de toekomst van de produkt- en bedrijfschappen, samengesteld door de Werkgroep Bedrijfsorganisatie, uitgave SER 1996.
25. SER-advies Toekomst van het PBO-stelsel op 17 januari 1997, SER-publicaties 1997/01.
26. Daartoe werd een Adviesgroep Hergroepering Bedrijfslichamen ingesteld onder voorzitterschap van drs. N. Rempt-Halmmans de Jongh, die najaar 1997 haar advies Een schap op maat uitbracht.
27. Wetsvoorstel 25 695.
28. De tekst van de wet, zoals die thans luidt, is integraal op 26 augustus 1999 geplaatst in Stb. 358.

chamen regelt.[29] De bedoeling is, dat bedrijfslichamen zelf tuchtrechtelijk voor de naleving van hun verordeningen zorg dragen. Het strafrecht blijft wel van toepassing, wanneer het belang van de verordening daarom vraagt, bijvoorbeeld als het gaat om de bescherming van de volksgezondheid.
Thans kent slechts een beperkt aantal bedrijfslichamen tuchtrechtspraak.

29. Wetsvoorstel 27 025 van 24 februari 2000, houdende Nieuwe regelen inzake tuchtrechtspraak in de publiekrechtelijke bedrijfsorganisatie (Wet tuchtrechtspraak bedrijfsorganisatie 2000).

7 Arbeidsmarktbeleid

What meaning does Labour Law have, if it is at most just a law for an elite of workers, who have the good fortune to remain in work, if alongside the existence of Labour Law, an economic graveyard of 'structural unemployment' opens up?

Hugo Sinzheimer, in de vertaling van Bob Hepple, A Right to Work?, The Industrial Law Journal, June 1981, p. 83.

7.1 Inleiding

definitie arbeidsmarktbeleid

Het arbeidsmarktbeleid kan worden omschreven als het geheel van maatregelen dat zich richt op het behoud en de creatie van arbeidsplaatsen en een zo goed mogelijke afstemming van vraag en aanbod in de diverse sectoren van de arbeidsmarkt. Het arbeidsmarktbeleid omvat enerzijds het werkgelegenheidsbeleid (gericht op het scheppen en behouden van voldoende arbeidsplaatsen), anderzijds het arbeidsvoorzieningsbeleid (gericht op een doelmatige en rechtvaardige inschakeling van arbeidskrachten).[1]

participatie

Het huidige arbeidsmarktbeleid is vooral gericht op verhoging van de arbeidsparticipatie. Verhoging van de arbeidsparticipatie is voor Nederland in het bijzonder van belang, omdat hier het deel van de totale bevolking dat aan het productieproces deelneemt gecorrigeerd voor deeltijdbanen – ondanks een toegenomen participatie van vrouwen – lager is dan het EU-gemiddelde.
Ondanks de aanzienlijke groei van de werkgelegenheid en een daling van de langdurige werkloosheid, is de huidige arbeidsdeelname lager dan nodig en mogelijk. De arbeidsdeelname van gehuwde vrouwen beperkt zich vooral tot deeltijdbanen.[2] Laagopgeleiden en allochtonen zijn oververtegenwoordigd in WW en bijstand. In de WAO zitten veel mensen die gedeeltelijk kunnen en meestal ook willen werken. De arbeidsdeelname van ouderen is laag. Van de huidige groep oudere (boven 55 jaar) werknemers (mannen en vrouwen) heeft niet meer dan een kwart een betaalde baan.[3]
Grotere arbeidsdeelname is van belang voor een vermindering van de

1 W. Albeda en W. Dercksen, Arbeidsverhoudingen in Nederland, Alphen aan den Rijn 1994, p. 263.
2 Sociale Nota 2000, pag. 9.
3 Sociale Nota 1998, 25 602, 2, p. 5.

uitkeringsafhankelijkheid en – in het vooruitzicht van de vergrijzing – versterking van het economisch draagvlak. Uiteindelijk doel van het regeringbeleid is het bereiken van een situatie waarin ieder zoveel mogelijk zelf in zijn eigen levensonderhoud voorziet, zonder aanspraak te maken op collectieve middelen.[4]

recht op arbeid

Het arbeidsmarktbeleid heeft niet alleen economische oogmerken, maar ook een sociale component. Het kan namelijk tevens worden beschouwd als een poging om een 'recht op arbeid' te realiseren.[5] Dit recht is in ons rechtstelsel niet onbekend. Het is onder meer neergelegd in art. 19 lid 1 Grondwet en in art. 1, Deel 2 van het ESH (9.3). Het is geen recht dat door de individuele burger met machtsmiddelen kan worden afgedwongen, het is een instructienorm aan de overheid om zich in te spannen voor het bevorderen van voldoende werkgelegenheid. De facto kan een adequaat arbeidsmarktbeleid in belangrijke mate bijdragen tot verwezenlijking van dit recht en is ook als zodanig voor het arbeidsrecht van grote betekenis.

Grondwet

arbeidsvoorziening

De eerste bemoeienissen van de overheid met de arbeidsvoorziening stammen van 1902, toen te Schiedam de eerste gemeentelijke arbeidsbeurs voor arbeidsbemiddeling werd opgericht.[6] Deze openbare arbeidsbemiddeling was bedoeld om werkzoekenden op niet-commerciële wijze te helpen bij het vinden van werk. Particuliere en gemeentelijke arbeidsbeurzen ontstonden naast elkaar, totdat de Arbeidsbemiddelingswet 1930 de particuliere arbeidsbemiddeling met winstoogmerk verbood en aan de gemeentelijke arbeidsbeurzen een monopoliepositie verschafte.

geschiedenis

Met het uitbreken van de wereldcrisis in 1929 ontstond een toenemende werkloosheid waaraan ook de bestaande arbeidsbemiddeling weinig kon veranderen. Door gemeenten en andere overheidsinstellingen werden openbare werken uitgevoerd met het oog op werkverschaffing (het Amsterdamse en het Kralingse bos zijn hiervan bekende voorbeelden), maar de resultaten van deze pogingen om de werkloosheid te bestrijden waren beperkt: in de jaren dertig schommelde het werkloosheidspercentage tussen de 25 en 32%.[7]

Tijdens de bezetting werd de arbeidsvoorziening voornamelijk gericht op de behoeften van de Duitse industrie aan arbeidskrachten. Voorts werd in 1941 de arbeidsbemiddeling aan de gemeenten onttrokken en in handen gesteld van een rijksorgaan: het Rijksarbeidsbureau met de daaronder ressorterende Gewestelijke arbeidsbureaus.

In 1954 werd de groei van gemeentelijke arbeidsbemiddeling tot cen-

4 Sociale Nota 2000, p. 35.

5 H.W.P.M. van der Linden, Recht op arbeid, plicht tot arbeid, SR 1992, 11, p. 300; F.J. Smit, Passende arbeid als recht van de mens, diss. VU, Deventer 1994.

6 Levenbach, Bestuursrecht III, p. 449.

7 Levenbach, Bestuursrecht III, p. 459.

trale arbeidsvoorziening gemarkeerd door de instelling bij het Ministerie van SZW van het Directoraat-Generaal voor de Arbeidsvoorziening, dat de taken van het Rijksarbeidsbureau op zich nam.

Zoals hierboven reeds is opgemerkt, is de arbeidsvoorziening tot ontwikkeling gekomen in een periode van grote en permanente werkloosheid en beperkte zij zich aanvankelijk tot pogingen om de meest ernstige gevolgen daarvan te cureren. In het na-oorlogse tijdperk, dat gedurende tientallen jaren werd gekenmerkt door een tekort aan arbeidskrachten (in de jaren vijftig en zestig bedroeg het werkloosheidspercentage 1% à 2%), werd het probleem veeleer in hoeverre het arbeidsmarktbeleid door een optimale inschakeling van het schaarse arbeidsaanbod kon bijdragen tot een bestrijding van de (loon)inflatie en het bevorderen van de economische groei.

schaarste arbeidskrachten

In de jaren tachtig diende dit beeld echter te worden bijgesteld. Die periode gaf een sterke stijging van de werkloosheid te zien. Deze werd onder meer veroorzaakt door versnelde technologische veranderingen en de op nationale en internationale schaal plaatsvindende hergroepering van ondernemingen, die beide leidden tot structurele veranderingen in het productie- en arbeidsproces. In die situatie bleek dat het door de overheid gevoerde werkgelegenheidsbeleid (scheppen van arbeidsplaatsen) en arbeidsvoorzieningsbeleid (plaatsing van werkzoekenden) ten aanzien van die sterk oplopende werkloosheid onvoldoende effect had. Dientengevolge werd besloten tot een nieuwe benadering van het arbeidsmarktbeleid.

stijging werkloosheid

In 1990 werd de Arbeidsvoorzieningswet tot stand gebracht. Door deze wet werden de bestaande centrale en regionale overheidsdiensten opgeheven en vervangen door tripartiete organen, bestuurd door vertegenwoordigers van werkgevers- en werknemersorganisaties en de overheid gezamenlijk. Deze organisatorische operatie berustte op de veronderstelling dat een arbeidsmarktbeleid, dat gedragen wordt door overheid en sociale partners tezamen, veel soepeler en effectiever zal kunnen reageren op de problemen dan een arbeidsmarktbeleid dat door de overheid alléén wordt gevoerd. Deze verwachting is kennelijk niet geheel uitgekomen, want reeds met ingang van 1 januari 1997 werd de Arbeidsvoorzieningswet 1990 vervangen door de Arbeidsvoorzieningswet 1996. Het ging daarbij overigens niet om het scheppen van een nieuwe structuur of werkwijze, maar om een bijstelling op onderdelen.[8] Enkele punten van deze wet worden hieronder aangestipt (7.2).

Arbeidsvoorzieningswet

8 Willem Dercksen en Jaap de Koning, Arbeidsvoorziening: quo vadis?, SMA 1996, 5, p. 359; A. Buitendam en A.J.H.T.H. Reinders, Arbeidsvoorziening: terugtreden en optreden van de overheid, SMA 1996, 6, p. 386; Arie Vaandrager, Het circus van de arbeidsvoorziening, Den Haag 1996.

Naast de Arbeidsvoorzieningsorganisatie die in de Arbeidsvoorzieningswet is geregeld bieden particuliere organisaties diensten op het gebied van arbeidsvoorziening aan (7.3).

specifieke groepen

In het kader van een behandeling van het arbeidsmarktbeleid dient er voorts nog op te worden gewezen, dat er met betrekking tot een aantal groepen die op de arbeidsmarkt een zwakke positie innemen, specifieke regelingen zijn tot stand gebracht die beogen aan de arbeidsdeelname van deze categorieën extra ondersteuning te geven. Het arbeidsmarktbeleid richt zich niet meer, zoals in het verleden, op een betrekkelijk homogene groep van werkzoekenden, maar is de laatste decenniën in toenemende mate gefragmentariseerd. In dit verband kan in de eerste plaats worden gewezen op de Wet inschakeling werkzoekenden (WIW) en de Wet Sociale Werkvoorziening (WSW). De WIW richt zich op het bevorderen van mogelijkheden tot inschakeling van langdurig werklozen, werkloze jongeren tot 23 jaar en uitkeringsgerechtigden (7.4) De WSW biedt aan arbeidsgehandicapte werknemers aangepaste werkgelegenheid op sociale werkplaatsen. Deze wet blijft hier verder onbesproken. De Wet op de (re)integratie arbeidsgehandicapten, die erop gericht is te zorgen dat de kansen op arbeid voor arbeidsgehandicapte werknemers toenemen wordt besproken in hoofdstuk 8 (8.3).[9] In de tweede plaats kan worden gewezen op het Arbeidsmarktbeleid voor minderheden zoals dat wordt geregeld in de Wet Stimulering Arbeidsdeelname Minderheden (7.5). Regulering van arbeid door vreemdelingen vindt bespreking in 7.6.

cao's

Regels met betrekking tot inschakeling in de arbeid van personen die tot bepaalde groepen behoren vindt men niet alleen in wetgeving. In collectieve arbeidsovereenkomsten zijn – min of meer dwingend geformuleerde – bepalingen opgenomen die werkgevers er toe moeten bewegen arbeidsgehandicapten, vrouwen, jongeren, of ouderen in dienst nemen.[10]

vrouwen

Specifieke arbeidsvoorzieningswetgeving ontbreekt ten aanzien van vrouwen, die op de arbeidsmarkt eveneens ondervertegenwoordigd zijn. In dit verband kan echter worden gewezen op art. 7:646, 647 BW en de Wet Gelijke Behandeling, die op indirecte wijze de arbeidsdeelname van vrouwen kunnen bevorderen (3.2.2.2). Soortgelijke anti-discriminatiewetgeving bestaat krachtens de Algemene wet gelijke behandeling ook ten aanzien van andere groepen (3.3.2.4).

9 Ook de Wet vermindering afdracht loonbelasting en premie voor de volksverzekeringen (Stb. 1995, 635) is een belangrijk instrument ter bevordering van de werkgelegenheid aan de onderkant van de arbeidsmarkt. Het betreft een maatregel van fiscale aard, die hier buiten beschouwing blijft.

10 Stichting van de Arbeid, Met minderheden meer mogelijkheden; publ. 7/96; Interimevaluatie van 11 november 1998.

Specifieke wetgeving ontbreekt eveneens ten aanzien van oudere werknemers.[11] Het probleem ligt hier vooral bij werknemers van 55–64 jaar. In 1960 nam nog 85% van de mannen van 60–64 jaar deel aan het arbeidsproces. Nadat in de jaren daarna de participatie van ouderen in een aantal landen, waaronder Nederland, sterk was gedaald (tot ongeveer 20%), is die deelname vanaf 1995 licht stijgende.[12] De arbeidsparticipatie van ouderen blijkt in Nederland beduidend lager te liggen dan in andere westerse landen. De uitstoot van oudere werknemers vond versneld plaats in de jaren zeventig en tachtig. De toenmalige sterke daling van de werkgelegenheid leidde op grote schaal tot ontslagen en de oudere werknemers hadden daarin een meer dan evenredig aandeel. Dit ontslagbeleid werd voornamelijk gelegitimeerd door de wens een massale jeugdwerkloosheid te voorkomen, die dreigde te ontstaan door het verschijnen op de arbeidsmarkt van de naoorlogse babyboom. De teruggang in inkomen van de betrokken werknemers werd zoveel mogelijk gecompenseerd door afvloeiing via de sociale zekerheid (AAW/WAO) en via VUT-regelingen die een vervroegd uittreden op een gemiddelde leeftijd van 60 jaren mogelijk maakten.

ouderen

De overheid poogt deze trend om te buigen. Geconstateerd wordt dat Nederland ontgroent, dat wil zeggen dat door een scherpe terugval van het geboortecijfer het aandeel van de jongeren in de totale bevolking snel afneemt; dat betekent dat het arbeidsaanbod in de toekomst zal verminderen. Daarnaast wordt geconstateerd dat Nederland vergrijst, dat wil zeggen dat het aantal 65-plussers in de totale bevolking voortdurend toeneemt; in het jaar 2035 zal het aantal 65-plussers ten opzichte van het aantal 15–64 jarigen zijn verdubbeld. Hierdoor zullen de kosten van de niet-actieven door een steeds kleinere beroepsbevolking moeten worden opgebracht. Om dit te voorkomen zal de arbeidsparticipatie moeten toenemen. Een van de middelen om dit te bereiken, is het bevorderen van de arbeidsparticipatie van oudere werknemers.[13]

ontgroening

vergrijzing

Het bestrijden van discriminatie van ouderen op de arbeidsmarkt kan bijdragen aan vergroting van deelname van ouderen aan de arbeid. Op 9 november 1999 is het Wetsvoorstel verbod van leeftijdsdiscriminatie ingediend. Doelstelling van het voorstel is het bieden van een effectieve basis voor de bestrijding van discriminatie.[14] Het wetsvoorstel voorziet in een verbod van onderscheid, zowel direct als indirect, op grond van

leeftijdsdiscriminatie

11 Zie over het beleid ten aanzien van oudere werknemers H.L. Bakels, Werknemers, ouderen en senioren, Verouderen in het arbeidsrecht, bijdrage aan de Leede-bundel, p. 5; W.A. Trommel, Korter arbeidsleven: de wording van een rationele mythe, diss. RUL, Den Haag 1995; P. Ekamper, Leeftijdsbewust personeelsbeleid in de toekomst: van vervroegde uittreding naar herwaardering van ouderen?, SMA 1996, 3, p. 180; K. Henkens e.a., Arbeidsdeelname van ouderen: beleid en praktijk in een aantal Europese landen, SMA 1996, 3, p. 194.

12 SER-advies Bevordering arbeidsdeelname ouderen, publikatienummer 99/18, Bijlage 4.

13 Zie SER-advies advies Bevordering arbeidsdeelname ouderen, publicatienummer 99/18.

14 Kamerstukken 26 880.

leeftijd bij aanbieding van een arbeidsovereenkomst of aanstelling, bij het aangaan daarvan, bij de arbeidsbemiddeling, bij onderwijs en scholing en bij de bevordering. Onderscheid op grond van leeftijd bij ontslag wordt niet door het wetsvoorstel bestreken, wel wordt voorgesteld opzegging omdat een persoon een beroep heeft gedaan op het verbod van leefdtijdsdiscriminatie (victimisatieontslag) als vernietigbaar aan te merken.
Buiten het kader van het wetsvoorstel wordt voorgesteld VUT-regelingen om te zetten in (pre)pensioenregelingen[15] Daarnaast worden ondernemingen opgewekt een beleid te voeren waardoor ouderen langer aan het productieproces kunnen deelnemen.[16]
Geconstateerd kan worden dat een consistent arbeidsmarktbeleid met betrekking tot oudere werknemers ontbreekt; hun toe- en uittreden wordt voornamelijk gedetermineerd door de sociaal-economische conjunctuur van de arbeidsmarkt. Ik voeg hieraan toe dat het tot dusver ook weinig gebruikelijk is de behandeling van oudere werknemers bij ontslag, met name als het betreft ontslag in verband met het bereiken van de 65-jarige leeftijd, te be- of veroordelen in termen van mogelijke leeftijdsdiscriminatie.[17]

7.2 Arbeidsvoorzieningswet 1996[18]

De Arbeidsvoorzieningswet 1996, ingevoerd per 1 januari 1997, regelt de inrichting, doelstelling en taken van de Arbeidsvoorzieningsorganisatie. De Arbeidsvoorzieningsorganisatie is een zelfstandig publiekrechtelijk lichaam in de zin van art. 134 Gr.w.

organisatiestructuur

Het hoogste orgaan van de Arbeidsvoorzieningsorganisatie is het Centraal Bestuur (art. 14–24). Het is onder meer belast met het vaststellen van het algemene beleid van de Arbeidsvoorzieningsorganisatie en het toezicht op de uitvoering daarvan. Het Centraal Bestuur bestaat uit negen leden: drie Kroonleden (waaronder de voorzitter), drie leden voor-

15 SER-advies Bevordering arbeidsdeelname ouderen, publicatienummer 99/18, p. 142-145.

16 STAR, leeftijd en arbeid, nadere overwegingen en aanbevelingen te ten behoeve van een participatie-bevorderend ouderenbeleid, 10 juli 1997.

17 HR 13 januari 1995, NJ 1995, 430, m.n. PAS, JAR 1995, 35, TVVS 1995, 4, p. 106, m.n. MGR, NJCM-bulletin 1995, 3, p. 334, m.n. Guus Heerma van Voss, Arbeidsrechtspraak nr. 14 (Codfried) achtte beëindiging van een arbeidsovereenkomst op de enkele grond dat een werknemer de leeftijd van 65 jaar had bereikt geen ongeoorloofde leeftijdsdiscriminatie wegens strijd met art. 1 Gr.w. of art. 26 IVBPR. Een beroep op ongeoorloofde leeftijdsdiscriminatie werd aanvaard door Rb. Zutphen 11 mei 1995, JAR 1995, 136. Zie voorts Anne-Marie Gerritsen, Onderscheid naar leeftijd in het arbeidsrecht, diss. RUL, Deventer 1994; dezelfde, Wetgeving tegen leeftijdsdiscriminatie in de Verenigde Staten, SMA 1995; dezelfde, Groepskenmerken en leeftijdsgrenzen, bijdrage aan Arbeidsrecht en Mensbeeld 1946–1996, Deventer 1996, p. 133, 7/8. p. 431; Tineke van Vleuten, Leeftijds- en vrouwendiscriminatie, Nemesis 1995, p. 112; Spiros Simitis, Denationalizing: the case of age discrimination, Comparative Labour Law Journal, 1994, Vol. 15, p. 321.

18 C.J. Smitskam, Arbeidsvoorziening, bijdrage aan Arbeidsovereenkomst (losbladig).

gedragen door organisaties van werknemers en drie voorgedragen door organisaties van werkgevers. Alle benoemingen geschieden bij KB (art. 17). Het Centraal Bestuur wordt bij de uitvoering van zijn taak ondersteund door de Algemene Directie (art. 25–28).

Regionaal Bestuur

Behalve een Centraal Bestuur kent de Arbeidsvoorzieningswet ook Regionale Besturen, die werkzaam zijn binnen een bepaald territoir (art. 29–41). De Regionale Besturen zijn eveneens op tripartiete grondslag samengesteld.
De Regionale Besturen hebben tot taak het arbeidsvoorzienings- en werkgelegenheidsbeleid in de regio vorm te geven. Zij hebben daartoe eigen bevoegdheden.
Het Regionaal Bestuur benoemt voorts bij de Regionale Bureaus voor de Arbeidsvoorziening (RBA) een directeur, de Regionaal Directeur of directeur RBA. De directeur RBA is belast met de feitelijke leiding in zijn werkgebied. Hij is werkzaam op arbeidsovereenkomst en hij is ondergeschikt aan het Regionaal Bestuur.[19] Tot eind 1990 werd zijn taak uitgeoefend door de directeur van het Gewestelijk Arbeidsbureau (GAB), een ambtenaar die ondergeschikt was aan de minister van SZW (3.6.3.2).

doel arbeidsvoorzieningsorganisatie

Krachtens art. 3 heeft de Arbeidsvoorzieningsorganisatie tot doel: 'het bevorderen van de aansluiting tussen vraag naar en aanbod van arbeidskrachten op de arbeidsmarkt, in het bijzonder door dienstverlening aan moeilijk plaatsbare werkzoekenden'. Om dit doel te bereiken heeft de Arbeidsvoorzieningsorganisatie onder meer tot taak informatie te geven over beroepskeuze en om-, her- of bijscholing. Voorts is zij verplicht een landelijk gespreide organisatie voor de openbare arbeidsbemiddeling in stand te houden (art. 4).[20] Daarnaast is de Arbeidsvoorzieningsorganisatie ex art. 6 verplicht om samen te werken met uitvoerders van de werknemersverzekeringen en gemeenten (uitvoerders van de Algemene Bijstandswet) teneinde de inschakeling van uitkeringsgerechtigden in het arbeidsproces te bevorderen.[21]

arbeidsbemiddeling

De openbare arbeidsbemiddeling is geregeld in art. 79 en 80 Arbeidsvoorzieningswet. Uit de regeling blijkt dat het recht op arbeidsbemiddeling door de Arbeidsvoorzieningsorganisatie toekomt aan degenen die als werkzoekende zijn geregistreerd. Krachtens art. 69 lid 1 zijn

19 Voor wat betreft de uitoefening van zijn ontslagtaak ex art. 6 BBA is de directeur RBA niet ondergeschikt aan het Regionaal Bestuur; voor de uitvoering van deze taak is hij zelfstandig verantwoordelijk (3.6.3.2).
20 De noodzakelijke geldmiddelen voor de uitvoering van haar taken verkrijgt de Arbeidsvoorzieningsorganisatie hoofdzakelijk via een post op de begroting van het ministerie van SZW.
21 Zie voor de toekomstige structuur van de uitvoering werk en inkomen de Nota SUWI en de discussie daarover, Kamerstukken 26 448.

Nederlanders en bepaalde categorieën vreemdelingen gerechtigd zich te laten registreren. Het recht op arbeidsbemiddeling is eveneens toegekend aan elke in Nederland gevestigde werkgever die vraag naar arbeidskrachten heeft laten registreren.

definitie arbeidsbemiddeling

Onder arbeidsbemiddeling wordt verstaan: 'dienstverlening in de uitoefening van beroep of bedrijf ten behoeve van een werkgever, een werkzoekende, dan wel beiden, inhoudende het behulpzaam zijn bij het zoeken naar arbeidskrachten onderscheidenlijk arbeidsgelegenheid, waarbij de totstandkoming van een arbeidsovereenkomst, een aanstelling tot ambtenaar dan wel een andere arbeidsverhouding waarin tegen beloning arbeid wordt verricht wordt beoogd' (art. 1 sub g). De omschrijving is ruim. Er blijkt uit dat arbeidsbemiddeling zich ook kan uitstrekken tot vormen van flexibele arbeid, zoals uitzendarbeid en afroepcontracten, die niet noodzakelijk tot het ontstaan van een arbeidsovereenkomst behoeven te leiden (3.1.4).

kostenloos

Het recht op arbeidsbemiddeling is kostenloos voor zover de dienstverlening valt onder de in art. 4 opgenomen kerntaken van de Arbeidsvoorzieningsorganisatie. Het gaat daarbij bijvoorbeeld om het melden van geschikte vacatures aan werkzoekenden en het voordragen van geschikte werkzoekenden voor vacatures. Een dergelijke kosteloze openbare arbeidsbemiddeling wordt algemeen beschouwd als een noodzakelijk middel om de toegang tot werk voor een ieder mogelijk te maken. Met deze regeling van de openbare arbeidsbemiddeling voldoet de Nederlandse overheid ook aan de voorschriften die in verschillende internationale verdragen zijn neergelegd.[22]

7.3 Wet allocatie arbeidskrachten door intermediairs (WAADI)

niet-openbare arbeidsbemiddeling

De Arbeidsvoorzieningswet regelt de openbare arbeidsbemiddeling (art. 69 Arbeidsvoorzieningswet). Niet-openbare arbeidsbemiddeling is geregeld in de Wet allocatie arbeidskrachten door intermediairs.[23]

terbeschikkingstelling

In deze wet vindt naast de niet-openbare arbeidsbemiddeling regeling het ter beschikking stellen van arbeidskrachten plaats. Beide begrippen worden in de wet gedefinieerd (art. 1). Arbeidsbemiddeling in de zin van deze wet is het bedrijfsmatig behulpzaam zijn bij het zoeken naar arbeidskrachten dan wel naar arbeidsgelegenheid, waarbij totstandkoming van een arbeidsovereenkomst naar burgerlijk recht dan wel een aanstelling tot ambtenaar wordt beoogd. Met arbeidsbemiddeling wordt

22 Zo verplicht art. 1 lid 3 ESH de lid-staten kosteloze arbeidsbemiddelingsdiensten in te stellen voor alle werknemers.

23 Wet van 4 juni 1998, Stb. 306. C.E.M. van den Boom, Deregulering van vergunningenregime voor intermediairs, PS 1997 (15), p. 892-903.

gelijk gesteld de dienstverlening met het doel de totstandkoming van overeenkomsten tot het verrichten van arbeid, niet zijnde arbeidsovereenkomsten, te bevorderen ten behoeve van beroepsbeoefenaars op het gebied van kunsten, amusement en beroepssport. De regeling heeft dus ook betrekking op de activiteiten van de impresario en de 'sportmakelaar'.

definitie

Voor arbeidsbemiddeling is een vergunning nodig (art. 2), te verlenen door het Centraal Bestuur voor de Arbeidsvoorziening. Op grond van ILO-verdrag nr. 96 volgt voor de Nederlandse overheid de verplichting de vergunningeis te stellen voor niet-openbare arbeidsbemiddeling. Vergunninghouders krijgen in art. 3 van de wet bepaalde verplichtingen opgelegd, waaronder het voorschrift aan allen gelijkelijk hun diensten aan te bieden. Ook verbiedt art. 3 te bemiddelen naar een bedrijf of onderneming waar een werkstaking, uitsluiting of bedrijfsbezetting bestaat. Bovendien stelt het Centraal Bestuur voorschriften vast waaraan de vergunninghouder zich moet houden.

vergunning arbeidsbemiddeling

Ter beschikking stellen van arbeidskrachten is het tegen vergoeding ter beschikking stellen van arbeidskrachten aan een ander voor het onder diens toezicht of leiding, anders dan krachtens een met deze gesloten arbeidsovereenkomst, verrichten van arbeid. Deze activiteiten worden vooral door uitzendbureaus ontwikkeld. Voor het ter beschikking stellen van arbeidskrachten is, anders dan vóór de in werkingtreding van de WAADI, geen vergunning nodig.

definitie terbeschikkingstelling

geen vergunning

De wet geeft voorschriften waar het uitzendbureau zich aan heeft te houden (art. 8–10 WAADI). Eén daarvan is het verbod bij een arbeidsconflict arbeidskrachten ter beschikking te stellen (art. 9). Ook schrijft de wet voor dat uitzendkrachten gelijk beloond moeten worden als de werknemers die bij de inlener in dienst zijn, tenzij de wet of de cao anders bepalen.[24] De collectieve arbeidsovereenkomst voor uitzendkrachten (ABU-CAO) bevat een voorziening die er ertoe strekt de loonbepaling van deze cao te doen wijken voor hetgeen in de cao van de inlenende onderneming is bepaald, voor zover de betreffende cao schriftelijk is aangemeld bij de Stichting Meldingsbureau Uitzendbranche. Het 'belemmeringsverbod', dat wil zeggen de in art. 93 lid 1 sub a van de Arbeidsvoorzieningswet 1990 (dit deel van die wet bleef van kracht bij de in werkingtreding van de Arbeidsvoorzieningswet 1996) neergelegde regel dat een intermediair aan de ter beschikking gestelde arbeidskracht geen belemmering in de weg mag leggen met derden een arbeidsverhouding aan te gaan,[25] is niet in de WAADI opgenomen. Art. 11 WAADI regelt de mogelijkheid bij Algemene maatregel van bestuur

voorschriften

24 C.J. Loonstra, Uitzend- of inleen-CAO? De loonverhoudingsnorm van artikel 8 Waadi, Ondernemingsrecht 1999, p. 69.

25 R.M. Beltzer, 22 264, De Wet Allocatie Arbeidskrachten door Intermediairs, Sociaal Recht 1997 7/8, p. 227–231.

voor bepaalde sectoren het ter beschikking stellen van arbeidskrachten aan een speciaal regime of aan een vergunning te binden.

7.4 Wet inschakeling werkzoekenden (WIW)

Op 1 januari 1998 is de Wet inschakeling werkzoekenden[26] in werking getreden.[27] Deze wet is één van de maatregelen ter bestrijding van langdurige werkloosheid. De WIW fungeert als sluitstuk van het arbeidsmarktinstrumentarium. De wet kent een brede doelgroepomschrijving. Tot de doelgroep behoren alle personen die een uitkering ingevolge de sociale zekerheidswetgeving ontvangen. Voorts behoren tot de doelgroep de langdurig werklozen, dat wil zeggen de personen die langer dan een jaar als werkzoekende staan ingeschreven bij de arbeidsvoorzieningsorganisatie. Ten slotte behoren alle werkloze jongeren tot 23 jaar tot de doelgroep.

doelgroep

De wet wordt, met behulp van een subsidie van de rijksoverheid (Werkfonds), uitgevoerd door de gemeente.

De gemeente kan verschillende instrumenten inzetten om inschakeling van werkzoekenden in het arbeidsproces te bevorderen te weten aanbieden van gesubsidieerde arbeid, of in staat stellen deel te nemen aan scholing of andere activiteiten die bijdragen tot sociale activering. Het laten verrichten van gesubsidieerde arbeid geschiedt in de in art. 4 van de wet voorgeschreven vorm. Die bepaling regelt de mogelijkheid dat de gemeenten aan langdurig werklozen en jongeren een arbeidsovereenkomst aanbiedt, en de werknemer voor het verrichten van arbeid ter beschikking stelt van de werkgever. Ook kan de gemeente aan een werkgever die een als werkervaringsplaats bedoelde arbeidsovereenkomst sluit met een langdurig werkloze of jongere subsidie verstrekken. Art. 6 van de wet bevat regels die gericht zijn op het tegengaan van verdringing en concurrentieverstoring, die het gevolg zou kunnen zijn van het ter beschikking stellen van WIW-werknemers of het subsidiëren van werkervaringsplaatsen.[28]

instrumenten

jongeren
sluitende aanpak

De WIW kent specifieke voorzieningen voor jongeren. Die voorzieningen worden aangeduid als 'sluitende aanpak'. Art. 9, tweede lid regelt dat de gemeente in beginsel uiterlijk binnen een jaar na de datum van ingang van de uitkering of na de datum van inschrijving als werkzoekende aan de jongere een dienstbetrekking aanbiedt. Zijn andere voorzieningen gericht op het vergroten van de mogelijkheden

26 Wet van 4 december 1997, Stb. 760.

27 M. Fleuren-van Walsem, Wet inschakeling werkzoekenden: een verkenning van de rechtspositie van de werkzoekende, SMA 1998, 5, p. 215–221; Jansen, J.H.B. Wet inschakeling werkzoekenden, B & G 24(12), 1997, 5–10, PS 1997, p. 82.

28 Verg. SER-advies 1996/04.

tot inschakeling in het arbeidsproces, bij voorbeeld scholing, meer aangewezen, en nemen deze andere voorzieningen ten minste 19 uur per week in beslag, dan vindt geen aanbod van een dienstbetrekking plaats.

7.5 Wet Stimulering Arbeidsdeelname Minderheden (SAMEN)[29]

Onder deze naam staat de Wet Bevordering Evenredige Arbeidsdeelname Allochtonen[30] bekend sinds de op 1 januari 1998 in werking getreden wijziging van de Wet bevordering evenredige arbeidsdeelname allochtonen 1994.[31]

doel wet SAMEN

De wet SAMEN richt zich op verbetering van de arbeidsmarktpositie van etnische minderheden. Specifiek beleid wordt noodzakelijk geacht, omdat de werkloosheid onder deze beduidend groter is dan onder autochtonen.[32] De wetgever is van mening dat beleid dat beoogt de arbeidsmarktpositie van personen die behoren tot etnische minderheden te verbeteren door sociale partners ontwikkeld moet worden en op het niveau van de onderneming uitgevoerd. Daartoe werd in het Stichtingsakkoord 'Met minderheden meer mogelijkheden'[33] een aanpak gepresenteerd, waarbij onder meer cao-partijen wordt aanbevolen een inspanningsverplichting vast te leggen wat betreft instroom van minderheden. Het minderhedenbeleid moet gedragen worden binnen de onderneming. Met het oog daarop nemen centrale organisaties van werknemers het op zich zich in te zetten om via training, scholing en advies aan ondernemingsraadsleden en kaderleden het draagvlak voor het minderhedenbeleid in de ondernemingen te versterken. Ondernemingsraden hebben immers krachtens art. 28, derde lid WOR een uitdrukkelijke taak met betrekking tot de inschakeling van allochtone werknemers in de onderneming. Aan de andere kant heeft de ondernemingsraad een instemmingsrecht met betrekking tot een voorgenomen besluit tot vaststelling, wijziging of intrekking van een regeling omtrent de registratie van persoonsgegevens van de in de onderneming werkzame personen (art. 27, eerste lid sub k WOR, 5.2). Een dergelijke registratie is één van de concrete instrumenten die de wet

maatregelen sociale partners

ondernemingsraden

29 C.E.M. van den Boom, De wet SAMEN: stimuleren op ondernemingsniveau, PS 1997, p. 1520–1525, A.P.W. Melkert, Meer werk voor allochtonen is kwestie van samenwerken, LBR-bulletin, 13 (1997), 1, p. 12–13.

30 Zie over deze wet: M.I. van Dooren, Recht op arbeid vrij van rassendiscriminatie, Tilburg 1997 p. 196–198.

31 Wet van 28 april 1998, Stb. 241.

32 In 1998 was de werkloosheid onder allochtonen vier keer zo groot is als onder autochtonen, CBS, EBB 1998.

33 Stichting van de Arbeid, november 1996.

SAMEN voorschrijft (art. 4). De wetgeving op dit terrein moet gezien worden als ondersteuning voor de inspanningen van sociale partners op dit terrein.[34]

allochtonen

De etnische minderheden die de doelgroep vormen van deze wet worden concreet in art. 3 genoemd. Het betreft voornamelijk personen geboren in Turkije, Marokko, Suriname, Nederlandse Antillen, Aruba, voormalig Joegoslavië, of in overige landen in Zuid- of Midden-Amerika, Afrika of Azië met uitzondering van Japan en voormalig Nederlands-Indië, en hun kinderen.

Art. 1 van de wet bevat enige algemene bepalingen. Werkgever in de zin van deze wet is de natuurlijke persoon of rechtspersoon die een onderneming in stand houdt of beheert, waarin in de regel ten minste 35 werknemers arbeid verrichten.

registratie

Concrete verplichtingen van de werkgever zijn in art. 4 tot en met 6 geregeld. Het betreft het registreren van werknemers naar geboorteland en geboorteland van de ouders (art. 4) en het uitbrengen van een jaarverslag over de vertegenwoordiging van personen uit de doelgroep binnen de onderneming in het voorafgaande kalenderjaar en de maatregelen die om het komend jaar te komen tot een meer evenredige vertegenwoordiging binnen de onderneming van personen die behoren tot de doelgroep (art. 5). Het jaarverslag wordt neergelegd bij het Regionaal bureau voor de arbeidsvoorziening (art. 6).

De Arbeidsinspectie heeft de taak toezicht te houden op naleving van de wet.

7.6 Wet arbeid vreemdelingen

geschiedenis

Vanaf het midden van de jaren vijftig werden er onder invloed van een krappe arbeidsmarkt door het Nederlandse bedrijfsleven in toenemende mate buitenlandse arbeidskrachten aangetrokken, voornamelijk afkomstig uit mediterrane landen. Daarbij bestond de verwachting dat de betrokken werknemers na korte tijd weer naar het land van herkomst zouden terugkeren. In de loop der jaren bleek echter dat deze verwachting onjuist was en dat Nederland een land met een immigratie-overschot was geworden.

Een eerste poging om dit verschijnsel te reguleren was de Wet arbeidsvergunning vreemdelingen 1964. Deze wet werd in 1978 vervangen door de Wet arbeid buitenlandse werknemers (WABW), die een stringenter toelatingsbeleid mogelijk maakte.

De WABW werd op haar beurt vervangen door de Wet arbeid vreemdelingen 1994 (WAV), die een verdere aanscherping van het toelatingsbeleid aanbrengt. Deze aanscherping werd wenselijk geacht enerzijds

34 25 369,3, p. 4.

omdat door de uitbreiding van de lid-staten van de Europese Unie en de Duitse eenwording het EU-reservoir van potentiële arbeidskrachten is vergroot, anderzijds omdat Nederland zelf te kampen heeft met een hoog percentage werklozen.[35]

verbod arbeid zonder vergunning

Volgens art. 2 WAV is het een werkgever verboden een vreemdeling in Nederland arbeid te laten verrichten zonder in het bezit te zijn van een door het Centraal Bestuur van de Arbeidsvoorzieningsorganisatie afgegeven tewerkstellingsvergunning. Het is daarbij onverschillig of de arbeid krachtens arbeidsovereenkomst of krachtens een andere constructie geschiedt en het is eveneens onverschillig of de arbeid bedrijfsmatig danwel in de privé-sfeer wordt verricht.
Bepaalde categorieën worden niet als vreemdeling in de zin van de WAV beschouwd en voor hen is daarom geen tewerkstellingsvergunning vereist. Tot die categorieën behoren onder meer onderdanen van de lid-staten van de Europese Unie (9.3.3) en enkele daarmee gelijkgestelde landen, personen die gedurende een onafgebroken periode van drie jaar over een tewerkstellingsvergunning hebben beschikt en asielgerechtigden (art. 3 en 4 WAV).

tewerkstellingsvergunning

Een tewerkstellingsvergunning moet door de werkgever worden aangevraagd bij de Regionaal Directeur voor de Arbeidsvoorziening. Een vergunning wordt slechts voor bepaalde tijd verleend, maximaal voor drie jaar (art. 11 WAV).
Een vergunning zal in ieder geval worden geweigerd indien de beschikbaarheid van de arbeidsplaats niet minstens vijf weken voor het indienen van de arbeidsplaats bij de Arbeidsvoorzieningsorganisatie is aangemeld, indien voor de desbetreffende arbeidsplaats voldoende aanbod beschikbaar is en indien met de arbeid niet gedurende een maand minstens het minimumloon wordt verdiend. Ook andere weigeringgronden zijn mogelijk (art. 8 en 9 WAV).
Indien een tewerkstellingsvergunning wordt geweigerd kan de werkgever daartegen een bezwaarschrift indienen bij de Arbeidsvoorzieningsorganisatie. Tegen afwijzing van het bezwaar kan beroep worden ingesteld bij de sector bestuursrecht van de rechtbank Den Haag (art. 21 WAV).

ontbreken vergunning

Een door een vreemdeling met de werkgever gesloten arbeidsovereenkomst is niet nietig wegens het ontbreken van een tewerkstellingsvergunning;[36] beëindiging van de arbeidsovereenkomst zal moeten plaats-

35 G.J. Vonk, Wijziging WABV en internationale verplichtingen, SR 1993, 4, p. 84; D. Christe, WAV, bijdrage Arbeidsovereenkomst (losbladig); K.F.J.M. Kweens, De Wet arbeid vreemdelingen, SR 1995, 12, p. 367; J.F.L. Klaver, De wet arbeid vreemdelingen: restrictief maar flexibel instrument, SMA 1999, p. 353-356.
36 HR 27 maart 1981, NJ 1981, 492; HR 20 december 1985, NJ 1986, 713.

vinden volgens de normale regels van het ontslagrecht.[37] Voorts wordt, indien een werkgever een vreemdeling zonder vergunning arbeid laat verrichten, verondersteld dat de vreemdeling gedurende minstens zes maanden bij de werkgever heeft gewerkt tegen een beloning en een arbeidsduur die in de betreffende bedrijfstak gebruikelijk is (art. 23 WAV). Indien de vreemdeling op basis van dit vermoeden een loonvordering instelt, zal de werkgever moeten bewijzen dat het dienstverband korter is geweest dan zes maanden en/of dat het door de illegale vreemdeling gevorderde loon reeds is uitbetaald. Dit bewijsvermoeden dient om uitbuiting van illegale werknemers te bemoeilijken.

Het toezicht op de naleving van de wet is opgedragen aan de Arbeidsinspectie en de politie (art. 14 e.v. WAV). Het laten werken van een vreemdeling zonder vergunning is een strafbaar feit ter zake waarvan de werkgever kan worden vervolgd krachtens de Wet op de economische delicten. De sanctie is een boete van maximaal *f* 10 000 (*f* 25 000 indien de werkgever een rechtspersoon is), dan wel zes maanden hechtenis. De vreemdeling die illegale arbeid verricht is zelf niet strafbaar.

37 D. Christe, WAV, bijdrage aan Arbeidsrecht (losbladig), artikel 2, aant. 2; M.A. de Blécourt-Wouterse, De illegale werknemer en kennelijk onredelijk ontslag, ArbeidsRecht 1995, 44 en ArbeidsRecht 1995, 58; M.P. Roest en E. Krens, Ontslag illegale werknemers: de balans na ruim twintig jaar rechtspraak, Arbeidsrecht 1996, 31.

8 Werknemersverzekeringen en aanverwante regelingen

Wanneer ik honger heb, heb ik dan het recht tot mijn buurman te zeggen: gij zult mij laten werken? Waarom moet, indien een arbeider geen kans heeft gezien zich het loon voor het geheele leven te verzekeren, de werkgever hem helpen, en niet de geheele maatschappij?

W.H. de Savornin Lohman bij de mondelinge behandeling van de Arbeidersziekteverzekering op 21 mei 1912 in de Tweede Kamer.

8.1 Inleiding

In een boek over het arbeidsrecht mag een hoofdstuk over de werknemersverzekeringen niet ontbreken.[1]
De arbeidsovereenkomst heeft immers tot gevolg, dat onder zekere voorwaarden een recht op uitkering ontstaat, als de werknemer ten gevolge van bepaalde oorzaken niet werkt en dus uit dien hoofde niet over een inkomen beschikt. De werknemersverzekering zorgt dan voor een vervangend inkomen. Slechts op ziekte, arbeidsongeschiktheid en werkloosheid wordt ingegaan. Reden is, dat deze verzekeringen een dekking tegen loonderving bieden en dus voor inkomenscontinuïteit zorgen.

Ongevallenwet

Verzekeringen voor werknemers zijn de oudste vorm van sociale verzekering. Al in 1901 kwam een Ongevallenwet tot stand, die bij een bedrijfsongeval een uitkering in het vooruitzicht stelde. In 1913 volgde de Invaliditeitswet, die de werknemer bij langdurige arbeidsongeschiktheid en ouderdom van een uitkering voorzag. In 1930 trad de Ziektewet in werking, in 1949 gevolgd door de Werkloosheidswet. De Ongevallenwet en de Invaliditeitswet zijn in 1967 vervangen door de Wet op de arbeidsongeschiktheidsverzekering. Sedertdien wordt er geen onder-

1 Voor een uitgebreidere bespreking zie men F.M. Noordam, Inleiding Sociale-zekerheidsrecht, vierde druk, Deventer 1998. Beknopt behandelt dezelfde schrijver de sociale zekerheid in Hoofdzaken socialezekerheidsrecht, Deventer 2000. Voor een overzicht van de ontwikkelingen in de sociale zekerheid wordt verwezen naar A.T.J.M. Jacobs, Veranderend sociaal zekerheidsrecht, Lelystad 1997. Een volledig en compleet overzicht van de socialeverzekeringswetten is te vinden in de losbladige Sociale Verzekeringswetgeving, onder hoofdredactie van W.J.P.M. Fase, F.M. Noordam en G.J.A. Hamilton (ca. 40 duizend pagina's). Van de vooroorlogse ontwikkeling bestaat een tweedelig werk van E.B.P.F. Baron Wittert van Hoogland, De parlementaire geschiedenis der sociale verzekering, Haarlem 1940. Aan dit laatste werk is het motto bij dit hoofdstuk ontleend.

scheid meer gemaakt tussen arbeidsongeschiktheid , die in de werksfeer (het risque professionel) en daarbuiten is ontstaan (risque social).

huidige regelingen

De werknemersverzekeringen zijn vele malen herzien. Thans zijn de risico's ziekte, arbeidsongeschiktheid en werkloosheid ondergebracht in de Ziektewet (ZW), de Wet op de arbeidsongeschiktheidsverzekering (WAO) en de Werkloosheidswet (WW). Daarbij zij aangetekend, dat de Ziektewet voor werknemers met een arbeidsovereenkomst slechts een vangnetfunctie vervult. Er ontstaat pas een recht op uitkering, als de arbeidsovereenkomst is geëindigd en de loonbetalingsplicht is vervallen.

belang verzekeringen

Bij de werknemersverzekeringen gaat het om betrekkelijk grote aantallen uitkeringsgerechtigden. Volgens de Kerncijfers werknemersverzekeringen, vierde kwartaal 1999 (van het Landelijk Instituut sociale verzekeringen) hadden in december 1999 221 duizend werklozen een WW-uitkering, kregen 744 duizend personen een WAO-uitkering en werd aan 109 duizend mensen een ZW-uitkering verstrekt. Van de ZW-uitkeringen betrof bijna de helft uitkeringen wegens zwangerschap.
Wat de ZW betreft moet bedacht worden dat het cijfer zo laag is, omdat meestal de werkgever tijdens ziekte loon moet betalen. In geld uitgedrukt kostten de WW, ZW en WAO in 1999 te zamen ongeveer 34,5 miljard gulden.
Op een actieve beroepsbevolking van tegen de 7 miljoen personen is het aantal inactieven tamelijk fors te noemen, met name het aantal arbeidsongeschikten is hoog. Als bij de arbeidsongeschikte werknemers de arbeidsongeschikte zelfstandigen en jonggehandicapten worden samengeteld, gaat het om 912 duizend personen.

8.1.1 *Een ruim werknemersbegrip*

De werknemersverzekeringen kennen een begrip werknemer, dat ruimer is dan degenen, die een arbeidsovereenkomst hebben. De eerste reden daarvoor is, dat de wetgever het niet wenselijk heeft geacht, dat door het juridisch vermijden van een arbeidsovereenkomst de sociale verzekeringsplicht zou kunnen worden ontgaan. De

gelijkgestelde arbeidsverhoudingen

tweede, daarmee samenhangende reden is, dat niet alleen personen met een arbeidsovereenkomst onder de werknemersverzekeringen behoren te worden gebracht, maar ook degenen, die maatschappelijk gezien met hen moeten worden gelijk gesteld, omdat zij in dezelfde mate afhankelijk zijn van arbeid voor de voorziening in het bestaan. Zo is er geen verschil tussen een behanger in loondienst die op stukloon een aantal nieuwbouwwoningen van een behangetje voorziet en iemand, die vermomd als aannemer tegen een bepaalde som hetzelfde werk verricht.

8.1.2 *De arbeidsovereenkomst als kern*

Het werknemersbegrip is van centraal belang, omdat dit de toegangspoort vormt voor de toegang tot de werknemersverzekeringen.[2]

Die verzekeringen kennen een begrip werknemer, dat grotendeels hetzelfde is. De hoofdbepaling is, dat een werknemer is de natuurlijke persoon, jonger dan 65 jaar, die in privaatrechtelijke of publiekrechtelijke dienstbetrekking staat (art. 3 WW, ZW en WAO).

de arbeidsovereenkomst

Van een privaatrechtelijke dienstbetrekking is sprake, als een overeenkomst gesloten is in de zin van art. 7:610 BW, dus sprake is van een arbeidsovereenkomst. Een persoon van 65 jaar of ouder is van verzekering uitgesloten, nu deze uit hoofde van zijn leeftijd een ouderdomspensioen (AOW) ontvangt. De gelijkstelling van een privaatrechtelijke en publiekrechtelijke dienstbetrekking is in zoverre misleidend, dat art. 8b van de ZW en art. 7 van de WW ambtenaren uitsluit van de werknemersverzekering, hetgeen dus betekent, dat ambtenaren slechts voor de WAO verzekerd zijn en voor de rest eigen voorzieningen kennen. Het WAO-recht is voor ambtenaren op 1 januari 1998 ontstaan. Naar verwachting zal in 2001 voor nieuwe gevallen ook de WW gaan gelden. Bestaande gevallen volgen waarschijnlijk in 2003. Dat betekent overigens niet, dat dit de enige uitkeringsbasis voor overheidspersoneel is of zal zijn. Het is de basisvoorziening, die zij met werknemers in het bedrijfsleven delen, waar bovenop de overheid aanvullende regelingen, gunstiger dan in het bedrijfsleven, heeft getroffen.

overheidspersoneel

Of er sprake is van een arbeidsovereenkomst in de zin van art. 3 van de WW, ZW en WAO moet de sociale verzekeringsrechter (de bestuurskamer van de rechtbank en in hoger beroep de Centrale Raad van Beroep) zelfstandig beoordelen. Dit houdt in, dat de interpretatie van de feiten tussen de civiele rechter en sociale verzekeringsrechter kan verschillen. De sociale verzekeringsrechter kijkt vooral naar de feiten en leidt daaruit de rechtsrelatie af, terwijl de civiele rechter eerder de partijafspraak vooropstelt en de feiten pas meeweegt, voorzover die daarmee in tegenspraak zijn. Overigens groeien de verschillende benaderingswijzen naar elkaar toe, zoals blijkt uit de civiele rechtspraak ten aanzien van oproepkrachten.[3]

beoordeling door rechter

De argwaan van de sociale verzekeringsrechter ten aanzien van de partijafspraak is zeer wel te verklaren. Zo kan worden gepoogd een contract zo te construeren, dat daardoor een sociale verzekeringsaanspraak ten onrechte ontstaat (bijvoorbeeld een vader, die bij een zoon in 'dienst treedt') of juist niet terecht wordt ontgaan (bijvoorbeeld een maat-

2 I.P. Asscher-Vonk, De arbeidsovereenkomst het universele entreebiljet?, SMA 1996, nr. 5, p. 289 e.v.

3 Vgl. HR 8 april 1994, NJ 1994, 704.

schapsovereenkomst[4], waarbij in feite van ondergeschiktheid, dus van een arbeidsovereenkomst sprake is).

directeur-grootaandeelhouder

De verschillen in interpretatie betreffen vooral de aanwezigheid of afwezigheid van een gezagsrelatie (ondergeschiktheid). Het meest markante voorbeeld is, dat de Hoge Raad tussen een besloten vennootschap en de directeur, tevens groot-aandeelhouder (dga), wél een arbeidsovereenkomst aanwezig acht, maar de Centrale Raad van Beroep sedert 1985 niet meer.[5]
De dga, hoewel formeel te scheiden van de algemene vergadering van aandeelhouders, heeft de beslissende stem daarin en bepaalt dus feitelijk zijn arbeidsvoorwaarden en ook of zijn dienstverband voortbestaat of wordt beëindigd. Daarmee bepaalt hij zijn eigen sociale verzekeringsprestaties met alle gevolgen van misbruik van dien. Juist daarom ontzegt de Centrale Raad van Beroep hem de toegang tot de werknemersverzekeringen door geen arbeidsovereenkomst aanwezig te achten. De uitsluiting voor de werknemersverzekeringen is overigens sedert 1997 uitdrukkelijk wettelijk geregeld.[6]

gezagsrelatie

Zowel de arbeidsrechtelijke als de sociale verzekeringsrechtspraak over het al dan niet bestaan van een gezagsrelatie[7], dus van een arbeidsovereenkomst, vormt een caleidoscopisch geheel. De constellatie van de feiten speelt een belangrijke rol. Uit recente rechtspraak valt af te leiden, dat voor het aannemen van een gezagsverhouding vooral een rol speelt of bepaalde werkzaamheden tot de normale bedrijfsvoering behoren. Is dat het geval, dan is sprake van een arbeidsovereenkomst in de zin van de werknemersverzekeringen.

Als de conclusie luidt, dat er sprake is van een arbeidsovereenkomst, doet het er niet toe voor hoelang de arbeidsovereenkomst geldt of welk loon ermee wordt verdiend. Ook zeer kortstondige arbeidsovereenkomsten leiden tot verzekering voor de werknemersverzekeringen. Dat is anders bij de gelijkgestelde arbeidsverhoudingen, die hierna aan de orde komen. De Centrale Raad van Beroep eist, dat eerst het bestaan van een arbeidsovereenkomst wordt beoordeeld, alvorens aan de vraag toe te komen of van een daarmee gelijk gestelde arbeidsverhouding sprake is. Niet kan worden gesteld, dat door de korte duur van de overeenkomst, de geringe omvang

arbeidsovereenkomst altijd verzekerd

4 Zie CRvB 25 september 1991, RSV 1992, 132.
5 CRvB 4 oktober 1985, RSV 1986, 22 m.n. E.P. de Jong. Vgl. L.J.M. de Leede, Directeuren-grootaandeelhouders geen werknemers?, Schetsen voor Bakels, Deventer 1987, p. 155 e.v.
6 Bij de Wet van 24 april 1997, Sb 178 (Invoeringswet nieuwe en gewijzigde arbeidsongeschiktheidsregelingen), in werking getreden 1 januari 1998. Wie een dga is, wordt nader gedefinieerd in het Besluit van de Staatssecretaris van Sociale Zaken en Werkgelegenheid van 19 december 1997, Stcrt. 1997, 248.
7 Zie T. van Peijpe en J.F.M. Fleuren-van Walsem, Gezagsverhouding, de stand van zaken, SMA 1995, nr. 7/8, p. 412 e.v.

ervan of het lage loon er op grond van de gelijkstellingsbepalingen geen verzekeringsplicht bestaat. Als het om een arbeidsovereenkomst gaat, zijn duur, omvang en beloning geen relevante beoordelingsmomenten.[8]

8.1.3 *Gelijkstelling*

Met een arbeidsovereenkomst stellen art. 4 en 5 van de ZW, WAO en WW een aantal arbeidsverhoudingen gelijk. In art. 4 wordt een aantal arbeidsverhoudingen opgesomd, zoals de kleine aannemer en diens personeel (behoudens als zij voor een natuurlijk persoon ten behoeve van diens persoonlijke aangelegenheden werkzaam zijn), de provisiereiziger en de deelvisser. Art. 5 maakt het mogelijk om ook thuiswerkers, musici, artiesten, profsporters en andere personen, die tegen beloning persoonlijke arbeid verrichten onder de werknemersverzekeringen te brengen. Bij de laatste categorie moet het overigens gaan om personen, wier arbeidsverhouding maatschappelijk met een dienstbetrekking kan worden gelijkgesteld. Het gaat dan om heel verschillende soorten arbeidsverhoudingen, zoals bijvoorbeeld ijsverkopers of benzinepompexploitanten.

aannemer

In het zgn. Rariteitenbesluit[9] is een en ander nader geregeld. Zo vallen thuiswerkers onder de werknemersverzekeringen, indien zij een overeenkomst hebben voor ten minste dertig dagen en ten minste tweevijfde van het wettelijk minimumloon als beloning ontvangen.Voor uitzendkrachten, musici en andere artiesten gelden geen voorwaarden. Zij zijn altijd verzekerd. Voor degenen, die persoonlijk arbeid verrichten en wier arbeidsverhouding maatschappelijk met een dienstbetrekking wordt gelijk gesteld, gelden drie nadere eisen: de overeenkomst moet voor ten minste dertig dagen zijn aangegaan, er moet ten minste tweevijfde van het minimumloon worden verdiend en er moet op ten minste twee dagen per week worden gewerkt.

rariteiten

Er bestaat echter geen verzekering, indien arbeid wordt verricht in de zelfstandige uitoefening van een bedrijf of beroep of als de arbeidsverhouding in overwegende mate wordt beheerst door een familieverhouding (zie voor meer voorbeelden art. 8 van het KB).

8.1.4 *Uitgezonderde arbeidsverhoudingen*

Zoals reeds vermeld onder 8.1.2.valt overheidspersoneel thans nog slechts onder de WAO, maar is het uitgezonderd in art. 8b van de ZW en art. 7 van de WW. Voorts zijn op grond van art. 6 van de verzekering uitgezonderd de directeur-grootaandeelhouder, de vrijwillige brandweerman of -vrouw en degenen, die ten behoeve van een natuurlijke persoon, tot wie hij in dienstbetrekking staat, uitsluitend of

8 Vgl. CRvB 19 april 1993, RSV 1994, 6; CRvB 20 november 1995, RSV 1996, 55. Zie ook W.J.P.M. Fase, Van kuikens vangen naar rozen planten, SMA 1999, nr. 6, p. 318 e.v.

9 KB van 24 December 1986, Sb 1986,665. Zie C. Smitskam en I.Y. Piso, Alle rariteiten verplicht verzekerd?, Sociaal Recht 1995, nr. 3, p. 81 e.v.

nagenoeg uitsluitend huiselijke of persoonlijke diensten in diens huishouding verricht, mits dat doorgaans op minder dan drie dagen per week het geval is. Het aantal dagen waarop gewerkt wordt is hier van belang. Daardoor is een werkster, die drie ochtenden werkt wel verzekerd, maar een werkster, die twee volle dagen per week bij iemand werkt niet. Overigens vallen onder deze bepaling niet alleen werksters, maar ook bijvoorbeeld de privé-verpleger of -chauffeur.[10] Ten slotte wordt niet als werknemer beschouwd, de werknemer, die niet rechtmatig in Nederland verblijft (art. 3 ZW/WAO/WW).

huishoudelijk personeel

8.1.5 *De uitvoeringsorganisatie*

In de Organisatiewet sociale verzekeringen (OSV) is geregeld wie de werknemersverzekeringen uitvoert.[11]

Lisv

Hiermee is ingevolge art. 38 OSV het Landelijk instituut sociale verzekeringen (Lisv) belast. Het Lisv moet echter in gevolge art. 41 OSV de uitvoering van de werknemersverzekeringen laten verrichten door een uitvoeringsinstelling (uvi). Aan de uvi wordt door het Lisv het nemen van besluiten gemandateerd. Met een uvi wordt een administratie-overeenkomst voor een of meer jaren aangegaan. Voor elke sector van het bedrijfsleven kan slechts met één uvi een contract worden aangegaan.

uitvoeringsinstellingen

Er bestaan momenteel vijf uvi's. De stichting Cadans doet de uitvoering van de werknemersverzekering in de detailhandel, het ambacht, het grootwinkelbedrijf, de reinigingssector en instellingen voor de gezondheid, geestelijke en maatschappelijke belangen. Het Sociaal Fonds Bouwnijverheid is werkzaam voor het bouwbedrijf, de baggeraars, het schilders-, stukadoors- en dakdekkersbedrijf, het mortelbedrijf, het steenhouwersbedrijf en de railbouw. Het GUO (gemeenschappelijk uitvoeringsorgaan) voert de verzekering uit in het agrarisch bedrijf, de tabaksverwerkende industrie en het slagersbedrijf. De Stichting USZO (uitvoeringsinstelling voor overheids- en onderwijspersoneel) werkt voor de overheid en de onderwijssector. Ten slotte het GAK (Gemeenschappelijk administratiekantoor) voor de rest van de sectoren. Overigens is het GAK veruit het grootste uitvoeringsorgaan en bestrijkt het ca. tweederde van de verzekerde werknemers in het bedrijfsleven.
De uvi's zijn privaatrechtelijke rechtspersonen, in tegenstelling tot het Lisv, dat een publiekrechtelijke status heeft.

10 M. J.A.C. Driessen, Je zult maar persoonlijke diensten verrichten, Sociaal Recht 1996 nr. 12, p. 348 e.v.

11 De Wet van 26 februari 1997, Sb 1997, 95. Deze regelt de uitvoeringsorganisatie van de werknemers- en volksverzekeringen, alsmede het toezicht op de uitvoering. De volksverzekeringen worden uitgevoerd door de Sociale verzekeringsbank. Het toezicht berust bij het College van toezicht sociale verzekeringen (Ctsv). De Algemene Rekenkamer kan de rechtmatigheid en doelmatigheid van de uitvoering door het Lisv en de uvi's, alsmede het toezicht door het Ctsv beoordelen. De Nationale Ombudsman is voor de sociale verzekeringssector bevoegd klachten te behandelen.

sectorraden

Voor iedere sector van het bedrijfsleven – er zijn er meer dan zestig – kan een sectorraad worden ingesteld (art. 56 OSV), die het Lisv adviseert over de inhoud van de te sluiten administratie-overeenkomsten, over sectorspecifieke zaken bij de uitvoering van de werknemersverzekeringen en over de hoogte van de (wachtgeld)premie, die sectorgewijs wordt vastgesteld. In de sectorraad zijn sociale partners via hun representatieve organisaties gelijkelijk vertegenwoordigd. Sociale partners zijn via hun centrales ook vertegenwoordigd in het bestuur van het Lisv, maar dat bestuur kent ook onafhankelijke leden en heeft dus, evenals de SER, een tripartiete samenstelling, zij het dat het aantal bestuursleden van het Lisv beperkt is tot negen onder leiding van een onafhankelijk voorzitter.
Sociale partners hebben via het Lisv en de sectorraden wel invloed op de uitvoering, maar niet op beslissingen ten aanzien van individuen, omdat deze beslissingen aan de uvi's zijn gemandateerd.

nieuwe uitvoeringsorganisatie

In de SUWI-nota van 24 januari 2000 (Suwi staat voor structuur uitvoering werk en inkomen) heeft het kabinet zijn visie op de toekomstige uitvoeringsorganisatie uiteengezet.[12] Lag het aanvankelijk in de bedoeling om de vijf uvi's vanaf 2001 met elkaar te laten concurreren om de opdracht tot uitvoering van de werknemersverzekeringen van de diverse sectoren te verwerven, zodat zij tegen een zo laag mogelijke prijs een optimale prestatie zouden moeten leveren, daarvan is het kabinet volledig teruggekomen. Achteraf vond men niet passend, dat de claimbeoordeling, vaststelling van de premieplicht en premie-inning, de uitkeringsverzorging en de wetshandhaving aan privaatrechtelijke, concurrerende uitvoeringsorganen moest worden overgelaten. Commerciële motieven zouden dan mede het beleid kunnen gaan bepalen. Daarom wordt ervoor gekozen om de uitvoering van de werknemersverzekeringen onder te brengen bij slechts één publiekrechtelijke organisatie, het Uitvoeringsorgaan Werknemersverzekeringen (UWV).[13] Wel zal de reïntegratie van arbeidsongeschikte en werkloze werknemers worden geprivatiseerd. Reïntegratiebedrijven moeten straks gaan dingen om de gunsten van het bedrijfsleven. Sociale partners krijgen een belangrijke invloed, welke reïntegratiebedrijven in de cao-sector werkzaam zullen zijn.

reïntegratie

De keus voor slechts één uitvoeringsinstelling is mede ingegeven om de samenwerking in de over het land verspreide Centra voor werk en inkomen te bevorderen. Die centra zijn thans in ontwikkeling. In die centra werken arbeidsvoorzieningen, uvi's en gemeenten (bijstand) samen. In het centrum in de buurt van de werknemer kan hij zowel

12 Tweede Kamerstuk 26 448, nr. 7.
13 Zie W.J.P.M. Fase, De uitkeringskathedraal in aanbouw, SMA 2000, p. 54 e.v. Zie over de eerdere plannen F.M. Noordam, Suwi, meer bureaucratisch autisme of meer mensen aan het werk?, SMA 1999, nr. 6, p. 306 e.v. en de reactie daarop van P.S. Fluit en J.H.A.M. van Gerven, Suwi: bureaucratisch autisme of marktfobie?, SMA 1999, nr. 718, p. 366 e.v.

om reïntegratie als een uitkering terecht (de één loketgedachte). Die centra zullen uiteraard soepeler kunnen werken, als er niet vijf concurrerende uvi's aanwezig zijn, maar slechts een gedecentraliseerde uitvoeringsinstelling. Naar verwachting zal het nog wel enige jaren duren voor de kabinetsplannen zijn gerealiseerd. Daar zijn ingrijpende wetswijzigingen voor nodig, het ineenschuiven van de thans bestaande uvi's, de omvorming van de arbeidsvoorzieningstaak, die nagenoeg neerkomt op de ontmanteling van de huidige Arbeidsvoorzieningsorganisatie en niet in de laatste plaats het operationaliseren van de Centra voor werk en inkomen.

8.1.6 *De verzekerdenadministratie*

Sedert 1989 bestaat de zogenaamde verzekerdenadministratie.[14]

sofinummer

Iedere uvi registreert alle verzekerden, die in dienstbetrekking werken of een uitkering ontvangen (art. 47 OSV). Daarin wordt ook het sofinummer opgenomen van de verzekerde. Iedere uvi heeft zijn eigen databank, maar via dat sofinummer kan in iedere andere databank worden gezocht of ook elders de verzekerde is geregistreerd. Hiertoe is een Gemeenschappelijke Verwijsindex gevormd, die aangeeft in welke databanken van uvi's gegevens staan van een bepaalde verzekerde. Er is dus geen ene grote databank, maar diverse databanken, die via de verwijsindex op persoonsniveau met elkaar elektronisch kunnen communiceren.

doelen verzekerdenadministratie

De verzekerdenadministratie dient verschillende doelen. Allereerst is het een hulpmiddel voor fraudebestrijding. Zogenaamde witte fraude (het genieten van een uitkering en daarnaast werkzaam zijn met premiebetaling) is daarmee uitgebannen. In de tweede plaats maakt het de uitvoering sneller en klantvriendelijker, omdat niet telkens gegevens behoeven te worden uitgevraagd. In de derde plaats is uit de verzekerdenadministratie het arbeidsverleden van een verzekerde te herleiden, hetgeen voor de uitvoering van de Werkloosheidswet van belang is. Ten slotte is met de verzekerdenadministratie een schat van gegevens aanwezig, aan de hand waarvan effecten van wetsverandering met een zekere precisie zijn door te rekenen.

melding aan uvi

Het is echter van belang, dat de gegevens in de verzekerdenadministratie compleet en correct zijn. De werkgever is verplicht om bij aanvang en einde van de dienstbetrekking daarvan melding te doen bij zijn uvi (art. 91 OSV). Indien de werknemer niet binnen twee maanden na de aanvang van de dienstbetrekking bericht heeft gekregen van de uvi welke gegevens van hem in de verzekerdenadministratie zijn opgenomen, het zgn. registratiebericht, dan moet de werknemer daarvan aan de uvi mededeling doen. Ook moet hij melden, als de opgenomen gegevens niet

14 Zie W.J.P.M. Fase, De verzekerdenadministratie van start, SMA 1989, nr. 2, p. 67 e.v.

juist zijn (art. 93 OSV). Via deze voorschriften wordt het voor de werknemer duidelijk, als zijn werkgever hem zwart dan wel gedeeltelijk zwart heeft te werk gesteld.
De uvi is verplicht periodiek een overzicht aan de verzekerde te verstrekken van de gegevens, die in de verzekerdenadministratie van hem zijn opgenomen. Dit is het statusoverzicht, dat ieder jaar aan de werknemer wordt toegezonden. Eventuele fouten of onvolkomenheden moet de werknemer aan de uvi terugmelden.
Met dat statusoverzicht kan een werknemer zijn arbeidsverleden aantonen, al kan dat ook op een andere manier. Met andere woorden het statusoverzicht is niet beslissend voor de vaststelling van het arbeidsverleden, hooguit een aanwijzing.

statusoverzicht

8.1.7 Financiering

De kosten van de werknemersverzekeringen worden betaald uit premie-opbrengsten. Voor de Werkloosheidswet (art. 79 e.v.) betaalt de werkgever de wachtgeldpremie en de werkgever en de werknemer elk een deel van de werkloosheidspremie. Er bestaat bij de werkloosheidspremie een zgn. franchise, dat wil zeggen dat over een bepaald gedeelte van het dagloon geen premie wordt geheven.

premieheffing

De wachtgeldpremie verschilt per sector en dient ter dekking van de kosten van het eerste half jaar werkloosheid in de sector. De werkloosheidspremie, die langduriger werkloosheid financiert, is een voor alle sectoren gelijke premie. Deze mix legt dus het risico van werkloosheid deels bij de sector, deels bij het bedrijfsleven als geheel.
De term wachtgeldpremie heeft alleen historische betekenis. Er bestaat immers geen recht op wachtgeld meer, maar op een werkloosheidsuitkering. Vroeger echter mocht men een beperkte periode zich alleen voor de eigen bedrijfstak bij werkloosheid ter beschikking stellen en golden voor wachtgeld andere eisen dan voor het verkrijgen van een werkloosheidsuitkering.

wachtgeldpremie en werkloosheidspremie

De kosten van de Ziektewet worden betaald uit een opslag op de wachtgeld- en werkloosheidspremie, die de werkgever verschuldigd is. Gekozen is voor een opslag, omdat de Ziektewet slechts geringe betekenis heeft, nu de werkgever sedert 1996 tijdens ziekte aan de werknemer 70% van het loon moet doorbetalen. De wachtgeldpremie ten laste van de werkgever bedraagt in 2000 gemiddeld 1,1%, maar kan per sector zeer uiteenlopen, van 0% (door grote reserves bij het wachtgeldfonds) tot 10% (een categorie uitzendbedrijven). De werkloosheidspremie is verdeeld tussen de werkgever en werknemer. De werkgever betaalt 3,75% en de werknemer 6,25%. Voor beiden geldt een franchise van de eerste 111 gulden van het loon per dag.
Niet over het hele loon behoeft premie te worden betaald. Er geldt een maximumpremieloon per dag van 319 gulden. Daartegenover staat, dat

maximumpremie

ook bij uitkeringen niet over het hele loon per dag uitkering wordt verstrekt, maar slechts 70% van maximaal 319,06 per dag. Dat betekent dat niet iedere werknemer aanspraak kan maken op 70% van zijn loon bij werkloosheid en arbeidsongeschiktheid. Hoger betaalden zijn dus minder verzekerd dan werknemers met een loon beneden de loongrens.

premies WAO

De WAO-premie (art. 76 e.v.) komt volledig voor rekening van de werkgever. Deze bestaat uit een basispremie en een op de werkgever toegesneden gedifferentieerde premie. De basispremie dient om de landelijke kosten van arbeidsongeschiktheid, die langer dan vijf jaar heeft geduurd te bestrijden. De gedifferentieerde premie wordt bepaald door de uitkeringslasten, die bij de werkgever zijn ontstaan, voor arbeidsongeschiktheid, die nog geen vijf jaar heeft geduurd. Wel wordt de gedifferentieerde premie begrensd tot maximaal viermaal de gemiddelde gedifferentieerde premie voor grote werkgevers (met een loonsom van meer dan 706 500 gulden) en tot driemaal de gedifferentieerde premie voor kleine werkgevers. Hierdoor voelt iedere werkgever een prikkel om arbeidsongeschiktheid te voorkomen dan wel zo snel mogelijk geheel of gedeeltelijk op te heffen.

eigen risico

Ook kan een werkgever ervoor kiezen de kosten van de eerste vijf jaar van arbeidsongeschiktheid voor eigen rekening te nemen. Hij betaalt dan uitsluitend de basispremie. Het eigen risicodragerschap kan de werkgever ook weer beëindigen, maar dan moet hij lopende gevallen van arbeidsongeschiktheid, die nog geen vijf jaar hebben geduurd nog wel voor eigen rekening blijven nemen en kan hij drie jaar lang niet opnieuw het premieheffingssysteem verlaten.

Overigens heeft de keus voor eigen risicodragerschap geen gevolgen voor de (gedeeltelijk) arbeidsongeschikte. Hij heeft dezelfde rechten als ieder ander.[15]

premiedifferentiatie

De basispremie voor de WAO bedraagt voor iedere werkgever 6,3% in 2000, te berekenen over ten hoogste het maximum premieloon per dag, zoals hierboven bij de WW vermeld. De gedifferentieerde premie bedraagt 1,39%, waarop de werkgever een korting of opslag krijgt, afhankelijk van het gerealiseerde arbeidsongeschiktheidsrisico bij de werkgever. Voor grote werkgevers is het minimum van de gedifferentieerde premie 0% en het maximum 5,56%, voor kleine werkgevers is de minimumpremie 1,24% en de maximumpremie 4,17%. Kleine werkgevers moeten altijd een minimumpremie betalen, omdat het lagere maximum ertoe leidt, dat de eigen kosten van kleine werkgevers anders niet door die groep zouden worden opgebracht, zodat grote werkgevers eraan mee zouden moeten betalen. Dat werd niet wenselijk geacht.

15 Zie M.A.J.C. Driessen, Pemba:afgod, paradijs of gewoon een privaatput?, Sociaal Recht 1997, nr. 11, p. 312 e.v.;Pemba, special PS 1997, nr. 26 met bijdragen van E.J. Kronenburg-Willems, M.H.W. Rovers, R.F.M. Viester en G.J. van der Wel en ten slotte W.J.P.M. Fase. De poeha van Pemba, SMA 1998, nr. 2, p. 54 e.v.

Uit het bovenstaande blijkt dat forse premieverschillen kunnen ontstaan. Die liggen tussen de 6,3% en 11,86%. Die premieverschillen, die direct de concurrentieverhoudingen beïnvloeden, prikkelen werkgevers om arbeidsongeschiktheid te voorkomen (zoals door het voeren van een goed verzuim- en arbeidsomstandighedenbeleid, maar helaas ook door een selectief aannamebeleid, waarbij grotere, zelfs vermeende risico's worden vermeden).

inning premies

De premies voor de WW en WAO worden geïnd door de uvi's. De Coördinatiewet sociale verzekeringen bepaalt wat onder loon moet worden verstaan. Zij draagt die naam, omdat zij beoogt de premie- en loonheffing voor de belastingen zoveel mogelijk op elkaar af te stemmen. Door de verschillende doelstellingen van de sociale verzekering en de loonbelasting is die poging niet geheel geslaagd. In de Coördinatiewet zijn ook het maximum premieloon en uitkeringsloon per dag geregeld, alsmede hun jaarlijkse wijze van aanpassing. Door de maximering van het verzekerd loon tot een jaarsalaris van 80.340 gulden (althans voor het jaar 2000), bedraagt de maximale WW- of WAO-uitkering 56.380 gulden. Een en ander betekent, dat de beter verdienenden onderverzekerd zijn, althans niet op 70% van het laatst verdiende loon kunnen rekenen. Voor de WAO is bijverzekering mogelijk, voor de WW niet, vanwege de onvoorspelbaarheid van het risico en de mogelijke beïnvloeding van het ontstaan en voortbestaan ervan door betrokkene. Aanvullende arbeidsongeschiktheidsverzekeringen voor hoger betaalden via de pensioenvoorziening zijn zeer gebruikelijk.

8.2 De regelingen bij ziekte

8.2.1 Loon of uitkering

doorbetaling loon

Het Burgerlijk Wetboek bevat een regeling voor de loonbetaling bij ziekte.[16]

Die is uiteraard uitsluitend van belang voor werknemers, die op arbeidsovereenkomst werkzaam zijn. Ingevolge art. 629 van boek 7 is de werkgever verplicht bij ziekte gedurende een tijdvak van 52 weken aan de werknemer ten minste 70% van het loon door te betalen. De werkgever behoeft echter niet meer dan 70% van het maximum premiedagloon (zoals in 8.1.7 vermeld) te betalen, maar mag niet minder betalen dan het wettelijk minimumloon. Deze bepaling is van dwingend recht.

melding bij de uvi

Na dertien weken is de werkgever verplicht de zieke werknemer te melden bij de uvi en moet hij tevens een reïntegratieplan overleg-

16 Zie W.J.P.M. Fase, De Wet uitbreiding loondoorbetalingsplicht bij ziekte, Deventer 1996; W.J.P.M. Fase Privatisering van de Ziektewet SMA 1995, nr. 6, p. 348 e.v. C.F. Sparrius, Wulbz in rechtshistorisch perspectief, trendbreuk of continuïteit? SMA 1996, p. 552 e.v.; J.M. Fleuren-van Walsem, Wulbz en haar gevolgen, SMA 1996, nr. 3, p. 159 e.v.; M. M. Olbers, Geen Wulbz meisje, maar een sloddervos, Sociaal Recht 1996, p. 85 e.v. en I.P. Asscher-Vonk e.a., De zieke werknemer, Deventer, tweede druk 1999.

gen.[17] Indien de werkgever de werknemer te laat meldt, wordt het tijdvak van 52 weken verlengd met de periode van vertraging. Dit heeft voor de werknemer tot consequentie, dat een recht op een arbeidsongeschiktheidsuitkering en/of een werkloosheidsuitkering niet na een jaar, maar na een jaar plus de vertragingsperiode ingaat.[18]

meermalen ziek

Indien een werknemer herstelt, maar binnen vier weken opnieuw ziek wordt, wordt de tweede periode van ziek zijn bij de eerste periode van ziekte opgeteld, zodat zij beiden meetellen voor het tijdvak van 52 weken (art. 7:629, negende lid, BW). Als tussen de ziekteperioden een periode van vier weken of meer van werken zit, gaat bij de tweede ziekte een nieuw tijdvak van 52 weken lopen. De ratio van deze regeling is tweeërlei. De werknemer kan door een korte hervatting van het werk niet een nieuwe termijn van 52 weken loonbetaling 'verdienen'. Anderzijds wordt de werkgever niet afgeschrikt om een werknemer bij wijze van proef het werk te laten hervatten. Pas als de werknemer het vier weken volhoudt, wordt het herstel duurzaam geacht. Overigens zij aangetekend, dat bij deze regeling de oorzaak van de ziekte er niet toe doet. Ook al heeft ziekte verschillende oorzaken (eerst griep, later een gebroken arm) dan geldt toch de samentellingsregel.

huishoudelijk personeel

Is de werkgever verplicht gedurende een tijdvak van 52 weken loon door te betalen, een uitzondering daarop geldt voor huishoudelijk personeel. Als de werknemer uitsluitend of nagenoeg uitsluitend huiselijke of persoonlijke diensten ten behoeve van zijn werkgever verricht op minder dan drie dagen per week (bedoeld zal zijn doorgaans[19] op minder dan drie dagen per week), dan behoeft de werkgever tijdens ziekte slechts zes weken loon door te betalen. Reeds in 8.1.4. is geconstateerd, dat deze categorie niet onder de werknemersverzekeringen valt, zodat nadien geen recht op ziekengeld ontstaat.

ziekengeld

Zolang op een werkgever een loonbetalingsplicht rust, ontstaat geen recht op ziekengeld (art. 29, eerste lid, onder a, ZW). Op deze regel bestaat een drietal uitzonderingen. Orgaandonerenden, zwangere werkneemsters, die tengevolge van zwangerschap of bevalling arbeidsongeschikt zijn of met bevallingsverlof zijn, en arbeidsgehandicapten (zie art. 29, tweede lid, onder e tot en met g) hebben naast recht op loon, wel recht op ziekengeld. De werkgever mag echter het ziekengeld in mindering brengen op zijn loonbetalingsplicht. Voor het

17 De melding aan de uvi is geregeld in art. 38 ZW, de verplichting een reïntegratieplan op te stellen is geregeld in art. 71a WAO.

18 Zie art. 43d WAO voor de arbeidsongeschiktheidsuitkering. De loonbetalingsverplichting van de werkgever staat aan een werkloosheidsuitkering in de weg.

19 In art. 6 van de ZW, WW en WAO wordt de laatste formulering gebruikt. Zie ook M.J.A.C. Driessen, Sociaal Recht 1996, nr. 12, p. 348 e.v.

gros van de werknemers komt deze regeling erop neer, dat de werkgever van zijn loonbetalingsplicht is bevrijd.

einde arbeidsovereenkomst

Werknemers, wier arbeidsovereenkomst tijdens ziekte eindigt, bijvoorbeeld omdat zij een arbeidsovereenkomst voor bepaalde tijd hebben, hebben slechts recht op loondoorbetaling tot de einddatum van de overeenkomst. Daarna hebben zij krachtens art. 29, tweede lid, onder c, ZW recht op ziekengeld.

Aangezien krachtens art. 7:668a BW een schakel uit een keten van arbeidsovereenkomsten voor bepaalde tijd telkenmale van rechtswege eindigt, heeft de wetgever de mogelijkheid geschapen om bij indienstneming van werknemers gedurende een bepaalde periode het loonbetalingsrisico bij ziekte aanzienlijk te beperken, terwijl de werknemer recht op ziekengeld krijgt, zodra een arbeidsovereenkomst voor bepaalde tijd eindigt en hij ziek is.[20]

Tijdens ziekte geldt bij een arbeidsovereenkomst voor onbepaalde tijd gedurende twee jaren een opzegverbod (art. 7:670, lid 1 BW).

opzegverbod

Een werknemer kan dus een opzegging door de werkgever tegenhouden door een beroep op de nietigheid van de opzegging te doen. Laat hij dat na, zegt hij zelf de arbeidsovereenkomst op, of geeft hij de werkgever een dringende reden voor ontslag, dan zou het niet correct zijn dat het vrijwillig opgegeven recht op loondoorbetaling ertoe zou leiden dat er ziekengeld moet worden betaald.

weigering ziekengeld

Daarom bepaalt art. 45, eerste lid, onder j, dat het Lisv hem geheel of gedeeltelijk het ziekengeld weigert, als de werknemer door zijn doen of laten het Algemeen Werkloosheidsfonds of het wachtgeldfonds[21] benadeelt of zou kunnen benadelen. Van benadeling is sprake als de werknemer niet het nodige heeft gedaan om zijn recht op loon te behouden, dan wel datgene heeft gedaan, dat hem zijn recht op loon deed verliezen. Het gaat dus om benadeling door arbeidsrechtelijk handelen of nalaten.

situatieve arbeidsongeschiktheid

Bij ziekte kan ook sprake zijn van situatieve arbeidsongeschiktheid, dat wil zeggen dat de werknemer door de situatie op zijn werk (omgang met chef, collega s, arbeidsomstandigheden enz.) ziek geworden is en wederom zal worden als hij naar zijn werkplek zou terugkeren.

20 De verprivaatrechtelijk van het ziekterisico in maart 1996 en de flexibilisering van het arbeidsovereenkomstenrecht in 1998 staan in zekere zin op gespannen voet met elkaar, zodat de vangnetfunctie van de Ziektewet aan gewicht wint. Wel kan men zich afvragen of het gerechtvaardigd is dat via eenzelfde opslagpremie werkgevers, die zelf het risico ten volle dragen, moeten meebetalen aan de kosten, die een anders handelende collega veroorzaakt.

21 De ziekengelduitkeringen worden gefinancierd door van de werkgever opslagen op de wachtgeld- en werkloosheidspremie te heffen. Daarom betekent een vermijdbaar beroep op ziekengeld een benadeling van die fondsen. Overigens kan slechts ziekengeld worden geweigerd, als na het ziek worden, de werknemer de arbeidsovereenkomst opzegt; zie CRvB 2 december 1998, RSV 1999, 51. Voor een geval van weigering na ontslag wegens excessief drankgebruik, zie CRvB 29 september 1999, RSV 2000, 16.

Wel zou hij elders (op een andere afdeling of in een andere onderneming) zonder probleem kunnen functioneren. In dat geval moet de werkgever uiteraard ook gewoon loon doorbetalen gedurende de eerste 52 weken en een reïntegratie-inspanning plegen. De werknemer zal daarom, in verband met weigering van ziekengeld, niet snel zelf ontslag nemen, tenzij hij elders werk gevonden heeft.[22] Het gevolg is dat hij onnodig lang buiten het arbeidsproces staat en veelal pas na een jaar ziekte, als hij blijkt niet arbeidsongeschikt in de zin van de WAO te zijn, serieus naar ander werk uit gaat zien. Aan deze bijzondere situatie, die overigens vaak voorkomt, had de wetgever meer aandacht behoren te besteden.[23]

8.2.2. *Prikkels tot reïntegratie*

Een werkgever mag niet volstaan met loon doorbetalen tijdens ziekte. Op hem rust ingevolge art. 71a WAO ook een reïntegratieverplichting. Hij moet namelijk gelijktijdig met de melding aan de uvi na dertien weken een adequaat reïntegratieplan ten behoeve van de herintreding van de werknemer in het arbeidsproces aan de uvi overleggen volgens de regels door het Lisv gesteld.[24] Dat reïntegratieplan kan inhouden, dat de werknemer weliswaar nog niet de bedongen arbeid kan verrichten, maar wel in staat is om passende arbeid te doen. Het kan ook inhouden, dat de werknemer weliswaar passend werk kan doen, maar de werkgever dat niet heeft. In dat laatste geval wordt bekeken in hoeverre de werknemer bij een andere werkgever (tijdelijk) arbeid zou kunnen verrichten.

reïntegratieplan

De bedoeling van een en ander is niet alleen om de loondoorbetalingsplicht van de werkgever niet groter te doen zijn dan strikt nodig, maar evenzeer en vooral om de uitgevallen werknemer weer zo snel mogelijk aan het werk te krijgen, teneinde blijvende uitval te voorkomen.[25]

Als een werkgever geen reïntegratieplan opstelt of een reïntegratieplan niet uitvoert, wordt hij een boete aan de uvi verschuldigd. Daarnaast kan de uvi, als na een jaar de werknemer recht krijgt op een werkloosheids- en/of arbeidsongeschiktheidsuitkering, het bedrag ter grootte

22 Zie Rb. Den Haag 6 april 1999, 183, waarbij werd beslist, dat een ontslagname niet zonder meer leidt tot verwijtbare werkloosheid.

23 Zie M. Holtzer, Situatieve arbeidsongeschiktheid: waar houdt het op?, ArbeidsRecht 1998, nr. 6/7, p. 3 e.v. en A.G. Tazelaar en T. Albers, 'Onder omstandigheden', situatieve arbeidsongeschiktheid nader bezien, SMA 1999, p. 18 e.v.

24 Het besluit minimumeisen reïntegratieplan 1997, besluit van het Lisv van 18 juni 1997, Stcrt 1997, 140, in werking getreden 1 september 1997, voorziet hierin. Dit besluit is gewijzigd bij Besluit van 1 april 1998, Stcrt. 152. Voor boetes op het niet nakomen van verplichtingen zie het Besluit boete ZW/WAO van het Lisv van 10 december 1997, Stcrt. 1997, 246.

25 Toen de Ziektewet nog op werknemers op arbeidsovereenkomst van toepassing was gaf art. 30 ZW hun een steuntje in de rug, hoewel het succes slechts zeer beperkt was. Zie F.R. Boelhouwer, M.Y.G. Erkens, J.M. Fleuren en E.V.V. Lenos, Blijft art. 30 ZW een schone slaapster?, SMA 1995, p. 22 e.v.

van het loon, dat de werknemer in staat was te verdienen, op de werkgever verhalen, zolang de arbeidsovereenkomst voortduurt.[26]

werknemersverplichtingen

Een werknemer is verplicht om aan de uitvoering van een reïntegratieplan mee te werken op straffe van het verspelen van het recht op loon, zolang hij niet meewerkt (art. 7:629, derde lid, onder c, BW). Deze bepaling is nogal ongenuanceerd. Het had voor de hand gelegen, dat de werkgever op de loonbetaling in mindering zou mogen brengen, hetgeen de werknemer had kunnen verdienen. De wetgever heeft echter gekozen[27] voor volledig verval van de loonaanspraak.
Van de andere kant kan de werknemer de werkgever civielrechtelijk dwingen om hem op passend werk te werk te stellen. De Hoge Raad heeft immers beslist, dat als een werknemer niet in staat is de bedongen arbeid te verrichten en een gespecificeerd aanbod tot het verrichten van passende arbeid, waartoe hij wél in staat is, doet, de werkgever verplicht is het daarbij behorende loon aan de werknemer te betalen, indien van de werkgever redelijkerwijs kan worden gevergd, dat hij de werknemer de passende arbeid laat verrichten.[28]

8.2.3 *Arbeidsvoorwaardelijke prikkels*

wachtdagen

Ook de werknemer kan worden geprikkeld om een bijdrage te leveren aan de beperking van het ziekteverzuim. Er kan worden bedongen, dat de werknemer de eerste twee dagen van ziekte geen recht op loon heeft (art. 7:629, achtste lid, BW). Merkwaardigerwijs behoeft dat niet schriftelijk te geschieden, zoals gebruikelijk bij voor de werknemer nadelige bedingen. Er worden dan zogeheten wachtdagen ingevoerd.
Om bij herhalend ziekteverzuim de werknemer niet te ernstig te treffen, bepaalt echter de wet, dat twee ziekteperioden, die elkaar met een onderbreking van minder dan vier weken opvolgen, worden samengeteld, dus als één ziektegeval worden beschouwd, zodat slechts twee dagen loon behoeft te worden ingeleverd.

inleveren vakantie

Ook kan schriftelijk worden bedongen, dat de werknemer bij ziekte vakantiedagen inlevert (art.7: 637 BW). Dat kan niet ongelimiteerd. Bij

26 Zie art. 52j WW en art. 46 WAO. Als de werknemer naast een werkloosheidsuitkering ook een arbeidsongeschiktheidsuitkering ontvangt in verband met gedeeltelijke arbeidsongeschiktheid vindt het verhaal uitsluitend vanuit de WAO plaats.

27 Dat lag niet voor de hand, omdat de artt. 30 en 31 ZW een andere regeling bevatten. Uit de toelichtingen op art. 7: 629, derde lid, onder c, BW blijkt de indiener van het wetsvoorstel Wulbz die regeling niet begrepen te hebben. Zie ook W.J.P.M. Fase, Wet uitbreiding loondoorbetalingsplicht bij ziekte, p. 31.

28 HR 8 november 1985, NJ 1986,309. HR 13 december 1991, NJ 1992, 441 maakt een nuancering, als de arbeidsongeschiktheid in de werksfeer is ontstaan. De loonbetalingsplicht ontstaat niet als de bereidheid de werkzaamheden te verrichten afhankelijk wordt gesteld van het voldoen aan bepaalde wensen van de werknemer, zelfs als die een wettelijke basis vinden in bijvoorbeeld de Arbowet, zo blijkt uit HR 3 maart 1995, NJ 1995, 470.

een dergelijk beding moet de werknemer ten minste het wettelijk minimumaantal vakantiedagen overhouden. Bij dit beding levert de werknemer vrije tijd in, terwijl bij wachtdagen inkomen wordt ingeleverd. Het inleveren van vakantiedagen, dat uiteraard ook bij cao kan worden geregeld, komt weinig voor. Het beding is tamelijk fraudegevoelig. Als een werknemer een snipperdag wil opnemen om thuis een kamer te behangen, wordt hij uitgenodigd zich in plaats daarvan ziek te melden, omdat meestal toch de eerste dag van ziekte geen controle plaatsvindt. Als hij op deze manier voldoende vakantiedagen inlevert, zal hij bij echte ziekte niet meer getroffen kunnen worden door een werkelijke reductie van het aantal vakantiedagen. Met andere woorden, deze arbeidsvoorwaardelijke prikkel van de werknemer kan statistisch leiden tot verhoging van ziekteverzuim, in plaats van een beperking. Uiteraard is de verhoging dan louter statistisch, los van de werkelijkheid. Natuurlijk zullen niet alle werknemers zo handelen, maar het wordt hun wel aantrekkelijk gemaakt, als de werkgever bij ziekte het volledige loon doorbetaalt. Nagenoeg iedereen heeft wel eens een weekje griep. Deze wetsbepaling, met zijn gebruikersruimte, roept derhalve naast het gewenste effect, ongewenste nevengevolgen op.

controlevoorschriften

De werknemer is verplicht om zich te houden aan schriftelijk door de werkgever gegeven redelijke voorschriften omtrent het verstrekken van inlichtingen, die de werkgever behoeft om het recht op loon vast te stellen (art. 7:629, vijfde lid, BW). Het gaat hier om zgn. controlevoorschriften van de werkgever, waaraan de werknemer zich bij verzuim heeft te houden. Hij moet aan de werkgever wel melden, dat hij ziek is, maar behoeft de aard van de ziekte niet aan de werkgever mee te delen.[29] Wel kan hij worden verplicht zich bij de arbodienst te vervoegen ter vaststelling van aanwezigheid van ziekte of op bepaalde tijden thuis te zijn teneinde controle van het gewettigd zijn van het verzuim mogelijk te maken. Tegenover een arts van de arbodienst, die een beroepsgeheim heeft, is de werknemer wel verplicht de aard van de ziekte mede te delen, alsmede informatie te verstrekken over de behandeling, die hij ondergaat. Deze arts mag deze informatie niet aan de werkgever doorgeven, maar moet volstaan met zijn bevinding, dat de werknemer door ziekte al dan niet ongeschikt is de bedongen arbeid te verrichten.[30] Een werkgever kan een werknemer niet verplichten een bepaalde behandeling te ondergaan[31], bijvoorbeeld in een bedrijvenpoli, waarbij hij is aangeslo-

29 Zie J. Riphagen, Ziekteverzuim, controle en privacy in C.J. Loonstra, H.W.M.A Staal en W. Zeijlstra, Arbeidsrecht en Mensbeeld 1946–1996, Deventer 1996, p. 61 e.v. en A.F. Rommelse, Ziekteverzuim en privacy, controle door de werkgever en verplichtingen van de werknemer, Rijswijk 1995.

30 Hierover J.K.M. Gevers, De bedrijfsarts en de uitwisseling van medische gegevens bij ziekteverzuim, SMA 1996, nr. 11/12, p. 683 e.v.

31 A.F. Rommelse, Kan de werknemer worden verplicht een medische behandeling te ondergaan?. SMA 1997, nr. 1, p. 27 e.v.

ten of die hij heeft gesticht. De werknemer heeft immers vrijheid van artsenkeuze en zolang er sprake is van een behandeling, die in medische kring als adequaat wordt beoordeeld, kan de werknemer niet worden verweten zijn genezing te hebben belemmerd of vertraagd, welk verwijt kan leiden tot verval van de loondoorbetalingsverplichting (zie onder 8.2.5.).

opschorting loonbetaling

Indien de werknemer zich niet aan de voorschriften van de werkgever houdt, is de werkgever gerechtigd de loonbetaling op te schorten. Dat wil zeggen dat hij geen loon behoeft te betalen, zolang niet vaststaat of de werknemer terecht verzuimt. De werkgever loopt dan geen gevaar om de wettelijke rente of de vertragingsrente van art. 7:625 BW verschuldigd te worden, indien nadien blijkt dat de werkgever wel degelijk aan de werknemer loon verschuldigd was, omdat de werknemer ziek was en zich dus niet schuldig maakte aan ongeoorloofd verzuim.
Het recht om de loonbetaling op te schorten of de loonbetaling te staken vervalt indien de werkgever een redelijk vermoeden heeft of had kunnen hebben, dat de werknemer zich aan controle onttrekt resp. er geen loon verschuldigd is wegens ongeoorloofd verzuim of weigering van passende arbeid en de werkgever de werknemer niet onverwijld op de hoogte heeft gesteld, dat de loonbetaling op die grond wordt opgeschort of gestaakt. Dit voorschrift is geschapen om druk uit te oefenen richting werknemer om helderheid te verschaffen over de aard van het verzuim, dan wel de werknemer aan te zetten het werk te hervatten, indien het beroep op ziekte discutabel is, dan wel alsnog op passende arbeid te gaan werken.

drukmiddel

8.2.4 *Betwisting van ziekte*

Indien een werkgever het ziek zijn van de werknemer betwist, al dan niet steunend op het oordeel van zijn arbodienst, en daaraan de consequentie verbindt, dat hij de loonbetaling opschort, moet de werknemer een loonvordering bij de kantonrechter instellen, als loonbetaling uitblijft. Om een bovenmatig beroep op de rechter te voorkomen, is erin voorzien dat bij betwisting van ziekte de werknemer aan de uvi een second opinion kan vragen over het al dan niet ziek zijn. In een aantal gevallen zal dit deskundigenoordeel de werkgever er alsnog van overtuigen dat de werknemer echt ziek is, in een aantal gevallen zal de werknemer alsnog besluiten het werk te hervatten. Als de werkgever het ziek zijn blijft betwisten of de werknemer in weerwil van de opvatting van de arbodienst en de uvi van oordeel blijft dat hij wel degelijk ziek is, dan resteert alleen de gang naar de kantonrechter. Dat is dan de laatste mogelijkheid om het geschil uit de wereld te helpen. Om het subsidiaire karakter van de loonvordering te accentueren bepaalt art. 7:629a BW dat de kantonrechter de vordering van de werknemer afwijst, indien hij bij de eis niet de second opinion van de uvi heeft over-

second opinion

loonvordering

gelegd. De verplichte afwijzing van de vordering is een ongelukkige keuze van de wetgever geweest. Bedoeld zal zijn, dat de werknemer niet ontvankelijk is in zijn vordering, als hij bij het inleidend verzoekschrift niet een second opinion heeft gevoegd. Zoals de wet het nu bepaalt, verspeelt de werknemer zijn loonvordering blijvend als hij zonder second opinion over te leggen de kantonrechter inschakelt. Als hij niet ontvankelijk zou zijn verklaard, zou hij voorzien van een second opinion opnieuw een loonvordering hebben kunnen instellen.

8.2.5 *Verval van de loonaanspraak tijdens ziekte*

In art. 7:629, derde lid, BW worden de gronden genoemd, die tot verval van de loonaanspraak van de werknemer tijdens ziekte leiden.

opzettelijk veroorzaakte ziekte

De eerste grond is, dat de werknemer de ziekte opzettelijk heeft veroorzaakt.[32] Het gaat daar niet om gedragingen, die het risico van ziek worden inhouden (zoals risicovolle sporten), maar om gedragingen, er bewust op gericht om ziekte te veroorzaken. Veel praktische betekenis zal deze bepaling niet hebben, nu de werknemer niet verplicht is de aard van de ziekte aan de werkgever mede te delen, zodat de werkgever vrijwel niet in staat zal zijn het causale verband aan te tonen tussen een bepaalde gedraging en de ziekte, laat staan de op dat gevolg gerichte wil van de werknemer.

valse informatie

Een tweede grond voor verval van de loonaanspraak van de werknemer is, dat de ziekte het gevolg is van een gebrek, waarover de werknemer in het kader van een aanstellingskeuring valse informatie heeft gegeven, zodat een toetsing op de voor de functie geldende belastbaarheidseisen niet op juiste wijze heeft kunnen plaats vinden. Ook deze grond heeft slechts zeer beperkte betekenis. Enerzijds is een aanstellingskeuring ingevolge de Wet op de medische keuringen[33] slechts in bepaalde situaties mogelijk, anderzijds moet het gaan om valse informatie, hetgeen iets anders is dan verzwegen informatie.

genezing belemmeren

Een derde grond van verval is van tijdelijke aard. Zolang de werknemer door zijn toedoen zijn genezing belemmert of vertraagt, is de werkgever geen loon verschuldigd. Ook dit is voor de werkgever moeilijk vast te stellen, nu de werknemer de aard van de ziekte, noch de wijze van behandeling aan de werkgever behoeft mee te delen. Uit deze bepaling mag niet worden afgeleid, dat de werknemer gebruik moet maken van door de werkgever beschikbare faciliteiten, zoals behan-

32 Zie hierover B. Hoogendijk, Opzettelijk veroorzaakte ziekte en belemmering of vertraging van de genezing na 1 maart 1996, Sociaal Recht 1996, nr. 9, p. 227 e.v.

33 Deze wet is 1 januari 1998 in werking getreden en geldt voor het bedrijfsleven en (na wijziging van de oorspronkelijke wet) ook voor de overheidssector. Het betreft een initiatiefwet van het Tweede Kamerlid Van Boxtel. Over deze wet J.C. Dute, De medische aanstellingskeuring wettelijk geregeld, SMA 1997, nr. 9, p. 459 e.v.

deling buiten de wachtlijsten voor klinische hulp om. Enerzijds heeft de werknemer recht op vrijheid van artsenkeuze, anderzijds staat het de werknemer vrij om een in medische kring aanvaarde therapievorm te kiezen, die een gunstige prognose biedt (bijvoorbeeld bij een hernia operatie of bedrust).[34]

weigering passende arbeid

De vierde grond is eveneens van tijdelijke aard en hierboven al genoemd. Als de werknemer zonder redelijke grond tijdens ziekte weigert om in plaats van de bedongen arbeid andere passende arbeid te verrichten, hetzij bij zijn werkgever, hetzij bij een derde (in het laatste geval met de noodzakelijke toestemming van het Lisv), dan vervalt diens loonaanspraak. Indien de werknemer de werkzaamheden wel verricht, heeft dat consequenties voor de loondoorbetalingsverplichting van de werkgever bij ziekte. Als bij dat passende werk een beloning behoort, die minder is dan het loon, dat bij ziekte moest worden betaald, dan moet de werkgever het verdiende loon aanvullen tot het niveau van de loondoorbetalingsplicht. De werknemer wordt er dan niet wijzer van. Hoort echter bij het passend werk een beloningsniveau, dat hoger ligt dan de loondoorbetalingsplicht, dan is de werkgever van die doorbetalingsplicht bevrijd en ziet hij tegenover het verdiende loon een arbeidsprestatie staan. In dat geval wordt ook de werknemer er beter van als de loonbetalingsplicht niet het volle oorspronkelijke loon bedroeg.

onbillijkheid

De regeling van de loonbetaling bij het verrichten van passende arbeid is niet helemaal billijk. Het had meer voor de hand gelegen, dat een werknemer, die tijdens ziekte 70% van zijn loon krijgt, in de gelegenheid wordt gesteld met passend werk dit tot 100% aan te vullen en er slechts aftrek op de loonbetalingsplicht plaats vindt, als de optelsom van 'ziekteloon' en 'verdiend loon' die grens overschrijdt. Dat was vanuit reïntegratie-oogpunt ook een gelukkiger keus geweest. De werknemer had dan een financiële prikkel gehad om bij ziekte in aangepast werk te hervatten.
Overigens wordt de soep niet zo heet gegeten, als zij wordt opgediend, nu ruim 90% van de werknemers tijdens ziekte het volledige loon krijgt doorbetaald en het niet licht zal voorkomen, dat een zieke werknemer met passende arbeid meer kan gaan verdienen dan met zijn reguliere arbeid.[35]

34 Zie A.F. Rommelse in SMA 1997, nr. 1, p. 27 e.v.

35 Ook bij de bepaling van de mate van arbeidsongeschiktheid voor de WAO kan het voorkomen, dat de verdiencapaciteit hoger ligt dan wat betrokkene daadwerkelijk verdiende. In dat geval wordt van het werkelijke inkomen uitgegaan en niet van het mogelijke te verdienen inkomen. Zie voor verdere opmerkingen bij de wetgeving met betrekking tot het ziekterisico W.J.P.M. Fase, Van ziekengeld naar loon, van zekerheid naar onzekerheid, in V.G.H.J. Kirkels, red., Arbeidsongeschiktheid en onze verantwoordelijkheid, Amsterdam 1997, p. 13 e.v.

8.2.6 *De betekenis van de Ziektewet*

vangnet

De Ziektewet fungeert als vangnet voor werknemers, die geen arbeidsovereenkomst hebben, maar wel werknemers zijn in de zin van de werknemersverzekeringen, dus verzekerd zijn krachtens art. 4 en 5, en voor werknemers op arbeidsovereenkomst, vanaf het moment dat hun arbeidsovereenkomst is geëindigd.

verzekering

Art. 6, tweede lid van de ZW bepaalt echter, dat van een dienstbetrekking slechts sprake is, indien ook daadwerkelijk arbeid wordt verricht. Op dagen, dat er niet wordt gewerkt of er geen uitkering van de werkgever van ten minste de helft van het loon wordt genoten, ontbreekt de dienstbetrekking, is de werknemer niet verzekerd en bestaat dus ook geen recht op uitkering als de werknemer ziek is. Deze bepaling dient om te voorkomen, dat men door een 'papieren overeenkomst' zich van ziekengeld kan verzekeren. Overigens bestaat op deze regel een aantal uitzonderingen, zoals bijvoorbeeld onbetaald studieverlof tot maximaal een maand.

Ook een uitzondering vormen de flexibele arbeidsrelaties (zie art. 6, tweede lid, onder d en e).[36]
De flexibele relatie kan er toe strekken dat slechts een gedeelte van de week wordt gewerkt. Dan is men ook op de overige dagen verzekerd. Strekt de overeenkomst ertoe, dat niet regelmatig iedere week wordt gewerkt, dan is men slechts in de weken, waarin gewerkt is of zou zijn, ware men niet ziek geworden, sprake van verzekering.
In beide gevallen, dus bij gedeeltelijk per week werken en afwisselend weken wel en niet werken, moet echter de overeenkomst voortduren over de dagen dat niet wordt gewerkt. De werkende moet verplicht tot werken zijn, zodra dat beschikbaar wordt gesteld. Is slechts sprake van een voorovereenkomst en kan de werknemer van geval tot geval beslissen of hij aangeboden werk zal aannemen, dan is de werknemer alleen bij feitelijk werken verzekerd, daarbuiten niet.[37]

nawerking

De ZW kent in art. 46 nawerking. Dat wil zeggen, dat de ex-verzekerde toch nog aanspraak op ziekengeld kan doen gelden, indien hij binnen een bepaalde tijd na beëindiging van de verzekering ziek wordt. Hij moet binnen een maand ziek geworden zijn, indien hij twee maanden onafgebroken verzekerd is geweest, of binnen acht dagen, indien hij in die twee maanden op ten minste zestien dagen verzekerd is geweest. Deze bepaling is vooral van belang voor werknemers, die hun werknemerschap inruilen voor zelfstandig ondernemerschap en voor werknemers, die van baan veranderen, maar waar bij wisseling van baan geen naadloze aansluiting bestaat.[38]

36 Zie A.C.M. Rutten, Helpt de CRvB de afroepkracht? SMA 1989, p. 389 e.v.
37 CRvB 17 juli 1995, RSV 1996, 71.
38 Als twee banen direct op elkaar aansluiten en de werknemer wordt voor de afloop van de eerste baan ziek, dan moet die werkgever loon door betalen. De nieuwe werkgever neemt →

recht op ziekengeld

Art. 29, tweede lid, ZW somt op wie recht heeft op uitbetaling van ziekengeld. In de eerste plaats zijn dat degenen, die krachtens art. 4 of 5 verzekerd zijn. Ook als een beroep op nawerking kan worden gedaan, bestaat recht op ziekengeld. In de derde plaats kan een werknemer, die geen recht op loon heeft, omdat de arbeidsovereenkomst is geëindigd, aanspraak maken op ziekengeld. In de vierde plaats heeft een zieke werkloze aanspraak op ziekengeld. Ten slotte hebben recht op ziekengeld de orgaandonerenden, de vrouwelijke verzekerde, die in verband met zwangerschap en bevalling recht op ziekengeld heeft en de in dienst tredende werknemer, die arbeidsgehandicapte is in de zin van de Wet Rea.[39] Dit trio is reeds eerder sprake gekomen. Daarbij is erop gewezen dat in die gevallen sprake is van én een loonbetalingsplicht voor de werkgever én een recht op ziekengeld.

8.2.7 *Voorwaarden voor recht op ziekengeld*

Om voor ziekengeld in aanmerking te komen, moet men verzekerd zijn of, in geval van nawerking, verzekerd zijn geweest. Daarnaast moet men arbeidsongeschikt zijn. Daaronder verstaat art. 19 ZW de ongeschiktheid tot het verrichten van zijn arbeid als rechtstreeks en objectief medisch vast te stellen gevolg van ziekte. Deze definitie is niet lang geleden in de wet gekomen en ontleend aan de jurisprudentie van de Centrale Raad van Beroep, die een objectief verband tussen ziekte en verzuim vereiste.[40] Men moet ongeschikt zijn tot het verrichten van zijn arbeid. Daarmee wordt bedoeld dat men de laatstelijk verrichte arbeid niet meer kan doen. Hier is een verschil met de bepaling in het BW over loondoorbetaling bij ziekte. Gaat het daar om het niet kunnen verrichten van de bedongen arbeid, hier is niet de bedongen arbeid, maar de laatstelijk verrichte arbeid bepalend voor het al dan niet ongeschikt zijn.

begrip ziekte

In tegenstelling tot de WAO, die ook gedeeltelijke arbeidsongeschiktheid kent, is men in de Ziektewet of volledig arbeidsgeschikt of volledig ongeschikt. Toch lijkt het systeem van de Ziektewet in zoverre op de WAO, dat art. 30 voor de werknemer de verplichting bevat om passend werk te doen, indien hij daartoe in staat is.

Men is niet alleen arbeidsongeschikt in de zin van de ZW, als men in de onmogelijkheid verkeert om de eigen arbeid te verrichten, maar ook als dat tot schade van de gezondheid zou geschieden of als uitval uit de

→ de betalingsverplichting over op de ingangsdatum van het nieuwe contract. Als de werknemer tussen twee banen in bijvoorbeeld op reis naar het buitenland gaat en hij wordt ziek binnen een maand, dan kan hij een beroep op de nawerking doen en totdat zijn nieuwe arbeidsovereenkomst ingaat ziekengeld ontvangen.

39 Zie voor het begrip gehandicapte en de ZW-faciliteit 8.3.7. Die faciliteit houdt in dat de eerste vijf jaar van de arbeidsverhouding het ziekterisico ten laste van de ZW komt.

40 CRvB 23 februari 1973, RSV 1973, 229.

arbeid door ziekte op korte termijn te verwachten valt.[41] Men denke aan situatieve arbeidsongeschiktheid.

betwisting ziekte

De verzekeringsgeneeskundige van de uvi beoordeelt of de werknemer ziek is. Noch de opvatting van de werknemer, noch de mening van diens behandelend arts is daarbij maatgevend. De verzekeringsgeneeskundige komt zelfstandig tot een oordeel.
Als de uvi de werknemer niet ziek acht, zal de werknemer zich tot de rechter moeten wenden, indien hij dat oordeel bestrijdt. De rechter zal dan moeten uitmaken of de beslissing van de uvi (formeel van het Lisv) juist is geweest. Daarbij zal de rechter een onafhankelijk medisch deskundige inschakelen en op diens advies, alsmede op basis van het beschikbare medische dossier, een beslissing nemen.

causaal verband

Er moet een causaal verband bestaan tussen de ziekte en het niet kunnen werken. Dat blijkt uit art. 19 ZW. Daarnaast mag niet te snel tot ziekte worden geconcludeerd. In de wet ontbreekt echter een definitie van ziekte, behalve dan dat een gebrek met ziekte wordt gelijkgesteld. De rechtspraak heeft zich wel aan een definitie gewaagd, maar het blijft moeilijk om ziekte te onderscheiden van andere factoren, die het wel of niet kunnen werken beïnvloeden, zoals een te tengere lichaamsbouw voor het werk of een bepaalde karakterstructuur, die iemand voor bepaald werk ongeschikt maakt zonder dat gezegd kan worden dat betrokkene een ziekte heeft.[42]
Ten slotte vormen pijnklachten, waarbij geen diagnose van een bepaalde ziekte kan worden gesteld, een probleem. Dat speelt onder meer bij het chronisch vermoeidheidssyndroom (ME) en whiplash-klachten.[43] Vooral bij de WAO gaat deze problematiek spelen.

8.2.8 *Hoogte en duur van het ziekengeld*

uitzonderingen

Het ziekengeld bedraagt 70% van het dagloon (art. 29, zesde lid, ZW). Er zijn daarop drie uitzonderingen. Het volledige dagloon wordt betaald aan een orgaandonerende. Men wilde de werkgever niet laten opdraaien voor de kosten van de daardoor ontstane ziekte. Ook de werkneemster, die ziekengeld krijgt in verband met zwangerschap of bevalling heeft recht op ziekengeld tot het volledige dagloon. Voor werknemers, die arbeidsgehandicapt zijn, kan op verzoek van de werkgever het ziekengeld op een hoger bedrag dan 70% worden gesteld. Dat zal gebeuren, als hij aan zijn andere werknemers krachtens

41 CRvB 3 oktober 1979, RSV 1980, 31.
42 CRvB 8 oktober 1986, RSV 1987, 142. Zie hierover eerder ook N.J. Haverkamp. Ongeschiktheid tot werken, anders dan wegens ziekte of gebrek, SMA 1977, p. 333 e.v.
43 F. Hoogendijk, E Houweling en M. Schuurman, Pijnklachten een kwestie van bewijs, Sociaal Recht 1990, p. 313 e.v., S. Visser, Recht doen aan ME-ers; beroepszaken nader beschouwd, Rechtshulp 1996, nr. 5, p. 7 e.v. en J. Riphagen, De CRvB en de 'verborgen' ziekte; de ME-problematiek, AA 1997, nr. 12, p. 884 e.v. Zie ook CRvB 14 februari 1995, RSV 1996, 42; CRvB 6 oktober 1998, RSV 1994, 4 en CRvB 20 oktober 1998, RSV 1999, 7.

cao of ingevolge afspraken in de arbeidsovereenkomst meer dan 70% van het loon bij ziekte moet doorbetalen.
Het ziekengeld wordt over maximaal een tijdvak van 52 weken uitbetaald. Indien de werknemer na herstel binnen vier weken ziek wordt, is slechts sprake van een tijdelijke onderbreking van het tijdvak en loopt dat door. Heeft de werknemer vier weken of langer gewerkt, dan gaat bij de tweede ziekte een nieuw tijdvak van 52 weken lopen.

einde recht op ziekengeld

Het recht op ziekengeld kan voor de bereiking van de maximumduur eindigen. Uiteraard is dat het geval bij herstel. Ook eindigt het ziekengeld vanaf de eerste dag van de maand, waarin de zieke werknemer 65 jaar oud wordt. Hij ontvangt vanaf die datum immers AOW. Ook eindigt het ziekengeld bij overlijden. Er wordt dan nog wel een overlijdensuitkering gedaan (art. 35 ZW).

weigering ziekengeld

Het ziekengeld kan ook worden geweigerd, ondanks dat de werknemer aan de voorwaarden voor het recht op ziekengeld voldoet.
Van een bevoegdheid tot weigering is sprake, als de ziekte al bestond op het moment, dat de verzekering een aanvang nam of binnen een half jaar na de verzekering is ingetreden, terwijl dat gezien de gezondheidstoestand van betrokkene bij de aanvang van de verzekering kennelijk te verwachten was (art. 44 ZW). Deze bepaling maakt een zekere risicoselectie mogelijk. Ook de sociale verzekering behoeft brandende huizen niet in dekking te nemen.
Geen bevoegdheid, maar een verplichting tot weigering bevat art. 45 ZW. Het ziekengeld wordt geheel of gedeeltelijk, tijdelijk of blijvend geweigerd als bijvoorbeeld de zieke werknemer de ziekte opzettelijk heeft veroorzaakt, zijn genezing belemmert of vertraagt, zich niet onder doktersbehandeling stelt of zich niet houdt aan de behandelingsvoorschriften, weigert een keuring te ondergaan of zich onttrekt aan controle. De weigeringsgrond, dat er sprake is van een arbeidsrechtelijke benadelingshandeling (art. 45, lid 1, onder j, ZW), is reeds onder 8.2.1 aan de orde gekomen.

8.2.9 *Zwangerschap en bevalling*

zestien weken uitkering

Een enigszins vreemde eend in de ZW-bijt is de zwangerschaps- en bevallingsuitkering, die geregeld is in art. 29a ZW. Er behoeft van arbeidsongeschiktheid geen sprake te zijn. Ook vrouwen, die bij de aanvang van de verzekering reeds zwanger waren, hebben ongeclausuleerd recht op de uitkering. De hoogte van de uitkering is het volledige dagloon. De duur van de uitkering is in beginsel zestien weken. De uitkering gaat in zes weken voor de vermoedelijke bevallingsdatum, tenzij de vrouw een latere ingangsdatum wenst. Zij gaat in ieder geval vier weken voor de vermoedelijke bevallingsdatum in. Wordt een kind te laat geboren, dan levert dat een extraatje op, omdat van de zestien

weken uitkeringsduur nooit meer dan het zwangerschapsdeel tot aan de vermoedelijke bevallingsdatum wordt afgetrokken. Wordt het kind te vroeg geboren, dan blijft de uitkeringsduur zestien weken.
Voor de meeste werkneemsters is het zwangerschaps- en bevallingsverlof voor de werkgever financieel neutraal, omdat hij van zijn loondoorbetalingsverplichting het ziekengeld mag aftrekken. Verdient de werkneemster echter meer dan het maximumdagloon, dan heeft de werkgever wel kosten.

8.2.10 *Reïntegratie-aspecten*

inschakeling in de arbeid

Indien een werknemer ziekengeld ontvangt en in staat is hem passende arbeid te verrichten, is hij verplicht te trachten deze arbeid te verkrijgen. Ook is hij verplicht, als hij daartoe in de gelegenheid wordt gesteld, deze arbeid te verrichten.[44] Het Lisv kan de werknemer verplichten zich als werkzoekende bij de arbeidsvoorziening te doen inschrijven (art. 30 ZW).

Met deze regeling wordt beoogd om de zieke werknemer, indien dat mogelijk is, terug te geleiden naar het arbeidsproces. Voor de werknemer vormt een stimulans, dat hij zijn volledige dagloon in plaats van 70% ervan aan inkomen heeft. Bij inkomsten uit arbeid wordt immers het ziekengeld op een zodanig bedrag gesteld, dat de som van inkomsten en ziekengeld samen het dagloon vormen, al wordt uiteraard bij geringe inkomsten uit arbeid het ziekengeld niet hoger dan 70% (art. 31 ZW).

weigering passende arbeid

Indien de werknemer zonder deugdelijke grond weigert hem passende arbeid te verrichten, dan heeft dat voor de werknemer financiële consequenties. Van het dagloon van de werknemer worden de inkomsten afgetrokken, die de werknemer had kunnen ontvangen. De uitkomst vormt het verlaagde ziekengeld, waarop de werknemer dan nog recht heeft (art. 30, tweede lid).
Deze regeling van verrekening van inkomsten uit arbeid met ziekengeld is aanzienlijk gunstiger dan de regeling van art. 629 van boek 7 BW. Volgens die regeling komen immers inkomsten uit arbeid volledig in mindering op de loonbetalingsverplichting van de werkgever, zodat de werknemer geen financieel voordeel heeft en betekent een weigering passende arbeid te verrichten een volledig verval van de loonaanspraak, waardoor de werknemer onevenredig kan worden gestraft.
Er is dus een merkwaardig verschil in regeling voor werknemers, werkzaam op basis van een arbeidsovereenkomst en werknemers, die alleen onder de ZW vallen.

arbeidsgehandicapten

Voor arbeidsgehandicapten in de zin van de Wet op de (re)ïntegratie

44 F.R. Boelhouwer, M.Y.G. Erkens, J.M. Fleuren en E.V.V. Lenos, Blijft artikel 30 Ziektewet een schone slaapster?, SMA 1995, nr. 1, p. 22 e.v.

wordt de terugkeer naar het arbeidsproces in zoverre vergemakkelijkt, dat de eerste vijf jaar na de indiensttreding op arbeidsovereenkomst bij een werkgever hij bij ongeschiktheid tot werken wegens ziekte recht op ziekengeld heeft (art. 29b ZW). Deze regeling geldt uitsluitend voor in dienst tredende werknemers, dus niet voor werknemers, die al in dienst zijn.
Nu de werkgever de eerste vijf jaar geen loonrisico loopt, als deze werknemer ziek is, steekt deze werknemer gunstig af tegenover andere werknemers, waarbij de werkgever het volledige loonrisico bij ziekte wel moet dragen. Dit feit vormt derhalve een steuntje in de rug van de arbeidsgehandicapte om in het arbeidsproces te worden ingeschakeld.

8.2.11 *Private verzekering*

verzekeringsvormen

Werkgevers, die tijdens ziekte het loon moeten doorbetalen, sluiten vaak een verzekering af, al zijn zij daartoe niet verplicht. Vaak is sprake van een zgn. stop loss verzekering, dat wil zeggen, dat als op jaarbasis het ziekteverzuim meer dan een bepaald percentage van de loonsom gaat kosten, de verzekering voor het meerdere de kosten overneemt. Grote werkgevers volstaan vaak met een calamiteitenverzekering, omdat door de wet van de grote getallen het normale ziekterisico vrij stabiel en dus voorspelbaar is. Kleine werkgevers, voor wie de wet van de grote getallen niet geldt, hebben wel vaak behoefte aan een conventionele verzekering, dus dekking van het gehele ziekterisico.
De verzekeringspremie, die een werkgever moet betalen, is voor een groot deel gebaseerd op ervaringsgegevens. De ene werkgever zal dus meer dan de andere aan een verzekering kwijt zijn.
Verzekeringsmaatschappijen zijn niet verplicht om iedere nieuwe werknemer in de verzekering op te nemen of tegen hetzelfde tarief in de verzekering op te nemen. Omdat er geen aanstellingskeuringen plaats mogen vinden, geldt soms een wachtperiode, waarin de werknemer niet verzekerd is. Soms moet er al wel premie worden betaald.

cao-regelingen

Bij cao kan ook een regeling ter dekking van het ziekterisico worden getroffen. Er wordt dan een fonds gevormd, waaraan de werkgever premie verschuldigd is en dat bij ziekte aan de werknemers uitbetaalt. Omdat art. 7:629 BW dwingend recht is, mag er, voorzover het gaat om de dekking van deze verplichting geen bijdrage van de werknemers worden gevraagd (art. 7:631 BW). Wel mag de bijdrage van het fonds met de loonbetaling worden verrekend (art. 7:629, tweede lid, BW).

Voor de werknemer is van minder belang, of zijn werkgever het ziekterisico heeft verzekerd of aangesloten is bij een cao-fonds. Hij heeft een loonaanspraak tegenover de werkgever.
De werkgever kan zich dus niet tegenover de werknemer erop beroepen, dat de verzekering niet uitkeert of het fonds weigert te betalen. Die

laatste zaken regarderen louter de werkgever en de verzekeringsmaatschappij of het fonds.

8.3 De Wet op de arbeidsongeschiktheidsverzekering

8.3.1 *Inleiding*

Sedert 1967 biedt de WAO aan werknemers een verzekering tegen inkomensderving ten gevolge van arbeidsongeschiktheid, die langer dan 52 weken heeft geduurd. Die wachttijd was geschapen, omdat de werknemer het eerste jaar recht op ziekengeld krachtens de ZW had. Het arbeidsongeschiktheidsrisico was daardoor in tweeën geknipt, kortdurende en langdurige.

soorten verzekeringen

In 1976 ontstond ook een volksverzekering tegen arbeidsongeschiktheid, de Algemene Arbeidsongeschiktheidswet (AAW). Deze verschafte op minimumniveau een uitkering.Ook deze wet kende een wachttijd van een jaar. Dat betekende voor personen, die geen werknemer waren, dat zij het eerste jaar van ziekte op enigerlei wijze moesten zien te overbruggen.

Waz en Wajong

Vanaf 1976 ging de WAO als kop op de basisuitkering van de AAW fungeren. Met ingang van 1 januari 1998 is echter de volksverzekering AAW afgeschaft. Nu moeten werknemers een beroep doen op de WAO. Voor mensen met inkomen uit arbeid anders dan uit dienstbetrekking geldt de Wet arbeidsongeschiktheidsverzekering zelfstandigen (Waz). Voor jonggehandicapten, die nooit aan het arbeidsproces hebben deel genomen geldt de Wet arbeidsongeschiktheidsvoorziening jonggehandicapten (Wajong).
Evenals de AAW bieden de Waz en Wajong een verzekering tegen inkomensderving op het niveau van het sociale minimum. De WAO echter kent een loongerelateerd uitkeringssysteem.
De premies voor de WAO worden door de werkgever opgebracht, deels in gedifferentieerde vorm (zie 8.1.7). De premie voor de WAZ wordt door de doelgroep opgebracht. De kosten van de Wajong worden uit de algemene middelen betaald.

wijzigingen WAO

De WAO is in de loop der jaren inhoudelijk sterk gewijzigd.[45] Dat hing samen met de wens om het volume aan arbeidsongeschikten te beheersen en de collectieve lastendruk te verminderen.
Allereerst is in 1987 bij de stelselherziening (die ook de regelingen

45 Voor een overzicht zie men M.J.P. Kieviet en F.J.L. Pennings, Ontwikkelingen in de rechtspositie van uitkeringsgerechtigden in het arbeidsongeschiktheids- en werkloosheidsrecht, Sociaal Recht 1996, nr. 11, p. 300 e.v. Uitvoerig wordt de WAO behandeld in F.J.M. Pennings, De WAO, Deventer 2000.

terzake werkloosheid hervormde en de Toeslagenwet invoerde) de uitvoeringspraktijk ongedaan gemaakt, om iemand, die gedeeltelijk arbeidsongeschikt was, maar zonder werk, toch een volledige arbeidsongeschiktheidsuitkering toe te kennen. De achterliggende redenering daarbij was, dat het niet hebben van werk, voor het deel dat gewerkt zou kunnen worden, het gevolg was van arbeidsongeschiktheid. Het ging dus niet om een normaal werkloosheidsrisico, maar om een aan de arbeidsongeschiktheid verbonden speciaal risico. Deze praktijk, waarvoor overigens een wettelijke basis bestond, werd de verdiscontering van de werkloosheid in de uitkering genoemd. De verdiscontering had een enorme aanzuigende werking op de WAO. Werknemers met enige gezondheidsklachten konden zo verzekerd worden van een volledige loongerelateerde uitkering tot aan hun vijfenzestigste jaar, terwijl de Werkloosheidswet hen slechts tijdelijk van een loongerelateerde uitkering zou voorzien. Ook waren de WAO-ers niet verplicht tot solliciteren e.d., zodat een WAO-uitkering op vervroegde pensionering neerkwam.

verdiscontering

Het loslaten van de verdiscontering brengt mee, dat er bij een deels arbeidsongeschikte onderscheid gemaakt wordt tussen het arbeidsongeschiktheidsdeel en het werkloosheidsdeel. Voorzover betrokkene arbeidsongeschikt is, valt hij in de arbeidsongeschiktheidsregelingen, voorzover hij werkloos is in de werkloosheidsregelingen. Bij gedeeltelijke arbeidsongeschiktheid moet derhalve een beroep op twee uitkeringen worden gedaan.

aanscherping ao-criterium

Een tweede ingrijpende wijziging in de WAO kwam tot stand in 1993 met de Wet terugdringing beroep op arbeidsongeschiktheidsverzekeringen (TBA). Allereerst werd het arbeidsongeschiktheidscriterium aangescherpt.

Werd er tot dan gekeken of er passende arbeid was, waarmee betrokkene ondanks zijn arbeidsongeschiktheid nog een inkomen kon verdienen, vanaf 1993 is beslissend of algemeen geaccepteerde arbeid door betrokkene kan worden verricht. De kans dat passende arbeid (op hetzelfde niveau of een niveau lager dan de werknemer voorheen deed), die een arbeidsongeschikte nog zou kunnen verrichten, gevonden wordt is natuurlijk kleiner dan wanneer men alle arbeid in aanmerking mag nemen. Het zal eerder voorkomen dat geen passende arbeid aan te wijzen valt dan dat men moet concluderen, dat er geen arbeid bestaat, die betrokkene nog zou kunnen doen.

periodieke herkeuring

Daarnaast is een periodieke herkeuring (thans eens per vijf jaar maar tezijnertijd eens in de drie jaar) ingevoerd, terwijl voorheen doorgaans een eenmaal toegekende uitkering niet opnieuw tegen het licht werd gehouden. Ten slotte werd aan het uitkeringsniveau gesleuteld, waardoor het voor een werknemer minder aantrekkelijk werd in de WAO te geraken. Overigens zijn ongewenste inkomenseffecten door de

Tijdelijke Wet beperking inkomensgevolgen arbeidsongeschiktheidscriteria (de Wet Bia) in 1996 teruggedraaid. Deze tijdelijke wet is overigens pas in 2016 uitgewerkt. Die wet geeft een bijzondere werkloosheidsuitkering aan personen, die na herbeoordeling hun arbeidsongeschiktheidsuitkering verloren door het aangescherpte arbeidsongeschiktheidscriterium. Het voornaamste kenmerk is dat deze uitkering geen middelentoets kent.[46]

8.3.2 *Karakter van de arbeidsongeschiktheidsverzekering*

verlies van verdiencapaciteit

De ZW biedt een verzekering tegen inkomensderving bij ziekte, als men door medische oorzaken niet in staat is de eigen arbeid te verrichten. Men heeft dus bij ziekte recht op 70% van het dagloon. De WAO heeft een heel ander karakter. Die biedt een verzekering tegen verlies aan verdiencapaciteit (het vermogen om met arbeid een inkomen te verdienen) ten gevolge van medische oorzaken.
Voorop staat dus, dat men met arbeid (dus ook andere arbeid dan men voorheen deed) zelf een inkomen kan gaan verdienen, als men zijn oorspronkelijke arbeid niet meer, of niet meer in dezelfde omvang kan verrichten. Als men niet in staat is om het inkomensniveau te halen van voor de arbeidsongeschiktheid biedt de WAO compensatie voor de inkomensderving.

restcapaciteit

Er vindt dus een vergelijking plaats tussen iemands verdiencapaciteit en zijn restcapaciteit[47] na het arbeidsongeschikt worden. Vandaar dat men in meer of mindere mate arbeidsongeschikt kan zijn, terwijl de ZW uitsluitend volledige ongeschiktheid kent.
Bij de arbeidsongeschiktheidsverzekering doet het er dus niet toe wat de ernst van iemands medische toestand is, maar welke gevolgen die toestand voor zijn verdienvermogen heeft. Zo kan iemand, die ogenschijnlijk weinig mankeert in hogere mate arbeidsongeschikt zijn dan iemand met duidelijk zichtbare beperkingen.

8.3.3 *De bepaling van de mate van arbeidsongeschiktheid*

ziekte of gebrek

Om voor een arbeidsongeschiktheidsuitkering in aanmerking te komen is een eerste vereiste, dat betrokkene een ziekte of een gebrek heeft. Vervolgens moet worden onderzocht of het rechtstreekse en objectief medisch vast te stellen gevolg daarvan is, dat betrokkene niet in staat is met arbeid te verdienen wat gezonde personen, met een soortgelijke opleiding en ervaring met arbeid gewoonlijk verdienen, ter plaatse waar betrokkene arbeid verricht of heeft

46 De Wet van 7 februari 1996, Stb. 1996, 93, zoals gewijzigd bij Wet van 24 december 1997, Stb. 1997, 794.

47 Bij de verdiencapaciteit gaat het om de vraag wat een soortgelijk gezond iemand kan verdienen, bij restcapaciteit om de vraag, wat betrokkene nog kan verdienen. Het is dus een theoretische vergelijking van het geobjectiveerde maatmanloon en het mogelijke restloon.

verricht of in de onmiddellijke omgeving daarvan (art. 18, eerste lid, WAO).[48]
Onder arbeid, die betrokkene zou kunnen verrichten, wordt verstaan alle algemeen geaccepteerde arbeid[49], waartoe betrokkene gezien zijn krachten en bekwaamheden in staat is (art. 18, vijfde lid, WAO). Of betrokkene daadwerkelijk arbeid kan verkrijgen, dus of er vacatures zijn, speelt bij de bepaling van de mate van arbeidsongeschiktheid geen rol (art. 18, zesde lid, WAO).

wijze van schatten

Bovenstaande, op het eerste gezicht tamelijk ontoegankelijke wetsbepaling is het best uit te leggen aan de hand van de arbeidsongeschiktheidsschatting, zoals die in de praktijk plaats vindt.
Enige maanden voor het einde van de wachttijd van 52 weken wordt de betrokkene door een verzekeringsgeneeskundige van de uvi gekeurd. Daarbij moet worden vastgesteld of betrokkene een ziekte of gebrek heeft. Evenals bij de Ziektewet kunnen pijnklachten, die niet terug te voeren zijn op een erkende medische diagnose een probleem vormen (8.2.7).
Indien de ernst van de ziekte of het gebrek zodanig is, dat betrokkene in het geheel geen arbeid kan verrichten, is daarmee het keuringsproces voltooid en wordt hij volledig arbeidsongeschikt verklaard (preciezer 80% of meer).
In een groot aantal gevallen kan betrokkene echter ondanks zijn ziekte of gebrek nog wel arbeid verrichten. Om te bepalen welke gevolgen de ziekte voor het verrichten van arbeid heeft, moet de verzekeringsgeneeskundige een belastbaarheidspatroon maken. Wat kan betrokkene nog wel, wat kan betrokkene niet meer? Te denken valt bijvoorbeeld aan zittend in plaats van staand werk, sparing van de rug, lichte stressgevoeligheid van het werk etc. Hiermee is in beginsel het medisch deel van de arbeidsongeschiktheidsschatting afgesloten. Het tweede traject is de schatting van de verdien- en restcapaciteit, waartoe een arbeidsdeskundige van de uvi wordt ingeschakeld.

belastbaarheid

Aan de hand van het belastbaarheidspatroon, dat de arbeidsdeskundige van de verzekeringsarts heeft gekregen, moet hij met inachtneming van het Schattingsbesluit 1997 de mate van arbeidsongeschiktheid vaststellen.

maatmanloon

Eerst moet hij het maatmanloon bepalen.[50] Daaronder wordt verstaan het loon, dat betrokkene met zijn opleiding en ervaring in zijn regio

48 Vgl. CRvB 19 maart 1993, RSV 1993, 214.
49 De woorden 'algemene geaccepteerde' geven aan, dat alleen arbeid in aanmerking komt, die maatschappelijk acceptabel is. Daarom kan geen arbeid in de drugshandel of sexindustrie worden opgedragen.
50 Zie P.J. Jansen, Het Schattingsbesluit WAO en maatmaninkomen, actualiseren of indexeren?, Rechtshulp 1997, nr. 6/7, p. 2 e.v. Overigens zal binnenkort het Schattingsbesluit worden herzien.

zou kunnen verdienen, als hij gezond zou zijn (zie art. 18, eerste lid, WAO). Daarbij wordt naar een referentiegroep gekeken, vandaar het begrip maatman en maatmanloon. Meestal levert die vergelijking hetzelfde loon op als wat betrokkene verdiend heeft, voordat hij arbeidsongeschikt werd. Hij is dan zijn eigen maatman. Maar dat behoeft niet altijd zo te zijn. Zo kan van een beroepsvoetballer moeilijk worden volgehouden, dat hij, ware hij gezond gebleven, tot zijn vijfenzestigste jaar zijn topinkomen had behouden en dus tot dat jaar zijn topinkomen maatmanloon blijft. Ook kan er sprake van zijn, dat betrokkene een excessief aantal uren arbeid had. Dan is zijn vroegere loon ook niet representatief. Het maatmanloon wordt dan bepaald op het gebruikelijke in de functie.

Een enkele keer komt voor, dat het maatmanloon hoger ligt, dan wat werkelijk werd verdiend. De werknemer heeft dan in het verleden beneden zijn mogelijkheden gewerkt. In dat geval wordt van de werkelijke verdiensten uitgegaan.

De tweede stap is de bepaling van de restcapaciteit. Wat kan betrokkene, gelet op zijn belastbaarheidspatroon, met algemeen geaccepteerde arbeid nog verdienen?

bepaling restcapaciteit

Hiertoe wordt aan de hand van het functie-informatiesysteem (FIS), een verzameling van in ons land voorkomende functies, bekeken welke ervan betrokkene nog zou kunnen vervullen. Daartoe worden systematisch de verschillende functieniveaus afgelopen, te beginnen met het voormalige functieniveau en dan zakkend naar lagere functieniveaus. Zodra al zakkend in totaal drie functies kunnen worden geduid, die betrokkene zou kunnen vervullen en deze functies ten minste dertig arbeidsplaatsen vertegenwoordigen, is de functieduiding voltooid. Vervolgens wordt gekeken, welke beloning bij die functies hoort. De middelste functie en het daarbij behorende loon is bepalend voor de restcapaciteit.

uurloonvergelijking

De vergelijking van het maatmanloon (de verdiencapaciteit) en de restcapaciteit moet op basis van het uurloon geschieden. Hiermee wordt voorkomen, dat een voormalige deeltijdwerker niet arbeidsongeschikt wordt geacht omdat hij door langer te gaan werken in een minder betalende functie hetzelfde als voorheen zou kunnen verdienen. Daarom wordt zowel het maatmanloon als het restloon op uurbasis berekend.

arbeidsongeschiktheidspercentage

Zijn het maatmanloon en het restloon vastgesteld, dan rest de bepaling van het arbeidsongeschiktheidspercentage. Dat geschiedt volgens de volgende formule:

(maatmanloon-restloon) : maatmanloon x 100% levert het percentage arbeidsongeschiktheid op.[51]

51 Stel dat iemand voorheen 36 gulden per uur verdiende (maatmanloon) en hij kan tengevolge van ziekte of gebrek nog maar 18 gulden per uur verdienen (restloon), dan is zijn mate van arbeidsongeschiktheid (36–18):36x100%= 50%.

8.3.4 *Het uitkeringspercentage ten opzichte van het arbeidsongeschiktheidspercentage*

Is het arbeidsongeschiktheidspercentage berekend, dan kan betrokkene worden ingedeeld in een van de zeven arbeidsongeschiktheidsklasses van art. 21 WAO. Zo behoort bij een arbeidsongeschiktheidspercentage van 50% een uitkeringspercentage van 35% van het dagloon. De indeling komt erop neer, dat ongeveer 70% van de verloren verdiencapaciteit wordt gecompenseerd. De keus voor zeven arbeidsongeschiktheidsklassen met daarbij behorende uitkeringspercentages werkt uiteraard niet al te nauwkeurig uit. Enige over- of ondercompensatie is mogelijk. Van de andere kant is de mate van arbeidsongeschiktheid ook niet met mathematische precisie vast te stellen.

ao-klassen

Het systeem van zeven arbeidsongeschiktheidsklassen is ruim genoeg om een behoorlijk correcte spreiding over de klassen te krijgen. Waren er aanzienlijk minder klassen dan zou de neiging bestaan, dat arbeidsongeschikten vooral in het bovenste deel te vinden zullen zijn.
Indien men minder dan 15% arbeidsongeschikt is, vindt geen toekenning van een uitkering plaats. Indien het arbeidsongeschiktheidspercentage 80% of hoger is, geldt het maximum uitkeringspercentage van 70%, omdat de kans op benutting van de restcapaciteit dan op (nagenoeg) nihil wordt geschat en het er dus niet meer toe doet wat de juiste mate van arbeidsongeschiktheid is.

werkloosheid

Benadrukt wordt, dat bij de bepaling van de mate van arbeidsongeschiktheid en dus ook van het uitkeringspercentage geen rol speelt of men in staat is de resterende verdiencapaciteit daadwerkelijk te benutten, dus een baan heeft of vindt.
Anders dan vroeger wordt het niet kunnen verwerven van werk als een normaal werkloosheidsrisico beschouwd, waarbij de gedeeltelijk arbeidsongeschikte niet verschilt van een gezonde werkloze. Ook een werkloze, zeker bij langdurige werkloosheid, ondervindt veel belemmeringen bij het verwerven van een baan.
Voor het deel, dat de gedeeltelijk arbeidsongeschikte werkloos is, kan hij een beroep doen op de werkloosheidsregelingen. Anders dan de arbeidsongeschiktheidsregeling dekken de werkloosheidsregelingen het risico slechts tijdelijk. Dat betekent, dat bij gedeeltelijke arbeidsongeschiktheid de bescherming van het inkomensniveau een dalende tendens heeft, als er geen werk gevonden wordt. Zolang echter een loongerelateerde arbeidsongeschiktheidsuitkering met een loongerelateerde werkloosheidsuitkering wordt gecombineerd, wordt aan uitkeringen 70% van het dagloon verstrekt. Daarna gaat de uitkering op twee manieren dalen. Allereerst komt de betrokkene op enig moment in de vervolguitkering van de arbeidsongeschiktheidsregeling (zie 8.3.5.). In de tweede plaats komt betrokkene op enig moment in de vervolguitkering van de Werkloosheidswet (zie 8.4.5.). Ten slotte rest voor de werkloos-

werkloosheidsuitkeringen

heidscomponent de IOAW (zie 8.6.2). Er kan van forse inkomensachteruitgang sprake zijn.

De huidige regeling gaat voorbij aan de vraag, of een gedeeltelijk arbeidsongeschikte wel eenzelfde kans op het vinden van werk als een normale werkloze heeft. Niet alleen zal de adspirant werkgever de potentiële uitval hoger inschatten, maar ook zal de gedeeltelijk arbeidsongeschikte zich vaak niet voor eenzelfde aantal uren beschikbaar kunnen stellen gezien zijn medische beperkingen.[52] Ook dat vermindert de kans op het vinden van werk. Daarom is flankerende wetgeving met betrekking tot reïntegratiebevordering van arbeidsongeschikten noodzakelijk om hem gelijke kansen bij werving en selectie te bieden, hetgeen tevens een erkenning inhoudt van het feit dat het werkloosheidsrisico van gedeeltelijk arbeidsongeschikten van andere aard is dan van werklozen, ondanks dat de wetgever het werkloosheidsrisico naar de reguliere werkloosheidsregelingen heeft doorgeschoven. De Wet Rea (8.3.7) voorziet hierin in zekere mate.

compensatiewetgeving

8.3.5 *De uitkeringshoogte en -duur*

De WAO maakt een onderscheid tussen de loondervingsuitkering, waarvoor het dagloon als uitkeringsmaatstaf geldt en de vervolguitkering met het vervolgdagloon als maatstaf (art. 21, eerste lid, WAO). Er zijn dus twee soorten uitkeringen, die elkaar in de tijd opvolgen.

loondervingsuitkering

Bij de loondervingsuitkering wordt bij volledige arbeidsongeschiktheid 70% van het dagloon gedurende bepaalde tijd vergoed. Het hangt van de leeftijd van betrokkene af, hoe lang dat is. Dat varieert van een halfjaar (mits de arbeidsongeschikte ten minste 33 jaar is) tot zes jaar (mits de arbeidsongeschikte 58 jaar of ouder is). Is men jongen dan 33 op de dag van toekenning van WAO, dan krijgt men gelijk een vervolguitkering. Na die periode van loongerelateerde uitkering gaat de uitkering, afhankelijk van de leeftijd waarop men arbeidsongeschikt wordt, omlaag (art. 21 a en b WAO). Hoewel leeftijd als criterium is gekozen, wordt daarmee vaak in feite het arbeidsverleden gemeten. Daardoor wordt dat bepalend voor de hoogte van de uitkering. Hierdoor heeft de WAO een opbouwelement gekregen; de rechten worden beter, naarmate langer aan het arbeidsproces is deel genomen.

Na het verstrijken van de termijn van loongerelateerde uitkering is men

52 Bij arbeidsongeschiktheid speelt een tweetal factoren. Of de arbeidsongeschikte kan ten gevolge van ziekte of gebrek in de voor hem normale arbeidsduur minder verdienen dan voorheen of de arbeidsongeschikte kan ten gevolge van ziekte of gebrek slechts gedurende een kortere arbeidsduur werken. Ook kan van een combinatie van deze factoren sprake zijn. Daarom is van belang, hoe het aantal uren werkloosheid wordt bepaald, zulks in verband met gedeeltelijke werkhervatting. Hierin is de wetgeving volstrekt onduidelijk.

vervolguitkering

aangewezen op de vervolguitkering. De berekening van de hoogte is afhankelijk van de leeftijd en het dagloon.
De berekening verloopt als volgt.Het vervolgdagloon is de optelsom van het minimumdagloon (M) en een percentage van het verschil tussen het dagloon en minimumdagloon (D-M). Dat percentage berekent men door van de leeftijd van betrokkene op het moment van de toekenning van de arbeidsongeschiktheidsuitkering (L) het getal 15 af te trekken en de uitkomst te vermenigvuldigen met 2. In een formule is dit aldus uit te schrijven:
Het vervolgdagloon is M + (D-M) (L–15).2/100. De vervolguitkering is 70% daarvan.[53]

WAO-gat

De filosofie achter deze lineaire opbouw van de vervolguitkering is, dat men van zijn vijftiende jaar tot zijn vijfenzestigste jaar naar een vervolguitkering van 70% van het dagloon kan groeien en daarbij met ieder jaar werken (of ouder worden) 2% van het verschil tussen het dagloon en minimumloon overbrugt.
Als men dus op jonge leeftijd arbeidsongeschikt wordt, ligt de vervolguitkering op of dichtbij 70% van het minimumloon. Wordt men op een latere leeftijd arbeidsongeschikt, dan komt men, naarmate men ouder is steeds meer in de richting van 70% van het dagloon. Is men boven de 58 jaar op de eerste dag van toekenning van de arbeidsongeschiktheidsuitkering dan komt men door de duur van de loondervingsuitkering niet meer aan de vervolguitkering toe en heeft de formule haar betekenis verloren.

aanvullende verzekering

Er ontstaat dus een WAO-gat vergeleken bij de vroeger normale uitkering van 70% van het dagloon gedurende de gehele uitkeringsduur. Dat brengt mede, dat als men een 70%-uitkering, gebaseerd op het dagloon over de gehele uitkeringsduur voor iedereen wil, het noodzakelijk is een aanvullende verzekering buiten de WAO om te sluiten. Dergelijke verzekeringen zijn in cao's op zo grote schaal getroffen, dat de vraag kan

53 Het volgende voorbeeld moge dit verduidelijken. Iemand is 40 jaar op het moment, dat hem een arbeidsongeschiktheidsuitkering wordt toegekend. Zijn dagloon is 200 gulden. Hij heeft recht op een jaar loongerelateerde uitkering, dus 70% van 200 gulden, hetgeen 140 gulden per dag betekent. Na een jaar komt hij in de vervolguitkering. Het aantal jaren tussen de leeftijd van 40 en 15 jaar bedraagt 25 jaar. Dat betekent dat 25 x 2%, dus 50% van het verschil tussen het dagloon en minimumloon in de berekening wordt meegenomen. Aannemend dat het minimumloon per dag 100 gulden is, is het verschil 100 gulden, waarvan 50 gulden wordt meegenomen. Het vervoldagloon is het minimumdagloon plus 50 gulden, dus 100 gulden plus 50 gulden. De vervolguitkering is 70% van 150 gulden, dus 105 gulden. Als de betrokkene in de vervolguitkering komt, gaat hij er dus 35 gulden per dag op achteruit. Dit is het zgn. WAO-gat, omdat voor 1993 de loongerelateerde uitkering (140 gulden) tot aan het vijfenzestigste jaar bleef gelden. Dit gat wordt kleiner naar de mate dat de werknemer ouder is bij de toekenning van de arbeidsongeschiktheidsuitkering. Was in dit voorbeeld de werknemer geen 40 maar 50 jaar, dan zou hij twee in plaats van een jaar een loongerelateerde uitkering van 140 gulden per dag hebben gehad en daarna een vervolguitkering van 119 gulden per dag.

worden gesteld, wat het nut is geweest om het uitkeringsniveau van de WAO op grond van leeftijd te versoberen. De aanvullingsregelingen waren er grotendeels al, toen de Eerste Kamer met de wettelijke aanpassing instemde.
Er is een aanvullend circuit geschapen, omdat werknemers blijkbaar hechten aan een arbeidsongeschiktheidsverzekering, die hen gedurende de gehele looptijd van een loongerelateerde uitkering verzekert. Een scheiding tussen wettelijke en aanvullende verzekering maakt het systeem onnodig duur. Verzekeringsmaatschappijen willen immers er ook iets aan verdienen.

cao-regelingen

Bij cao-regelingen wordt daarnaast ook een probleem, hoe de premie voor de WAO-gat-verzekering moet worden bepaald. Het WAO-gat wordt immers kleiner naarmate men ouder wordt en ook kleiner naarmate men een loon verdient, dat dichter bij het wettelijk minimumloon ligt. Meestal is gekozen voor een uniforme premie voor alle werknemers, omdat de WAO ook met een uniforme premie werkt. Het verzekerd risico verschilt echter per werknemer aanzienlijk.[54] Ouderen dragen bij aan de kosten voor jongeren. Daarmee krijgt de WAO-gat-verzekering trekjes van een verzekering ten behoeve van de jonge yup.

wijziging mate van arbeidsongeschiktheid

De eenmaal bepaalde mate van arbeidsongeschiktheid is geen onveranderlijk gegeven. De gezondheidstoestand van de arbeidsongeschikte kan veranderen. Door scholing of opleiding kan de restverdiencapaciteit omhoog gaan. Door het ontstaan van nieuwe functies of de ontwikkeling van nieuwe technologie kan dat ook.[55] Dat zal dan leiden tot afschatting, dat wil zeggen verlaging van de mate van de arbeidsongeschiktheid en dus ook van de uitkering.
Aangezien de mate van arbeidsongeschiktheid wordt bepaald aan de hand van een vergelijking van het maatmanloon en het restloon, betekent een nivellering van de arbeidsinkomens een daling van de arbeidsongeschiktheidslasten en denivellering een toename ervan.[56]

aanpassing uitkering

Arbeidsongeschiktheid kan afnemen. Maar meer komt voor, dat de arbeidsongeschiktheid toeneemt. Soms leidt dat tot directe aanpassing van

54 Het WAO-gat voor iemand, die op de dag van de toekenning van een arbeidsongeschiktheidsuitkering 40 jaar was bedraagt -aannemend dat hij tot zijn vijfenzestigste jaar arbeidsongeschikt blijft- ongeveer tweehonderdtwintigduizend gulden in totaal, voor een vijftigjarige ruim zeventigduizend gulden, uitgaande van een dagloon van 200 gulden, een minimumloon van 100 gulden en 261 uitkeringsdagen per jaar. Hierbij is een vergelijking gemaakt tussen een loongerelateerde uitkering tot het vijfenzestigste jaar en een vervolguitkering, die na een jaar, resp. twee jaar daarvoor in de plaats treedt.

55 De computer met een aangepast toetsenbord, tevens leesmachine voor blinden heeft ervoor gezorgd, dat de toegankelijkheid van informatie aanzienlijk is vergemakkelijkt en de communicatie over arbeidsresultaten met niet-blinden via informatiedragers op dezelfde wijze kan verlopen als tussen niet-blinden. Dit heeft in aanzienlijke mate bijgedragen aan de toegankelijkheid van arbeid voor blinde werknemers. Dit is een voorbeeld ervan hoe de ontwikkeling van de informatietechnologie mede de mate van arbeidsongeschiktheid bepaalt.

de uitkering, bijvoorbeeld als de toename ontstaat binnen een maand na de dag, dat een uitkering is toegekend (art. 39, eerste lid, WAO). Soms geldt een wachttijd. Als bijvoorbeeld een werknemer een uitkering had naar een arbeidsongeschiktheid van minder dan 45% en de arbeidsongeschiktheid neemt toe, dan geldt een wachttijd voor aanpassing van 52 weken (art. 37, eerste lid, WAO). In die tussentijd heeft betrokkene recht op loon als hij zijn restcapaciteit benutte (mogelijk ook op ziekengeld als hij als arbeidsgehandicapte is te beschouwen) of als hij werkloos was, recht op ziekengeld.
Als betrokkene echter al een uitkering had, berekend naar een arbeidsongeschiktheidspercentage van 45% of meer, dan geldt een verkorte wachttijd van vier weken (art. 38, eerste lid, WAO). De verhoging gaat niet direct in, omdat natuurlijk niet ieder griepje tot verhoging van de arbeidsongeschiktheidsuitkering behoort te leiden. De uitkering gaat wel snel in , omdat bij deze mate van arbeidsongeschiktheid de kans klein is, dat betrokkene op het moment van de toename van de arbeidsongeschiktheid werkte en het slechts de vraag is welke van de sociale verzekeringen het verlies van verdiencapaciteit op moet vangen.

duur uitkering

De duur van de arbeidsongeschiktheidsuitkering is volgens art. 34 WAO drie jaar. De uitkering moet dan opnieuw worden aangevraagd. Omdat de uvi's niet zijn geëquipeerd om op zo'n grote schaal arbeidsongeschiktheidsschattingen te verrichten is de uitkeringsduur voorlopig krachtens overgangsrecht in de Wet terugdringing beroep op arbeidsongeschiktheidsregelingen op vijf jaar gesteld.
De uitkering eindigt op de eerste van de maand, waarin de arbeidsongeschikte 65 jaar wordt. Zij wordt ingetrokken, als de mate van arbeidsongeschiktheid beneden de 15% is gedaald. De uitkering eindigt uiteraard ook bij overlijden. Er bestaat dan, evenals bij de Ziektewet, een overlijdensuitkering voor de nabestaanden (art. 53 WAO).

8.3.6 *Risicobeheersing*

niet verzekerde ongeschiktheid

Evenmin als de ZW dekt de WAO reeds ingetreden arbeidsongeschiktheid bij de aanvang van de verzekering. Ingevolge art. 30 is het Lisv bevoegd om buiten aanmerking te laten arbeidsongeschiktheid, die reeds bestond bij de aanvang van de verzekering, evenals arbeidsongeschiktheid die binnen een half jaar nadien is ingetreden, terwijl de gezondheidstoestand van de verzekerde bij de aanvang van de verzekering dat kennelijk moest doen verwachten. Ook de toename van arbeidsongeschiktheid uit dezelfde oorzaak, als waardoor de arbeidsongeschiktheid in het eerste half jaar is ontstaan, mag buiten aanmerking worden gelaten.

gedeeltelijke ongeschiktheid

Is men gedeeltelijk arbeidsongeschikt bij de aanvang van de verzekering, dan is men uiteraard wel verzekerd voor het deel dat men nog geschikt is. Het maatmanloon wordt dan aangepast. Het is het gewoonlijk ver-

diende loon van in dezelfde mate arbeidsongeschikte werknemers als betrokkene (zie art. 18, tweede lid, WAO).
Art. 24 WAO geeft het Lisv de bevoegdheid voorschriften te geven in het belang van behandeling of genezing of tot behoud, herstel of bevordering van arbeidsgeschiktheid. Ook kan een gedeeltelijk arbeidsgeschikte worden verplicht zich bij de Arbeidsvoorzieningsorganisatie als werkzoekende te laten inschrijven. Bij niet naleven van deze en andere voorschriften, zoals bijvoorbeeld controlevoorschriften, moet het Lisv de uitkering geheel of gedeeltelijk, tijdelijk of blijvend weigeren (art. 25 en 28 WAO).

scholing

Scholing en opleiding kan de arbeidsongeschikte voor beter betalende functies geschikt maken. Zijn restcapaciteit stijgt dan, zodat de mate van arbeidsongeschiktheid afneemt. Indien scholing of opleiding tot verlaging van de mate van arbeidsongeschiktheid kan leiden, is de werknemer verplicht die scholing te volgen. Herziening van de uitkering vindt een jaar na de voltooiing van de scholing of opleiding plaats (art. 42, vierde lid, WAO). Weigert de betrokkene zich te laten scholen of opleiden of doet hij daarvoor niet zijn best, dan wordt hij geschat, alsof de scholing is afgerond (art. 21, vierde lid, WAO).

reïntegratie

Voor een gedeeltelijk arbeidsongeschikte is van groot belang, dat hij zijn restcapaciteit kan benutten.
Als betrokkene nog een arbeidsovereenkomst heeft (en door het opzegverbod van twee jaar is die kans groot), zal plaatsing bij de eigen werkgever het eerst in aanmerking komen. Een werkgever, die zonder redelijke grond weigert om een gedeeltelijk arbeidsongeschikte werknemer, bij hem in dienst, te werk te stellen wordt aan het Lisv een bedrag verschuldigd ter grootte van het loon, dat de werknemer bij wél te werk stellen had kunnen verdienen (art. 46 WAO). Hierdoor wordt druk op de werkgever gelegd om tot tewerkstelling over te gaan.[57]
Deze sanctie op nalatig werkgeversgedrag staat naast de mogelijkheid van de werknemer om een loonvordering in te stellen, als de werkgever weigert hem in de gelegenheid te stellen passend werk te doen.[58] Voor hetzelfde gedrag wordt dus de werkgever tegenover het Lisv en de werknemer aansprakelijk.

56 Bij nivellering worden de verschillen tussen de arbeidsinkomens kleiner, bij denivellering groter. De afstand tussen maatmanloon en restloon neemt dus af of toe. Dat de inkomensverdeling invloed heeft op het arbeidsongeschiktheidsvolume is dus niet verrassend, omdat het loongebouw determinerend is voor de mate van arbeidsongeschiktheid.

57 Men zie L.H. van den Heuvel, Ongelijkheidscompensatie bij gedeeltelijke arbeidsongeschiktheid in L. Betten e.a. (red.), Ongelijkheidscompensatie als roode draad in het recht, Liber Amicorum voor prof. mr. M.G. Rood, Deventer 1997, p. 39 e.v.

58 Zie de in noot 28 genoemde arresten. Veelal zal een werknemer pas als de loonbetalingsverplichting van de werkgever is opgehouden te bestaan en het hem duidelijk geworden is, dat hij niet of slechts gedeeltelijk voor een arbeidsongeschiktheidsuitkering in aanmerking komt, een vordering tegen de werkgever instellen. Ook vanuit een oogpunt van werkloosheidsrecht is hij dat dan verplicht te doen.

afschatting

Als een werknemer met werk verdient overeenkomstig zijn restcapaciteit, dan beïnvloedt dat zijn uitkering natuurlijk niet. De hoogte ervan was op die restcapaciteit gebaseerd. Gaat de werknemer meer verdienen dan zijn restcapaciteit aangeeft en betreft het algemeen geaccepteerde arbeid, dan heeft dat consequenties voor de uitkering, want kennelijk is dan de mate van arbeidsongeschiktheid afgenomen. Er vindt dan zgn afschatting plaats.

fictieve afschatting

Als een arbeidsongeschikte werknemer weer aan het werk wil, hetzij bij zijn oude werkgever, hetzij bij een ander, maar niet zeker is of hij het kan volhouden, dan zou hij worden afgeschrikt, als dat betekende, dat direct de mate van arbeidsongeschiktheid opnieuw wordt bepaald, dus zijn uitkering wordt verlaagd of ingetrokken.
Als niet vast staat dat de betrokken arbeid kan worden gezien als algemeen geaccepteerde arbeid, die de werknemer kan verrichten, vindt geen afschatting op die arbeid plaats, maar wordt er slechts gedaan of er van afschatting sprake is (de fictieve afschatting van art. 44 WAO). Dat betekent, dat als de werknemer het niet volhoudt, hij gewoon op zijn oude uitkering terugvalt. Als echter de werknemer gedurende drie jaar die arbeid heeft volgehouden, dan is die daarmee per definitie voor hem algemeen geaccepteerde arbeid geworden en vindt afschatting plaats.

8.3.7 *De Wet op de (re)integratie*

steunfunctie

Deze wet, hierna de Wet REA genoemd, is per 1 juli 1998 in werking getreden.[59] Zij beoogt mensen, die door gezondheidsproblemen weerstand ondervinden bij het vinden of behouden van werk, steun te bieden.
Die weerstand komt allereerst voort uit de negatieve beeldvorming bij werkgevers over de arbeidsprestaties en de continuïteit ervan. Daarnaast hebben art. 7:629 van boek 7 BW en de WAO met haar premiedifferentiatie een stevig prijskaartje gehangen aan gezondheidsaspecten, welke zich keert tegen degene, die gezondheidsproblemen heeft. De wet REA is mede bedoeld om ongewenste neveneffecten (selectie bij aanstelling en ontslag op gezondheid) weg te nemen. Zij bestrijdt dus symptomen van andere wetgeving.

Het reïntegratie-instrumentarium, dat de Wet REA biedt, is niet fonkelnieuw, maar in de loop der jaren opgebouwd en nu in aparte wetgeving ondergebracht. Daarbij is ook helderder verwoord wie welke verantwoordelijkheid draagt bij reïntegratie en zijn de procedures sneller en

59 Wet van 23 april 1998, Stb. 290, laatstelijk gewijzigd bij Wet van 15 december 1999, Stb. 564. Zie over deze wet S. Klosse, Heeft de Wet Rea bestaansrecht?, SMA 1998, nr. 2, p. 78 e.v. en C.J. Smitskam en E.L. de Vos, Reïntegratie-instrumenten voor arbeidsgehandicapten, PS-special, nr. 4, Deventer 1999.

klantvriendelijker geworden. Een groot aantal van de reïntegratie-instrumenten was voorheen te vinden in de Wet arbeid gehandicapte werknemers[60] en in de voormalige AAW.

arbeidsgehandicapte

Centraal begrip in de wet is de arbeidsgehandicapte (art. 2). Onder dit begrip vallen onder andere personen, die een WAO-uitkering hebben of korter dan vijf jaar geleden hebben gehad of geen WAO-uitkering hebben gehad, omdat zij minder dan 15% arbeidsongeschikt waren, maar wel, blijkend uit een medisch-arbeidskundige beoordeling, in verband met ziekte of gebrek een belemmering ondervinden bij het verkrijgen of verrichten van arbeid.[61]

taakstelling sociale partners

Aan sociale partners legt de Wet REA als taakstelling op, dat zij gelijke kansen scheppen voor arbeidsgehandicapten voor deelname aan het arbeidsproces en de nodige voorzieningen treffen gericht op het behoud, het herstel of de bevordering van de arbeidsgeschiktheid (art. 4). Deze taakstelling was al terug te vinden in de vervallen Wet arbeid gehandicapte werknemers, evenals de stok achter de deur, dat bij amvb voor werkgevers een quotumverplichting kan worden geschapen om 3 tot 7% van het personeel uit arbeidsgehandicapten te laten bestaan (art. 5). Zowel bij de overheid als in het bedrijfsleven wordt de taakstelling al die jaren niet gehaald. De overheid heeft echter nooit een amvb willen treffen. Het ziet er niet naar uit dat dit met de Wet REA ooit anders zal worden.
In de Wet arbeid gehandicapte werknemers stond ook ook al de bepaling van art. 7 van de Wet REA. De arbeidsgehandicapte heeft recht op een gelijk loon als andere werknemers met een gelijke of gelijkwaardige functie. Als echter de arbeidsprestatie ten gevolge van ziekte of gebrek duidelijk minder is dan die van gezonde werknemers, dan kan het Lisv op verzoek van de werkgever of werknemer het loon op een lager bedrag stellen, waarbij zonodig ook onder het wettelijk minimumloon mag worden gegaan. Het beleid heeft het Lisv vastgelegd in het besluit loondispensatie Wet REA van 9 september 1998, Stcrt. 217.

instrumenten

De Wet REA biedt werkgevers een aantal reïntegratie-instrumenten, maar voorziet ook de arbeidsgehandicapten van een aantal faciliteiten om de arbeidsinschakeling te bevorderen. Zonder in bijzonderheden te treden worden de voornaamste instrumenten en faciliteiten hier genoemd.
Een werkgever, die een arbeidsgehandicapte werknemer, bij hem in

60 De wet van 16 mei 1986, Stb. 1986, 300. Zie over het wetsvoorstel W.J.P.M. Fase, Wetsontwerp gehandicapte werknemers, TVVS 1982, p. 222 e.v.

61 Het gaat dus om mensen met een ziektegeschiedenis. Arbeidsgehandicapten hebben ingevolge art. 29b ZW recht op ziekengeld, zolang zij nog geen vijf jaar bij een werkgever in dienst zijn en zij als arbeidsgehandicapte bij die werkgever in dienst zijn getreden.

dienst, wil herplaatsen op een andere functie, omdat hij de bedongen arbeid niet meer kan verrichten, kan van het Lisv een eenmalig herplaatsingsbudget krijgen van achtduizend gulden, indien hij ten minste een jaar de werknemer in de andere functie te werk stelt (art. 16). Voorwaarde is dat hij een reïntegratieplan heeft opgesteld, waartoe de werkgever ingevolge art. 71a WAO verplicht is.
In plaats daarvan kan de werkgever ook subsidie krijgen voor voorzieningen ter zake van scholing, training en begeleiding, aanpassing van de werkplek en de werk- en productiemethoden, de bij de arbeid te gebruiken hulpmiddelen e.d. (art. 15) om de werknemer op zijn eigen werkplek te kunnen behouden.

plaatsingsbudget

Een werkgever, die een arbeidsgehandicapte in dienst wil nemen kan een plaatsingsbudget krijgen, dat aanmerkelijk gunstiger is. Dat hangt samen met het feit, dat hij vrijwillig met een arbeidsgehandicapte in zee gaat. Als hij een arbeidsovereenkomst voor onbepaalde tijd aanbiedt, is de subsidie het eerste jaar twaalfduizend gulden, het tweede jaar achtduizend gulden en het derde jaar vierduizend gulden. Gaat het om een deeltijdbetrekking of een arbeidsovereenkomst voor bepaalde tijd, dan worden de bedragen naar evenredigheid verlaagd (art. 17).

pakket op maat

Als de kosten van tewerkstelling van een arbeidsgehandicapte hoog zijn, is het interessant om in plaats van een plaatsings- of herplaatsingsbudget, een pakket op maat te vragen, maar dan moeten de te maken kosten wel zichtbaar worden gemaakt (art. 18). Onderdeel van het pakket op maat is onder meer een loonkostensubsidie gedurende maximaal drie jaar van eenderde van de loonkosten, die overigens achterwege moet blijven als op de werkgever de verplichting rust ingevolge art. 629 van boek 7 BW loon te betalen.

De arbeidsgehandicapte wordt eveneens ondersteund bij het behouden of verkrijgen van werk. Zo kan hij ingevolge art. 22 aanspraak maken op scholing en opleiding en voorzieningen om die opleiding of scholing mogelijk te maken en op werkvoorzieningen (bijvoorbeeld aanpassing van de werkplek).

proefplaatsing

Bij een proefplaatsing op basis van onbeloonde arbeid en bij noodzakelijk geachte scholing of opleiding kan hij maximaal zes maanden een reïntegratie-uitkering krijgen in plaats van een werkloosheidsuitkering, die immers daardoor verloren gaat (art. 23 e.v.). Eveneens kan de arbeidsgehandicapte werknemer aanspraak maken op voorzieningen in verband met zijn werk, zoals vervoersvoorzieningen, die ertoe strekken, dat hij zijn werk kan bereiken, noodzakelijke ondersteuning bij het verrichten van zijn taken en communicatievoorzieningen voor doven (art. 31).

persoonlijk budget

Een aan de werknemer toe te kennen persoonsgebonden reïntegratiebudget behoort tevens tot de mogelijkheden (art. 33).
Als een arbeidsgehandicapte arbeid aanvaardt, dat een lager loon ople-

vert dan met zijn restcapaciteit overeenkomt, dan kan hem een loonsuppletie worden toegekend door het Lisv (art. 32).

Naast de reïntegratie-instrumenten van de wet REA bestaan ook andere manieren om de reïntegratie van arbeidsgehandicapten te bevorderen. Bij de bespreking van de ZW is al de afdekking van het ziekterisico van de arbeidsgehandicapte gedurende de eerste vijf jaar van de dienstbetrekking ter sprake gekomen. De premieheffing van de WAO is daarnaast zo vorm gegeven, dat een werkgever, die een bepaald percentage arbeidsgehandicapten in dienst heeft, daarvoor wordt beloond met premievrijstellingen en premiereducties.[62] Ten slotte kan erop worden gewezen, dat ten aanzien van de gedifferentieerde premie van de WAO de indienstneming van een arbeidsgehandicapte werknemer een beperkt risico oplevert, nu het risico bij de in diensttreding al was ingetreden en ten laste van de oude werkgever komt.[63]

premiereductie

Vraag blijft, of al deze maatregelen voldoende zijn om weifelende werkgevers over de streep te trekken, zodat arbeidsgehandicapten gelijke kansen hebben op het verwerven of behouden van een arbeidsplaats. Al de genoemde instrumenten kunnen immers niet werkcontinuïteit van de betrokken arbeidsgehandicapten verzekeren, noch een garantie bieden, dat de betrokkenen bestand zijn tegen de arbeidsdruk ten gevolge van functie-aanpassingen. De ervaring leert, dat reïntegratie-instrumenten vooral worden onderbenut.

8.4 De Werkloosheidsregelingen

8.4.1 *Inleiding*

onvrijwillige werkloosheid

De eerste Werkloosheidswet dateerde van 1949. Zij gaf aan werkloze werknemers bij onvrijwillige werkloosheid recht op een half jaar uitkering ter hoogte van 80% van het loon. In 1965 is daarbij gekomen de Wet Werkloosheidsvoorziening (WWV), die na dat half jaar gedurende twee jaar een uitkering van 75% van het loon verstrekte. Voor oudere werknemers, die op de eerste dag van werkloosheid

62 Zo is de basispremie WAO niet verschuldigd over het loon van de arbeidsgehandicapte als 5% van de premieplichtige loonsom het loon van arbeidsgehandicapten betreft, is de basispremie voor een tweederde deel niet verschuldigd, als het percentage 4% is , is de basispremie voor eenderde deel niet verschuldigd, als het percentage 3% is. Ook bestaan er kortingen voor de basispremie van de andere werknemers (art. 77b WAO).

63 De gedifferentieerde premie wordt bepaald aan de hand van de uitkeringslasten van arbeidsongeschiktheid, die bij een werkgever is ontstaan en nog geen vijf jaar heeft geduurd in verhouding tot de loonsom van de werkgever. Beslissend is het moment waarop de arbeidsongeschiktheid ontstaat. Als dus een arbeidsgehandicapte bij een andere werkgever in dienst treedt, blijft zijn oude werkgever via de gedifferentieerde premie voor de arbeidsongeschiktheidslasten betalen, totdat de vijf jaar om zijn. De nieuwe werkgever loopt wel het risico van verhoging van de mate van arbeidsongeschiktheid.

57½ jaar waren, is later een verlengde WWV-uitkering tot hun pensioenleeftijd ingevoerd.

nieuwe wet

Deze twee regelingen zijn met ingang van 1 januari 1987 vervangen door een nieuwe Werkloosheidswet met een variabele uitkeringsduur, afhankelijk van het arbeidsverleden.[64] Om te voorkomen, dat een oudere werkloze werknemer, of een werkloze werknemer, die een gedeeltelijke WAO-uitkering heeft, gezien hun slechte positie op de arbeidsmarkt, na het verstrijken van de maximum uitkeringsduur aangewezen zou raken op bijstand (en dus eerst op het eigen vermogen moet interen) is tevens de Wet inkomensvoorziening oudere en gedeeltelijk arbeidsongeschikte werkloze werknemers (IOAW) tot stand gekomen.

urenverlies

De WW is in zoverre een bijzondere wet, dat niet de inkomensderving maatstaf voor het recht op uitkering is, maar het arbeidsurenverlies, dat bij werkloosheid ontstaat. Dit heeft tot een ingewikkeld en moeilijk uit te voeren wetssysteem geleid. Daarom is per 1 maart 1994 een aantal technische vereenvoudigingen doorgevoerd. In 1995 is de wet ingrijpend gewijzigd.[65] Met name de toegangsvoorwaarden zijn fors aangescherpt, waarbij als pleister op de wonde de kortlopende WW-uitkering werd geïntroduceerd. In 1996 werd met de Wet boeten, maatregelen, terug- en invordering sociale zekerheid een verscherpt sanctiesysteem ingevoerd.[66] In 1999 is de ingangsdatum van de werkloosheidsuitkering bij schadeplichtig ontslag, bij ontslag met wederzijds goedvinden en bij rechterlijke ontbinding opnieuw bepaald.[67]

verzekerden

Evenals de ZW en de WAO beperkt de WW zich niet tot werknemers met een arbeidsovereenkomst, maar worden in art. 4 en 5 andere arbeidsverhoudingen gelijk gesteld.
Bijzonder van de WW is, dat na beëindiging van de dienstbetrekking men de hoedanigheid van werknemer behoudt, voorzover men geen niet-verzekeringsplichtige arbeid gaat verrichten, bijvoorbeeld als zelfstandige (art. 8 WW). Als men overigens de zelfstandige arbeid binnen anderhalf jaar beëindigt, dan wordt de hoedanigheid van werknemer herkregen en kan een beroep op WW worden gedaan. Als men in het buitenland is gaan werken (en dus niet langer voor de WW verzeke-

64 Zie over de Werkloosheidswet F.J.M. Pennings, De werkloosheidswet, Deventer 1998 en J.J.A. Kooijman, Recht op periodieke uitkeringen in het sociale zekerheidsrecht, Alphen aan den Rijn 1989.
65 Hierover M. Driessen, Als dieven in de nacht, Sociaal Recht 1995, nr. 4, p. 107 e.v.
66 Zie J.J.A. Kooijman, Verwijtbaar werkloos?, Naar de bijstand!, SMA 1995, nr.9, p. 493 e.v.; zie ook E.V.V. Lenos, Boeten en maatregelen met mate?, toetsing door de rechter aan het evenredigheidsbeginsel, Sociaal Recht 1999, p. 184 e.v.
67 Nadat een eerdere poging van de wetgever in 1994 om dit te regelen, was mislukt, heeft de Wet flexibiliteit en zekerheid (Wet van 14 mei 1998, Stb. 300) dit geregeld in art. 16, derde en vierde lid, WW. Zie F.J.L. Pennings Flexibilisering en het werkloosheidsrecht in F.J.L. Pennings (red.), Flexibilisering van het sociaal recht, Deventer 1996, p. 139 e.v. Zie ook M.J.P.M. Kieviet en F.J.L. Pennings, Ontwikkelingen in de rechtspositie van uitkeringsgerechtigden in het arbeidsongeschiktheids- en werkloosheidsrecht, Sociaal Recht 1996, nr. 11, p. 300 e.v.

ringsplichtige arbeid verricht) en binnen zes maanden naar Nederland terugkeert, herkrijgt men ook het werknemerschap en kan men dus aanspraak op WW maken.

8.4.2 *Voorwaarden voor het recht op WW*

Om recht op een werkloosheidsuitkering te hebben, moet men aan een aantal voorwaarden voldoen: men moet voor de WW verzekerd zijn, werkloos zijn, aan de referte-eis voldoen en er moet geen uitsluitingsgrond bestaan. Voor het geldend maken van het recht op uitkering en de betaling van de uitkering bestaan aparte regels, die onder 8.4.4. en 8.4.5. aan de orde komen.

werkloosheidsbegrip

Art. 16 van de WW bepaalt, wanneer men werkloos is. Allereerst moet men ten minste vijf of ten minste de helft van zijn arbeidsuren in een bepaalde kalenderweek hebben verloren. Ook het recht op onverminderde loonbetaling moet verloren zijn gegaan. Ten slotte moet men beschikbaar zijn om arbeid te aanvaarden.

Geen voorwaarde voor werkloosheid is, dat de dienstbetrekking is geëindigd. Men kan ook staande dienstbetrekking werkloos zijn, namelijk als bij het niet verrichten van de arbeid de werkgever niet krachtens art. 628 van boek 7 BW loon behoeft te betalen. Een bijzondere vorm daarvan is de werktijdverkorting, die onder 8.4.8 ter sprake komt.

Arbeidsurenverlies

Van arbeidsurenverlies is sprake, als het aantal uren, dat de werknemer in een kalenderweek werkt minder wordt dan het gemiddeld aantal uren, dat hij in de laatste zesentwintig kalenderweken heeft gewerkt.[68]

vijfurengrens

Het minimumverlies moet ten minste vijf uur zijn. Iemand, die dus in een bepaalde kalenderweek van 40 naar 32 uur per week gaat, is voor acht uur werkloos. Wordt in die week de gehele baan verloren, dan is hij voor 40 uur per week werkloos geworden. Gaat betrokkene van 40 naar 38 uur, dan ontstaat geen werkloosheid omdat het arbeidsurenverlies te gering is.

Omdat per kalenderweek wordt bepaald, of men werkloos wordt, kan het gebeuren, als men bijvoorbeeld op woensdag voor het laatst gewerkt heeft, dat men de eerste week 16 uur werkloos wordt en de tweede week voor 24 uur. Er ontstaan dan twee werkloosheidsrechten naast elkaar met elk hun eigen looptijd. Omdat het naast elkaar bestaan van twee rechten uitvoeringstechnisch onhandig is, bepaalt art. 17c WW, dat in

samenvoeging rechten

68 De Werkloosheidswet 'denkt' in kalenderweken en niet in perioden van weken. Dat brengt mee, dat het arbeidsurenverlies van verschillende dagen in dezelfde week bij elkaar kan worden opgeteld om de omvang van het urenverlies te bepalen. Anders zou elke dag een recht op werkloosheidsuitkering kunnen ontstaan. Bij volledig verlies van arbeidsuren ontstaan nu hooguit twee rechten, namelijk als men in de eerste week een aantal uren verliest en in de tweede week de rest. Uit de uitleg in de tekst blijkt, dat die twee rechten worden samengevoegd tot een recht.

dit geval de rechten worden samengevoegd tot één recht en geldt als eerste werkloosheidsdag voor dit samengevoegde recht de dag waarop voor het eerst werkloosheid is ontstaan.[69]

verlies van helft arbeidsuren

Er ontstaat ook werkloosheid, als iemand minder dan vijf uur per kalenderweek heeft verloren, maar wel ten minste de helft van zijn arbeidsuren. Deze bepaling is in de WW opgenomen om ook aan kleine deeltijdwerkers rechten te geven. Bij de bepaling of van arbeidsurenverlies sprake is, moet in dit geval krachtens art. 16, tweede lid, WW bij de bepaling van het gemiddeld aantal arbeidsuren in de laatste 26 kalenderweken ook de niet-verzekeringsplichtige arbeid worden betrokken. Als iemand bijvoorbeeld zelfstandig accountant is voor 36 uur per week en daarnaast 4 uur in dienst van een instelling werkt en hij verliest zijn dienstbetrekking, dan heeft hij geen aanspraak op WW. Weliswaar verliest hij 4 uur dienstbetrekking, maar hij werkt nog 36 uur, zodat hij niet van een werknemer verschilt, die er 4 uur op achteruit gaat. Had betrokkene louter een baantje van 4 uur en gaat die verloren, dan geldt de regel, dat hij meer dan de helft van zijn arbeidsuren heeft verloren en is hij werkloos.[70]

Loonverlies

Naast een aantal arbeidsuren moet de werknemer ook het recht op loon over die uren hebben verloren. Dat is natuurlijk het geval, als de dienstbetrekking geëindigd is. Als de dienstbetrekking nog bestaat, is het een civielrechtelijke vraag of de werkgever loon moet betalen. Die civielrechtelijke vraag moet ook door de sociale verzekeringsrechter onder ogen moeten worden gezien, met name als de werknemer van oordeel is, dat hij geen recht op loon heeft en dus geen loonvordering bij de civiele rechter heeft ingesteld. Er bestaat immers pas recht op WW, als er geen recht op loon bestaat.

geen recht op loon

Met name speelt deze civielrechtelijke vraag bij een nietige opzegging. Een werknemer is bijvoorbeeld op staande voet ontslagen, maar betwist de dringende reden en stelt een loonvordering in, omdat de opzegging zonder toestemming van de RDA nietig is. Als de loonvordering wordt toegewezen, heeft de werknemer over die periode geen recht op WW.[71]

voorschot

Omdat de uitkomst van de procedure op zich kan laten wachten en de werknemer al die tijd zonder inkomen is, kan hij een beroep doen op art. 31, derde lid, WW. Aan hem moet een redelijk voorschot worden betaald, dat later wordt verrekend.

69 Als echter sprake is van verder urenverlies in een kalenderweek, die niet direct aansluit aan de kalenderweek, waarin het eerste arbeidsurenverlies valt, dan ontstaan uit eenzelfde dienstbetrekking twee werkloosheidsrechten, die elk hun eigen uitkeringsduur hebben. Bij gedeeltelijke werkhervatting wordt dat in beginsel toegerekend aan het oudste recht, waarvan nog de kortste uitkeringsduur loopt.

70 Vgl. A.F. Rommelse, Het arbeidsurenverlies in de Werkloosheidswet, SMA 1993, nr. 1, p. 19 e.v.

71 CRvB 26 april 1994, RSV 1994, 229.

De vraag of er loon moet worden betaald, kan ook spelen als de cao de loonbetalingsplicht van art. 628 van boek 7 BW bij inactiviteit heeft uitgesloten. De sociale verzekeringsrechter zal dan via uitleg van de cao moeten bepalen of er sprake is loonverlies.

gelijkstelling met loon

Art. 16, derde lid, WW houdt nog een bijzondere bepaling in. Met het recht op onverminderde doorbetaling van loon, worden gelijkgesteld de inkomsten, waarop de werknemer recht heeft in verband met de beëindiging van de dienstbetrekking tot aan het bedrag, dat de werknemer aan loon zou hebben ontvangen, indien de dienstbetrekking door opzegging met inachtneming van de rechtens geldende opzegtermijn zou zijn geëindigd.
De wet gaat uit van opzegging van de arbeidsovereenkomst als de koninklijke weg om de arbeidsovereenkomst te beëindigen. Het recht op WW ontstaat dan pas als de opzegtermijn verstreken is.

wijzen van beëindiging arbeidsovereenkomst

Als de arbeidsovereenkomst schadeplichtig wordt opgezegd (zie art. 677 van boek 7 BW), door ontbinding eindigt dan wel met wederzijds goedvinden wordt beëindigd, eindigt de loonbetalingsplicht veel eerder dan wanneer met inachtneming van een opzegtermijn is opgezegd. Er zou dus ook eerder recht op een werkloosheidsrecht ontstaan. De werknemer heeft echter bij schadeplichtig ontslag recht op de gefixeerde schadevergoeding, terwijl ontbinding en ontslag met wederzijds goedvinden vaak gepaard gaan met een vergoeding. De werknemer ontvangt derhalve een compensatie voor het gemis aan een (juiste) opzegtermijn. Daarom zou hij worden bevoordeeld, als hem eerder een werkloosheidsrecht zou toekomen dan een werknemer, die (correct) is opgezegd. De andere kant van de medaille is, dat de uvi te vroeg vergeleken met een opzegging tot uitkering moet overgaan.

latere ingangsdatum WW

Daarom vindt een gelijkstelling met loon plaats van de gefixeerde schadevergoeding bij schadeplichtig ontslag of een deel van de vergoeding bij wederzijds goedvinden of ontbinding.[72] Het gevolg ervan is, dat het recht op werkloosheidsuitkering pas later ontstaat en de werknemer in de tussentijd moet leven van de inkomsten in verband met de beëindiging van de arbeidsovereenkomst.[73] Overigens bevat art. 16, derde lid,

72 Hierover T.S. Pieters, Art. 16 WW; Flexibiliteit en zekerheid, Sociaal Recht 1997, nr. 12, p. 359 e.v. De regeling van art. 16, derde lid, geldt ongeacht de bestemming die aan de vergoeding gegeven wordt. Zij is van toepassing bij uitkeringen ineens en bij periodieke aanvullingen. In het laatste geval moet de waarde van de gezamenlijke aanvullingen worden bepaald. Voor de werknemer brengt dat mee, dat hij de fictieve opzegtermijn zonder actueel inkomen moet overbruggen. Zie ook R.E.N. Ploum, De fictieve opzegtermijn: wie krijgt de rekening gepresenteerd? ArbeidsRecht 1999, nr. 6/7, p. 26 e.v. en W.J.P.M. Fase, Wie behoort de rekening van de fictieve opzegtermijn te betalen?, SMA 1999, p. 460 e.v.

73 De vergoeding, die aan de werknemer wordt toegekend na een kennelijk onredelijk ontslag wordt slechts in aanmerking genomen in zoverre er sprake is van een schadeplichtig ontslag. Als dus de werknemer is opgezegd met de correcte opzegtermijn, kan er ex art. 16 WW geen verrekening plaats vinden en heeft de werknemer deze inkomsten naast zijn werkloosheidsuitkering.

WW wel de restrictie, dat daarvoor de vergoeding toereikend moet zijn. Zo niet, dan gaat de uitkering wel eerder in.

fictieve opzegtermijn

In dit verband kan men spreken van een fictieve opzegtermijn om te bepalen wanneer het recht op werkloosheidsuitkering ontstaat. Als de arbeidsovereenkomst schadeplichtig is geëindigd, vult de gefixeerde schadevergoeding het gat op tussen de feitelijke en rechtens geldende opzegtermijn. Pas als de laatste verstreken is, ontstaat er recht op uitkering.
Bij beëindiging met wederzijds goedvinden moet vanaf de dag van de schriftelijke overeenkomst (of als die ontbreekt de einddatum van de arbeidsovereenkomst) gekeken worden hoe lang het geduurd zou hebben als op die dag zou zijn opgezegd. Die fictieve opzegtermijn moet met de vergoeding worden overbrugd en eerst daarna ontstaat recht op uitkering. Bij ontbinding gaat de fictieve opzegtermijn lopen vanaf de datum van de beschikking van de kantonrechter. Van de normaliter gesloten werkgeverstermijn mag een maand worden afgetrokken, zoals ook het geval is, als toestemming tot opzegging aan de RDA was gevraagd. Door te beginnen met tellen vanaf de datum van de beëindigingsovereenkomst of van de ontbindingsbeschikking wordt dus rekening gehouden met de overeengekomen of door de rechter bepaalde datum van het einde van de arbeidsovereenkomst. De periode tot dat einde telt mee als gedeelte van de fictieve opzegtermijn.
De regeling van gelijkstelling met loon[74] ex art. 16, derde lid, WW geldt niet als de werkgever in betalingsonmacht verkeert en de werknemer dientengevolge de inkomsten in verband met de beëindiging niet ontvangt (art. 16 vierde lid, WW).

Beschikbaarheid

De derde eis voor werkloosheid, is dat de betrokkene beschikbaar is om arbeid te aanvaarden.[75] De wetgever heeft deze eis niet nader omschreven, maar de invulling ervan aan de rechtspraak overgelaten. Het gaat hier om de vraag of iemand beschikbaar is voor de arbeidsmarkt, dus bereid is met arbeid als werknemer of anderszins een inkomen te verdienen. De omvang en de aard van de beschikbaarheid is niet van belang. Ook al zoekt men uitsluitend een deeltijdfunctie in een bepaalde sector, dan is men beschikbaar. Wel kan dat aanleiding zijn tot een maatregel wegens een te beperkte beschikbaarstelling (art. 24, eerste lid, onder b ten 4e WW).

objectieve beschikbaarheid

Uit feiten en omstandigheden moet blijken of de werkloze al dan niet

74 Tijdens de periode van de fictieve opzegtermijn blijft de werknemer verzekerd voor de werknemersverzekeringen, ondanks dat er geen dienstbetrekking meer bestaat. Hiertoe is een speciale bepaling opgenomen in het Besluit uitbreiding en beperking van de kring van verzekerden in de werknemersverzekeringen.
75 Vgl. J.J. Kooijman, Het beschikbaarheidsbegrip in de WW, SMA 1991, p. 425 e.v.

beschikbaar is. Pas daarna wordt de houding en het gedrag van de werknemer mede in aanmerking genomen.

voorbeelden

Betrokkene is in ieder geval niet beschikbaar, indien hem een volledige arbeidsongeschiktheidsuitkering is toegekend.[76] Door medische oorzaken is hij niet in staat om arbeid te aanvaarden. Dit is een voorbeeld, dat uit de feiten en omstandigheden voortvloeit dat de werknemer niet beschikbaar is. Een ander voorbeeld is dat de werknemer een langdurige studie aanvat.[77] Daaruit blijkt, dat hij niet beschikbaar is voor de arbeidsmarkt. Vandaar dat art. 76 WW het recht op werkloosheidsuitkering handhaaft, als het gaat om een naar het oordeel van het Lisv noodzakelijk geachte opleiding.

ondubbelzinnigheid

Als het om de houding en het gedrag van de werknemer gaat, geldt krachtens rechtspraak het ondubbelzinnigheidsvereiste.[78] Uit de uitdrukkelijke verklaring van de werknemer of uit diens gedrag of houding moet eenduidig af te leiden zijn dat hij niet beschikbaar is, noch zich beschikbaar wil stellen. Het is aan de uitvoeringsinstelling om aan te tonen dat daarvan sprake is. In de praktijk is echter het beschikbaar zijn niet eenvoudig van een schijn-beschikbaarheid te scheiden.

De referte-eis

Als aan de hand van het arbeidsurenverlies, het loonverlies en de beschikbaarheidseis is vastgesteld, dat de werknemer werkloos is, betekent dat nog geen recht op uitkering. Daarvoor moet de werknemer ook voldoen aan de referte-eis van art. 17 WW, dat wil zeggen kunnen bogen op een minimum verzekeringsduur, een eis die de ZW en WAO niet kennen. Men moet door te werken een werkloosheidsuitkering 'verdienen'.[79]

dubbele eis

In feite gaat het om een dubbele eis. De werknemer moet in de 39 weken, onmiddellijk voorafgaand aan de eerste dag van werkloosheid in ten minste 26 weken arbeid hebben verricht en hij moet aantonen, dat hij in de vijf kalenderjaren, direct voorafgaand aan het jaar waarin de werkloosheid ontstaat, in ten minste vier kalenderjaren over 52 of meer dagen loon heeft ontvangen. Hier zij er al op gewezen, dat het voldoen aan de dubbele eis leidt tot een loongerelateerde uitkering plus vervolguitkering en het voldoen aan alleen de 26 uit 39 wekeneis leidt tot een kortlopende uitkering, die in 8.4.5 behandeld wordt. Het onderstaande geldt dus voor de loongerelateerde uitkering.

arbeid of loonbetaling

Bij de 26 uit 39 wekeneis is niet van belang hoeveel dagen per week of uren per dag de werknemer in elke week heeft gewerkt, als er maar in

76 CRvB 6 november 1990, RSV 1991, 98.
77 CRvB 10 juli 1990, RSV 1990, 334.
78 CRvB 16 november 1988, RSV 1989, 125.
79 Op het verdienelement in de WW gaat in Th.J.J. Doodeman, Langdurig werken loont, SMA 1995, p. 215 e.v.

26 weken is gewerkt. Er wordt dus niet geëist, dat 26 weken lang is gewerkt. Bij de vier uit vijf eis gaat het om dagen per kalenderjaar, waarover loon is betaald. Op hoeveel uren per dag de loonbetaling betrekking heeft, is niet relevant. Het enige, dat telt, is dat er vier kalenderjaren zijn, waarin de 52 dagen zijn gehaald.[80]
Er is tussen de 26 uit 39 wekeneis en de vier uit vijfeis ook een verschil als men erop let waarnaar gekeken wordt. Bij de eerste eis gaat het om gewerkt hebben, bij de tweede om loonbetaling. Hieruit vloeit voort, dat weken waarin men ziek is geweest niet meetellen voor de 26 wekeneis (art. 17a, eerste lid, WW), maar weer wel voor de vier uit vijfeis bij de bepaling van 52 dagen. Overigens in het geval van ziekte mag bij de 26 wekeneis verder teruggekeken worden dan 39 weken.
Anderzijds kunnen niet gewerkte weken met gewerkte weken worden gelijkgesteld (art. 17, vierde lid, WW).
Heeft men verschillende dienstbetrekkingen naast elkaar, dan wordt voor de 26 uit 39 wekeneis de historie van iedere dienstbetrekking (en diens voorgangster) apart bekeken (art. 17a, tweede lid, WW). Het is dus niet mogelijk de weken van een ander dienstverband te gebruiken om voor een kort extra dienstverband een uitkering te verwerven.

afwijking WAO en zorgtaken

De vier uit vijf eis wordt in zoverre soepel gehanteerd, dat dagen waarover een WAO-uitkering is ontvangen meetellen voor het 52 dagenminimum (art. 17b, eerste lid, WW). Dit is een afwijking van dat er loon moet zijn betaald. Datzelfde geldt voor verzorging van kinderen. Heeft men een kind beneden de zes jaar verzorgd, dan geldt dat kalenderjaar als een jaar, waarin over 52 dagen loon is betaald. Was het kind tussen de zes en twaalf, dan heeft men een half kalenderjaar verdiend en blijven er dus 26 dagen over waarop in dat jaar gewerkt moet zijn (art. 17b, tweede lid, WW).

willekeurigheid

Met de referte-eis heeft de wetgever een tamelijk willekeurig systeem geschapen.[81] Niet een voor ieder gelijke minimumarbeidsomvang is beslissend voor het recht op uitkering, maar een arbeidspatroon, dat in de tijd een mimimumomvang heeft gehad. Zo heeft iemand, die vier kalenderjaren naast zijn hbo-studie twee uur per week vakken heeft gevuld bij een grootgrutter, een duidelijke voorsprong op iemand die dat niet gedaan heeft. Hij hoeft nog maar 26 weken in een normale baan te werken om een loongerelateerde uitkering te kunnen krijgen, terwijl

80 De loonbetaling is gemakkelijk in de administratie van de uvi terug te vinden, omdat bij de individuele jaaropgave de werkgever jaarlijks moet aangeven over hoeveel dagen hij loon heeft betaald, zulks ter vaststelling van de franchise, die vroeger voor de WAO en thans voor de werkloosheidspremie bestaat.

81 Vergelijk W.J.P.M. Fase, Arbeidsverleden en werkloosheidsrecht, meetlat of dobbelsteen, SMA 1995, nr. 10, p. 546 e.v.

zijn medestudent daarvoor ten minste vier kalenderjaren moet werken, ongeacht de omvang.

Afwezigheid van een uitsluitingsgrond

Als aan alle voorgaande voorwaarden van een recht op uitkering is voldaan, kan een uitsluitingsgrond nog roet in het eten gooien. Is die aanwezig, dan ontstaat het recht op uitkering niet of eindigt het, als het al was ontstaan. De uitsluitingsgronden zijn te vinden in art. 19 WW. Een belangrijke uitsluitingsgrond is het ontvangen van een ziekengelduitkering. Daar heeft een zieke werkloze krachtens de ZW recht op. Overigens stopt dan niet het verstrijken van de uitkeringsduur van de WW. Die loopt door gedurende de eerste drie maanden van ziekte (art. 43, tweede lid, WW). Eerst daarna stopt het aftellen van de uitkeringsduur.

ziekte

arbeidsongeschiktheid

Ook is een uitsluitingsgrond het ontvangen van een WAO-uitkering naar een arbeidsongeschiktheid van 80% of meer, het zich in detentie bevinden, het in het buitenland verblijven anders dan wegens vakantie, het op vakantie gaan (tenzij het binnen de regels van het Lisv past), het bereiken van de leeftijd van 65 jaar en wel vanaf de eerste van de maand waarin dat plaats zal vinden, niet rechtmatig als vreemdeling in Nederland verblijven en werkloos zijn ten gevolge van werkstaking of uitsluiting. Deze uitsluitingsgronden hebben met elkaar gemeen dat men niet beschikbaar is, mag zijn of wordt geacht niet te zijn voor de Nederlandse arbeidsmarkt.

Uitsluitingsgronden leiden tot het niet ontstaan of eindigen van een werkloosheidsuitkering, maar dat is niet definitief. Als de omstandigheden, die daartoe hebben geleid, ophouden te bestaan, kan het recht alsnog ontstaan of herleven.[82] Daarom wordt alvorens het geldend maken van het recht op uitkering wordt behandeld, nog nader gekeken naar de regels met betrekking tot het eindigen van het recht en het herleven ervan.

herleving

8.4.3 *Het eindigen van een recht op uitkering en herleving ervan*

Alleen een bestaand recht kan eindigen. Dat is het geval als zich een van de gronden van eindiging van art. 20 WW voordoet. De voornaamste gronden zijn het verlies van het werknemerschap, het eindigen van de werkloosheid, het verstrijken van de uitkeringsduur, het ontstaan van een nieuw uitkeringsrecht en de aanwezigheid van een uitsluitingsgrond.

verlies werknemerschap

Als de uitkeringsgerechtigde de hoedanigheid van werknemer verliest (hij gaat bijv. werk als zelfstandige doen), dan eindigt het werkloosheidsrecht. Het gaat daarbij om het aantal uren dat er niet-verzekeringsplichtige arbeid wordt verricht. Als de werkloze werknemer voor bij-

82 CRvB 14 juni 1994, RSV 1994, 234, m.n. J.J.A. Kooijman.

voorbeeld 36 uur werkloosheidsuitkering krijgt en hij gaat 18 uur als zelfstandige werken, dan blijft een uitkering over van 18 uur (art. 20, tweede lid, WW).

aanvaarden arbeid

De werkloosheid eindigt bijvoorbeeld, als de werknemer een andere baan vindt voor evenveel uren, als hij werkloosheidsuitkering ontving, maar ook als er na aanvaarding van een baan een arbeidsurenverlies van minder dan vijf uur resteert (art. 20, derde lid, WW). Er is dan volledige eindiging van het recht sprake. Het recht kan echter ook gedeeltelijk eindigen, namelijk als hij een baan aanvaardt en desondanks nog een arbeidsurenverlies van vijf uur of meer overhoudt en de werkaanvaarding zelf ten minste vijf uur omvat (art. 20, lid 4, WW).

verrekening inkomsten

Is de werkaanvaarding minder dan vijf uur, dan heeft dat geen invloed op de uitkering, maar vindt wel verrekening van de inkomsten plaats, in die zin, dat van de werkloosheidsuitkering 70% van de arbeidsinkomsten wordt afgetrokken. Bij gedeeltelijke werkhervatting met als gevolg een gedeeltelijke eindiging van het werkloosheidsrecht, wordt de vermindering van het arbeidsurenverlies gesteld op het aantal uren dat is hervat (art. 20, vijfde lid, WW).
Bij gedeeltelijke beschikbaarstelling moet nog sprake zijn van een beschikbaar zijn voor vijf uur of meer, wil de uitkering gedeeltelijk blijven bestaan. De uitkering betreft het aantal uren, dat de werknemer nog beschikbaar is.

maximumduur

Als de maximumduur van de uitkering verstreken is, eindigt het recht uiteraard ook. Daarbij zij aangetekend, dat bij een gedeeltelijk eindigen van het recht tijdens de looptijd, er geen sprake is van een eindiging van een gedeeltelijk recht, maar van een gedeeltelijke eindiging van het recht. De looptijd van het recht loopt door en kan de maximumduur bereiken, ook al behoeft slechts voor een gedeelte van het recht feitelijk worden uitbetaald. Het is dus niet zo, dat het gedeelte van het recht, dat bij werkhervatting eindigt, ook qua looptijd is gestopt, zodat als een recht herleeft (zie hierna) de resterende uitkeringsduur nog beschikbaar is (art. 43 WW).

Bij uitsluitingsgronden eindigt het recht op uitkering, zolang de uitsluitingsgrond bestaat. Dat recht kan herleven, zij het dat in een aantal gevallen de uitsluitingsgrond niet langer dan zes maanden mag duren (art. 21, derde lid, WW).

herleving recht

Onder herleving van een uitkeringsrecht wordt verstaan, dat een geëindigd recht op uitkering opnieuw van kracht kan worden voor het restant van de uitkeringsduur. Het meest sprekende voorbeeld is dat men bij werkloosheid een tijdelijke baan accepteert. De werkloosheidsuitkering eindigt dan. Als de baan wegvalt, kan men weer op de werkloosheidsuitkering terugvallen. Het voordeel van de baan is geweest, dat de maximumlooptijd van de uitkering tijdelijk is onderbroken en dus de einddatum van de uitkeringsduur later zal liggen dan wanneer de tijdelijke baan er niet was geweest. Hierboven is al gezegd, dat dat niet opgaat bij een werkaanvaarding waardoor het werkloosheidsrecht gedeeltelijk eindigt. Als dan het tijdelijke baantje eindigt, heeft men wel weer recht op de volle uitkering, maar de uitkeringsduur blijft zoals die was. Men krijgt dus niet als bonus een latere datum voor dat gedeelte van het recht, dat tijdelijk niet tot uitbetaling kwam.

nieuw recht op uitkering

Een recht herleeft niet, als door werkaanvaarding een nieuw recht is ontstaan (art. 20 WW). Men voldoet dan dus weer aan de referte-eisen. De uitkering begint dan fris met een nieuwe uitkeringsduur. Werkhervatting heeft in dat geval niet tot gevolg, dat de einddatum van de oorspronkelijke uitkering naar de toekomst wordt verschoven, maar dat een volledig nieuwe uitkeringsduur is verdiend. Dat geldt ook als het oude recht gedeeltelijk is geëindigd. Door met een deeltijdbaan zich te kwalificeren voor een nieuw recht, krijgt men een zelfstandig recht met de daarbij behorende uitkeringsduur dat losgekoppeld is van het oude recht en de resterende uitkeringsduur daarvan.

bonuspunten

Dit systeem, waarvan niet ontkend kan worden, dat het weinig transparant is, dus moeilijk aan werknemers valt uit te leggen, is niet zo bevorderlijk om werkloze werknemers aan te zetten tot werkhervatting op tijdelijke basis. Meer aansprekelijk zou zijn geweest een systeem van bonuspunten voor elk uur werkhervatting, langzaam oplopend naar een nieuw uitkeringsrecht. Dan zou beter begrepen worden, dat werken, in hoe klein baantje ook, de fatale einddatum van de werkloosheidsuitkering naar de toekomst verschuift. Het zou met gedeeltelijke werkhervatting ook eerlijker werken.

grenzen herleving

Aan herleving zijn grenzen gesteld (art. 21. tweede lid, WW). Die grenzen gelden alleen als het gaat om een volledig geëindigd recht, dat gedeeltelijk herleeft en waarbij sprake zou zijn van een kleine uitkering (vaak naast een normaal nieuw ontstaan recht). Dat is gedaan om uitvoeringstechnische redenen. Daarmee wordt voorkomen, dat er een onbeduidend recht moet worden geadministreerd en gehonoreerd.
Behalve op de hierboven genoemde gronden eindigt de werkloosheidsuitkering ook met ingang van de eerste van de maand, waarin de werkloze 65 jaar wordt (uiteraard als de maximumduur dan nog niet verstreken zou zijn) en eveneens wanneer de werknemer eerder overlijdt. De Werkloosheidswet kent, evenals de andere werknemersverzekeringen, een overlijdensuitkering.

8.4.4 *Het geldend maken van het recht op uitkering*

Als de uitvoeringsinstelling na de uitkeringsaanvraag van de werkloze heeft vastgesteld, dat aan de ontstaansvoorwaarden van het recht op uitkering is voldaan en er geen uitsluitingsgronden bestaan, is daarmee niet gezegd, dat de werkloze zijn recht kan geldend maken.

verplichtingen

Allereerst moet de werkloze tijdig een aanvraag doen: behoudens bijzondere gevallen, kan na een aanvraag geen werkloosheidsuitkering worden toegekend over werkloosheid die al 26 weken voor de aanvraag bestond (art. 23 WW). Ook geldt voor de werknemer een flinke hoeveelheid verplichtingen (art. 24 tot en met 26), zowel ter voorkoming of vermijding van werkloosheid, de vaststelling en verifiëring ervan, alsook ter opheffing ervan. Het niet voldoen eraan leidt tot maatregelen (vermindering van de uitkering) of boeten (bij schending van de infoverplichting).[83] Die moeten worden opgelegd, als de werkloze zijn verplichtingen schendt. De verplichtingen van de werknemer omvatten onder meer te voorkomen dat hij verwijtbaar werkloos wordt, onnodig werkloos is of blijft (art. 24), de plicht alle relevante informatie, ook spontaan, te geven (art. 25), zich tijdig te melden bij het Lisv, zich te onderwerpen aan controle, zich in te schrijven bij de Arbeidsvoorziening, mee te werken aan noodzakelijke scholing of opleiding en mee te werken naar een arbeidsgeschiktheidsonderzoek (art. 26).

sancties

Verwijtbare werkloosheid en het niet behouden van passende arbeid zijn volgens de wetgever zo ernstige misdragingen, dat daar als sanctie bijhoort, dat de uitkering geheel en blijvend wordt geweigerd ongeacht de normaliter geldende uitkeringsduur, die zich tot vijf jaar kan uitstrekken en afhankelijk is van het abeidsverleden (art. 27, eerste lid, WW), met als enige mildere vorm, mits de werknemer geen overwegend verwijt kan worden gemaakt, dat de uitkering op de helft wordt gezet gedurende een half jaar. Als de werknemer nalaat passende vervangende arbeid te aanvaarden wordt de uitkering blijvend geweigerd over het aantal uren, dat de werknemer had kunnen werken (dus het werkloosheidsrecht zou zijn geëindigd). Als het om de andere verplichtingen gaat, bestaat de mogelijkheid tot gedifferentieerde sanctietoepassing: tijdelijke of blijvende weigering van de gehele of een gedeelte van de uitkering (art. 27, tweede tot en met vijfde lid). Bij schending van de infoverplichting kan een boete volgen of een maatregel, maar niet beiden tegelijk (art. 27, zesde lid).

In dit kader is de verwijtbare werkloosheid een onderwerp, dat nadere

83 Vgl. C.G. Boot, Sancties in de sociale zekerheid (WW), gevolgen voor de rechtspraktijk, Deventer 1996 en van dezelfde schrijver De wet boeten een jaar later, SMA 1997, nr. 9, p. 459 e.v. Zie ook P.J. van Ogtrop, Verzwaring WW-sancties in het licht van het evenredigheidsbeginsel, Sociaal Recht 1995, nr. 6, p. 183 e.v.

aandacht verdient, met name omdat de dreiging van het ontzeggen van een uitkering het arbeidsrechtelijk gedrag van een werknemer beïnvloedt.

Verwijtbare werkloosheid

arbeidsrechtelijk gedrag

De werknemer is verwijtbaar werkloos[84] geworden, indien hij zich zo verwijtbaar heeft gedragen, dat hij redelijkerwijs heeft moeten begrijpen, dat dit gedrag de beëindiging van zijn dienstbetrekking tot gevolg zou kunnen hebben. Het moet gaan om tegenover de werkgever verwijtbaar gedrag, dus om arbeidsrechtelijk verwijtbaar gedrag.[85] Het moet om zodanig ernstig gedrag gaan, dat redelijkerwijs te voorzien was, dat het zou worden gevolgd door ontslag.[86] Dat kan zijn een ontslag op staande voet wegens een dringende reden, maar ook het vragen van een vergunning aan de RDA, gevolgd door opzegging, het verzoeken van ontbinding aan de kantonrechter of het beëindigen met wederzijds goedvinden, waarbij de werknemer 'de eer aan zich zelf mag houden'. Met andere woorden, de wijze van beëindiging is niet zozeer van belang, als wel de ontslaggrond, die tot beëindiging heeft geleid.

berusten in ontslag

Van verwijtbare werkloosheid is eveneens sprake, als de dienstbetrekking is geëindigd of is beëindigd zonder dat aan de voortzetting voor de werknemer zodanige bezwaren zijn verbonden, dat deze redelijkerwijs niet van hem zou kunnen worden gevergd. Hiermee wordt bedoeld, dat de werknemer niet zonder goede gronden mag meewerken aan een beëindiging met wederzijds goedvinden of zelf ontslag mag nemen.[87] Er wordt ook mee bedoeld, dat de werknemer gebruik moet maken van zijn juridische mogelijkheden om een ontslag tegen te houden, dus een beroep doet op een opzegverbod, of op het ontbreken van een vergunning van de RDA of de ontslaggrond betwist, als die inderdaad betwistbaar is bij de vergunningsprocedure van de RDA of de ontbindingsprocedure bij de kantonrechter. Ten slotte is er ook van verwijtbare werkloosheid sprake, als de werknemer voortijdig een arbeidsovereenkomst voor bepaalde tijd beëindigt of meewerkt aan beëindiging ervan, dan wel deelneemt aan een vrijwillige vertrekregeling uit een sociaal plan.[88]

weigering uitkering

De werknemer kan dus door actief of passief gedrag verwijtbaar werkloos worden. De maatregel, waartegen hij dan aanloopt, is weigering van een werkloosheidsuitkering of halvering van de uitkering het eerste

84 Zie J.J.A. Kooijman, SMA 1995, nr. 9, p. 493 e.v. en dezelfde schrijver Zwaardere sancties in de werkloosheidswet, Rechtshulp 1996, nr. 11, p. 2 e.v. Zie over de praktijk R.G.P. Doeschot, Straffen met beleid, Ctsv-onderzoeksrapport, Zoetermeer 1999, p. 103 e.v.

85 CRvB 21 augustus 1991, RSV 1992, 90.

86 CRvB 14 augustus 1990, RSV 1990, 357 en CRvB 24 december 1991, RSV 1992, 149.

87 CRvB 26 februari 1991, RSV 1991, 189.

88 Kamerstukken wetsvoorstel 23909, nr. 8, p. 26. Zie ook E. Bouman, De Wet Boeten, onzekerheid troef, Rechtshulp 1997, nr. 1, p. 32 e.v.

half jaar. Die sanctiemogelijkheid zal de werknemer er vaak toe brengen, dat hij zich altijd verzet tegen beëindiging van de dienstbetrekking, al was het maar om zijn uitkering niet in gevaar te brengen. Dat brengt mee, dat veelal verweer wordt gevoerd in vergunningsprocedures en bij ontbindingsprocedures, terwijl dat verweer nauwelijks inhoudelijk is en puur vanuit werkloosheidsoverwegingen wordt gevoerd. Dat belast de RDA en de kantonrechter onnodig. Dat staat bekend als de zgn. pro forma problematiek.

pro forma problematiek

Die problematiek is objectief gezien grotendeels onnodig.[89] Als naar de ontslaggrond zelf gekeken wordt, valt vaak al een conclusie over de verwijtbaarheid van de werkloosheid te trekken. Zij is verwijtbaar of juist niet. Verweer doet daaraan niets toe of af. In zo'n geval heeft verweer ook geen zin. Is de ontslaggrond er een, die niet tot de conclusie van verwijtbaarheid kan leiden (bijvoorbeeld een ontslag wegens reorganisatie), dan kan de werknemer zelfs instemmen met ontslag met wederzijds goedvinden zonder dat de werkloosheid daardoor verwijtbaar wordt. Omdat vanuit de ontslagvergoeding de fictieve opzegtermijn van art. 16, derde lid, WW wordt gefinancierd, mag hem zelfs geen verwijt worden gemaakt, dat hij niet gestaan heeft op het vragen van een ontslagvergunning, omdat die de werkloosheid had uitgesteld. Er past eerst een verwijt, als een ontslag met vergunning niet mogelijk zou zijn en de werknemer niet op het aanvragen van een vergunning staat.[90] Wel kan dan de werknemer een benadelingshandeling worden verweten (zie hierna).

invloed van verweer

Als de ontslaggrond wel zodanig is, dat de werkloosheid als verwijtbaar moet worden gezien, is het kwaad geschied en helpt verweer niet meer om alsnog een werkloosheidsuitkering veilig te stellen. Dat verweer kan immers het gedrag, dat de ontslaggrond heeft opgeleverd niet achteraf goed praten.
Verweer tegen ontslag heeft pas zin als er een redelijke kans is, dat dit verweer leidt tot behoud van de arbeidsovereenkomst.
Als die redelijke kans bestaat, moet de werknemer 'voluit' gaan om de arbeidsovereenkomst te behouden. Maar dat verweer mag weer niet

89 Desalniettemin vond het Lisv het noodzakelijk een besluit te treffen, waarin een aantal zaken wordt duidelijk gemaakt. Het betreft het Besluit verweer tegen ontslag van 19 november 1997, Stcrt. 1997, 229. Zie hierover F.W.G. Ambagtsheer, Besluit verweer tegen ontslag (Lisv 19 november 1997): een keerpunt, ArbeidsRecht 1998, nr. 2, p. 20 e.v. en F.M. Noordam, Proformaproblematiekreductie, Sociaal Recht 1998, nr. 2, p. 39. Zie ook E. Verhulp, Besluit verweer tegen ontslag: de beëindigingsovereenkomst als de nieuwe sluiproute na Flexibiliteit en Zekerheid, ArbeidsRecht 1998, nr. 5, p. 25 e.v.

90 Als de werknemer in strijd met het anciënniteits- of afspiegelingsbeginsel voor ontslag in aanmerking komt, moet de werknemer zich daartegen verzetten, omdat in dat geval geen vergunning tot opzegging door de RDA zal worden verleend.

worden geëist, als redelijkerwijs van de werknemer niet kan worden gevergd de arbeidsovereenkomst voort te zetten.

redelijke kans

In theorie is de redelijke kans op succes van verweer tegen de ontslaggrond af te zetten tegen het bestaan van een betwistbare of onbetwistbare ontslaggrond, maar in de praktijk zal de werknemer zelf zijn houding moeten bepalen en moeten inschatten of de werkgever tegen een afwijzing van een vergunningsaanvraag of ontbindingsverzoek gaat aanlopen, als hij niet zelf meewerkt aan de beëindiging van de arbeidsovereenkomst.
Tegenover de uvi kan hij zich niet beroepen op het advies van zijn advocaat of andere rechtshulpverlener. Was dat wel zo, dan zou niet de uvi maar die hulpverlener over het werkloosheidsrecht beslissen. De werknemer zal dus, tenzij de zaak overduidelijk is, dus het zekere voor het onzekere nemen en zich vrijwel altijd willen verweren en zijn rechtshulpverlener zal hem dat ook aanraden. Daardoor is de pro forma problematiek een vrijwel onuitroeibaar kwaad.

garantie WW

Art. 24, derde lid, WW doet een poging om de pro forma problematiek voor een deel uit de wereld te helpen. Als voor opzegging van de arbeidsovereenkomst een vergunning door de RDA is verleend, uitsluitend gemotiveerd door bedrijfseconomische omstandigheden, dan is de werkloosheid niet verwijtbaar. De uvi kan dus niet de maatregel van algehele weigering of halvering van de uitkering gedurende het eerste halve jaar van uitkering toepassen.
Als de werkgever een vergunning om bedrijfseconomische redenen vraagt, mag de werknemer, als hij de grond erkent, daarvan op de vergunningsaanvraag melding maken, waarna een verkorte behandelingsprocedure geldt, waarbij hij niet verder wordt gehoord. Dat levert geen risico op door de werking van het derde lid van art. 24 WW. Wel moet de ontslagvergunning uitsluitend op de bedrijfseconomische redenen zijn gebaseerd. Als er ook bijvoorbeeld een anciënniteitsvraag speelt, zal de werknemer op dat punt natuurlijk wel zich moeten verweren.

ontbinding

Opvallend is, dat het derde lid van art. 24 louter op de RDA-procedure ziet en dus geen veilige WW-route bij ontbindingen verschaft. Dat is welbewust gedaan om de procedure van opzegging gunstiger te positioneren. Een merkwaardig gevolg van het derde lid is, dat de facto de RDA in plaats van de uvi over het uitkeringsrecht bij werkloosheid beslist, omdat de uvi de verwijtbaarheidstoets niet meer mag aanleggen.

neutralisering ontslaggrond

Art. 24, derde lid, WW biedt geen oplossing voor het werkelijke probleem van de ontslaggrond in relatie tot verwijtbare werkloosheid. Bij de beëindiging van de arbeidsovereenkomst wordt vaak een zodanige ontslaggrond gekozen, dat deze neutraal wordt voor de Werkloosheidswet, dus geen argumenten bevat om een uitkering te weigeren. Vanuit

het arbeidsrecht is er geen bezwaar tegen om een ontslaggrond te neutraliseren, integendeel het biedt voordelen. De werknemer wordt niet nagetrapt en kan bij sollicitaties een aanvaardbaar verhaal vertellen. Vanuit een oogpunt van de Werkloosheidswet gaat het echter om een heel andere vraag: zijn de werkelijke feiten en omstandigheden bij het ontslag zodanig dat aan een werknemer een werkloosheidsuitkering moet worden ontzegd? Niet de arbeidsrechtelijke opstelling, maar de werkelijke redenen voor de beëindiging van de arbeidsovereenkomst zijn voor het antwoord beslissend. Ter zake rusten op de werknemer (art. 25 WW) en de werkgever (art. 89 OSV) niet mis te verstane informatieverplichtingen. De werkgever en werknemer volstaan vaak met het overleggen van het ontslagdossier van de procedure bij de RDA of de kantonrechter in geval van ontbinding. Omdat de uvi bij een redelijk sluitend verhaal geen eigen onderzoek naar de feiten en omstandigheden verricht, schept zij een sluiproute naar de WW.
Art. 24, derde lid, WW loopt om deze kwestie heen. Zij biedt zelfs aan werkgever en werknemer de mogelijkheid een bedrijfseconomisch gemotiveerd ontslag te construeren. De uvi zou in alle gevallen en zeker hier tot een eigen oordeelsvorming moeten komen en niet gebonden moeten zijn aan een beslissing van een derde. Door actief onderzoek van de uvi's zouden constructies moeten worden ontmoedigd, waarbij de rechtspraktijk op dit moment onvoldoende beseft, dat over een strafrechtelijk pad wordt geglibberd.

Andere verplichtingen van de werknemer

Een werknemer, die dreigt werkloos te worden, moet zich inspannen werkloosheid te voorkomen en eenmaal werkloos geworden, ervoor zorgen dat de werkloosheid niet onnodig lang voortduurt.

sollicitatieplicht

Hij moet in voldoende mate trachten passende arbeid te verkrijgen, aangeboden passend werk aanvaarden en geen eisen stellen, die het verkrijgen van passende arbeid belemmeren (art. 24 WW). Onder passend werk wordt verstaan alle arbeid, die voor de krachten en bekwaamheden van de werknemer is berekend, tenzij aanvaarding om redenen van lichamelijke, geestelijke of sociale aard niet van hem kan worden gevergd. Deze wettelijke omschrijving biedt weinig houvast.[91] Dat wordt meer geboden door de Richtlijn passende arbeid van 13 mei 1992 van het ministerie van Sociale Zaken en Werkgelegenheid en nadien door het Besluit passende arbeid schoolverlaters en academici.[92] Wat het laatste besluit betreft, voor een schoolverlater is iedere soort arbeid passend, voor academici zowel werk op academisch als hbo-niveau. Voor de passendheid van werk in het algemeen zijn bepalend de aard van de arbeid in relatie tot eerder verrichte arbeid of opgedane werkervaring, het op-

passende arbeid

91 J.L.M. Schell, Passende arbeid en stelselherziening, SMA 1987, p. 163 e.v.
92 Besluit van 1 december 1995, Stb. 1995, 604.

leidingsniveau, de reistijd, het geboden loon en het werkloosheidsrisico van de aangeboden arbeid.
Van de verplichtingen met betrekking tot passende arbeid wordt de verplichting tot werkaanvaarding, indien aangeboden, van zodanig belang gevonden, dat weigeren van passend werk in beginsel met volledige weigering van de uitkering wordt gesanctioneerd. Ten aanzien van de andere verplichtingen zijn ook lichtere maatregelen mogelijk.

benadelingshandeling

Een werknemer mag zich niet zodanig gedragen, dat hij door zijn doen en laten het Algemeen Werkloosheidsfonds of het wachtgeldfonds benadeelt of zou kunnen benadelen. Deze verplichting geldt niet alleen tijdens werkloosheid, maar ook al daarvoor. Een voorbeeld daarvan is, dat de werknemer instemt met beëindiging van de arbeidsovereenkomst (overigens met een deugdelijke niet verwijtbare grond) zonder de moeite te nemen te onderhandelen over de beëindigingsdatum of een toe te kennen vergoeding. In dat geval wordt hij eerder werkloos dan noodzakelijk of kan de regeling van art. 16, derde lid, WW niet werken. Daardoor benadeelt hij de werkloosheidsfondsen. Dat gebeurt ook als hij bij ontbinding geen vergoeding vraagt ter grootte van het bedrag van de normaliter geldende opzegtermijn of de kantonrechter niet probeert te bewegen de datum van ontbinding zodanig naar de toekomst te verschuiven, dat er feitelijk sprake is van een opzegtermijn. De werknemer krijgt dan als maatregel opgelegd, geen uitkering over de periode, die bij het geëiste gedrag een betaling van de werkgever had opgeleverd. Veel gedragingen, die tot benadeling leiden, leveren ook verwijtbare werkloosheid op. Als dat zo is, moet de strenge sanctie van verwijtbare werkloosheid worden toegepast en mag niet met een lichtere maatregel, gebaseerd op een benadelingshandeling worden volstaan. Het bereik van de benadelingshandeling is dus door recente wetgeving kleiner geworden. Er is min of meer sprake van een restcategorie van verwijtbaar gedrag, dat nog niet als zodanig wettelijk is gequalificeerd. Mogelijk kan het schikken tijdens een loonvorderingsprocedure een benadelingshandeling opleveren.[93]

verdere verplichtingen

In art. 26 WW wordt ten slotte een aantal verplichtingen opgesomd, zoals het uiterlijk de eerste dag, waarop zou zijn gewerkt, als de werknemer niet werkloos geworden was aangifte van de werkloosheid te doen bij het Lisv, het binnen een week indienen van een aanvraag om uitkering, het opvolgen van door het Lisv gegeven voorschriften, het zich laten inschrijven bij de Arbeidsvoorziening als werkzoekende, het meewerken aan noodzakelijke scholing of opleiding, het zich houden aan de vakantievoorschriften van het Lisv enz.

93 Zie W.J.P.M. Fase, Op de tast van loon naar uitkering, SMA 1996, nr. 5, p. 336 e.v.

Zowel art. 24, laatste lid, als art. 26 laatste lid, geven het Lisv de bevoegdheid bepaalde groepen werknemers van met name genoemde verplichtingen vrij te stellen. Dat is ook gebeurd.[94] De voornaamste groep betreft werknemers, die ontslagen zijn op de leeftijd van 57 1/2 jaar of ouder. Zij behoeven zich niet in te schrijven bij de Arbeidsvoorzieningsorganisatie, noch actief te solliciteren. Hun kansen op het vinden van werk worden daarvoor te gering geacht. Personen, die een met het oog op verbetering van hun arbeidsmarktpositie door het Lisv noodzakelijk geachte opleiding of scholing volgen worden voor de duur ervan vrijgesteld van onder meer de verplichting actief passend werk te zoeken. Wel moeten zij uiteraard op een aanbod van passend werk blijven ingaan. Bij werktijdverkorting en vorstwerkloosheid gelden ook bepaalde vrijstellingen, die bij de bespreking van deze vormen van werkloosheid aan de orde komen.

vrijstelling

Art. 27 van de WW bevat de set van maatregelen, die moet worden gehanteerd, bij overtreding van de verplichtingen.[95] Naarmate de ernst van het feit groter is, is de sanctie zwaarder.

maatregelen

Indien een werkloosheidsuitkering eindigt, vervalt natuurlijk ook de maatregel. Met de herleving van de uitkering wordt ook de maatregel weer van kracht. Pas als de werkloze weer zolang aan het arbeidsproces heeft deel genomen dat een nieuw recht op uitkering is ontstaan, is hij definitief van de maatregel af. Ieder recht wordt op zijn eigen merites bekeken. Eerder verwijtbaar gedrag werkt dus niet door als opnieuw een beroep op de WW moet worden gedaan, mits aan de referte-eis is voldaan.

8.4.5 *De betaling van de werkloosheidsuitkering*

Ingevolge art. 30 WW moet de werkloosheidsuitkering worden betaald uiterlijk binnen een maand nadat het recht op uitkering is vastgesteld. De uitbetaling kan worden opgeschort, als er duidelijke aanwijzingen zijn, dan een gegrond vermoeden bestaat, dat het recht niet bestaat of niet meer bestaat, dan wel lager zal moeten zijn dan verondersteld, al dan niet omdat een maatregel moet worden toegepast. Op grond van art. 31 moet voorschotverstrekking plaatsvinden, indien louter onzekerheid bestaat omtrent de hoogte van de uitkering, het uit te betalen bedrag of de hoogte van een eventuele maatregel wegens schending van een van de verplichtingen van art. 24 tot en met 26 WW. Daarnaast kan op verzoek van de werkloze een voorschot worden gegeven, indien onzekerheid bestaat over het recht op uitkering. Maar het

voorschot

94 Dat is geregeld door de rechtsvoorganger van het Lisv, het Tijdelijk Instituut voor coördinatie en afstemming (Tica) in het Besluit van 21 augustus 1996, Stcrt. 1996, 166.

95 Zie het Maatregelenbesluit van het Tica van 6 juni 1996, Stcrt. 1996, 141, laatstelijk gewijzigd bij Besluit van het Lisv van 18 november 1999, Stcrt. 229.

Lisv moet uit eigen beweging of op verzoek van de werknemer een redelijk voorschot betalen, als er onzekerheid bestaat over de vraag of de werknemer tegenover de werkgever recht heeft op loon, omdat niet vaststaat of de arbeidsovereenkomst rechtsgeldig is beëindigd. Ook moet een voorschot worden betaald, als vaststaat dat er recht op loon bestaat, maar de werkgever het loon niet voldoet.

Besluit Lisv

Het Lisv heeft zijn beleid neergelegd in het Besluit voorschotverstrekking WW.[96] Dat komt erop neer, dat altijd spontaan een voorschot wordt gegeven om te voorkomen dat de werknemer tijdelijk een beroep zou moeten doen op bijstand. De hoogte van het voorschot wordt bepaald op het bedrag, dat de uitkering vermoedelijk zal worden, waarbij rekening wordt gehouden met een eventuele boete of maatregel.
Via de voorschotverstrekking komt de werknemer niet in de problemen. Uiteraard wordt na de toekenning van een werkloosheidsuitkering het voorschot verrekend.

ziekte en voorschot

Geen voorschot wordt echter betaald, als de werknemer geen loon ontvangt, omdat hij een geschil heeft met zijn werkgever over de vraag of hij al dan niet ziek is. Deze bepaling is uitdrukkelijk in art.31 WW opgenomen om te voorkomen, dat een werknemer, wiens werkgever de loonbetaling wegens een betwiste ziekte heeft gestopt, zich via de voorschotverlening op een werkloosheidsuitkering van een inkomen kan verzekeren.[97]

aftrek

Op de werkloosheidsuitkering komt een aantal inkomsten in mindering, zoals ouderdomspensioen, indien de inkomsten betrekking hebben op dezelfde periode als de werkloosheidsuitkering.[98] Niet in mindering op de uitkering komt de ontslagvergoeding die de werknemer van de werkgever rechtstreeks of via de ontbindingsbeschikking van de kantonrechter ontvangt (zie echter ook art. 16, derde lid, WW) of de aanvulling, die de werkgever op de werkloosheidsuitkering geeft (art. 34 WW).
Als de werknemer weer voor een deel gaat werken, dan leidt dat tot evenredige vermindering van de uitkering aan de hand van het oorspronkelijke en overgebleven arbeidsurenverlies, tenzij het om werkhervatting gaat voor minder dan vijf uur. Dan wordt 70% van de inkomsten op de werkloosheidsuitkering in mindering gebracht (art. 35 WW).

De duur van de uitkering

Indien de werknemer aan de 26 uit 39 wekeneis en de vier uit vijfeis voldoet, heeft hij recht op een loongerelateerde werkloosheidsuitkering. De duur wordt bepaald aan de hand van het arbeidsverleden.

96 Besluit van 1 april 1998, Stcrt 1998, 70, in werking getreden 1 juli 1998.

97 Vgl. J.J.A. Kooijman, In geval van twijfel, Over de Wulbz en voorschot op ziekengeld of werkloosheidsuitkering, SMA 1997, nr. 6, p. 330 e.v.

98 Ingevolge de ministeriële regeling van 12 december 1991, Stcrt 1991, 244 zijn met pensioen gelijkgesteld VUT-regelingen en regelingen terzake van overbruggingspensioen.

arbeidsverleden

Dat bestaat uit een werkelijk deel (de laatste vijf kalenderjaren) en een fictief deel (het aantal kalenderjaren vanaf het kalenderjaar waarin de werknemer 18 jaar is geworden tot aan het kalenderjaar, dat het arbeidsverleden werkelijk wordt geteld). De wetgever had om twee redenen voor een combinatie van werkelijk arbeidsverleden en leeftijd gekozen. Allereerst zijn de arbeidsverledens voor 1989 niet geregistreerd, omdat toen nog geen verzekerdenadministratie bestond, zodat een werkelijk arbeidsverleden in het verre verleden moeilijk aan te tonen is. In de tweede plaats bracht onbekendheid met de werkelijke arbeidsverledens mee, dat niet goed in te schatten was hoe duur de WW zou worden, als de duur van de uitkering aan het werkelijk arbeidsverleden werd gekoppeld, terwijl de leeftijdsopbouw van de beroepsbevolking wel bekend is.
De introductie van een fictief arbeidsverleden brengt wel als neveneffect mee, dat herintreders na vier jaar werken geen nadeel meer ondervinden van een gat in hun band met de arbeidsmarkt.

duur loongerelateerde uitkering

De minimumduur van de loongerelateerde uitkering is zes maanden bij vier jaar arbeidsverleden. Zij wordt negen maanden bij vijf jaar arbeidsverleden. Bij tien jaar arbeidsverleden wordt de uitkeringsduur een jaar, bij vijftien jaar anderhalf jaar, bij twintig jaar twee jaar, bij vijfentwintig jaar tweeëneenhalf jaar, bij dertig jaar drie jaar, bij vijfendertig jaar vier jaar en bij veertig jaar of meer jaren arbeidsverleden vijf jaar (art. 42, eerste lid, WW).
Indien een werknemer met een arbeidsongeschiktheidsuitkering werkloos wordt, heeft hij altijd recht op een werkloosheidsuitkering van ten minste een half jaar, ook al is zijn arbeidsverleden korter dan vier jaar (art. 42, tweede lid, WW).

hoogte uitkering

De hoogte van de uitkering bedraagt 70% van het dagloon. Dat dagloon wordt berekend over de zesentwintig weken, direct voorafgaand aan het arbeidsurenverlies (art. 45 WW). Bij gedeeltelijke werkloosheid wordt het aantal uren arbeidsurenverlies gedeeld door het oorspronkelijke aantal arbeidsuren. Dit quotiënt maal 70% van het dagloon bepaalt dan de hoogte van de uitkering (art. 47 WW).

De vervolguitkering

Een werknemer, die een loongerelateerde uitkering heeft gehad en de maximumduur daarvan heeft bereikt, heeft recht op een vervolguitkering van twee jaar. Als hij echter 571/2 jaar of ouder is op de eerste dag van werkloosheid, is de duur van de vervolguitkering drieëneenhalf jaar (art. 49 WW).

hoogte en duur

De hoogte van de vervolguitkering is niet langer loongerelateerd, maar 70% van het minimumloon (of een evenredig deel ervan bij gedeeltelijk arbeidsurenverlies). Als het dagloon van de werknemer lager was dan het minimumloon (hij werkte bijvoorbeeld in deeltijd), dan wordt ech-

ter de vervolguitkering gebaseerd op diens dagloon in plaats van het minimumloon (art. 52 WW).
De vervolguitkering dient ertoe het moment uit te stellen, waarop de werknemer een beroep op de bijstand moet doen. Hoewel de vervolguitkering op het sociale minimum is gebaseerd, heeft het tot voordeel, dat er geen toets plaats vindt, zoals bij de bijstand, op het vermogen van de werknemer en het inkomen en vermogen van de eventuele partner.

De kortlopende uitkering

sociale minimum

Een werkloze werknemer, die wel aan de 26 uit 39 wekeneis voldoet, maar niet aan de vier uit vijfeis, heeft geen recht op een loongerelateerde uitkering, noch op de vervolguitkering. Om ook deze werkloze voorlopig uit de bijstand te houden, kan hij aanspraak maken op de zgn. kortlopende uitkering, waarbij als enige referte-eis de 26 uit 39 wekeneis geldt (art. 52a e.v. WW). Als de kortlopende uitkering niet bestond, zou een werknemer vier jaar gewerkt moeten hebben om voor uitkering in aanmerking te komen.
De kortlopende uitkering kent een hoogte van 70% van het minimumloon en duurt maximaal zes maanden, te rekenen vanaf de eerste dag dat er recht op uitkering ontstaat. Is het dagloon lager dan het minimumloon, dan is de uitkering 70% van het dagloon.

samenloop

Als sprake is van herleving van een loongerelateerde uitkering en er tevens een recht op een kortlopende uitkering is ontstaan, dan gaat de loongerelateerde uitkering voor. Op de ingewikkelde samenloopproblematiek en voorrangsregels wordt in dit kader niet ingegaan, behalve dan dat als hoofdregel geldt, dat het gunstigste recht voorgaat.

8.4.6 *De overnameregeling bij betalingsonmacht*

Art. 61 e.v. van de WW bevat een regeling, dat de Werkloosheidswet garant staat voor een aantal verplichtingen van de werkgever, die voortvloeien uit de arbeidsovereenkomst. Deze regeling behoort eigenlijk niet in de WW thuis, maar is daarin opgenomen, omdat er enerzijds sprake is van een voorstation naar de werkloosheidsuitkering, anderzijds zij toch wel raakvlakken heeft met de WW, als het gaat om de verplichtingen, die aan de werknemer worden opgelegd. Maar feit blijft, dat er meer wordt overgenomen dan alleen de inkomensderving, zoals bijvoorbeeld ook betaling van pensioenpremie.[99]

overname werkgeversverplichtingen

De regeling is van toepassing als de werkgever in staat van faillissement is verklaard, hem surséance van betaling is verleend of hij anderszins verkeert in een blijvende toestand dat hij heeft opgehouden te betalen.

99 Zie J.M. Fleuren-van Walsem, WW-problemen van ex-werknemers van failliete bedrijven, SMA 1993, nr. 1, p. 7 e.v.; W.J.P.M. Fase, De afstemming van het ontslag- en werkloosheidsrecht in het wetsvoorstel Flexibiliteit en zekerheid, SMA 1997, nr. 9, p. 449 e.v. en A.T.J.M. Jacobs e.a., Werknemersrechten in faillissement, een rechtsvergelijkende beschouwing, Tilburg 1999.

De werknemer kan dan aanspraak maken op achterstallig loon, niet opgenomen vakantiedagen en op vakantiebijslag. Daarnaast kunnen bijvoorbeeld ook achterstallige pensioenpremies, die de werkgever had moeten afstorten worden geclaimd.
Aanspraak op de regeling kunnen maken de werknemers, die op het moment van faillissement e.d. bij de werkgever in dienst zijn en die ten gevolge van die toestand niet krijgen uitbetaald. Ook werknemers, wier arbeidsovereenkomst voor het faillissement e.d. geëindigd is kunnen aanspraak maken op de regeling, mits er een duidelijke samenhang is tussen de omstandigheden, die tot het ontslag en die tot het faillissement e.d. hebben geleid.

verplichtingen van werknemer

Om voor de regeling in aanmerking te komen, is de werknemer verplicht, indien geen tijdige betaling heeft plaatsgevonden, daarvan binnen een week na de normale dag van betaling aangifte te doen aan het Lisv. Laat de werknemer dat na dan is het Lisv verplicht een maatregel te nemen, namelijk een tijdelijke of blijvende, een gedeeltelijke of gehele weigering van de overname-uitkering.
Ook moet een maatregel volgen, als de werknemer ten tijde van het aangaan van de dienstbetrekking of bij verandering van arbeidsvoorwaarden redelijkerwijs duidelijk moet zijn geweest dat door het op handen zijnde faillissement geen betaling van loon e.d zou plaats vinden. Hiermee wordt beoogd om misbruik van de regeling te voorkomen. Die ligt namelijk op de loer, omdat de toegang tot de overnameregeling een lage drempel kent. Om voor uitkering in aanmerking te komen geldt slechts de eis van een arbeidsovereenkomst op het moment van betalingsonmacht. De referte-eisen gelden niet. Daarnaast biedt de overnameregeling een veel riantere dekking dan de Werkloosheidswet zelf.

dag van opzegging

Om het recht op uitkering te vast te stellen moet allereerst de dag van opzegging van de arbeidsovereenkomst worden bepaald. Meestal zal die samenvallen met de dag waarop daadwerkelijk de arbeidsovereenkomst is opgezegd. Maar om te voorkomen dat de curator of bewindvoerder teveel loonkosten kan afwentelen op de sociale verzekering (terwijl de werknemers wel blijven produceren) kan het Lisv zelf een fictieve opzegdag bepalen: de dag waarop redelijkerwijs had moeten worden opgezegd.

loon

De werknemer heeft recht op niet betaald loon over ten hoogste dertien weken direct voor de opzegdag gelegen, alsmede het loon over de faillissementsopzegtermijn van art. 40 Faillissementswet. De werknemer moet tijdens de opzegtermijn óf arbeidsuren verloren hebben óf voor de werkgever blijven werken. Arbeidsurenverlies is dus geen vereiste. Ook zieke werknemers hebben recht op deze uitkeringen, omdat voor hen uitdrukkelijk de beschikbaarheidseis niet wordt gesteld.
De werknemer kan daarnaast aanspraak maken op het vakantiegeld over

ten hoogste een jaar, terug te rekenen vanaf de dag dat de opzegtermijn eindigt, alsmede uitbetaling van de vakantiedagen in geld over dezelfde periode.

vakantiedagen

Krachtens rechtspraak vindt geen uitbetaling plaats van vakantiedagen, die in het laatste jaar zijn verworven, maar van de vakantiedagen, die in dat jaar niet zijn opgenomen gezien het recht op vakantiedagen in dat jaar. Als dus de werknemer in dat jaar vakantiedagen heeft opgenomen, die hij in het jaar daarvoor had verworven, dan vermindert dat zijn vordering met evenveel dagen en hij zit met een strop. De achtergrond van de rechtsopvatting van de Centrale Raad van Beroep, die niet strookt met die van de Hoge Raad[100], is dat de overnameregeling van de WW restrictief moet worden uitgelegd. Een werknemer, die geen vakantiedagen opneemt in het jaar, dat de aanspraak is verworven, schept zelf het risico van een niet-uitbetaling in de toekomst en moet dat dus zelf dragen.

afwijking WW

In de overnameregeling wordt nogal afgeweken van het normale regime van de Werkloosheidswet. Genoemd is al dat geen arbeidsurenverlies tijdens de opzegtermijn behoeft te bestaan en de beschikbaarheidseis voor zieke werknemers niet geldt. Daar komt bij, dat ook een werknemer, ouder dan 65 jaar een beroep op de overnameregeling kan doen, de referte-eisen ten aanzien van gewerkte weken en kalenderjaren waarin loon is betaald niet gelden en de werknemer het volle rechtens verschuldigde loon (zonder maximumbegrenzing) vanuit de WW vergoed krijgt.

lacune

De regeling is ook een onvolkomen regeling. Indien er geen sprake is van faillissement, geldt voor de werknemer niet de faillissements-, maar de normale opzegtermijn. Over die termijn is de werkgever loon verschuldigd, maar dat wordt niet betaald. Door het recht op loonbetaling treedt geen werkloosheid in, terwijl de werknemer wel zonder werk en inkomen zit. Dit is de zgn lacuneproblematiek.

De werknemer kan op grond van art. 31, derde lid, onder b, van de WW een voorschot vragen. Dit moet worden toegekend,want het staat vast, dat de werkgever niet betaalt.

voorschotregeling

Omdat het voorschot echter geen voorschot is op een werkloosheidsuitkering, maar op een (nooit komende) betaling door de werkgever, kan het niet met de later intredende werkloosheidsuitkering worden verrekend. Ook gaat de duur van de voorschotverlening niet van de uitkeringsduur van de werkloosheidsuitkering af.[101] Eigenlijk is zo voor

100 CRvB 26 januari 1988, RSV 1988, 214. Hoewel HR 10 juni 1988, NJ 1988, 214 een ander standpunt innnam, handhaafde de CRvB zijn opvatting in de uitspraak van 5 juli 1994, RSV 1995, 32.

101 Vgl. CRvB 10 september 1991, RSV 1992, 125 en CRvB 25 april 1996, RSV 1996, 220.

werknemers, die met de lacuneproblematiek worden geconfronteerd een buitenwettelijk werkloosheidsrecht geschapen.
Tot slot kan worden opgemerkt, dat werknemers bij betalingsonmacht van de werkgever (behoudens bij faillissement, waarbij een korte opzegtermijn geldt) dus recht op werkloosheidsuitkering krijgen op een moment waarop zij anders geen uitkering zouden hebben gehad. Zij ondervinden geen nadeel van die betalingsonmacht. De werknemers, die ziek zijn, krijgen na ommekomst van de opzegtermijn recht op ziekengeld krachtens de Ziektewet. Strikt genomen is de regeling van overname van betalingsverplichtingen alleen van toepassing bij opzegging van arbeidsovereenkomsten. Zij geldt niet bij ontbinding of beëindiging van rechtswege. Niettemin plegen de uvi's ook bij deze wijzen van beëindiging de regeling toe te passen, waarbij zij de rechter aan hun zijde vinden. Ondanks dat wetswijziging herhaaldelijk is aangekondigd, is dat tot op heden niet gebeurd.[102]

8.4.7 *De vorstverletregeling*

In een aantal bedrijfstakken valt de productie stil als de weersomstandigheden te slecht worden. Denk aan de bouw, het schildersbedrijf, de dakpanfabricage of de landbouw. Dit risico komt redelijkerwijs niet voor de gehele periode voor rekening van de werkgever. Op een gegeven moment is geen sprake meer van een normaal bedrijfsrisico en vervalt de loonbetalingsplicht van de werkgever. Zo acht de Centrale Raad van Beroep 22 dagen vorst ofwel 176 uur uitvriezen nog een normaal werkgeversrisico, maar daarna niet meer.[103] Ook kan bij cao de loonbetalingsplicht van de werkgever zijn uitgesloten of op een andere manier zijn afgegrensd. De werknemers komen daardoor zonder arbeidsinkomen te zitten. Hiervoor biedt de WW in art. 18 een voorziening.

geen normaal risico

De werknemer, die werkloos is, uitsluitend als gevolg van vorst, sneeuwval, hoog water of andere buitengewone natuurlijke omstandigheden (bijv. meer dan 22 dagen vorst) heeft recht op een werkloosheidsuitkering voor de duur van die buitengewone natuurlijke omstandigheden. Het moet dus gaan om klimaatoorzaken of de gevolgen ervan. Een regenbui is onvoldoende. Er moet sprake zijn van buitengewone natuurlijke omstandigheden.

Voor het recht op uitkering gelden de referte-eisen niet. Evenmin komt de periode van deze typische werkloosheidsuitkering niet in mindering op een nadien intredende werkloosheidsuitkering. In zoverre heeft deze regeling gelijkenis met de overnameregeling. Bijzonder hier is echter,

102 Zie voor ontbinding CRvB 17 oktober 1992, RSV 1993, 100, voor einde van rechtswege CRvB 2 februari 1993, RSV 1992, 142. De gedane uitkering is buitenwettelijk en komt dus niet in mindering op de werkloosheidsuitkering, zie CRvB 13 juli 1995, RSV 1996, 3.
103 CRvB 20 januari 1981, RSV 1981, 126 en CRvB 16 november 1982, RSV 1983, 144.

afwijking vijfureneis

dat afgeweken kan worden van de eis van het verlies van ten minste vijf arbeidsuren in een bepaalde kalenderweek. Hiervan kan bijvoorbeeld sprake zijn als de werknemers op een bepaalde middag door sneeuw of invallende vorst de arbeid moeten staken. Onder door het Lisv te stellen voorwaarden kan dan toch uitkering worden verleend.[104]
Deze afwijking is op verzoek van de bouw en verwante bedrijfstakken geïntroduceerd. Die kennen een eigen (cao-)vorstverletregeling, maar daarop kunnen uitsluitend werknemers een beroep doen, die al geruime tijd in de bedrijfstak werken. De bedrijfstakken hebben dus buiten de WW om een regeling getroffen en ontlasten daarmee de WW. Alleen de nieuwkomers, die zich nog niet gekwalificeerd hebben voor de bedrijfstaksregeling moeten een beroep doen op de WW en lopen de kans op een inadequate inkomensvoorziening. Het terzijde stellen van de eis van het verlies van vijf arbeidsuren is dus als een bonus te zien voor een bedrijfstak, die voor het gros van de werknemers een inkomensvoorziening schept buiten de WW om.

Indien een werknemer een uitkering ontvangt krachtens art. 18 WW dan behoeft hij niet te solliciteren, noch een andere baan te aanvaarden. Dat is geregeld in het Besluit vrijstelling van de verplichtingen van 1 februari 1996, Stcrt. 1996, 166. Dat betekent voor werkgevers in de bouw e.d., dat zij in de winterperiode niet een te grote kans lopen om hun beste werknemers kwijt te raken.

alternatieven

Voor de leeglooperiode in de winter kan binnen een bedrijfstak ook een oplossing worden gezocht door de gewerkte uren en de betaalde beloning uit te smeren over een jaar. Zo wordt tegen een vaste maandbeloning, afhankelijk van het seizoen, een wisselend aantal uren gewerkt. Ook kunnen zogenaamde adv-dagen of vakantiedagen naar het slappe seizoen worden verplaatst. Op die manier kan worden voorkomen, dat mensen een beroep moeten doen op de WW, omdat de werkgever staande dienstbetrekking geen loonbetalingsplicht meer heeft, of omdat de werkgever tot ontslag is overgegaan om een einde aan die loonbetalingsplicht te maken. In deze is de regeling van de loonbetalingsplicht in de cao cruciaal. Met name in het schildersbedrijf wordt via experimentele regelingen getracht een bevredigende regeling buiten de WW om te realiseren.

8.4.8 *Werktijdverkorting*

Art. 8 van het BBA bevat een verbod voor de werkgever om de arbeidstijd van de werknemer eenzijdig te verkorten, ge-

104 Zie Besluit 5-ureneis onwerkbaar weer Bouwnijverheid van 8 februari 1994, Scrt. 1994, 147. Dit besluit is nog getroffen door de toenmalige bedrijfsvereniging voor de bouw, maar geldt thans als een door het Lisv genomen besluit.

paard gaande met evenredige loonvermindering.[105] Aan de Minister van Sociale Zaken en Werkgelegenheid is de bevoegdheid gegeven om ontheffing van dit verbod te verlenen. Deze bevoegdheid is gemandateerd aan de Arbeidsinspectie.

ontheffing

Een ontheffing wordt slechts voor bepaalde tijd afgegeven. Zij kan worden verkregen als de bedrijvigheid in de onderneming tot een abnormaal niveau is gedaald (ten minste 20% verminderd); er van een normaal bedrijfsrisico geen sprake meer is en (niettemin) de vermindering van de bedrijvigheid van tijdelijke aard is (hooguit vier perioden van elk zes weken). Contra-indicaties voor het verlenen van een ontheffing zijn, dat de werkgever de gevolgen van de verminderde bedrijvigheid niet in redelijke mate voor eigen rekening heeft genomen (bij stillegging van de onderneming twee weken niet het loon doorbetaalt, bij 50% vermindering van de bedrijvigheid niet vier weken loon betaalt en anders niet zes weken doorbetaalt), dat het personeelsbestand te groot is (dus er moet worden gesaneerd) of de arbeidskosten onvoldoende zijn gematigd (dus van de werknemers geen bijdrage is gevraagd in de loonsfeer).

Bij werktijdverkorting verliezen de werknemers naast hun arbeid voor een gedeelte of geheel hun recht op loondoorbetaling. Het kan gaan om een nuluren-vergunning of om stillegging van het bedrijf gedurende een paar dagen per week.

werkloosheidsuitkering

De werknemers worden dus werkloos in de zin van de WW. Bij het toekennen van een recht op uitkering wordt meestal, maar niet altijd (dat hangt af van de vraag of de loonbetalingsplicht door de ontheffing werkelijk vervallen is) een werkloosheidsuitkering toegekend. Beoordeling van de loonbetalingsplicht gebeurt meestal marginaal. Alsdan fungeert de werkloosheidsregeling als een tijdelijke opvang van inkomensdiscontinuïteit ten gevolge van conjuncturele economische omstandigheden.[106]

Bij werktijdverkorting zijn de werknemers, die een werkloosheidsuitkering hebben niet verplicht om te solliciteren of anderszins naar een andere baan om te zien of een baan te aanvaarden. De bedoeling is immers het bedrijf bijeen te houden en voor uiteenvallen te behoeden. De vergunning tot werktijdverkorting dient er ook toe om te voorkomen, dat de werkgever een deel van het personeel (tijdelijk) zou moeten ontslaan. Als er echter sprake is van een nuluren-regeling dan geldt de vrijstelling van een aantal verplichtingen van de WW slechts gedurende de periode van de eerste afgegeven vergunning.

105 Over dit onderwerp zie men J. van Drongelen, Werktijdverkorting, Deventer 1993.
106 Zie W.A. Zondag, Short-time als werkgelegenheidsinstrument?, SMA 1997, nr. 5, p. 275 e.v.

8.5 De Toeslagenwet

aanvullingskarakter

De loondervingsverzekeringen ZW, WAO en WW kennen een individueel uitkeringsrecht van 70% van het dagloon. Of deze uitkering toereikend is voor de uitkeringsgerechtigde of voor diens leefvorm is niet relevant. De werknemersverzekeringen houden geen rekening met de behoeften van de leefvorm van de uitkeringsgerechtigde. Op die manier wordt de loondervingsfunctie van de werknemersverzekeringen zuiver gehouden. Als echter met de behoeften van de werknemer geen rekening wordt gehouden, loopt de werknemer bij ontoereikendheid van de uitkering het risico, dat hij een beroep moet doen op de Algemene bijstandswet. Dat wordt bij loondervingsuitkeringen als onwenselijk ervaren.
Werknemers met een loondervingsuitkering kunnen een beroep doen op de Toeslagenwet (Tw), die in 1987 bij de stelselherziening in werking trad.
De Toeslagenwet wordt uit de algemene middelen betaald. Zij wordt uitgevoerd door de uvi, die de loondervingsuitkering betaalt.
De uitkering van de Toeslagenwet zorgt ervoor, dat de loondervingsuitkering samen met de toeslag het niveau van het relevante sociale minimum voor de leefvorm van de betrokken uitkeringsgerechtigde haalt. Daarvan is echter alleen sprake, als met arbeid betrokkene voorheen het relevante sociale minimum verdiende. Met het oog daarop is, afhankelijk van de leefvorm, de toeslag gemaximeerd.
Met andere woorden, de Toeslagenwet compenseert het uitkeringspercentage van 70%, voorzover betrokkene als gevolg daarvan door zijn relevante sociale minimumvloer zakt.

alleen bij loonderving uitkering

De Toeslagenwet is een volgwet. Het recht op toeslag is afhankelijk van het bestaan van het recht op een loondervingsuitkering, bij de WW de loongerelateerde uitkering, de vervolguitkering of de kortlopende uitkering, bij de ZW de uitbetaling van ziekengeld en bij de WAO de loondervingsuitkering en de vervolguitkering. Indien de basisuitkering niet wordt betaald of slechts gedeeltelijk wordt betaald (bijvoorbeeld door het treffen van een maatregel), dan wordt dit gemis niet door een verhoogde toeslag gecompenseerd (art. 5 Tw).
Als de werkgever tijdens ziekte krachtens art. 7:629 BW loon moet doorbetalen, moet hij ten minste het minimumloon betalen en bij deeltijders het minimumloon naar rato. Door deze bepaling is het onnodig geworden, dat een zieke werknemer met recht op loon een beroep op de Toeslagenwet zou moeten doen.

8.5.1 *De doelgroep*

Gehuwden, alleenstaande ouders met kinderen en alleenstaanden zonder kinderen kunnen recht op toeslag hebben (art. 2 Tw).
Onder gehuwden worden mede verstaan degenen met een geregistreerd partnerschap. Als gehuwd wordt mede aangemerkt de ongehuwde meerderjarige, die met een andere ongehuwde meerderjarige een gezamenlijke huishouding voert, tenzij het gaat om bloedverwanten in de eerste graad. Als ongehuwde wordt mede aangemerkt degene, die duurzaam gescheiden leeft van de persoon, met wie hij gehuwd is.

gezamenlijke huishouding

Van een gezamenlijke huishouding is sprake, indien twee personen hun hoofdverblijf in dezelfde woning hebben en zij er blijk van geven zorg te dragen voor elkaar door middel van een bijdrage in de kosten van de huishouding dan wel anderszins.
Een gezamenlijke huishouding is in ieder geval aanwezig, als de betrokken personen hun hoofdverblijf in dezelfde woning hebben en zij met elkaar gehuwd zijn geweest of eerder voor de toepassing van de Tw daarmee zijn gelijkgesteld, of als uit hun relatie een kind is geboren of erkenning van een kind heeft plaats gevonden, of als zij een samenlevingscontract hebben, dan wel als zij op grond van een registratie[107] als een gezamenlijke huishouding worden aangemerkt (bijvoorbeeld indeling in tariefgroep 3 van de loon- en inkomstenbelasting).

geboren na 1971

Een gehuwde (of daarmee gelijkgestelde) met een partner, die geboren is na 31 december 1971, heeft geen recht op toeslag, tenzij tot hun huishouden een kind behoort, dat jonger is dan twaalf jaar (art. 3 Tw). Door deze bepaling neemt de betekenis van de Tw langzaam, maar zeker af, vanuit de filosofie, dat elk individu in zijn of haar onderhoud moet voorzien en dat een keus om dat niet te doen, tenzij het om de opvoeding van jonge kinderen gaat, niet op de gemeenschap mag worden afgewenteld.[108]

8.5.2 *De hoogte van de toeslag*

inkomenstoets

Om te bepalen, of iemand in aanmerking komt voor een toeslag, moet allereerst het inkomen worden bepaald. Het gaat daarbij om de loondervingsuitkering en wat er nog meer aan inkomen binnenkomt. Voor een gehuwde of een daarmee gelijkgestelde is het inkomen van hem en zijn partner relevant, bij een ongehuwde alleen het eigen inkomen.
Er wordt alleen gekeken naar inkomen uit of in verband met arbeid. Het

107 Geregeld in het Besluit van 24 december 1997 tot het vaststellen van nadere regels inzake registraties die worden aangeduid als gezamenlijke huishouding (Besluit aanwijzing registraties gezamenlijke huishouding 1998), Stb. 1997, 790.
108 Zie L. Andringa, Economische zelfstandigheid: tegen haar wil, Nemesis 1990, nr. 1, p. 4 e.v.

Inkomensbesluit Toeslagenwet[109] bevat daartoe nadere regels. Daaruit valt bijvoorbeeld af te leiden, dat een periodieke aanvulling op een uitkering wél als inkomen wordt aangemerkt, maar een uitkering ineens niet. Dat betekent, dat als de (ex)werkgever een aanvulling geeft op de uitkering, hij in feite de toeslag overneemt zonder de (ex)werknemer er beter van wordt. In dat geval geniet dus het toekennen van een uitkering ineens de voorkeur.

vrijstelling inkomensaftrek

De eerste twee jaar waarin men aanspraak maakt op een toeslag geldt een bescheiden vrijstelling voor inkomen uit arbeid (art. 7 Tw). Vrijgelaten wordt 5% van het minimumloon en 30% van het meerdere, met een maximumvrijlating van 15% van het minimumloon. Voor werklozen, die dat geworden zijn op of na de leeftijd van 57½ jaar geldt geen beperking in tijd van de vrijstelling. Inkomen in verband met arbeid wordt niet vrijgesteld. De vrijstelling is louter bedoeld om deelneming aan het arbeidsproces niet te zwaar te ontmoedigen.

hoogte toeslag

Voor gehuwden en daarmee gelijkgestelden bedraagt de toeslag het verschil tussen het minimumloon en het inkomen met een maximum van 30% van het minimumloon. Uit de maximering blijkt, dat de het arbeidsinkomen, waaruit de loondervingsuitkering is voortgevloeid ten minste het minimumloon moet hebben opgeleverd. Dat is bij een voltijdse baan uiteraard altijd het geval geweest. Daarom is deze bepaling vooral relevant voor degenen, die in deeltijd in hun inkomen voorzagen. Voor de alleenstaande ouder met een kind onder de 18 jaar is de toeslag het verschil tussen 90% van het minimumloon en het inkomen met een maximum van 27% van het minimumloon. Van deze groep wordt dus verwacht dat zij ten minste 90% van het minimumloon met arbeid hebben verdiend, zodat zij een loondervingsuitkering halen van 63% van het minimumloon.
Voor alleenstaanden zonder kinderen is volgens dezelfde filosofie de toeslag het verschil tussen 70% van het minimumloon en het inkomen met een maximum van 21% van het minimumloon.[110]
De gedifferentieerde maximering van de toeslag heeft tot gevolg, dat soms een additioneel beroep op de Algemene bijstandswet moet worden gedaan.

Geen recht op toeslag heeft een gerechtigde tot een loondervingsuitkering, die als ongehuwde nog bij zijn ouders woont (art. 2, vierde lid,

109 Besluit van 24 december 1986, Stb. 1986, 659, laatstelijk gewijzigd bij Besluit van 17 augustus 1998, Stb. 1998, 523.

110 Het minimumloon is per 1 januari 2000 f 110,63 per dag. Dat betekent, dat gehuwden en gelijkgestelden maximaal een toeslag van f 33,19 kunnen krijgen, alleenstaande ouders f 29,87 en alleenstaanden f 23,23. De Toeslagenwet vergt ongeveer 700 miljoen per jaar van de rijksbegroting.

Tw). De achtergrond daarvan is dat zijn loondervingsuitkering toch al ver ligt boven het niveau, dat de Algemene Bijstandswet zou betalen, als hij een beroep op die wet zou moeten doen.[111]

8.5.3 *Verdere bijzonderheden*

Recht op toeslag bestaat, zolang de loondervingsuitkering duurt. Met het bereiken van de maximumduur vervalt ook de toeslag. De toeslag vervalt ook als bij wijze van maatregel de loondervingsuitkering geheel wordt geweigerd. Bij gedeeltelijke weigering compenseert een verhoging van de toeslag natuurlijk niet de lagere loondervingsuitkering. De hoogte van de toeslag wordt berekend, alsof er geen gedeeltelijke weigering heeft plaats gevonden (art. 5 Tw).
Het recht op toeslag wordt minder of vervalt als het inkomen uit of in verband met arbeid stijgt, resp. boven het minimumloon uitkomt. Ten slotte vervalt het recht op toeslag voor de alleenstaande ouder, als het inwonende kind 18 jaar wordt.

informatieplicht

De toeslaggerechtigde moet aan de uvi alle informatie verstrekken, die van belang is voor de bepaling van het recht op toeslag (art. 12 Tw). Deze verplichting rust ook op de eventuele partner. Ook moeten hij en zijn partner zich houden aan de controlevoorschriften (art. 13 Tw). Het niet naleven van de informatieplicht leidt tot een administratieve boete (art. 14a Tw), het niet naleven van de controlevoorschriften tot een maatregel, namelijk het blijvend of tijdelijk, het geheel of gedeeltelijk weigeren van de toeslag (art. 14 Tw).

aanvrage

De toeslag moet schriftelijk bij de uvi worden aangevraagd. Wegens het in de praktijk gebleken ondergebruik wordt de potentiële gerechtigde normaliter daarop door de uvi geattendeerd. Ambtshalve toekenning van de toeslag kan echter niet plaats vinden. Omdat de beslissing over de toekenning van de toeslag tijdrovend inkomensonderzoek vergt, voorziet de wet in de mogelijkheid van een voorschot (art. 17 Tw).

8.6 De IOAW

buiten de bijstand

De Wet IOAW is bedoeld om bepaalde groepen oudere of gedeeltelijk arbeidsongeschikte werkloze werknemers een beroep op de Algemene bijstandswet te besparen door een inkomensvoorziening te bieden met een eigen uitkeringsregime als voorlaatste vangnet bij werkloosheid. Toch lijkt deze werkloosheidsregeling op de bijstandswet. Zij wordt ook door de gemeenten uitgevoerd, kent soortgelijke bepalingen en wordt ook uit de algemene middelen betaald, waarbij het rijk 90% van de kosten voor zijn rekening neemt.

111 Dat zou neerkomen op het bedrag van kinderbijslag.

verschil met bijstand

Zij verschilt in zoverre van de Algemene bijstandswet, dat de IOAW geen vermogenstoets kent (het befaamde probleem van het opeten van het eigen huis). Wel kent zij een middelentoets, die beperkter is dan die van de Algemene bijstandswet.
De IOAW is tegelijk ingevoerd met de Werkloosheidswet in 1987.

8.6.1 *Doelgroep*

Aanspraak op een IOAW-uitkering kan een viertal groepen van werknemers maken. In het algemeen geldt, dat de leeftijd van 65 jaar nog niet is bereikt, want dan wordt door het bestaan van de AOW deze inkomensvoorziening overbodig.

oudere werklozen

De eerst groep vormen de werknemers, die na het bereiken van de leeftijd van 50 jaar, maar voor zij 57 1/2 jaar oud waren, werkloos zijn geworden, een loongerelateerde werkloosheidsuitkering hebben gehad, alsmede aan het eind zijn gekomen van de vervolguitkering en dus geen aanspraak meer op werkloosheidsuitkering krachtens de WW kunnen maken.
De tweede groep vormen de werknemers, die na het bereiken van de leeftijd van 57 1/2 jaar werkloos zijn geworden en slechts recht hadden op een kortlopende werkloosheidsuitkering. Voor degenen, die op hun 57 1/2 jaar een loongerelateerde uitkering van de WW gaan ontvangen is de uitkeringsduur van de loongerelateerde en de vervolguitkering lang genoeg om de 65 jaar te halen, zodat zij geen aanspraak behoeven te maken op de IOAW.

arbeidsongeschikten

De derde groep vormen de werknemers, die voor hun vijftigste jaar werkloos zijn geworden, een loongerelateerde werkloosheidsuitkering, alsmede een vervolguitkering hebben gehad en recht hebben op een arbeidsongeschiktheidsuitkering, berekend naar een mate van arbeidsongeschiktheid van minder dan 80%. Dit is de categorie van gedeeltelijk arbeidsongeschikten, die geen recht meer hebben op een werkloosheidsuitkering krachtens de WW.
De laatste groep vormen de jonggehandicapten, die minder dan 80% arbeidsongeschikt zijn en dus een gedeeltelijke Wajong-uitkering hebben.

8.6.2 *Voorwaarden voor het recht op uitkering*

Er bestaat alleen recht op uitkering indien het inkomen per maand van de werkloze werknemer en diens eventuele partner minder bedraagt dan de grondslag (het relevante sociale minimum). De IOAW vult het bestaande inkomen tot aan de grondslag aan of vormt de enige bron van inkomen. Wat onder het bestaande inkomen moet worden verstaan is geregeld in een Inkomensbesluit.[112]

aanvulling tot sociaal minimum

112 Zie het Besluit van 24 december 1986, Stb. 1986, 658.

De grondslag verschilt al naar gelang de leefvorm.

hoogte uitkering

Zo heeft een werkloze met een echtgenoot of daarmee gelijk gestelde partner een grondslag van 100% van het minimumloon en een alleenstaande werkloze werknemer zonder kinderen een grondslag van 70% van het mininumloon. Aangesloten wordt bij de groepsindeling van de Algemene Bijstandswet.
Als een uitkering wordt verstrekt aan een werkloze met een partner, dan komt de uitkering aan elk van hen voor de helft toe.

Er mag geen uitsluitingsgrond van toepassing zijn. Er bestaat geen recht op de inkomensvoorziening, als de werkloze in het buitenland woont of anders dan tijdelijk daar verblijf houdt, als vreemdeling niet rechtmatig in Nederland verblijft, dan wel rechtens van zijn vrijheid is beroofd. Als alleen de echtgenoot in het buitenland verblijft, onrechtmatig niet verblijft of in de gevangenis verblijft, dan ontvangt de werkloze een uitkering als was hij alleenstaande.

einde uitkering

Het recht op de inkomensvoorziening eindigt op de eerste van de maand, waarin de werkloze werknemer 65 jaar wordt, hij of zijn partner of zij te zamen met arbeid een inkomen verdienen boven de relevante grondslag, de werkloze werknemer overlijdt, aan de werkloze werknemer een volledige arbeidsongeschiktheidsuitkering wordt toegekend of de arbeidsongeschiktheidsuitkering geheel wordt ingetrokken, dan wel een uitsluitingsgrond van toepassing wordt. Een geëindigd recht op uitkering kan herleven, zodra de omstandigheid, die tot beëindiging leidde, niet meer bestaat.

verplichtingen

Ook de IOAW legt op de werkloze werknemers verplichtingen gericht op herinschakeling in de arbeid en kent een aantal maatregelen, als niet voldaan wordt aan die verplichtingen, waarvan de zwaarste is de blijvende weigering van de uitkering bij verwijtbare werkloosheid of het niet aanvaarden van aangeboden arbeid. De verplichtingen tot herinschakeling in de arbeid gelden ook voor de eventuele partner, die immers rechthebbende is op de helft van de uitkering.

8.7 De Algemene bijstandswet

laatste vangnet

Indien geen beroep (meer) kan worden gedaan op een loondervingsverzekering en bij werkloosheid ook geen beroep op de IOAW mogelijk is, biedt de Algemene bijstandswet (Abw) een laatste vangnet voor de voorziening in het bestaan. Deze wet wordt door de gemeenten uitgevoerd en betaald uit de algemene middelen.
De Abw voorziet in de noodzakelijke middelen van het bestaan, voorzover het inkomen van het individu of diens leefvorm ontoereikend is.

Daartoe gelden verschillende sociale minima. Wel wordt op de bijstandsgerechtigde en diens eventuele partner in beginsel de verplichting gelegd om door arbeid in een inkomen te voorzien. Anders dan bij de loondervingsverzekeringen en de Toeslagenwet beperkt de bemoeienis van het uitvoeringsorgaan zich niet tot degene, die om uitkering vraagt. De IOAW kent die bemoeienis met de partner ook.
De legitimering daarvan is dat de partner rechthebbende is op de helft van de uitkering.

vermogenstoets

Het bijzondere van de Abw is, dat zij een vermogenstoets kent. Pas als iemand geen eigen middelen meer heeft, kan een beroep op bijstand worden gedaan. Wel wordt een bescheiden vermogen buiten beschouwing gelaten bij de toetsing of iemand in de kosten van het bestaan kan voorzien (art. 26 jo art. 51 e.v. Abw). Als het vermogen meer is, moet dat eerst voor het levensonderhoud worden aangewend, alvorens een beroep op bijstand kan worden gedaan.
Het vrijgestelde bescheiden vermogen bedraagt per 1 januari 2000 voor een alleenstaande *f* 10 000, voor een alleenstaande ouder en gehuwden of daarmee gelijkgestelden *f* 20 000. Voor de woning in eigendom geldt een hogere vrijstelling. Is de waarde van de woning hoger, dan is er geen verhuisplicht, maar moet aan de gemeente een krediethypotheek worden gegeven en wordt de bijstand voorlopig als leenbijstand verstrekt in plaats van om niet. Hierdoor ontstaat een terugbetalingsverplichting, als de bijstandsgerechtigde in betere doen komt.

8.8 Slotopmerkingen

volksverzekeringen

Naast de werknemersverzekeringen gelden voor werknemers ook de volksverzekeringen. Deze worden betaald via premieheffing over de eerste schijf van de loon- en inkomstenbelasting, althans voorzover het betreft de Algemene Ouderdomswet (AOW), de Algemene nabestaandenwet (Anw) en de Algemene Wet Bijzondere Ziektenkosten (AWBZ). De Algemene Kinderbijslagwet (AKW) wordt uit de algemene middelen betaald. De Ziekenfondswet (Zfw) kent voor werknemers slechts een verplichte verzekering, voorzover het jaarinkomen lager ligt dan de maximumgrens voor verplichte verzekering.[113]
De premie voor het ziekenfonds wordt geïnd (en afgedragen) door de uvi, de uitvoering berust bij de ziekenfondsen.
Het gaat het bestek van dit boek te buiten op deze wetten in te gaan. Met een paar algemene opmerkingen wordt volstaan.

113 De ziekenfondsgrens ligt sedert 1 januari 2000 op een looninkomen van 64.600 gulden per jaar. Voor ziekenfondsverzekerden ouder dan 65 jaar en zelfstandigen is de grens 41.200 gulden

De AOW biedt een basisvoorziening voor eenieder, die de leeftijd van 65 heeft bereikt, dus ook voor werknemers. Gehuwden en daarmee gelijkgestelden hebben recht op 50% van het minimumloon als AOW-uitkering, alleenstaanden hebben recht op 70%. Voor het gros van de werknemers bestaat ook nog een pensioenvoorziening via de werkgever, die een aanvulling op de AOW vormt. Meestal wordt gestreefd naar 70% van het eindloon, dat de werknemer verdiende. Bij de premieheffing voor de aanvullende pensioenvoorziening wordt rekening gehouden met het feit, dat de werknemer recht heeft op AOW (de zgn. franchise). Veelal is deelneming aan de pensioenregeling verplicht. Omdat de werknemer in de pensioensfeer vaak ook eigen voorzieningen treft, die fiscaal worden gefacilieerd, is ten aanzien van pensioenen vaak sprake van een drietrapsraket: de AOW, het aanvullend pensioen via de werkgever en de eigen voorzieningen.

AOW

De Anw biedt inkomensbescherming aan personen beneden de 65 jaar onder restrictieve voorwaarden bij overlijden van de partner. De achterblijvende partner moet arbeidsongeschikt zijn, jonge kinderen hebben of vóor 1950 geboren zijn om aanspraak te maken op uitkering. Hoofdregel is dus, dat de achterblijvende partner zelf in voldoende mate in de kosten van het bestaan voorziet en dat men zelf, als men dat wil, een verzekering treft voor het geval het inkomen van de partner in de leefvorm wegvalt.De hoogte van de uitkering is inkomensafhankelijk en reikt niet verder dan het sociale minimum.

Anw

De AKW biedt een tegemoetkoming in de kosten van het levensonderhoud van kinderen. De uitkering verschilt naar leeftijdsklasse en het in- of uitwonend zijn. De kinderbijslag beoogt niet kostendekkend te zijn, dus uit het eigen inkomen moet ook een bijdrage worden geleverd. De AKW brengt een bepaalde mate van herverdeling van inkomen te weeg tussen leefvormen met en zonder kinderen.

kinderbijslag

De sociale verzekering is in deze eeuw opgebouwd, begonnen met de werknemersverzekeringen, waar de volksverzekeringen na de tweede wereldoorlog zijn bijgevoegd: de AOW dateert van 1956, de voorganger van de Anw, de Algemene Weduwen- en Wezenwet van 1959, de Algemene Kinderbijslagwet van 1962, de Algemene Wet Bijzondere Ziektenkosten van 1967 en de inmiddels weer vervallen Algemene Arbeidsongeschiktheidswet van 1976.

heroriëntatie

De trots voor ons stelsel van sociale verzekeringen is in de laatste jaren veranderd in een kritische blik erop. Sociale verzekeringen ontnemen immers de burger de vrijheid van inkomensbesteding. Daar waren goede redenen voor als het individu door zijn inkomenspositie geen ruimte had om zich tegen eventualiteiten te verzekeren of de particuliere verzekeringsmarkt geen arrangementen bood om zich tegen aanvaardbare premie te verzekeren. In het huidig tijdsgewricht wordt de noodzaak van sociale verzekering opnieuw afgewogen, waarbij het zowel gaat om de vraag of er een verplichte verzekering moet bestaan en als dat zo is of die verzekering een sociale verzekering moet zijn.

In de discussie over de sociale verzekering wordt de noodzaak van sociale verzekering beantwoord aan de hand van de volgende vragen.

particulier verzekeren

Kan het individu zich in voldoende mate en tegen aanvaardbare premie op de particuliere verzekeringsmarkt verzekeren? Het antwoord op die vraag is bevestigend beantwoord ten aanzien van de nabestaandenverzekering. Was vroeger iedereen tegen het wegvallen van de partner (ongeacht of dit met het wegvallen van een inkomen gepaard ging) verzekerd, nu is slechts nog van beperkte verzekering sprake en moet men zich zelf verzekeren als men dat nodig acht (het Anw-hiaat). Hoewel de AKW thans nog een heilige koe is, zal vroeg of laat de discussie ontstaan of dit herverdelingsmechanisme van inkomens naar gezinnen met kinderen moet blijven bestaan voor alle inkomensklassen, dan wel moet vervangen worden door een systeem dat tot een bepaald inkomen toeslagen worden gegeven, te betalen uit premie-opbrengsten of de algemene middelen.

werkgeversrisico

Dan komt de tweede vraag. Als het individu een bepaald risico niet kan verzekeren, is het dan binnen de arbeidsverhouding op te vangen, zodat de werkgever er (gedeeltelijk)voor op draait? Ten aanzien van het ziekterisico heeft men deze vraag voluit bevestigend beantwoord. De werkgever betaalt het eerste jaar van ziekte het loon door. Het staat hem vrij het risico zelf te dragen dan wel te verzekeren bij een particuliere verzekeringsmaatschappij. De verzekeringswereld biedt daarvoor mogelijkheden.
Wel is het nodig geacht de werkgeversverplichtingen neer te leggen in dwingendrechtelijke privaatrechtelijke bepalingen, zodat de voorheen geldende Ziektewet is verprivaatrechtelijkt. Men had echter wel een achtervang nodig, als de arbeidsovereenkomst tijdens ziekte wordt beëindigd. Aan de vraag wat het gevolg is van verprivaatrechtelijking heeft men minder aandacht besteed. Aan iedere arbeidsovereenkomst komt voor de werkgever immers een kanskaart te hangen om in negatieve zin in de prijzen te vallen.
Deze vraag heeft men ten aanzien van het risico van langdurige arbeidsongeschiktheid in zoverre beantwoord, dat de keus aan de werkgever gelaten wordt om dit risico tijdelijk zelf te dragen dan wel collectief te dragen in een door de wetgever gecreëerd collectief systeem, waarbij een op zijn risico gebaseerde premie wordt geheven. Een tussenvorm, namelijk het met andere werkgevers gezamenlijk dragen van het arbeidsongeschiktheidsrisico tegen een uniforme premie kan alleen langs

privaatrechtelijke weg tot stand komen (via een cao of aanbieding van een verzekeringsmaatschappij).
Ten aanzien van het werkloosheidsrisico heeft men een toerekening aan individuele werkgevers nog niet geëntameerd. Weliswaar nemen werkgevers, veelal ad hoc, bij afvloeiingsregelingen het werkloosheidsrisico in de aanvullingssfeer voor hun rekening, maar het werkloosheidsrisico is op de particuliere verzekeringsmarkt niet verzekeren. Daarom krijgt de werkgever bij gerealiseerde werkloosheid niet de rekening.

bedrijfstakregelingen

De derde vraag is, of het risico binnen de bedrijfstak is op te vangen. Deze vraag is met ja beantwoord voor een gedeelte van het werkloosheidsrisico. Was enige jaren terug nog slechts de eerste acht weken voor rekening van de bedrijfstak via de wachtgeldpremie, die periode is eerst tot dertien weken uitgebreid en thans gesteld op zesentwintig weken. Als een bepaalde onderneming een sector vormt, dan draagt zij het risico van werkloosheid het eerste half jaar zelf. Voor de arbeidsongeschiktheidsverzekering heeft men niet gekozen voor een bedrijfstaksgewijze differentiatie van de premie, maar voor een mix tussen een landelijk uniforme en ondernemingsgewijs bepaalde premie.

landelijke sociale verzekering

Als de drie voorgaande vragen ontkennend zijn beantwoord, is een landelijke verzekering aangewezen. Dit is het geval bij de verzekering tegen arbeidsongeschiktheid, althans voor zover het arbeidsongeschiktheid betreft, die vijf jaar of langer heeft geduurd. De korter durende arbeidsongeschiktheid wordt grotendeels door de werkgever via een gedifferentieerde premie opgebracht.
De volksverzekeringen zullen uiteraard altijd landelijke verzekeringen zijn, omdat voor een aantal verzekerden een arbeidsverhouding ontbreekt. Daarom is daar uitsluitend de vraag of er wel of geen volksverzekering moet bestaan.

werk voor inkomen

De laatste jaren komt bij de werknemersverzekeringen steeds meer de nadruk te liggen op reïntegratie in plaats van compensatie van loonderving. Zowel de Wet inschakeling werkzoekenden (Wiw), als de Wet op de (re)integratie beogen de uitkeringsgerechtigde terug te geleiden naar het arbeidsproces en bieden daartoe faciliteiten. Voor reïntegratie moeten wel arbeidsplaatsen beschikbaar zijn. De kans om een gedeeltelijk arbeidsongeschikte bij de eigen werkgever te werk te stellen is aanzienlijk groter dan tewerkstelling bij een derde.
De werknemersverzekeringen zijn steeds meer bedoeld als tijdelijke opvang van inkomensschade, terwijl de inkomenscontinuïteit steeds meer in de arbeid moet worden gezocht. Een kwalitatief goed stelsel van werknemersverzekeringen kan overigens alleen bestaan als het relatief bescheiden is. Werknemersverzekeringen kunnen dan ook niet zonder een effectief arbeidsmarkt- en werkgelegenheidsbeleid.

9 Internationaal arbeidsrecht

Een van de ergste fouten, waaraan een docent of studieboek zich in het Nederlands rechtsgebied kan bezondigen is: de student in de waan brengen, dat de grote juridische realiteiten, rechtsfiguren zowel als rechtsopvattingen, in dit Deltagebied bij de Noordzee uitgevonden zijn.

A.T.J.M. Jacobs, SMA 1988, 3, p. 244

9.1 Inleiding

internationalisering

Het Nederlandse arbeidsrecht is ontstaan en ontwikkeld binnen het kader van onze nationale staat. Men moet zich echter voortdurend bewust zijn van de omstandigheid dat allerlei niet-Nederlandse regelingen de arbeidsverhoudingen kunnen beïnvloeden.[1] Er zijn verschillende oorzaken voor deze beïnvloeding.

internationaal privaatrecht

In de eerste plaats doet de vraag of Nederlands arbeidsrecht van toepassing is op een bepaalde verhouding, en de Nederlandse rechter bevoegd, zich steeds vaker voor. Het internationale verkeer van personen, neemt, ook onder invloed van de Europese Unie, toe. Dat betekent dat in toenemende mate (een van de) partijen bij de arbeidsovereenkomst niet van Nederlandse nationaliteit is.

internationale arbeidsovereenkomst

Ook komt het voor dat een van de partijen niet in Nederland woont of gevestigd is, dan wel dat de arbeid niet op Nederlands grondgebied wordt verricht. In dergelijke gevallen, wanneer sprake is van wat we hier een internationale arbeidsovereenkomst zullen noemen, doet de vraag zich voor of arbeidsrechtelijke vragen uitsluitend op basis van het Nederlandse recht beantwoord kunnen worden, dan wel of uit bronnen van andere rechtsstelsels moet worden geput. Dit zijn vragen die tot het rechtsgebied van het internationaal privaatrecht behoren.[2] De regels van internationaal privaatrecht verschillen van land tot land, zij zijn dus in beginsel nationaalrechtelijk. Enige internationale verdragen beïnvloeden echter in hoge mate de inhoud van het nationale internationaal privaatrecht van ons land. De internationale arbeidsovereenkomst wordt besproken in paragraaf 9.2.

1 Vgl. Thijmen Koopmans, Reflections on the future of labour law, bijdrage aan Scritti in onore di Giuseppe Federico Macini, Volume I, Diritto del lavore, 1998, p. 319-334. Ook gepubliceerd in Rechtsgeleerd Magazijn Themis, 1999, p. 75-81.

2 L. Strikwerda, Inleiding tot het Nederlandse Internationaal Privaatrecht, vijfde druk, Groningen, Wolters-Noordhoff, 1997, p. 20.

internationaal arbeidsrecht

organisaties

In de tweede plaats is de plaats waar het besluitvormingsproces waardoor arbeidsrechtelijke regels tot stand komen of worden uitgelegd steeds vaker niet in Nederland gelegen, maar in Brussel, Luxemburg of elders buiten de landsgrenzen. Het daaruit voortvloeiende recht is internationaal arbeidsrecht. Verschillende internationale organisaties brengen arbeidsrechtelijke regels tot stand. Eén van de belangrijkste organisaties op dit terrein is de Europese Gemeenschap. Daarnaast bevatten sommige algemene internationale verdragen regels die voor het arbeidsrecht of het sociaalzekerheidsrecht van belang zijn, bijvoorbeeld art. 26 Internationaal verdrag inzake burgerrechten en politieke rechten 1966. Het internationale arbeidsrecht wordt besproken in paragraaf 9.3.

rechtsvergelijking

Op deze plaats moet ten slotte nog een enkel woord gezegd worden over het rechtsvergelijkend arbeidsrecht. Het vergelijken van nationale stelsels van arbeidsrecht (en de daaraan ten grondslag liggende stelsels van arbeidsverhoudingen) kan geschieden met verschillende oogmerken.[3] Rechtsvergelijking speelt een rol bij het tot stand brengen van internationaal arbeidsrecht. Internationaal arbeidsrecht bestaat in belangrijke mate uit normen die beogen de arbeidsvoorwaarden en arbeidsomstandigheden in verschillende landen op een vergelijkbaar niveau te brengen. Een dergelijke harmonisatie veronderstelt kennis van de betrokken rechtssystemen in het algemeen en van de onderdelen daarvan die onder één noemer moeten worden gebracht in het bijzonder. Bij rechtsvergelijking kan bijvoorbeeld blijken dat de door een internationaal verdrag beoogde invoering van rechtsbeginselen of gelijktrekking van arbeidsrechtelijke normen steun vindt in de betrokken nationale stelsels, doch dat de juridisch-technische weg om tot deze doeleinden te komen per land verschillend is (wetgeving, rechtspraak of collectieve onderhandelingen). Zo kunnen bijvoorbeeld maximumwerktijden in het ene land in de eerste plaats berusten op wetgeving (Nederland; zie 2.2) en in het andere geregeld zijn in collectieve arbeidsovereenkomsten (Engeland); evenzo kunnen werknemersvakverenigingen bij een voorgenomen fusie worden betrokken krachtens een wettelijke bepaling (Duitsland), of krachtens een gedragscode (Nederland; zie 4.8.2). Een internationaal verdrag of besluit zal met deze feiten rekening moeten houden en moeten erkennen dat het gestelde doel op meer dan een manier kan worden verwezenlijkt. Gebeurt dat niet dan bestaat het gevaar dat het verdrag op juridisch-technische gronden niet door de desbetreffende staten zal kunnen worden onderschreven.
Voorts kan rechtsvergelijking leiden tot een nieuwe kijk op, een herwaardering van, het eigen arbeidsrecht. Iedere jurist is nu eenmaal in

3 O. Kahn-Freund, Comparative law as an academic subject, Oxford, 1965; R. Blanpain (editor), Comparative labour law and industrial relations in Industrialized Market Economies, The Hague–London–Boston 1998, p. 3-22; J.M. Polak, Wetgeving en rechtsvergelijking, NJB 1989, 23, p. 816; Rechtsvergelijking, Ars Aequi mei 1994.

zeer grote mate een gevangene binnen de muren van zijn nationaal stelsel; rechtsvergelijking kan deze blikverenging enigermate neutraliseren. Wetenschappelijke beoefening van rechtsvergelijking op arbeidsrechtelijk terrein vindt plaats in het verband van de in 1958 te Brussel opgerichte Internationale vereniging voor arbeidsrecht en sociale zekerheid (International Society for Labour Law and Social Security – ISLLSS), die arbeidsrechtsbeoefenaren uit de gehele wereld omvat. Deze vereniging pleegt om de drie à vier jaar een congres te wijden aan een aantal onderwerpen die van te voren door nationale preadviseurs worden geanalyseerd en waarover vervolgens door een 'rapporteur général' een samenvattend verslag wordt geschreven.[4]

ISLLSS

Er worden ook regionale congressen georganiseerd.
In Nederland zelf vindt een wetenschappelijke beoefening van rechtsvergelijkend arbeidsrecht slechts op bescheiden wijze plaats. Rechtsvergelijkend arbeidsrecht wordt in het buitenland in toenemende mate beoefend en is daar soms ook uitdrukkelijk opgenomen in universitaire leeropdrachten. In Nederland is hiervan meestal nog geen sprake en ook in de arbeidsrechtelijke literatuur zijn specifieke rechtsvergelijkende beschouwingen niet erg talrijk, al is er op dit punt verbetering merkbaar. Toch is aandacht voor internationale dimensies van het arbeidsrecht noodzakelijk als men een al te provinciale benadering van dit gebied wil vermijden. Toegegeven moet echter worden dat deze internationale exploraties uitermate moeizaam en tijdrovend zijn, zulks ondanks het feit dat de literatuur op dit punt de laatste jaren is verbeterd.[5]

9.2 De internationale arbeidsovereenkomst[6]

Twee vragen doen zich specifiek voor met betrekking tot de internationale arbeidsovereenkomst: welk recht is op de re-

4 M.A.B.L. Wienk, World Congress of Labour Law and Social Security in Seoul, SMA 1995, 5, p. 117.

5 Ik doel hier met name op de in 1977 begonnen baanbrekende uitgave van de International Encyclopedia for Labour Law and Industrial Relations (losbladig), Deventer (IELL). De IELL bevat een beschrijving van het arbeidsrecht van een zestigtal landen, alsmede enkele delen met geselecteerde arbeidswetgeving en een aantal belangrijke beslissingen van internationale organen. Zie voorts het jaarlijks verschijnende Bulletin of Comparative Labour Relations, Deventer; het viermaal per jaar verschijnende tijdschrift Comparative Labor Law Journal, University of Pennsylvania, Philadelphia, PA 19104-6369, USA; het viermaal per jaar verschijnende The international Journal of Comparative Law and Industrial Relations, Deventer. Daarnaast verschijnen studies die een deelonderwerp rechtsvergelijkend belichten, bijvoorbeeld G. Heerma van Voss, Ontslagrecht in Nederland en Japan, diss. Leiden, Kluwer, Deventer 1992; A.M. Luttmer-Kat, Ontslagbescherming van werknemers, diss. Nijmegen 1985, Kluwer, Deventer 1985. Bovendien wordt soms een studie aan een buitenlands arbeidsrecht gewijd, bijvoorbeeld A.T.J.M. Jacobs, Inleiding tot het Duitse arbeidsrecht, Gouda Quint, Arnhem 1993.

6 Zie omtrent de reikwijdte van dit begrip in art. 6 EVO Th. Van Oorschot, Internationale arbeidverhoudingen en het (Nederlandse) internationaal privaatrecht, Sociaal Recht 1993/6, p. 134 en daar genoemde literatuur.

latie van toepassing en welke rechter is bevoegd van een geschil over de overeenkomst kennis te nemen. Over beide vragen volgen hieronder een enige summiere opmerkingen.

1. *Conflictenrecht*

De vraag welk recht van toepassing is op een bepaalde relatie kan worden aangeduid als het conflictenrecht. Van groot belang voor dit onderwerp is het EG-Verdrag inzake het recht dat van toepassing is op verbintenissen uit overeenkomst (EVO).[7] Nederland is, evenals de andere EU-landen, partij bij dit verdrag. Het verdrag is van toepassing op verbintenissen uit overeenkomst in gevallen waarin uit het recht van verschillende landen moet worden gekozen.

EVO

Art. 3 EVO bepaalt dat een overeenkomst wordt beheerst door het recht dat partijen hebben gekozen.[8]

rechtskeuze

Wanneer geen rechtskeuze als bedoeld in art. 3 EVO is gemaakt wordt de individuele arbeidsovereenkomst beheerst door het recht van het land waar de werknemer gewoonlijk zijn arbeid verricht (art. 6 lid 2 EVO). Wanneer de werknemer niet gewoonlijk in eenzelfde land zijn arbeid verricht, is het recht van het land waar de werkgever gevestigd is van toepassing. Deze twee regels gelden tenzij uit het geheel van de omstandigheden blijkt dat de arbeidsovereenkomst nauwer verbonden is met een ander land, in welk geval het recht van dat andere land toepasselijk is.

voorrangsregel

De in art. 3 EVO geregelde vrijheid van rechtskeuze wordt beperkt wanneer die ertoe kan leiden dat de werknemer de bescherming verliest welke hij geniet op grond van de dwingende bepalingen van het recht dat op hem van toepassing zou zijn als er geen rechtskeuze zou zijn gemaakt. Verdedigbaar is dat dit alleen geldt wanneer de betreffende dwingende bepalingen de werknemer meer bescherming bieden dan de bepalingen die uit het gekozen recht voortvloeien.[9]

dwingend recht

Art. 7 EVO regelt een belangrijke uitzondering op de toepasselijkheid van het recht van een bepaald land. Afhankelijk van de aard en strekking, en van de gevolgen die uit de toepassing of niet-toepassing van deze bepalingen zouden kunnen voortvloeien, kan aan dwingende bepalingen van het recht van een ander land waarmee het geval nauw is verboden, gevolg worden toegekend. Art. 6 BBA is een bepaling waaraan langs de weg van art. 7 EVO toepassing wordt gegeven. Het is vaste jurisprudentie van de Hoge Raad dat het BBA van toepassing is op die

7 Verdrag van 19 juni 1980, Trb. 1980, 156.

8 Zie E.J.M. van Beukering-Rosmuller, Het EVO-verdrag en de internationale arbeidsverhouding, in S.C.J.J. Kortmann e.a. (red.) OP recht (Struycken-bundel), Zwolle, Tjeenk Willink 1996, p. 1-9.

9 E.J.M. van Beukering-Rosmuller, Het EVO-verdrag en de internationale arbeidsverhouding, in S.C.J.J. Kortmann e.a. (red.), OP recht (Struycken-bundel), Zwolle, Tjeenk Willink 1996, p. 3.

arbeidsverhoudingen, waarbij de sociaal-economische verhoudingen in Nederland en in het bijzonder de belangen van de Nederlandse arbeidsmarkt betrokken zijn.[10]

2. *Internationaal bevoegdheidsrecht*

Het internationaal bevoegdheidsrecht heeft betrekking op de vraag van welk land de rechter bevoegd is van een geschil kennis te nemen. Van doorslaggevende betekenis is hier het EG-Bevoegdheids- en executieverdrag 1968 (EEX).[11] Daarnaast is van belang het Verdrag van Lugano (EVEX)[12] tussen de Lid-staten van de EG en de Lid-Staten van de Europese Vrijhandelsassociatie (met uitzondering van Liechtenstein). Dit verdrag is grotendeels gelijkluidend aan het EEX-Verdrag. Een voor de arbeidsovereenkomst belangrijke uitzondering betreft art. 5 lid 1 Verdrag van Lugano (zie hieronder). Art. 2 van het EEX geeft als bevoegde rechter aan de rechter op het grondgebied waarvan de verweerder woonplaats heeft.

EEX

Art. 5 EEX heeft betrekking op de situatie dat de verweerder woonplaats heeft op het grondgebied van een verdragsluitende staat (EU-land). Art. 5 lid 1 EEX geeft voor dat geval als uitzondering voor de arbeidsovereenkomst op de regel van art. 2 EEX dat het gerecht bevoegd is van de plaats waar de werknemer gewoonlijk zijn arbeid verricht. Wanneer de werknemer niet in een zelfde land gewoonlijk de arbeid verricht kan de werkgever tevens worden opgeroepen voor het gerecht van de plaats waar zich de vestiging bevindt of bevond die de werknemer in dienst heeft genomen. De werkgever kan niet de werknemer in de plaats van vestiging oproepen.[13] Woont verweerder buiten EEX-gebied, dan bepaalt art. 4 EEX dat het nationale recht van iedere verdragsluitende partij van toepassing is. In dat geval zijn dus, wat Nederland betreft, art. 126 en 98 lid 2 Wetboek van Burgerlijke rechtsvordering van toepassing.

Lex loci laboris

10 HR 23 oktober 1987, NJ 1988, 842.

11 Verdrag betreffende de rechterlijke bevoegdheid en de tenuitvoerlegging van beslissingen in burgerlijke en handelszaken, Brussel 7 september 1968, 1969, 101. Zie voor een bespreking en een overzicht van de jurisprudentie P. Vlas, in: Burgerlijke Rechtsvordering, Deventer, Kluwer, losbladig, deel 1 (Verdragen). Zie ook: M.V. Polak, Arbeidsverhoudingen in het Nederlandse internationaal privaatrecht, diss. Leiden 1988, Kluwer, Deventer 1988.

12 Trb. 1991, 179.

13 L. Strikwerda, Inleiding tot het Nederlandse Internationaal Privaatrecht, vijfde druk, Groningen, Wolters-Noordhoff 1997, p. 268-269; K.W.M. Bodewes, Rechterlijke bevoegdheid bij internationale arbeidsovereenkomsten, ArbeidsRecht 1994, nr. 55 en de reactie daarop van T.F.J. van Oorschot, ArbeidsRecht 1994, nr. 79. Art. 5 lid 1 EVEX maakt het zowel de werkgever als de werknemer mogelijk op te roepen voor het gericht van de plaats waar de onderneming gevestigd is. Op dit punt wijkt het EVEX af van het EEX.

9.3 Internationaal arbeidsrecht

verdragen

In toenemende mate wordt de inhoud van arbeidsrecht mede bepaald door met andere mogendheden gesloten verdragen en door besluiten van internationale organisaties.[14] Het geheel van dergelijke verdragen en besluiten kan worden aangeduid als het internationaal arbeidsrecht.

Beïnvloeding van het nationale recht door internationale afspraken en besluiten kan zowel indirect als direct (rechtstreeks) geschieden.

indirecte werking

Men spreekt van indirecte werking indien een verdrag de staten verplicht hun nationale wetgeving aan de verdragsnormen aan te passen. Indien een staat niet aan zijn verdragsverplichting voldoet, voorziet het verdrag soms in de een of andere vorm van sanctie die tegen die staat kan worden aangewend. Zonder aanpassing van de nationale wetgeving kunnen burgers zich evenwel niet bij de nationale rechter op de verdragsbepalingen beroepen.

Indirecte werking vindt ook plaats doordat de rechter bij de toepassing van vage normen, bijvoorbeeld art. 7:611 BW, mede belang toekent aan wat in een internationaal verdrag is geregeld.[15]

directe werking

Er is sprake van directe werking indien de internationale norm, zonder dat nadere nationale wetgeving nodig is, deel gaat uitmaken van het nationale recht. Dit betekent dat de nationale rechter in dat geval zonder meer verplicht is deze norm toe te passen indien daarop in een procedure een beroep wordt gedaan.[16] In Nederland hebben verdragsbepalingen (nadat het verdrag is goedgekeurd, geratificeerd en bekendgemaakt)[17] rechtstreekse werking indien deze bepalingen 'naar haar inhoud een ieder kunnen verbinden'; datzelfde geldt voor besluiten van daartoe bevoegde internationale organisaties (art. 93 Gr.w). Nederlandse wetgeving die in strijd is met dergelijke internationale bepalingen en besluiten dient in dat geval buiten toepassing te worden gelaten (art. 94 Gr.w). Met betrekking tot het recht van de EG vloeit de rechtstreekse werking voort uit de omstandigheid dat door het EG-Verdrag een Rechtsorde van de Gemeenschap in het leven is geroepen, die ertoe leidt dat de nationale rechter aan communautaire voorschriften die zich daarvoor (naar het oordeel van het Hof van Justitie van de Europese Ge-

EG

14 Vgl. R. Holmaat, De kracht van een verdrag, NJB 1998, p. 650–657.
15 Dat is bijvoorbeeld gebeurd in het Agfa-arrest, HR 8 april 1994, NJ 1994, 704, Arbeidsrechtspraak nr. 5.
16 Men zegt in dat geval ook wel dat de norm 'self-executing' is.
17 J.S. Brouwer, De Rijkswet goedkeuring en bekendmaking van verdragen, NJB 1995, 29, p. 1072.

meenschappen) lenen, voorrang boven met die normen strijdige nationale regelingen.[18]
Bij rechtstreekse (directe) werking maakt men onderscheid tussen verticale en horizontale directe werking. Men spreekt van verticale directe werking indien de norm door de burgers kan worden ingeroepen tegen de overheid en van horizontale directe werking indien de norm (ook) geldt in het verkeer tussen particulieren.[19]

verticaal
horizontaal

Hieronder zullen we nog verschillende voorbeelden van indirecte en directe werking tegenkomen.

Het internationaal arbeidsrecht is bijzonder uitgebreid. Wanneer we de talloze bilaterale verdragen buiten beschouwing laten (veelal gaat het hierbij om het scheppen van een zekere wederkerigheid met betrekking tot de rechten op het gebied van de sociale verzekering van eigen onderdanen en onderdanen van de wederpartij), dan resteren de multilaterale rechten en verplichtingen welke ontstaan uit de activiteiten van de internationale organisaties. Tot de organisaties die met arbeidsrechtelijke vraagstukken bemoeienis hebben, behoren: de Verenigde Naties (VN), de Internationale Arbeidsorganisatie (IAO; de Internationale arbeidsorganisatie is een gespecialiseerde organisatie van de Verenigde Naties), de Westeuropese Unie (WEU), de Raad van Europa, de Organisatie van Economische Samenwerking en Ontwikkeling (OESO), de Europese Gemeenschappen (EGKS, EGA en EG) en de Benelux.

organisaties

Een beschrijving van de structuur van al deze organisaties, de arbeidsrechtelijke problemen waarmede zij zich bezighouden en de wijze waarop dit geschiedt, is binnen de opzet van dit boek niet te verwezenlijken.[20] Daarom heb ik mij bij de navolgende onderdelen van dit hoofdstuk beperkt tot het geven van een korte kenschets van een drietal organisaties die voor het arbeidsrecht in het bijzonder van belang zijn: de Internationale Arbeidsorganisatie (9.3.1), de Raad van Europa (9.3.2) en de Europese Gemeenschap (9.3.3). Hierbij verdient opmerking dat ook bepalingen in verdragen die een algemene strekking hebben, belangrijke invloed op het arbeidsrecht kunnen hebben. In dit verband mag niet onvermeld blijven art. 26 van het IVBPR waarin een algemeen verbod van discriminatie is opgenomen dat zijn invloed op het Nederlandse arbeidsrecht en sociaal

opzet behandeling

18 P.J.G. Kapteyn, P. VerLoren van Themaat (e.a.) Inleiding tot het recht van de Europese Gemeenschappen Na Maastricht, Vijfde druk 1995, p. 53 en p. 322, Hof van Justitie van de EG, 8-4-1976, Jur. 1976, 455-493 (Defrenne II).

19 A.T.J.M. Jacobs, De rechtstreekse werking van internationale normen in het sociaal recht, Alphen aan den Rijn 1985; E.A. Alkema, De wijdte van fundamentele rechten – de nationale en internationale dimensies en H.A. Groen, De reikwijdte van fundamentele rechten in burgerlijke zaken, Preadviezen NJV, Zwolle 1995.

20 Lammy Betten, International Labour Law, Selected Issues, Deventer 1993.

zekerheidsrecht terdege doet gevoelen.[21] Bespreking van dit verdrag blijft hier achterwege.

9.3.1 *Internationale arbeidsorganisatie*

Algemeen

Een van de eerste daden van de na het einde van de eerste wereldoorlog bijeengekomen vredesconferentie was het instellen van een commissie die tot opdracht kreeg een plan te ontwikkelen tot internationale regeling van arbeidsvraagstukken. Dit berustte enerzijds op de overweging dat een universele en blijvende vrede slechts op basis van sociale rechtvaardigheid gewaarborgd kon worden en anderzijds op het inzicht dat de arbeidsverhoudingen in de geïndustrialiseerde landen slechts konden worden verbeterd indien dit ook in andere landen geschiedde – zulks in verband met hun concurrentiepositie op de wereldmarkt. De door de commissie met het oog hierop ontworpen Constitutie van de Internationale Arbeidsorganisatie werd op 11 april 1919 door de vredesconferentie aanvaard en vervolgens als hfdst. XIII in het Vredesverdrag van Versailles ingevoegd. In de loop der jaren werden de meeste staten lid van de IAO, al heeft de IAO haar oogmerk om tot een wereldomvattende organisatie uit te groeien vóór de tweede wereldoorlog niet geheel kunnen verwezenlijken.

geschiedenis

Op een in 1944 te Philadelphia gehouden conferentie werd de Constitutie ingrijpend gewijzigd door aanneming van de zogenaamde Verklaring van Philadelphia, waarin onder meer voor het eerst het beginsel van de gelijkheid van alle mensen ongeacht ras, geloof of geslacht was opgenomen. In 1946 kwam een relatie tot stand met de Verenigde Naties doordat de IAO de status werd toegekend van gespecialiseerde instelling ('specialized agency'). Op het ogenblik zijn vrijwel alle leden van de VN tevens lid van de IAO.[22]

deel van VN

Het feit dat de IAO werd erkend als gespecialiseerde instelling betekende niet dat de VN zelf zich van iedere regelgeving op arbeidsrechtelijk terrein heeft onthouden. Met name is voor het Nederlands arbeidsrecht van belang het Internationaal verdrag inzake burgerlijke rechten en politieke rechten (IVBPR), dat in 1966 door de VN werd aangenomen.[23]

21 Wat het arbeidsrecht betreft bijvoorbeeld in toepassing van het gelijkheidsbeginsel ten aanzien van het onderscheid gehuwd-ongehuwd (HR 7 mei 1993, NJCM-bulletin 1993, p. 694 e.v.) en met betrekking tot onderscheid naar leeftijd (HR 13 januari 1995, NJ 1995, 430, Arbeidsrechtspraak nr. 14.

22 Zie voor nadere gegevens over de IAO: Nicolas Valticos en G. von Potobski, International Labour Law, Deventer 1995; SMA 1994, 9, p. 453, Themanummer Internationale Arbeidsorganisatie 75 jaar; K. Boonstra, The ILO and the Netherlands, different views concerning government influence on the relationship between workers and employers, diss. RUL, Leiden 1996.

23 Zie over dit verdrag NJCM-bulletin van oktober/november 1994 (Special). Art. 26 IVBPR, dat een non-discriminatie bepaling bevat, heeft vergaande consequenties gehad voor ons →

Structuur

De in de Constitutie van de IAO neergelegde structuur is eenvoudig. De IAO kent drie organen: de Internationale Arbeidsconferentie (International Labour Conference), de Raad van Beheer (Governing Body) en het Internationale Arbeidsbureau (International Labour Office).

Raad van Beheer

De Raad van Beheer bestaat uit 56 leden en is evenals de Conferentie samengesteld volgens het systeem 2 + 1 + 1. Hij pleegt 3 à 4 keer per jaar bijeen te komen.
De functies van de Raad van Beheer zijn hiervoor reeds even ter sprake gekomen. Behalve met het voorbereiden van de Conferenties en met het uitvoeren van de aldaar genomen besluiten, is de Raad van Beheer onder meer belast met het benoemen van de Directeur-Generaal van het Internationaal Arbeidsbureau en het toezicht op diens beleid.[24]

IAB

Het Internationaal Arbeidsbureau – het eigenlijke hoofdkwartier van de IAO – is gevestigd te Genève. Het IAB heeft onder meer tot taak het voorbereiden van Conferenties, het verzamelen van informatie, het verrichten van research, het verzorgen van publicaties[25] en het geven van voorlichting. De staf bestaat uit omstreeks 2000 functionarissen en wordt geleid door de Directeur-Generaal. Het tripartiet karakter ontbreekt hier.

Conferentie

Het algemeen beleid en de 'wetgevende bevoegdheid' berusten bij de Conferentie. Deze bestaat uit afgevaardigden van de lid-staten en pleegt jaarlijks te Genève bijeen te komen.[26] Elke lid-staat kan vier afgevaardigden benoemen: twee regeringsvertegenwoordigers, één werkgevers- en één werknemersvertegenwoordiger. Iedere vertegenwoordiger heeft één stem. De stemmen worden hoofdelijk uitgebracht; de werkgevers- en werknemersvertegenwoordigers krijgen geen instructies van hun regeringen.

→ sociaal zekerheidsrecht. In de AAW-zaken van 5 januari 1988, RSV 1988, 104, kende de CRvB aan art. 26 IVBPR-verdrag, rechtstreekse werking toe (art. 93, 94 Gr.w.). Zie voor de consequenties van deze uitspraken C.M. Sjerps, Dames en heren, en dan nu: gelijke behandeling! of: hoe verder na de recente uitspraken van Raden en Centrale Raad van Beroep, SMA 1988, 4, p. 306; W.M. Levelt-Overmars, De uitspraken van de CRvB d.d. 15 januari 1988 over art. 26 BuPo-verdrag, NJB 1988, 18, p. 589.

24 De Raad van Beheer benoemt in deze functie meestal topmensen met grote internationale en nationale ervaring. De eerste Directeur-Generaal was Albert Thomas (1920–1932), een thans bijna legendarische figuur die de IAO door de moeilijke beginperiode heeft geloodst.

25 Tot de door het IAB verzorgde periodieken behoren onder meer: International Labour Review (maandelijks verschijnend tijdschrift); Official Bulletin (geeft vier maal per jaar informatie over activiteiten van de IAO); Legislative Series (geeft iedere twee maanden een overzicht van belangrijke nationale arbeidswetten). Daarnaast verschijnen regelmatig deelstudies over sociale vraagstukken.

26 Daarnaast worden er regelmatig over speciale onderwerpen regionale conferenties georganiseerd.

samenstelling

De tripartiet samenstelling van de Conferentie (2 + 1 + 1) is uniek. Zij is in het verleden wel aangevochten, doch heeft zich tot dusver gehandhaafd. Het voornaamste argument om de regeringsvertegenwoordigers een representatie te geven die gelijk is aan die van de werkgevers- en werknemersvertegenwoordigers te zamen, is gelegen in het feit dat anders de kans groot zou zijn dat op de Conferentie door werkgevers- en werknemersvertegenwoordigers met twee derde meerderheid aangenomen conventies vervolgens op nationaal niveau door de parlementen zouden worden afgestemd (zie hieronder), hetgeen op den duur het prestige van de Conferentie niet ten goede zou komen.

De lid-staten kunnen voorts deskundige adviseurs benoemen om de afgevaardigden bij te staan. De regeringen zijn verplicht de vertegenwoordigers van de werkgevers en werknemers en hun adviseurs te benoemen in overeenstemming met de meest representatieve vakorganisaties.

werkwijze

De agenda van de Conferentie met betrekking tot voorgenomen regelgeving wordt opgesteld door de Raad van Beheer. De keuze van het te agenderen onderwerp is belangrijk, omdat een onderwerp moet worden gekozen waarmede de lid-staten reeds enige ervaring hebben opgedaan, doch dat anderzijds nog voldoende ruimte laat tot vernieuwende regelgeving. Het gekozen onderwerp wordt vervolgens, vergezeld van door het Internationaal Arbeidsbureau verzamelde documentatie over wetgeving en praktijk der verschillende landen met betrekking tot het gekozen onderwerp, voorgelegd aan de Conferentie.

Na discussie in de Conferentie pleegt het Internationaal Arbeidsbureau een ontwerptekst op te stellen die door een commissie van deskundigen grondig wordt bekeken en vervolgens op de eerstvolgende Conferentie wordt behandeld. Behaalt het voorstel in deze tweede lezing een meerderheid van twee derde van de uitgebrachte stemmen dan is het aangenomen.

Conventies en aanbevelingen

Het besluit van de Conferentie kan geschieden in de vorm van een verdrag – dikwijls 'conventie' genoemd – of een aanbeveling. Zowel aangenomen conventies als aanbevelingen moeten door de regeringen van de lid-staten binnen twee jaar worden voorgelegd aan 'de bevoegde autoriteit of autoriteiten, opdat er wetgevende of andere maatregelen ter zake worden genomen' (art. 19 lid 5 IAO-Constitutie). Uit de aangehaalde tekst blijkt reeds dat het aannemen van conventies en aanbevelingen op internationaal niveau onvoldoende is om regels tot stand te brengen die de burgers binden. Nadere medewerking op nationaal niveau blijft hiervoor noodzakelijk; de IAO heeft geen supranationaal gezag.

betekenis conventie

De betekenis van een conventie is groter dan die van een aanbeveling. Conventies beogen bindende wetgeving tot stand te brengen. Het hangt echter van het gedrag van de nationale wetgever af of dit ook inderdaad gebeurt. Conventies moeten binnen een jaar worden voorgelegd aan het parlement. Door deze procedure wordt iedere lid-staat gedwongen zich er rekenschap van te geven wat hij wil doen: ratificeren of niet. Het Nederlandse parlement is niet verplicht een door de Conferentie aangenomen conventie aan te nemen. Maar als dit wél geschiedt en de Kroon heeft het verdrag vervolgens bekrachtigd (art. 87 Gr.w), dan impliceert dit dat Nederland garandeert dat de nationale arbeidsomstandigheden zullen voldoen aan het door de conventie voorgeschreven minimumniveau (de in een conventie neergelegde internationale arbeidsnormen zijn altijd minimumregels; eventueel bestaande betere nationale arbeidsomstandigheden worden door de aanvaarding van het verdrag dus niet aangetast; art. 19 lid 8 IAO-Constitutie).

terreinen

Sedert het ontstaan van de IAO zijn een groot aantal conventies en aanbevelingen tot stand gekomen.[27] Deze conventies en aanbevelingen bestrijken uiteenlopende gebieden, zoals de fundamentele rechten van de mens (vakverenigingsvrijheid, afschaffing van dwangarbeid en discriminatie), de overheidstaak op het gebied van de arbeid, de werkgelegenheidspolitiek, de arbeidsverhoudingen, de arbeidsvoorwaarden, de arbeid van kinderen, jeugdigen en vrouwen, bedrijfsveiligheid, sociale zekerheid, migrerende werknemers, zeevarenden, inheemse arbeiders, enz.

De invloed van conventies en aanbevelingen op het sociale beleid van de lid-staten is moeilijk te schatten. Ten aanzien van moderne industriële landen met een ontwikkelde sociale wetgeving, zoals Nederland, is deze invloed ongetwijfeld beperkter dan ten aanzien van economisch achtergebleven gebieden.[28]

werking

Rechtstreekse werking van een bepaling van IAO-conventie 102 is in 1996 door de Centrale Raad van Beroep erkend.[29] Het ging in die zaak om een bepaling uit een op de Ziekenfondswet gebaseerd besluit waarin

27 Conventions and recommendations 1919–1981, ILO, Geneva 1982; R. Blanpain en C. Engel, bijdrage aan IELL (deel Codex). Zie ook Efrén Córdova, Some reflections on the overproduction of international labor standards, Comparative Labour Law Journal, 1992, 1, p. 138; Lammy Betten, Internationale Arbeidsorganisatie 75 jaar: tijd voor bezinning op de toekomst, SMA 1994, 9, p. 453.

28 The impact of international labour Conventions and Recommendations International Labour Office, Geneva 1976, alsmede de vertaling hiervan, De invloed van internationale arbeidsverdragen en -aanbevelingen van de internationale arbeidsorganisatie, Deventer 1979; L. Betten, Flexibilisering versus internationale verplichtingen: Nederlandse arbeidsvoorwaardenvorming in de Geneefse tang, bijdrage aan Arbeidsrecht en Mensbeeld, Deventer 1996, p. 195.

29 CRvB 29 mei 1996, RSV 1997, 9. Zie ook M. Driessen, Nemesis Rechtspraak katern 1996, 6, p. 19-21.

een eigen bijdrage van de verzekerde bij kraamhulp was voorgeschreven ook in het geval een ziekenhuisopname in verband met bevalling medisch was geïndiceerd. Die bepaling, die in strijd was met ILO-Verdrag 102, moest buiten toepassing blijven omdat aan de betreffende verdragsbepalingen rechtstreekse werking toekwam.

Nakoming

procedures

verslag

Om op internationaal niveau de nakoming van bekrachtigde conventies te kunnen bevorderen, zijn in de Constitutie een aantal procedures opgenomen. Zo is voorgeschreven dat de lid-staten periodiek aan het Internationaal Arbeidsbureau verslag moeten uitbrengen over de wijze waarop zij uitvoering hebben gegeven aan de door hen bekrachtigde conventies (art. 22 IAO-Constitutie). Deze verslagen worden onderzocht door een Commissie van Deskundigen, die nagaat of de lid-staten aan hun verplichtingen hebben voldaan en zo nodig commentaar levert. De verslagen en commentaren worden vervolgens voorgelegd aan de Conferentie (art. 22, 23 IAO-Constitutie). Het is in de openbaarheid van deze gegevens dat de sanctie tegen de niet-naleving van conventies is gelegen.

vrijheid vakvereniging

Een aparte procedure wordt gevolgd om de naleving te bevorderen van de belangrijke IAO-conventie nr. 87 betreffende de vrijheid tot het oprichten van vakverenigingen en de bescherming van het vakverenigingsrecht (1949).

klachten

Klachten wegens schending van deze conventie kunnen door lid-staten, werkgevers- en werknemersorganisaties worden ingediend bij het (permanente) Comité voor de vrijheid van vakbeweging (Committee on Freedom of Association). Dit Comité bestaat uit negen door de Raad van Beheer uit zijn midden benoemde leden. Zo nodig kan het Comité ter verkrijgen van nadere gegevens onafhankelijke deskundigen naar het betrokken land sturen, een Onderzoeks- en Bemiddelingscommissie. Sedert zijn oprichting in 1950 heeft het Comité ruim 900 klachten behandeld en ter zake aanbevelingen tot verbetering gedaan, soms zonder en soms met succes.
Het bijzondere van deze klachtenprocedure is, dat de klacht in behandeling wordt genomen óók indien de aangeklaagde lid-staat de IAO-conventie nr. 87 niet heeft bekrachtigd; de lid-staten dienen dit fundamentele recht reeds te respecteren uit hoofde van hun lidmaatschap van de IAO.[30]

aanbevelingen

De vorm van een aanbeveling wordt gekozen, indien de Conferentie van

30 Datzelfde geldt ook ten aanzien van het Verdrag betreffende de toepassing van de beginselen van het recht zich te organiseren en collectief te onderhandelen (IAO-verdrag nr. 98). Zie voorts L. Betten, SMA 1984, 7/8, p. 490.

mening is dat de wetgeving in de verschillende landen met betrekking tot het desbetreffende onderwerp nog niet zover is ontwikkeld dat redelijkerwijs een beduidend aantal bekrachtigingen van een conventie is te verwachten. Regeringen zijn verplicht ook deze aanbevelingen aan het parlement te melden. Wanneer het parlement een aanbeveling aanneemt, moet de regering het Internationaal Arbeidsbureau daarvan in kennis stellen; internationale controle op de nakoming van de aanbeveling, zoals voorgeschreven ten aanzien van bekrachtigde conventies, ontbreekt echter (art. 19 lid 6 IAO-Conventie).

Behalve met algemene regelgeving ('standard-setting') en de controle op de naleving daarvan, houdt de IAO zich ook bezig met het verlenen van bijstand aan ontwikkelingslanden met betrekking tot het op IAO-peil brengen van de wetgeving en praktijk in deze landen.

ontwikkelingslanden

9.3.2 Raad van Europa

Algemeen

De Raad van Europa vindt zijn grondslag in het Statuut dat op 5 mei 1949 te Londen door een aantal Europese landen werd ondertekend. Hij bestaat thans uit 41 lid-staten. Krachtens art. 1 van het Statuut heeft de Raad van Europa onder meer tot doel het bewerkstelligen van een hechtere eenheid tussen zijn leden, teneinde aldus de idealen en beginselen die hun gemeenschappelijk erfdeel zijn te beveiligen en te ontwikkelen en hun economische en sociale vooruitgang te bevorderen.

doel

Europees verdrag tot bescherming van de rechten van de mens en de fundamentele vrijheden

Een belangrijke activiteit die met het oog hierop door de Raad van Europa werd ontwikkeld, was het tot stand brengen van het Verdrag tot bescherming van de rechten van de mens en de fundamentele vrijheden (EVRM), hetwelk op 4 november 1950 te Rome werd ondertekend. Dit verdrag formuleert een aantal grondrechten en roept voorts een Europees Hof voor de rechten van de mens in het leven teneinde te waarborgen dat lid-staten die het verdrag hebben geratificeerd hun verplichtingen ook nakomen.

EVRM

Het EVRM maakt deel uit van de Nederlandse rechtsorde; de bepalingen van het verdrag die zich daarvoor lenen, moeten door de Nederlandse rechter rechtstreeks worden toegepast, waarbij de verdragsbepalingen voorrang hebben boven daarvan eventueel afwijkende bepalingen van Nederlands recht (art. 93, 94 Gr.w).[31]

rechtstreekse werking

Het EVRM omschrijft een aantal klassieke vrijheidsrechten en is om die

31 P. van Dijk en G.J.H. van Hoof, De Europese Conventie in theorie en praktijk, Ars Aequi Libri, Nijmegen 1991; A.S. Hartkamp, Europese mensenrechten en nationaal dwingend recht – de Nederlandse rechter en het EVRM, in: R.A. Lawson en E. Myjer, 50 jaar Europees Verdrag voor de Rechten van de Mens, Leiden 2000, p. 23-35.

reden voor het arbeidsrecht slechts van bescheiden betekenis.[32] Van meer betekenis voor het arbeidsrecht is het door de Raad van Europa tot stand gebrachte Europees Sociaal Handvest (ESH), dat een aantal sociale grondrechten bevat. Dit tweede verdrag is als het ware de sociale pendant van het eerste.

ESH

Europees Sociaal Handvest

Het Europees Sociaal Handvest werd op 18 oktober 1961 te Turijn ondertekend.[33] Nederland heeft het ESH goedgekeurd bij Rijkswet van 2 november 1978 (behoudens art. 6 lid 4 voor wat betreft de in overheidsdienst zijnde werknemers). Het ESH werd op 22 april 1980 bekrachtigd en trad een maand later in werking.[34]

Het Handvest bestaat uit een préambule, vijf delen en een bijlage. Deel I geeft een opsomming van een negentiental beginselen ten aanzien waarvan de lid-staten verklaren, dat hun beleid er op gericht zal zijn deze te verwezenlijken.

Deel II bevat de eigenlijke verplichtingen. Deze corresponderen met en zijn een uitwerking van de in Deel I genoemde rechtsbeginselen. Zo lost bijvoorbeeld het in deel I genoemde 'recht op arbeid' zich krachtens deel II, art. 1 op in de verplichtingen van de lidstaat om:

1. de totstandbrenging en handhaving van een zo hoog en stabiel mogelijk werkgelegenheidspeil, met het oogmerk een volledige werkgelegenheid te verwezenlijken, als een hunner voor-

32 A. Jacobs, 50 jaar EVRM en het sociaalrecht, in R.A. Lawson en E. Myjer, 50 jaar Europees Verdrag voor de Rechten van de Mens, Leiden 2000, p. 421-435. Zie voor het verband tussen het EG-recht en de vrijheden die in het EVRM zijn gewaarborgd. Zie ook D. Curtin en Y. Klerk, De Europese Unie en het Europees Verdrag voor de Rechten van de mens. Een nieuwe fase in een LAT-relatie? NJB 1997, p. 202-210. De vraag is gesteld of de ontslagprocedure ex art. 6 BBA (3.7.3.2) in strijd is met art. 6 EVRM, dat bepaalde eisen stelt aan een procedure ter vaststelling van burgerlijke rechten. Deze vraag werd ontkennend beantwoord. P.F. van der Heijden en G.J.J. Heerma van Voss, Sociaal recht en 40 jaar EVRM, bijdrage aan 40 jaar Europees Verdrag voor de rechten van de mens, NJCM-Bulletin, Speciaal nummer, november 1990, p. 209; P.F. van der Heijden, EVRM: de Obermeier-zaak, NJCM-Bulletin, december 1990, p. 782. Zie voorts Europees Hof voor de rechten van de mens 26 september 1995, NJ 1996, 545, m.n. EJD over de vraag of een ontslag van een ambtenaar wegens lidmaatschap van de Duitse communistische partij in strijd was met art. 10 en 11 EVRM.

33 De officiële Franse en Engelse tekst is geplaatst in Trb. 1962, nr. 3; de Nederlandse tekst in Trb. 1962, nr. 90. O. Kahn-Freund, Labour relations and international standards. Some reflections on the European Social Charter, Miscellanea, W. Ganshof van der Meersch, Brussel 1972, p. 131; dezelfde, The European Social Charter, F.G. Jacobs ed., European law and the individual, North-Holland Publishing Company 1976, p. 181; A.Ph.C.M. Jaspers en L. Betten, 25 Years European Social Charter, Deventer 1988. Zie over de toekomst C.J. Staal, Het herziene Europees Sociaal Handvest, NJCM-bulletin, april 1997, nr. 3.

34 C. Staal, Europees Sociaal Handvest, Twaalfde en dertiende cyclus, NJCM-bulletin 1998, p. 747-763.

naamste doelstellingen en verantwoordelijkheden te beschouwen;
2. het recht van de werknemer om in zijn onderhoud te voorzien door vrijelijk gekozen werkzaamheden daadwerkelijk te beschermen;
3. kosteloze arbeidsbemiddelingsdiensten in te stellen of in stand te houden voor alle werknemers;
4. te zorgen voor doelmatige beroepskeuzevoorlichting, vakopleiding en revalidatie en deze te bevorderen.

verplichtingen

De in Deel II opgenomen artikelen bestrijken zeer uiteenlopende gebieden. Deels behoren deze gebieden tot het arbeidsrecht, deels ook zijn zij ruimer dan het terrein dat normaliter tot het arbeidsrecht wordt gerekend.
Het arbeidsovereenkomstenrecht en het arbeidsomstandighedenrecht komen naar voren in de bepalingen die betrekking hebben op de toegang tot de arbeidsplaats (art. 1, 9, 10, 18, 19), de arbeidstijd en de veiligheid (art. 2, 3, 20 lid 5), de beloning (art. 4) en de bescherming van kinderen, jeugdigen en vrouwen (art. 7, 8). Daarnaast verwoorden art. 5 en 6 twee grondbeginselen van het collectief arbeidsrecht: de vakverenigingsvrijheid en het recht op collectief onderhandelen.
Art. 11–17 daarentegen verplichten de lid-staten tot activiteiten op een zeer ruim sociaal-politiek terrein, zoals de bescherming van de gezondheid, sociale zekerheid, sociale en geneeskundige bijstand, het gebruik van diensten voor sociale zorg, revalidatie en gezinsbescherming.
De artikelen van Deel II verschillen niet alleen in reikwijdte, maar ook in karakter. Vele zijn geformuleerd als een recht dat een individu dient toe te komen, een enkele (art. 6) als een recht van een collectiviteit. Daarnaast verplichten vele artikelen de lid-staten tot organisatorische maatregelen (beroepsopleiding, arbeidsbemiddeling, enz.) of tot een bepaald sociaal-economisch beleid (bijvoorbeeld 'een zo hoog en stabiel mogelijk werkgelegenheidspeil', art. 1 lid 1). Deze wel zeer grote diversiteit van de bepalingen, maakt het dikwijls niet eenvoudig om vast te stellen of een lid-staat aan zijn uit het Handvest voortspruitende verplichtingen heeft voldaan (zie nader hieronder Deel IV).
Tot slot kan er op worden gewezen dat Deel II, evenals IAO-conventies, slechts minimumregels bevat; bestaande nationale regels die gunstiger zijn blijven onverlet (art. 32 Handvest).

minimumregels

Deel III verplicht de lid-staten de in Deel I genoemde fundamentele sociale rechten met alle daarvoor in aanmerking komende middelen na te streven (art. 20 lid 1 sub a). Ook het hebben van een stelsel van arbeidsinspectie is verplicht (art. 20 lid 5). Daarentegen behoeven, zoals art. 20 lid 1 duidelijk maakt, niet alle in deel II opgesomde verplichtingen door een lid-staat onderschreven te worden alvorens tot ratificatie kan worden overgegaan. Het Handvest gaat uit van een keuzesysteem;

ratificatie

de ratificatie moet op minstens vijf van de zeven belangrijkste artikelen (art. 1, 5, 6, 12, 13, 16 en 19) betrekking hebben en daarnaast op minstens 10 artikelen of 45 genummerde leden van de rest. Dit systeem is gevolgd om een zo groot mogelijk aantal ratificaties teweeg te brengen, doch het doet uiteraard wel afbreuk aan de waarde van het Handvest als een algemeen inspirerend document.

Deel V en de Bijlage ten slotte geven respectievelijk enige bepalingen over uiteenlopende onderwerpen en enkele preciseringen van bepalingen van het Handvest.

uitzonderingen

Van belang in dit verband is vooral de ontsnappingsclausule van art. 31. Dit artikel bepaalt dat de in Deel I en Deel II omschreven beginselen en rechten mogen worden begrensd door 'beperkingen (...) welke bij de wet zijn voorgeschreven en in een democratische samenleving noodzakelijk zijn voor de bescherming van de rechten en vrijheden van anderen en voor de bescherming van de openbare orde, de nationale veiligheid, de volksgezondheid of de goede zeden.' De interpretatie van dit artikel speelt onder meer een rol bij het bepalen van de grenzen, die aan het op art. 6 lid 4 berustende stakingsrecht mogen worden gesteld (4.7.4).

Handhaving van het ESH

Deel IV van het ESH regelt het toezicht op de naleving. Op dit punt bestaat veel overeenstemming met het hiervoor (9.2) beschreven toezicht op de naleving van de bekrachtigde IAO-conventies, al moet hieraan direct worden toegevoegd dat het toezicht in het kader van de IAO stringenter is geregeld.[35]

rapportage

Staten die het Handvest hebben geratificeerd, zijn slechts verplicht periodiek te rapporteren over de wijze waarop zij aan het Handvest toepassing hebben gegeven (art. 21). Deze rapporten worden onderzocht door een Commissie van onafhankelijke deskundigen (art. 25). De conclusies van deze deskundigen zijn weliswaar niet bindend, maar niettemin voor de interpretatie van het ESH van groot belang. Uiteindelijk kan het Comité van Ministers van de Raad van Europa naar aanleiding van de rapporten 'aanbevelingen' richten aan de lid-staten.[36]

Een klachtrecht van de lid-staten, werkgevers- of werknemersorganisaties, een onderzoekprocedure naar aanleiding van een klacht – die wél voorkomen in de Constitutie van de IAO – ontbreken hier echter.

Met betrekking tot deze handhavingsprocedure wordt in de Bijlage nog bepaald, dat het Handvest juridische verplichtingen van internationale aard inhoudt welker toepassing uitsluitend aan het in Deel IV omschreven toezicht is onderworpen. Hieruit vloeit voort dat het Handvest niet

35 A.W. Heringa, Het Europees Sociaal Handvest, Recente ontwikkelingen, NJCM-Bulletin 1992, 1, p. 70.

36 Lammy Betten, Committee of Ministers of the Council of Europe, The International Journal of Comparative Labour Law and Industrial Relations, Deventer 1994, 2, p. 147.

bedoeld is om individuele burgers nationaal afdwingbare rechten te geven; het heeft geen rechtstreekse doch slechts indirecte werking. Dit blijkt ook uit de bewoordingen van de meeste bepalingen, die in het algemeen slechts de lid-staten verplichten maatregelen te nemen. Rechtstreekse doorwerking in de nationale sfeer van bepalingen in het Handvest die zich op grond van hun bewoordingen daartoe lenen (zoals art. 6 lid 4, dat een verdragsstaat niet verplicht maatregelen te nemen, doch enkel om een recht 'te erkennen'), kan dan ook slechts worden aangenomen indien het recht van de nationale staten zelf daartoe dwingt. Voor wat Nederland betreft is dit ten aanzien van art. 6 lid 4 door de Hoge Raad op basis van art. 93 Gr.w. aanvaard (4.7.4).[37]

9.3.3 *Europese Gemeenschap*

Algemeen

De staten die behoren tot de Europese Unie maken een ontwikkeling van integratie door. Het Verdrag betreffende de Europese Unie[38] markeert een fase in die ontwikkeling. De Europese Unie is gegrond op de Europese gemeenschappen (art. 1 Unieverdrag). Daarnaast steunt de Unie op regels betreffende de samenwerking op het terrein van buitenlands en veiligheidsbeleid (art. 11-8 Unie-verdrag) en regels voor de samenwerking op het gebied van justitie en binnenlandse zaken (art. 29-42 Unie-verdrag). Overkoepelende bepalingen betreffen onder meer de institutionele structuur van de Unie (Raad, Commissie, Parlement, Hof). De Europese gemeenschappen zijn de Europese Gemeenschap voor Kolen en Staal (EGKS), de Europese Gemeenschap voor Atoomenergie (EGA) en de Europese Economische Gemeenschap (EEG). Voor het onderwerp van dit boek is de laatste, opgericht in het EEG-Verdrag[39] van het meeste belang.[40]

EU

Het EEG-Verdrag werd op 25 maart 1957 te Rome ondertekend door België, de Bondsrepubliek Duitsland, Frankrijk, Italië, Luxemburg en Nederland. Sedertdien zijn ook het Verenigd Koninkrijk, Ierland, Denemarken, Griekenland, Spanje, Portugal en, met ingang van 1 januari 1995, Finland, Oostenrijk en Zweden tot het verdrag toegetreden.[41]

EG-Verdrag

37 HR 30 mei 1986, NJ 1986, 688, Arbeidsrechtspraak nr. 75 (NS-arrest). Zie voorts C.A. Groenendijk, Het Europees Sociaal Handvest voor buitenlandse werknemers: varianten van doorwerking, bijdrage aan de Leede-bundel, p. 97.

38 Verdrag van 7 februari 1992 (Unie-Verdrag). C.S. Pisuisse en A.M.M. Teubner, Elementair Europees gemeenschapsrecht, Wolters-Noordhoff Groningen, 4e druk 1999. p. 18 e.v.

39 Verdrag tot oprichting van de Europese Gemeenschap, Verdrag van 25 maart 1957, Trb. 1957, 91.

40 P.J.G. Kapteyn e.a., Inleiding tot het recht van de Europese gemeenschap, Kluwer, Deventer 1995.

41 R.H. Lauwaars en C.W.A. Timmermans, Europees Gemeenschapsrecht in kort bestek, Groningen 1994.

geschiedenis

In 1957 ging het er vooral om door de instelling van een gemeenschappelijke markt door middel van een vrij verkeer van personen, goederen, diensten en kapitaal en door het geleidelijk tot elkaar brengen van het economisch beleid van de lid-staten een harmonische economische ontwikkeling te bevorderen.

In 1989 werd gepoogd aan de sociale politiek van de EG meer reliëf te geven. Daartoe werd in december 1989 het Gemeenschapshandvest van de sociale grondrechten van de werkenden vastgesteld. In dit Gemeenschapshandvest zeggen de lid-staten toe zich voor de verwezenlijking van de hierin genoemde grondrechten in te zetten. Het EG-Handvest is een uiting van de politieke wil van de betrokken lid-staten, doch heeft op zichzelf geen bindende kracht.[42]

sociale grondrechten

Een ingrijpende wijziging onderging het EEG-Verdrag door de invoering per 1 november 1993 van het Verdrag betreffende de Europese Unie (Verdrag van Maastricht). Daarbij werd onder meer de taakstelling verruimd. Naast de economische taakstelling werd ook een sociale doelstelling opgenomen: het bevorderen van 'een hoog niveau van werkgelegenheid en van sociale bescherming' (art. 2). Bij die gelegenheid werd tevens de naam Europese Economische Gemeenschap gewijzigd in Economische Gemeenschap (EG).[43] Het Unieverdrag en het EG-Verdrag zijn nogmaals gewijzigd bij het Verdrag van Amsterdam van 1997. Hierin werd een aantal institutionele zaken geregeld. Daarnaast bevat het verdrag een aantal bepalingen die het materiële gemeenschapsrecht betreffen.[44] Nieuw in het Verdrag van Amsterdam zijn een rechtsbasis voor programma's ter bestrijding van sociale uitsluiting en een rechtsbasis voor maatregelen op het gebied van gelijke behandeling van mannen en vrouwen. Daarnaast is een verwijzing naar sociale grondrechten opgenomen, alsmede een non-discriminatiebepaling.[45]

Maastricht

Amsterdam

Instellingen

Het EG-Verdrag kent een aantal instellingen die de vervulling van de aan de Gemeenschap opgedragen taken moeten verzekeren. Voor wat betreft

42 J.P.M. Zeijen, Handvest van sociale grondrechten voor de Europese Gemeenschap: eerste stappen van een marathon, SR 1990, 2, p.35 (tekst Gemeenschapshandvest op p. 52); L. Betten, EG- Handvest van sociale grondrechten: een hol vat?, SMA 1990, 3, p. 119; NJCM-Bulletin, Special: EG en ESH, 1990, 1; Eliane Vogel-Polsky, Welk juridisch instrumentarium is nodig voor een sociaal Europa?, SMA 1990, 2, p. 60.

43 Door het Verdrag van Maastricht worden de drie Gemeenschappen ondergebracht in een Europese Unie (EU); zij blijven echter afzonderlijke rechtspersonen met eigen instellingen, besluitvormingsprocedures en bevoegdheden. Daarnaast introduceert het verdrag een gemeenschappelijk buitenlands- en veiligheidsbeleid en een nauwe samenwerking op het gebied van justitie en binnenlandse zaken; deze onderwerpen blijven hier buiten beschouwing (R.H. Lauwaars en C.W.A. Timmermans, t.a.p., p. 18). Zie ook T. Koopmans, Het post-Maastrichtse Europa, NJB 1996, 9, p. 305.

44 Zie Verdrag van Amsterdam, Sociaal-Economische Wetgeving, 45 (1997) nr. 10 met bijdragen van C.W.A. Timmermans, R. Barents, H.C. Posthumus Meyjes en J.P.H. Donner; P.F. van der Heijden en C.M. Sjerps, Het Verdrag van Europa en een sociaal Europa, NJB 1999, p. 990-998.

45 24 600, XV, 2 p. 20.

de in art. 189 e.v. genoemde instellingen wordt hier slechts ingegaan op de Raad (van ministers), de Commissie en het Hof van Justitie (HvJ EG). Tot slot wordt nog enige aandacht geschonken aan het in art. 257 e.v. genoemde Economisch en Sociaal Comité (ESC).

Raad van ministers

De Raad bestaat uit een vertegenwoordiger op ministerieel niveau van elke lid-staat (art. 203 EG-Verdrag). Welke ministers er in raadsverband bijeenkomen hangt af van het onderwerp dat aan de orde wordt gesteld. Wanneer het bijvoorbeeld gaat over algemene onderwerpen zijn dat de ministers van Buitenlandse Zaken (Algemene Raad), maar wanneer er een sociaalrechtelijk onderwerp op de agenda staat, zijn het de ministers van Sociale Zaken (Sociale Raad).
De Raad is het belangrijkste orgaan van de EG: het is gewoonlijk de Raad die het laatste woord heeft bij het tot stand brengen van gemeenschapswetgeving en het coördineren van het beleid.

procedure

De Raad beslist met volstrekte meerderheid, gekwalificeerde meerderheid of met eenparigheid van stemmen. Meestal is een gekwalificeerde meerderheid vereist. Eenparigheid van stemmen (unanimiteit) is vereist als het gaat om belangrijke politieke of sociale onderwerpen, zoals de uitbreiding van de Europese Unie. Bij gewone meerderheid wordt volgens het EG-Verdrag slechts bij uitzondering besloten. In de verschillende verdragsbepalingen is met zoveel woorden aangegeven welke stemmodaliteit moet worden gevolgd.

Commissie

De Commissie bestaat uit 20 leden, die benoemd worden door de regeringen van de lid-staten (art. 213 EG-Verdrag). De leden dienen hun ambt onafhankelijk uit te oefenen in het belang van de Gemeenschappen. De Commissie beslist met volstrekte meerderheid van stemmen.
Tot de taken van de Commissie behoort zowel de handhaving als het tot ontwikkeling brengen van het gemeenschapsrecht. Voor wat betreft de handhaving wijs ik op art. 226 EG-Verdrag, dat de commissie bevoegd verklaart om een lid-staat die zijn verdragsverplichtingen niet nakomt voor het HvJ EG te dagen (infractieprocedure).[46]

taak

De belangrijkste taak van de Commissie is echter de verdere uitbouw van het gemeenschapsrecht; de Commissie is de motor van het gemeenschapsrecht. Deze taak komt tot uiting in een initiatiefrecht van de Commissie. Dit initiatiefrecht is neergelegd in talloze verdragsartikelen, die bepalen dat de Raad geen besluit kan nemen tenzij eerst een voorstel voor zulk een besluit door de Commissie is ingediend. Bovendien kan de Raad meestal slechts met eenparigheid van stemmen van een commissievoorstel afwijken.

46 Zie voor een voorbeeld van een infractieprocedure het arrest van het HvJ EG van 25 oktober 1988, Jurisprudentie van het Hof van de EG 1988, 6315. In deze zaak verzocht de Commissie het Hof vast te stellen dat Frankrijk niet had voldaan aan de EG-richtlijn 76/207 betreffende de gelijke behandeling m/v. Het verzoek werd toegewezen.

Hof

Het Hof van Justitie van de EG (art. 220 e.v. EG-Verdrag) te Luxemburg kent 15 onafhankelijke rechters, die door de lid-staten in onderlinge overeenstemming worden benoemd voor een periode van zes jaar; na deze termijn zijn zij herbenoembaar.
Het Hof heeft tot taak om in hoogste instantie de eerbiediging van het recht bij de uitlegging en toepassing van het verdrag te verzekeren.

ESC

Het Economisch en Sociaal Comité bestaat uit vertegenwoordigers van alle sectoren van het economische en sociale leven, met name van de producenten, landbouwers, vervoerders, werknemers, handelaren, ambachtslieden, vrije beroepen en het algemeen belang (art. 257 EG-Verdrag). Nederland heeft 12 zetels in het ESC.
De vertegenwoordigers worden benoemd door de Raad op voordracht van de lid-staten.
Het ESC heeft tot taak de Raad en de Commissie te adviseren in de door het verdrag voorgeschreven gevallen. Meestal gaat het hierbij om voorgenomen maatregelen op sociaal terrein; voorts kan het ESC op eigen initiatief adviezen geven. In Nederland wordt dit lichaam soms aangeduid als 'de Europese SER'.

Instrumenten

Om een indruk te krijgen van de wijze waarop het EG-recht het nationale recht van de lid-staten beïnvloedt, moeten we een onderscheid maken tussen de verschillende instrumenten die in het gemeenschapsrecht kunnen worden onderscheiden.

Verdrag

In de eerste plaats is er de tekst van het EG-verdrag zelf (primair recht). Deze rechtsbron is in het gemeenschapsrecht de hoogste in rang inzoverre de besluiten van de instellingen slechts geldig kunnen worden genomen, indien zij gebaseerd zijn op een specifieke verdragsbepaling. Voorts hebben sommige artikelen van het verdrag rechtstreekse verticale en soms ook horizontale werking, zoals 141 EG-Verdrag betreffende gelijke beloning van mannelijke en vrouwelijke werknemers.

secundair recht

In de tweede plaats noemt het verdrag in art. 249 een aantal besluiten die de Raad en de Commissie kunnen nemen ter uitvoering van het verdrag (secundair recht). Het gaat hier om verordeningen, richtlijnen en beschikkingen.

verordening

Een verordening bevat algemene bepalingen. Deze hebben verticale en horizontale directe werking, zodat er door de rechtssubjecten van de lid-staten een beroep op kan worden gedaan bij de nationale rechter zonder dat tussenkomst van de nationale wetgever is vereist; het nationale recht moet wijken voor een verordening. Een verordening wordt gewoonlijk vastgesteld door de Raad op voorstel van de Commissie.

Richtlijnen

Richtlijnen zijn in de praktijk het meest gebruikte instrument om het arbeidsrecht van de lid-staten te harmoniseren.[47] Richtlijnen worden gewoonlijk vastgesteld door de Raad op voorstel van de Commissie. In verband hiermede is het van belang aan te geven op welke verdragsartikelen deze richtlijnen gebaseerd kunnen worden, niet alleen omdat de Raad slechts een richtlijn mag vaststellen indien het verdrag hem daartoe de bevoegdheid verleent, maar ook omdat het van het onderwerp afhangt of een richtlijn met unanimiteit, danwel met gekwalificeerde, of eenvoudige meerderheid van stemmen moet worden vastgesteld.[48]
Richtlijnen kunnen worden vastgesteld met betrekking tot nationale arbeidsrechtelijke wetgeving voor zover verschillen op dit gebied leiden tot verstoring van de gemeenschappelijke markt (concurrentievervalsing); deze richtlijnen kunnen slechts met eenparigheid van stemmen worden vastgesteld (art. 94, 95 en 298 EG-Verdrag).[49] Dit betekent dat iedere lid-staat de totstandkoming van zo'n richtlijn kan blokkeren en zich daardoor het recht kan voorbehouden het desbetreffende arbeidsrechtelijke onderwerp op eigen nationale wijze te regelen. Een dergelijk veto is in de praktijk geen uitzondering; er is reeds verschillende malen gebleken dat het verkrijgen van unanimiteit in Europa geen eenvoudige zaak is.
Richtlijnen verplichten de lid-staten het nationale recht aan te passen aan het in de richtlijn voorgeschreven resultaat, maar laten de nationale instanties vrij vorm en middelen voor de verwezenlijking daarvan te kiezen; anders dan verordeningen beogen richtlijnen dus geen uniforme regelingen te scheppen. Lidstaten kunnen de methode van implementatie kiezen, dus wetgeving of anderszins. Ook de inhoud van de implementatieregeling is niet verplichtend voorgeschreven, mits het voorgeschreven doel wordt bereikt.

indirect effect

Richtlijnen hebben indirect effect. Dat wil zeggen dat de rechter verplicht is nationale implementatieregelingen uit te leggen in het licht van de bewoordingen en doelstellingen van de richtlijn (richtlijnconforme interpretatie).[50]
Een richtlijn die na afloop van de voorgeschreven termijn nog niet of niet correct door een lid-staat is vertaald in nationaal recht kan in één geval directe werking verkrijgen, indien de bepalingen in de richtlijn waarop een beroep wordt gedaan inhoudelijk onvoorwaardelijk en vol-

47 Over de vraag of het wenselijk is om de nationale sociale stelsels van de lid-staten te harmoniseren lopen de opvattingen uiteen, vgl. Elies Steyger, Communautaire reglementering van het arbeidsrecht, SMA 1992, 4, p. 214. Zie ook A.T.J.M. Jacobs, Europese wanklanken in de Nederlandse sociale symphonie?, AA 1996, 5, p. 69.

48 H.G. de Gier, Tussen centrale sturing en regelgeving, SMA 1990, 11, p. 633.

49 Op basis van deze artikelen zijn onder meer vastgesteld de richtlijnen betreffende behoud van rechten van werknemers bij overgang van ondernemingen (3.6), collectief ontslag (3.7.3.6) en gelijke behandeling van mannen en vrouwen (3.8.2).

50 HvJ EG 4 december 1986, NJ 1987, 846. G. Betlem, Een vierde type van rechtsvinding, NJB 1991, 34, p. 1363.

doende duidelijk en nauwkeurig zijn geformuleerd. Een richtlijn, die aan dat vereiste voldoet, heeft alleen verticaal direct effect. Dat wil zeggen dat alleen tegenover de staat een beroep op die richtlijnbepalingen kan worden gedaan. Daarmee wordt voorkomen dat de staat zou profiteren van zijn eigen nalatigheid de richtlijn te implementeren.[51] Horizontale directe werking van een richtlijn is tot dusver door het HvJ EG niet geaccepteerd, zodat een bepaling van een richtlijn nimmer tegenover een particulier kan worden ingeroepen.[52]

verticaal direct effect

staatsaansprakelijkheid

Bij nalatigheid van een staat een richtlijn tijdig of correct uit te voeren is onder omstandigheden de staat aansprakelijk voor de schade die de burger ten gevolge van die nalatigheid lijdt.[53]

beschikking

Een beschikking is een individuele rechtshandeling die ten doel heeft een verdragsbepaling of verordening in een concreet geval toe te passen ten aanzien van lid-staten of natuurlijke en rechtspersonen. Voor wat betreft het Europees arbeidsrecht is de beschikking van ondergeschikte betekenis.

Van de belangrijke rol die sociale partners spelen op het gebied van rechtsvorming in het arbeidsrecht (4.1) vindt men ook op EG-niveau een afspiegeling.

sociale dialoog

Op grond van art. 138 EG-Verdrag heeft de Commissie de taak de raadpleging van werkgevers en werknemers (organisaties) op gemeenschapsniveau (art. 139 EG-Verdrag) te bevorderen en de sociale dialoog te bevorderen. Het tweede en derde lid van art. 138 schrijven raadpleging van de sociale partners door de EG-Commissie voor met betrekking tot de mogelijke richting van gemeenschapsactie en de inhoud van voorgenomen voorstellen. Art. 139 EG-Verdrag voorziet in het sluiten van overeenkomsten tussen sociale partners op Europees niveau, welke overeenkomsten hetzij op de in de lidstaten gebruikelijke wijze, hetzij door een Raadsbesluit uitgevoerd kunnen worden. Als resultaat van de Sociale dialoog zijn de Richtlijn Ouderschapsverlof[54] en de Deeltijdrichtlijn[55] tot stand gekomen. De betreffende Richtlijnen bevatten de door de sociale partners terzake gesloten 'raamovereenkomsten'.

overeenkomsten

aanbevelingen en adviezen

Tot slot vermeldt art. 249 nog dat de Raad en de Commissie aanbevelingen kunnen doen en adviezen kunnen geven. Deze aanbevelingen en

51 HvJ EG, Jur. 1986, p. 750 (Marshall).

52 K.J.M. Mortelmans en H.A.G. Temmink, De rechtstreekse en onrechtstreekse werking van EG-richtlijnen, Ars Aequi, 1994, 12, p. 845. Zie voorts S. Prechal, Directives in European Community Law, A study on EC Directives and their Enforcement by National Courts, diss. UvA, Brouwer Uithof 1995.

53 HvJ EG 19 november 1991, Jur. 1991, I-5357.

54 Richtlijn van 3 juni 1996, 96/34 EG, OJ 1996 L 145/4.

55 Richtlijn 97/81 EG, Pb 1998 L014 p. 9–14.

adviezen zijn niet bindend. De rechter is echter verplicht het nationale recht zoveel mogelijk conform deze aanbevelingen uit te leggen.[56]

EG-regelgeving en arbeidsrecht

Zoals hiervoor reeds werd aangegeven had het EEG-Verdrag in 1957 een economische doelstelling. Ondanks deze economische doelstelling bevatte het verdrag echter verschillende normen die van belang zijn voor het sociaal beleid en het arbeidsrecht van de lid-staten.[57] Art. 2 EG Verdrag omvat thans een scala aan doelstellingen, waaronder het bevorderen van een hoog niveau van sociale bescherming.
Aanknopingspunten voor het voeren van een Europees sociaal beleid worden in eerste instantie geboden door Deel III, Titel VIII (Sociale Politiek),[58] art. 136-145 van het EG-Verdrag.[59]
In art. 136 EG-Verdrag erkennen de lid-staten de noodzaak om verbetering van de levensstandaard van de werknemers te bevorderen. Men verwachtte oorspronkelijk dat een dergelijke ontwikkeling vooral door de werking van de gemeenschappelijke markt zou worden gestimuleerd. Deze opvatting heeft geen stand gehouden. In de jaren zeventig bleek duidelijk dat economische ontwikkelingen niet alleen een verbetering, maar ook een verslechtering van de sociale situatie kunnen veroorzaken. Deze ervaring heeft geleid tot een actiever sociaal beleid. Zo heeft de Commissie in 1974 voor het eerst een Sociaal actieprogramma gelanceerd, waarin het Europees sociaal beleid nader werd uitgewerkt. Voorts werden in die periode een aantal richtlijnen op sociaal gebied tot stand gebracht, zoals de richtlijn inzake collectief ontslag van 1975 (3.6.3.6) en de richtlijn inzake gelijke behandeling van mannen en vrouwen van 1976 (3.3.2.2).

sociaal beleid

Een specifieke opdracht tot het voeren van een sociaal beleid ligt besloten in art. 137 EG-Verdrag. Dit artikel draagt de Commissie op een nauwe samenwerking tussen de lid-staten op sociaal gebied te bevorderen. Art. 136 EG-Verdrag gaat uit van een breed begrip sociaal beleid. Voor het vaststellen van een aantal maatregelen van sociaal beleid is

56 HvJ EG 13 december 1989, Jur 1989, 4407; G. Betlem, Een vierde type van rechtsvinding, NJB 1991, 34, p. 1370.

57 Angela Byre, EC Social Policy and 1992, Laws, cases and materials, Deventer 1992; Lammy Betten (ed.), The future of European Social Policy, Deventer 1990; Ruth Nielsen, Erika Szyszczak, The Social Dimension of the European Community, 2nd. ed. Copenhagen 1997; Roger Blanpain en Chris Engels, European Labour Law, Deventer 1995; A.T.J.M. Jacobs, H. Zeijen, European Labour Law and Social Policy, Tilburg 1993; P.F. van der Heijden (eindred.), Labour law and social policy within the EU: the Dutch dimension, SEW 1994, 5, p. 321; R.H. Lauwaars en C.W.A. Timmermans, t.a.p., p. 280; A.C.J.M. Geers en G.J.J. Heerma van Voss, Inleiding Europees arbeidsrecht, Deventer 1995; Lammy Betten en Delma Mac Devitt (red.), The Protection of Fundamental Social Rights in the European Union,Deventer, 1996.

58 Deze term wordt kortheidshalve aangehouden. Het opschrift van deze titel luidt sedert het Verdrag van Maastricht echter voluit: Sociale politiek, Onderwijs, Beroepsopleiding en Jeugd.

59 Art. 123-128, die handelen over het Europees Sociaal Fonds en over opvoeding, training en jeugd, laat ik buiten beschouwing.

procedure

(art. 137 tweede lid jo. art. 251 EG-Verdrag) een gekwalificeerde meerderheid voldoende. Het gaat onder meer om gezondheid en veiligheid, arbeidsvoorwaarden, informatie en consultatie van werknemers, gelijke behandeling van mannen en vrouwen. Ook maatregelen die de toepassing van het beginsel van gelijke behandeling van mannen en vrouwen bij de arbeid moeten verzekeren kunnen bij gekwalificeerde meerderheid, met gebruikmaking van de procedure van art. 251 EG-Verdrag, worden vastgesteld (art. 141 lid 3 EG-Verdrag). Unanimiteit blijft vereist voor maatregelen op het gebied van sociale zekerheid, ontslagrecht, medebeslissing van werknemers en bijdragen aan fondsen voor werkgelegenheidsfondsen (art. 137, derde lid EG-Verdrag).

gelijk loon

In het hoofdstuk van het Verdrag over de sociale politiek is art. 141 EG-Verdrag opgenomen. Dit artikel erkent het beginsel van gelijke beloning van mannelijke en vrouwelijke werknemers voor gelijke of gelijkwaardige arbeid. Sedert het arrest Defrenne II staat vast dat art. 141 EG-Verdrag verticale en horizontale rechtstreekse werking heeft en dus zowel tegen de staat als tegen particulieren kan worden ingeroepen. Zowel wetten als individuele afspraken en cao's in strijd met art. 141 EG-Verdrag dienen buiten toepassing te blijven.[60]

directe discriminatie

Het artikel verbiedt zowel directe als indirecte loondiscriminatie. Een voorbeeld van directe discriminatie levert de Barber-zaak. In die zaak besliste het Hof van Justitie allereerst dat een door de werkgever betaald pensioen valt onder het loonbegrip van art. 141 EG-Verdrag. Vervolgens achtte het Hof een pensioenregeling, die een man na ontslag recht gaf op een uitgesteld pensioen op 62-jarige leeftijd terwijl die leeftijd voor vrouwen op 57 jaar was gesteld, in strijd met art. 141 EG-Verdrag; ook het pensioen van de man diende op 57-jarige leeftijd in te gaan.[61]

indirecte discriminatie

Van indirecte discriminatie ex art. 141 EG-Verdrag is volgens het Hof van Justitie sprake, indien een sekseneutraal beloningscriterium (zoals bijvoorbeeld een ten opzichte van voltijdwerkers slechtere beloning van deeltijdwerkers) in feite nadelig uitwerkt ten aanzien van een groep waarin aanzienlijk meer vrouwen dan wel aanzienlijk meer mannen

60 HvJ EG 8 april 1976, zaak 43/75 (Defrenne II), NJ 1976, 510. I.P. Asscher-Vonk en K. Wentholt, Wet gelijke behandeling van mannen en vrouwen, Deventer 1994, p. 27; A.J.C.M. Geers en G.J.J. Heerma van Voss, t.a.p., p. 85.

61 HvJ EG 17 mei 1990, zaak 262/88, NJ 1992, 436, SMA 1991, 6, p. 382. Bij wijze van overgangsmaatregel heeft het Hof vastgesteld dat op het arrest slechts een beroep kan worden gedaan ten aanzien van pensioenrechten die na 17 mei 1990 zijn ontstaan. In 1993 is deze overgangsmaatregel in enigszins gewijzigde vorm opgenomen in het Protocol ad artikel 119 van het EG-Verdrag. Zie voorts W.P.M. Thijssen, Discriminatie in pensioenregelingen in zicht, Advocatenblad 9 december 1994, p. 1000, J. Wouters, Gelijke behandeling van mannen en vrouwen inzake bedrijfspensioenen: de 'Post-Barber'-arresten van het Hof van Justitie, NJCM-bulletin, 1995, 3, p. 274 en TVVS 1994, 11, p. 308, m.n. MGR over de na 1990 ter verduidelijking van het Barber-arrest gewezen uitspraken van het HvJ EG.

werken.[62] Indien dat het geval is dient de werkgever de benadeling ongedaan te maken, tenzij hij bewijst dat de verschillende behandeling haar rechtvaardiging vindt in objectieve factoren die niets van doen hebben met discriminatie op grond van geslacht.[63] De vraag of deze objectieve factoren in een concreet geval aanwezig zijn, wordt ter beoordeling overgelaten aan de nationale rechter.[64] Hierbij moet overigens worden aangetekend dat art. 7:648 BW sedert 1 november 1996 de werkgever verbiedt tussen werknemers onderscheid te maken op grond van een verschil in arbeidsduur, tenzij een dergelijk onderscheid objectief gerechtvaardigd is (3.1.4). Een deeltijder die zich gediscrimineerd voelt, kan zonder meer een beroep doen op dit artikel; het bestaan van indirecte discriminatie op grond van geslacht behoeft in dit geval niet te worden bewezen.

deeltijd

Het beginsel van art. 141 EG-Verdrag is uitgewerkt door de richtlijn van 10 februari 1975 en is verruimd door de richtlijn van 9 februari 1976. Deze richtlijn verplicht de lid-staten tot gelijke behandleing van mannen en vrouwen ten aanzien van de toegang tot het arbeidsproces, de beroepsopleiding, de promotiekansen en de arbeidsvoorwaarden (3.8.2).[65] Voorts dient in dit verband genoemd te worden de richtlijn van 19 december 1978 inzake gelijke behandeling van mannen en vrouwen op het gebied van de sociale zekerheid.[66] Anders dan art. 141 EG-Verdrag hebben deze richtlijnen echter geen rechtstreekse werking, althans niet in verhoudingen tussen burgers en in zoverre is hun effect dus geringer dan dat van een verdragsbepaling.

gelijk-loon-richtlijn
gelijke behandeling

62 Volgens HvJ EG 15 december 1994, JAR 1995, 36, NJCM-bulletin 1995, 2, p. 239, m.n. Guus Heerma van Voss is het betalen aan deeltijders van een overwerktoeslag die alleen dan verschuldigd is indien het aantal overuren de arbeidstijd van een voltijdwerker overschrijdt en niet reeds bij overschrijding van de individuele arbeidstijd, geen indirecte discriminatie in de zin van art. 119. Hierover C.E. Passchier, Deeltijdarbeid: het Europees tekort, SMA 1995, 2, p. 82; J. van Hulst, Overwerkvergoeding van deeltijdwerkers, ArbeidsRecht 1995, 22. Zie over (geoorloofde) ongelijke behandeling van kleine deeltijders HvJ EG 14 december 1995, JAR 1996, 13.

63 Het HvJ EG heeft het begrip 'indirecte discriminatie' voor het eerst gebruikt in de zaak-Jenkins (HvJ EG 31 maart 1981, zaak 96/80, Jur. 1981, p. 911). De introductie van dit begrip en de daarmee samenhangende rechtvaardigingsgronden had vergaande en niet altijd even duidelijke consequenties. Zie S.D. Burri, Deeltijdarbeid in het Europees Gemeenschapsrecht, SMA 1993, 7/8, p. 463.

64 R.A.A. Duk, Deeltijd, indirect onderscheid en rechtvaardiging, SMA 1992, 12, p. 717; W.S.R. Stoter, Rechtvaardigingsgronden voor ongelijke behandeling van mannen en vrouwen in het gemeenschapsrecht, NJB 1996, 43, p. 1811.

65 Volgens HvJ EG 30 april 1996, JAR 1996, 170, NJ 1997, 182 is ook het ontslag van een transseksueel wegens diens seksewijziging in strijd met de EG-richtlijn gelijke behandeling.

66 Sacha Prechal en Noreen Burrows, Gender discrimination law of the European Community, Dartmouth 1990; M. Vegter, Jurisprudentie van het Hof van Justitie van de EG over gelijke behandeling van man en vrouw, medio 1989-juli 1992, NJCM-Bulletin 1992, 6, p. 646; F.J.L. Pennings, Grondslagen van het Europese sociale-zekerheidsrecht, Deventer 1993, p. 217; L. Betten, Vrouwen gelijk aan mannen of mannen en vrouwen gelijk, bijdrage aan de Rood-bundel, p. 343.

vrij verkeer

Buiten het hoofdstuk over de sociale politiek valt art. 39 EG-Verdrag, waarin het beginsel van het vrij verkeer van werknemers is neergelegd. Dit artikel heeft in de eerste plaats een economische achtergrond: mobiliteit van werknemers werd geacht de economische ontwikkeling van de lid-staten te bevorderen. Het artikel is echter uiteraard ook in sociaal opzicht van betekenis. Art. 39 EG-Verdrag heeft rechtstreekse verticale en horizontale werking.[67]

Krachtens lid 1 en lid 3 art. 39 EG-Verdrag zijn onderdanen van de lid-staten gerechtigd om in te gaan op een 'feitelijk aanbod tot tewerkstelling' en gerechtigd zich daartoe te verplaatsen binnen het grondgebied van de lid-staten. Deze rechten worden in toenemende mate geflankeerd door richtlijnen die beogen feitelijke belemmeringen van het vrij verkeer van werknemers (bijvoorbeeld door uiteenlopende opleidingseisen in de verschillende lid-staten) te harmoniseren.

algemeen discriminatieverbod nationaliteit

In aansluiting op 12 EG-Verdrag, waarin een algemeen verbod van discriminatie op grond van nationaliteit is neergelegd, verbiedt art. 39 EG-Verdrag elke discriminatie op grond van nationaliteit tussen werknemers van de lid-staten voor wat betreft de werkgelegenheid, de beloning en de overige arbeidsvoorwaarden. Dit beginsel is uitgewerkt in verordening 1612/68. Krachtens deze verordening moet toegang tot de dienstbetrekking voor werknemers uit andere lid-staten op dezelfde wijze mogelijk zijn als voor de eigen werknemers; de gelijkstelling betreft ook de arbeidsvoorwaarden en het actief en passief kiesrecht voor ondernemingsraden.[68]

Handhaving

De nationale rechter heeft een belangrijke rol in de handhaving van het Europese recht. In geval van directe werking van voorschriften is hij immers gehouden die voorschriften toe te passen. In andere gevallen moet hij nationale wetgeving uitleggen in het licht van de Europese regelgeving.

Hof

Een bijzondere taak bij de handhaving van het EG-recht heeft het Hof van Justitie van de Europese Gemeenschappen (EG-Hof).

inbreukprocedure

Die taak bestaat allereerst uit geschillenbeslechting. De geschillenbeslechting kan betreffen een inbreukprocedure. Op grond van art. 226 of 227 EG-Verdrag kan de Commissie, resp. een lid-staat zich tot het Hof

67 Zie HvJ EG 15 december 1995, NJ 1996, 637, JAR 1996, 80, SMA 1996, 6, p. 418, m.n. L.A.D. Keus, AA 1996, 3, p. 166, m.n. K.J.M. Mortelmans en H.A.G. Temmink (Bosman-arrest) over de vraag in hoeverre het in de voetbalwereld bestaande transfersysteem in geval van grensoverschrijdende transfers in strijd was met art. 48.

68 R.H. Lauwaars en C.W.A. Timmermans, t.a.p., p. 188; A.J.C.M. Geers en G.J.J. Heerma van Voss, t.a.p., p. 44. Zie ook W.P. de Muinck Keizer en W.B.J. van Overbeek, De toepassing van de detacheringsregels in Nederland, SMA 1995, 5, p. 296.

wenden indien hij meent dat een lid-staat zijn verplichting niet is nagekomen. Er zijn al vele inbreukprocedures gevoerd, bij voorbeeld over de vraag of Frankrijk te ver ging in het maken van uitzonderingen op het beginsel van gelijke behandeling van mannen en vrouwen.[69] Stelt het Hof inderdaad een schending van verplichtingen vast[70] dan kan uiteindelijk een veroordeling van de betreffende staat volgen (art. 228 EG-Verdrag). De tweede manier van geschillenbeslechting is de rechtmatigheidstoetsing van een gemeenschapsbesluit. Die vindt plaats wanneer beroep is ingesteld door een Lid-staat, de Raad of de Commissie wegens schending van een vormvoorschrift, het Verdrag, of misbruik van bevoegdheid (art. 230-231 EG-Verdrag). Voorbeeld hiervan is de procedure die het Verenigd Koninkrijk in 1997 voerde betreffende de rechtsbasis van een Richtlijn op het gebied van arbeidstijden.[71]

prejudiciële beslissingen

Het Hof heeft, vervolgens, tot taak prejudiciële beslissingen te geven. Dergelijke beslissingen worden gevraagd door de nationale rechter over de betekenis van gemeenschapsrecht, waarbij het oordeel van het Hof noodzakelijk is voor oplossing van het voorgelegde geschil (art. 234 EG-Verdrag). Een voorbeeld van een prejudiciële beslissing is de uitspraak van het Hof in de Dekker-zaak[72] waarbij onder meer werd uitgemaakt dat verwijzing naar zwangerschap directe discriminatie inhoudt en in strijd is met art. 2 lid 1 en 3 lid 1 van richtlijn 76/207 EG. Die beslissing was door de Hoge Raad gevraagd, en de inhoud van die beslissing werd overgenomen in de beschikking die de Hoge Raad uiteindelijk in deze zaak gaf[73] (3.3.2.2).

69 HvJ 25 oktober 1998, Jur. 1988, p. 6315.
70 Zie bijvoorbeeld HvJ 9 april 1994, Jur. 1994, I, 859.
71 HvJ EG 12 november 1996, Jur. 1996, I–5755.
72 HvJ 8 november 1990, Jur. 1990, I-3941.
73 HR 13 september 1991, NJ 1992, 225, Arbeidsrechtspraak nr. 12.

Rechterlijke uitspraken

HOF VAN JUSTITIE EG

HOGE RAAD DER NEDERLANDEN

CENTRALE RAAD VAN BEROEP

Zakenregister

Transponeringstabellen Boek 7 titel 10 BW

*TRANSPONERINGSTABEL BOEK 7A TITEL 7A/BOEK 7 TITEL 10**

1637	vervalt	1638f	612/633	1638nn	643
1637a	610	1638g	633	1638oo	644
1637b	(art. 7:12.1)	1638h	620	1639	611
1637c	610	1638i	620/621	1639a	659
1637d	654	1638j	621	1639b	660
1637e	vervalt	1638k	622	1639c	vervalt
1637f	655	1638l	623	1639d	611
1637g	612	1638m	624	1639da	661
1637h	612	1638n	624	1639e	667
1637i	vervalt	1638o	626	1639f	668
1637j	613	1638p	624	1639g	669
1637k	613a	1638q	625	1639h	670
1637l	613b	1638r	632	1639i	671
1637o	vervalt	1638t	620	1639j	672
1627m	613c	1638u	630	1639k	673
1637p	617	1638v	vervalt	1639l	674
1637q	618	1638w	vervalt	1639m	675
1637r	vervalt	1638x	658	1639n	652/676
1637s	631	1638ij	vervalt	1639o	677
1637t	631	1638z	611	1639p	678
1637u	650	1638aa	656	1639q	679
1637v	651	1638bb	634	1639r	680
1637x	653	1638cc	634	1639s	681
1637ij	646/647/64	1638dd	635	1639t	682
1637z	615	1638ee	636/637	1639u	683
1638	616	1638ff	638	1639v	684
1638a	vervalt	1638gg	638	1639w	685
1638b	627	1638hh	639	1639x	686
1638c	629	1638ii	641	1639aa	662/666
1638ca	629a	1638jj	641	1639bb	663
1638cb	629b	1638kk	640	1639cc	664
1638d	628	1638ll	642	1639dd	665
1638e	619	1638mm	645		

*Bron: Prof.mr. P.F. van der Heijden, ArbeidsRecht 1997/3, p. 3.

TRANSPONERINGSTABEL BOEK 7 TITEL 10*/BOEK 7A TITEL 7A*

610	1637a	629a	1638ca	655	1637f
	1637c	629b	1638cb	656	1638aa
611	1638z	630	1638u	657	vervallen
	1639d	631	1637s	658	1638x
612	1637h		1637t	659	1639a
	1637g	632	1638r	660	1639b
	1638f	633	1638f	661	1639da
613	1637j		1638g	662	1639aa
613a	1637k	634	1638bb	663	1639bb
613c	1637m		1638cc	664	1639cc
613b	1637l	635	1638dd	665	1639dd
614	–	636	1638ee	666	1639aa
615	1637z	637	1638ee	667	1639e
616	1638	638	1638ff	668	1639f
617	1637p		1638gg	669	1639g
618	1637q	639	1638hh	670	1639h
619	1638e	640	1638kk	671	1639i
620	1638h	641	1638ii	672	1639j
	1638i		1638jj	673	1639k
	1638t	642	1638ll	674	1639l
621	1638i	643	1638nn	675	1639m
	1638j	644	1638oo	676	1639n
622	1638k	645	1638mm	677	1639o
623	1638l	646	1637ij	678	1639p
624	1638m	647	1637ij	679	1639q
	1638n	648	1637ij	680	1639r
	1638p	649	geen tekst	681	1639s
625	1638q	650	1637u	682	1639t
626	1638o	651	1637v	683	1639u
627	1638b	652	1639n	684	1639v
628	1638d	653	1637x	685	1639w
629	1638c	654	1637d	686	1639x

*Bron: Prof.mr. P.F. van der Heijden, ArbeidsRecht 1997/3, p. 3.